Leise klirrende Champagnergläser, raschelnde Chiffonabend-
kleider – dann am Ende der Arie, tosender Beifall, ein leidenschaftlicher Kuss – und plötzlich Schüsse, Schreie, Dunkelheit.
Die elegante Villa des Vizepräsidenten gab den perfekten
Rahmen für diese exklusive Geburtstagsfeier zu Ehren des
japanischen Wirtschaftsmagnaten ab, bei der sogar die be-
gnadete Operndiva Roxane Coss auftrat. Doch als die Terroristen das prachtvolle Gebäude stürmen und die Geburts-
tagsgäste plötzlich zu Geiseln werden, hat alles ein jähes
Ende. Oder ist es – für Täter wie für Opfer – ein Neuanfang?

Ann Patchett, 1963 in Los Angeles geboren, wurde für *Bel
Canto* mit dem PEN/Faulkner Award und mit dem Orange
Prize for Fiction ausgezeichnet. Die Idee ihres Romans ent-
stand aus der Geiselnahme der japanischen Botschaft durch
Guerillas in Lima 1996, die erst vier lange Monate später
beendet wurde. Ann Patchett lebt in Nashville, Tennessee.
2011 erschien bei Bloomsbury Berlin ihr Roman *Fluss der
Wunder*.

Ann Patchett

Bel Canto

Roman

Aus dem Amerikanischen
von Karen Lauer

bloomsbury taschenbuch

Für Karl VanDevender

MIX
Papier
FSC FSC® C083411

Juni 2012
Die Originalausgabe erschien 2001 unter dem Titel
Bel Canto bei HarperCollins Publishers, New York
© 2001 Ann Patchett
Für die deutsche Ausgabe
© 2012 Bloomsbury Verlag GmbH, Berlin
Copyright der deutschen Übersetzung von Karen Lauer
© 2003, 2012 Piper Verlag GmbH, München
Umschlaggestaltung: Rothfos & Gabler, Hamburg,
unter Verwendung eines Bildes von © Buchcover.com
Druck und Bindung: CPI – Clausen & Bosse, Leck
Printed in Germany
ISBN 978-3-8333-0830-7

www.bloomsbury-verlag.de

Fonti e colline chiesi agli Dei;
M' udiro alfine, pago io vivrò,
Né mai quel fonte co' desir miei,
Né mai quel monte trapasserò ...

Ich bat die Götter um Hügel und Quellen;
Sie haben mich endlich erhört. Nun werd ich
   zufrieden leben,
Und nie wird es mich verlangen, an dieser Quelle vorbei
Oder über diesen Berg zu gehen ...

Vincenzo Bellini,
Sei Ariette I: Malinconia, ninfa gentile

Sprecher: Ihr Fremdlinge, was treibt euch an,
           in unsere Mauern zu dringen?
Tamino: Freundschaft und Liebe.
Sprecher: Bist du bereit, sie mit deinem Leben zu
           erkämpfen?
Tamino: Ja!

eins

Als das Licht ausging, gab ihr der Pianist einen Kuß. Vielleicht hat er sich ihr zugewandt, unmittelbar bevor es dunkel wurde, vielleicht hat er die Arme gehoben. Irgendeine Bewegung, irgendeine Geste muß er wohl gemacht haben, denn alle, die dort im Wohnzimmer waren, erinnerten sich später an einen Kuß. Nicht, daß sie ihn gesehen hätten, das war schlichtweg unmöglich. Die Dunkelheit, die über sie hereinbrach, war erschreckend total. Doch nicht nur waren sich alle sicher, daß er sie geküßt hatte, sie behaupteten auch noch, zu wissen, wie: stürmisch und voller Leidenschaft, ein Kuß, der sie völlig überrumpelt habe. Alle Augen waren auf sie gerichtet, als das Licht ausging. Sie applaudierten noch, waren aufgesprungen und klatschten mit erhobenen Ellbogen frenetisch in die Hände. Nicht ein einziger zeigte Zeichen der Ermüdung. Die Italiener und die Franzosen schrien: »Brava! Brava!«, und die Japaner wandten sich von ihnen ab. Hätte er sie wohl so geküßt, wenn es hell gewesen wäre? Beherrschte sie sein Denken so sehr, daß er die Hand ausstreckte, sobald das Licht ausging – schaltete er so schnell? Oder wurde sie von allen im Raum begehrt, jedem Mann und jeder Frau, so daß es sich um eine kollektive Einbildung handelte? Sie waren so hingerissen von der Schönheit ihrer Stimme, daß sie ihren Mund mit ihrem eigenen bedecken, daran trinken wollten. Vielleicht war Musik übertragbar, konnte verschlungen, besessen werden.

Was bedeutete es wohl, den Mund zu küssen, der solche Töne in sich barg?

Manche von ihnen liebten sie schon seit langem. Sie hatten daheim jede Aufnahme von ihr. Sie führten ein Notizbuch, in dem sie jeden Ort eintrugen, an dem sie sie gesehen hatten, in welcher Oper, mit welcher Besetzung, unter welchem Dirigenten. Andere, die an dem Abend da waren, hatten ihren Namen nie gehört – Leute, die, wenn man sie gefragt hätte, gesagt hätten, die Oper sei für sie ein sinnloses Gejaule und lieber säßen sie drei Stunden auf dem Zahnarztstuhl. Das waren diejenigen, die jetzt unverhohlen weinten, die, die sich so furchtbar getäuscht hatten.

Keinem von ihnen machte die Dunkelheit angst. Ja sie nahmen sie kaum wahr. Sie hörten nicht auf zu applaudieren. Die Ausländer unter ihnen dachten, daß so etwas hier wohl normal sei. Das Licht geht mal an, und mal geht es aus. Diejenigen, die aus dem Gastland kamen, wußten, daß dem so war. Außerdem war der Zeitpunkt nicht ohne dramatische Wirkung und schien genau zu passen, so als wollten die Lampen sagen: *Ihr braucht nichts zu sehen. Sperrt die Ohren auf.* Niemand stutzte und fragte sich, warum im selben Moment oder direkt davor auch die Kerzen auf den Tischen erloschen. Der angenehme Geruch eben ausgeblasener Kerzen hing in der Luft, ein süß duftender, nicht im geringsten bedrohlicher Rauch. Ein Geruch, der einem sagte, daß es schon spät war, Zeit zum Schlafengehen.

Sie klatschten weiter. Sie nahmen an, daß sich die beiden weiter küßten.

Der lyrische Sopran Roxane Coss war der einzige Grund, warum Herr Hosokawa in dieses Land gekommen war. Und Herr Hosokawa war der Grund, warum alle anderen zu dieser Feier erschienen waren. Es war kein Land, das man um seiner selbst willen besuchte. Der Grund, warum sich das Gastland (ein armes Land) für die Geburtstagsfeier eines Ausländers derart verausgabte, den man nahezu hatte bestechen müssen, damit er kam, war, daß es sich bei diesem Ausländer um den Gründer und Aufsichtsratsvorsitzenden von Nansei handelte, der größten Elektronikfirma Japans. Das Gastland wünschte sich nichts sehnlicher, als Herrn Hosokawas Gunst zu erlangen, auf daß er ihnen in einem der unzähligen Punkte half, in denen sie Hilfe brauchten. Das konnte durch Ausbildung von Fachkräften oder durch Handel geschehen. Vielleicht könnte man (und dies war ein so kühner Traum, daß er fast unaussprechlich war) hier sogar eine Fabrik bauen, wobei alle Beteiligten von der billigen Arbeitskraft profitieren würden. Eine solche Industrie könnte die Wirtschaft vom Koka- und Mohnanbau wegführen und die Illusion erzeugen, daß sich das Land von so verwerflichen Stoffen wie Kokain und Heroin distanzierte, was ihm mehr Unterstützung durch das Ausland einbringen und den heimlichen Handel mit ebendiesen Drogen erleichtern würde. Doch aus diesem Plan war bisher nichts geworden, denn die Japaner neigten von Natur aus zu übertriebener Vorsicht. Sie glaubten an die Gefahren und die Gerüchte über Gefahren, die ein solches Land barg. Wenn also Herr Hosokawa persönlich und nicht irgendein Manager, irgendein Politiker kam und sich mit ihnen an einen Tisch setzte, so zeigte dies, daß sich ihnen vielleicht eine Hand entgegenstrecken würde. Vielleicht mußte diese Hand durch Schmeicheln und Betteln hervorgelockt, aus ihrer eigenen tiefen Tasche herausgeholt werden. Doch dieser Besuch mit dem prunkvollen Geburtstagsessen einschließlich Opernstar, mit den für den nächsten Tag geplanten Treffen und Besichtigungen möglicher Fabrikbauplätze brachte sie diesem Ziel schon viel näher, als sie ihm je gekommen waren, und die Luft im Raum war geschwängert von süßen Hoffnungen. Repräsentanten von mehr als einem Dutzend Ländern, die über Herrn Hosokawas Absichten getäuscht worden waren, hatten sich zu der Feier eingefunden. Investoren und Botschafter, die ihren Regierungen vielleicht davon abraten würden, auch nur zehn Cent in dieses Land zu investieren, jede Anstrengung seitens Nansei jedoch unterstützen würden, standen jetzt in Smoking und Abendgarderobe im Raum, prosteten sich zu und lachten.

Was Herrn Hosokawa betraf, so war der Grund für diese Reise für ihn weder geschäftlicher noch diplomatischer Natur, noch eine etwaige Freundschaft mit dem Präsidenten, wie die Medien später behaupteten. Herr Hosokawa verreiste nicht gern, und den Präsidenten kannte er nicht einmal. Er ließ nicht den geringsten Zweifel an seinen Absichten, das heißt daran, daß er keine hatte. Er hatte nicht vor, in dem Land eine Zweigstelle zu bauen, und hätte sich nie bereit erklärt, in ein fremdes Land zu fahren, um dort mit Menschen, die er nicht kannte, seinen Geburtstag zu feiern. Ja er legte noch nicht einmal Wert darauf, seinen Geburtstag mit Menschen zu feiern, die er kannte, und schon gar nicht seinen dreiundfünfzigsten, eine Zahl, die er für völlig bedeutungslos hielt. Er hatte bereits ein halbes Dutzend nachdrückliche Einladungen von ebendiesen Menschen zu ebendieser Feier abgelehnt, bis man ihm als Geschenk die Anwesenheit von Roxane Coss versprach.

Und wer würde ein solches Geschenk ablehnen? Egal, wie weit der Weg war, wie unangemessen, wie irreführend die ganze Unternehmung, wer konnte dazu nein sagen?

An einem anderen Geburtstag, seinem elften, hatte Katsumi Hosokawa seine erste Oper gesehen, Verdis *Rigoletto*. Sein Vater hatte mit ihm den Zug nach Tokyo genommen, und bei strömendem Regen waren sie zu Fuß zur Konzerthalle gegangen. Es war der 22. Oktober, so daß es ein kalter Herbstregen war, und auf den Straßen lag eine papierdünne, wächserne Schicht aus nassen roten Blättern. Als sie bei der Konzerthalle ankamen, waren sie bis aufs Unterhemd durchgeweicht. Die Karten, die Katsumi Hosokawas Vater aus seiner Brieftasche zog, waren naß und verfärbt. Sie hatten keine besonders guten Plätze, aber freie Sicht auf die Bühne. Im Jahr 1954 war das Geld noch knapp; Bahnfahrkarten und Opernbesuche lagen jenseits des Vorstellbaren. Zu anderen Zeiten hätte man eine solche Aufführung wohl als zu anspruchsvoll für ein Kind angesehen, doch der Krieg war noch nicht lang vorbei, und man konnte davon ausgehen, daß die Kinder vieles verstehen würden, das heute als für Kinder ungeeignet erscheint. Sie stiegen die vielen Treppenstufen zu ihrer Reihe hinauf, ohne in den schwindelnden Abgrund unter ihnen hinunterzusehen. Sie verbeugten sich vor allen, die aufstanden, um sie vorbeizulassen, und baten jeden um Entschuldigung, dann klappten sie ihre Sitze herunter und setzten sich vorsichtig hin. Es war noch sehr früh, doch die anderen waren noch früher gekommen, denn das Recht, schweigend an diesem schönen Ort zu sitzen und zu warten, gehörte mit zu dem Luxus, für den man bezahlte. Sie warteten, Vater und Sohn, ohne ein Wort zu sagen, bis es schließlich dunkel wurde und von irgendwo unter ihnen ein erster Hauch von Musik heraufdrang. Winzige Menschen, Insekten gleich, schlüpften hinter dem Vorhang hervor, öffneten den Mund und überzogen mit ihren Stimmen die Wände mit dem goldenen Schmelz ihrer Sehnsucht, ihres Schmerzes, ihrer grenzenlosen, unbesonnenen Liebe, die jeden einzelnen von ihnen ins Verderben stürzen würde.

Es war bei jener Aufführung des *Rigoletto*, daß die Oper sich Katsumi Hosokawa unauslöschlich einprägte, eine Botschaft auf die hellrote Innenseite seiner Lider schrieb, die er sich vorlas, während er schlief. Viele Jahre darauf, als es nur noch die Firma gab, als er härter arbeitete als irgend jemand sonst in einem Land, dessen Wertesystem auf harter Arbeit gründet, glaubte er, daß das Leben, das wirkliche Leben, etwas war, das in der Musik verwahrt wurde. Während man in die Welt hinausging und seine Pflicht tat, lag das wirkliche Leben, sicher verwahrt, in der Musik von Tschaikowskijs *Eugen Onegin*. Er wußte natürlich (auch wenn er es nicht ganz verstand), daß Opern nicht jedermanns Sache waren, doch er hoffte, daß jeder so etwas wie die Oper hatte. Die Platten, die ihm so teuer waren, die wenigen Abende, an denen er eine Aufführung zu sehen bekam – das war die Richtschnur, an der er seine Liebesfähigkeit maß. Nicht seine Frau, seine Töchter oder seine Arbeit. Dabei hatte er nie das Gefühl, das, was seinen Alltag hätte ausfüllen sollen, in die Oper verlagert zu haben. Vielmehr wußte er, daß dieser Teil von ihm ohne die Oper nicht überlebt hätte. Es war zu Beginn des zweiten Aktes, als Rigoletto und Gilda ihr Duett sangen, ihre Stimmen sich verflochten und in die Höhe schwangen, daß er nach seines Vaters Hand griff. Er hatte keine Ahnung, was sie einander sagten, er wußte nicht einmal, daß sie der Rolle nach Vater und Tochter waren, er wußte nur, daß er sich irgendwo festhalten mußte. Er fühlte sich so sehr zu ihnen hingezogen, daß er spürte, wie er nach vorn fiel, aus seinem Sitz heraus, der so hoch oben und so weit weg lag.

Solche Liebe bringt Treue hervor, und Herr Hosokawa war ein treuer Mann. Er vergaß nie, welche Rolle Verdi in seinem Leben gespielt hatte. Wie jedermann entwickelte er bald eine Vorliebe für bestimmte Sängerinnen und Sänger. Er sammelte Platten von Schwarzkopf und Sutherland. Vor allem glaubte er an das Genie der Callas. Sein Tagesablauf ließ ihm nicht sehr viel Zeit, nicht die Zeit, die ein solches Interesse verdient hätte. Wenn er vom Abendessen mit irgendwelchen Kunden heimgekehrt war und die letzten Schreibarbeiten erledigt hatte, hörte er gewöhnlich eine halbe Stunde lang Musik und las Librettos, bis er einschlief. Äußerst selten, vielleicht an fünf Sonntagen im Jahr, kam es vor, daß er drei Stunden hintereinander Zeit hatte, um sich eine ganze Oper anzuhören. Einmal, als er Ende Vierzig war, aß er eine verdorbene Auster und zog sich eine schwere Lebensmittelvergiftung zu, die ihn für drei Tage ans Haus fesselte. In seiner Erinnerung war diese Zeit so schön wie der schönste Urlaub, denn auf seiner Stereoanlage lief ununterbrochen Händels *Alcina*, sogar während er schlief.

Es war seine älteste Tochter Kiyomi, von der er seine erste Aufnahme von Roxane Coss zum Geburtstag bekam. Ein Geschenk für ihren Vater zu finden war fast unmöglich, und als sie die CD sah, mit einem Namen, den sie nicht kannte, wagte sie den Versuch. Doch was sie daran anzog, war nicht der unbekannte Name, es war das Gesicht der Frau. Kiyomi fand die Fotos von Sopranistinnen meist irritierend. Ihr Blick ging stets über die Köpfe von Fans hinweg oder schien durch weiche Schleier gedämpft zu sein. Doch Roxane Coss sah dem Betrachter direkt ins Gesicht, selbst ihr Kinn war ganz gerade, und ihre Augen waren weit geöffnet. Kiyomi griff nach der CD, noch bevor sie sah, daß es *Lucia di Lammermoor* war. Wie viele Aufnahmen von dieser Oper besaß ihr Vater wohl? Es war egal. Sie gab dem Mädchen an der Kasse das Geld.

An dem Abend, an dem Herr Hosokawa die CD auflegte und in seinem Sessel Platz nahm, um sie sich anzuhören, blieb er lange dort sitzen. Es war, als wäre er wieder der Junge hoch oben in den Rängen in Tokyo, dessen Hand in der großen, warmen Hand seines Vaters lag. Er spielte die CD immer wieder, wobei er ungeduldig alles übersprang, was nicht ihre Stimme war. Wie erhaben diese Stimme war, wie warm und komplex und wie furchtlos. Wie konnte sie so kontrolliert und doch so verwegen sein? Er rief nach Kiyomi, und sie kam und blieb auf der Schwelle stehen. Sie wollte etwas sagen – Ja? oder: Was ist? –, doch bevor sie ein Wort herausbrachte, hörte sie diese Stimme, die Frau mit dem geraden Blick auf dem Foto. Ihr Vater brauchte gar nichts zu sagen, er zeigte nur mit der offenen Hand auf einen Lautsprecher. Es freute sie ungemein, so sehr das Richtige getroffen zu haben. Die Stimme sang ihr Lob. Herr Hosokawa schloß die Augen. Er träumte vor sich hin.

Seitdem waren fünf Jahre vergangen, in denen er achtzehn Aufführungen mit Roxane Coss gesehen hatte. Beim ersten Mal war es ein glücklicher Zufall, die anderen Male fuhr er dorthin, wo sie sein würde, erfand Geschäfte, die ihn in jene Stadt führten. *La Somnambula* sah er an drei Tagen hintereinander. Er war nie zu ihr gegangen, hatte nichts getan, was ihn über die anderen Zuschauer erhob. Er glaubte nicht, daß er ihre Begabung mehr schätzte als irgend jemand anderes. Eher war er geneigt, anzunehmen, nur ein Narr würde für sie nicht das gleiche empfinden wie er. Was hätte man mehr verlangen können, als dasitzen zu dürfen und ihr zuzuhören.

Man brauchte nur ein Profil Katsumi Hosokawas in irgendeinem Wirtschaftsmagazin zu lesen. Er benutzte zwar niemals leidenschaftliche Worte, denn Leidenschaft war etwas rein Privates, aber die Oper war immer da, als die menschliche Seite, die ihn den Leuten näherbrachte. Andere Firmenchefs wurden beim Angeln in schottischen Flüssen gezeigt oder beim Anflug auf Helsinki mit dem eigenen Lear Jet. Herr Hosokawa wurde bei sich zu Hause in dem Ledersessel fotografiert, in dem er Musik hörte, eine EX-12-Stereoanlage von Nansei im Rücken. Irgendwann kam dann immer die Frage nach seinen Lieblingssängern. Und es kam immer dieselbe Antwort.

Für eine Summe, die erheblich höher war als die, die der Rest des Abends gekostet hatte (das Essen, die Bedienung, die Flugtickets, die Blumen, das Sicherheitspersonal), ließ Roxane Coss sich überreden, zu der Feier zu kommen, da diese gerade zwischen die Spielzeit an der Scala und ihren ersten Auftritt im Teatro Colón in Argentinien fiel. An dem Abendessen würde sie nicht teilnehmen (sie aß nie etwas, bevor sie sang), doch sie würde gleich danach eintreffen und mit ihrem Pianisten sechs Arien vortragen. Herrn Hosokawa wurde in einem Brief mitgeteilt, wenn er die Einladung annähme, könne er einen Wunsch äußern – sie könnten ihm zwar nichts versprechen, würden seine Bitte jedoch an Miss Coss weiterleiten. Es war die von Herrn Hosokawa gewählte Arie aus *Rusalka*, die sie gerade gesungen hatte, als das Licht ausging. Es hätte der letzte Programmpunkt sein sollen – doch wer weiß, ob sie, wäre es hell geblieben, nicht noch ein oder zwei Zugaben gesungen hätte?

Herr Hosokawa hatte *Rusalka* als ein Zeichen seiner Hochachtung für Miss Coss gewählt. Die Arie war das Herzstück ihres Repertoires, und sie brauchte sie nicht extra einzustudieren – sie hätte sie wahrscheinlich ohnehin in das Programm aufgenommen. Er suchte nicht etwas besonders Entlegenes heraus, wie etwa eine Arie aus *Partenope*, um sich als Kenner auszuweisen. Er wollte sie einfach *Rusalka* singen hören, während er im selben Raum stand, nicht weit von ihr entfernt. *Wenn er im Traume mich wirklich sieht, wach er auf und gedenke mein.* Sein Dolmetscher hatte es ihm schon vor Jahren aus dem Tschechischen übersetzt.

Die Lampen gingen nicht wieder an. Der Applaus begann ein klein wenig nachzulassen. Die Leute blinzelten in dem Versuch, die Sängerin im Dunkeln zu erkennen. Eine Minute verstrich und noch eine, und die Gäste blieben nach wie vor angenehm unbesorgt. Dann sah Simon Thibault, der französische Botschafter, dem man, bevor er in dieses Land gekommen war, den sehr viel attraktiveren Posten in Spanien versprochen hatte (den dann, während Thibault und seine Familie schon packten, unfairerweise ein anderer bekommen hatte, als Gegenleistung für einen verwickelten politischen Freundschaftsdienst), unter der Küchentür Licht. Er war der erste, der begriff. Ihm war, als wäre er aus tiefem Schlaf geschreckt, noch ganz benommen von Alkohol, Schweinefleisch und Dvořák. Er griff nach der Hand seiner Frau, griff im Dunkeln nach oben, denn sie klatschte noch, und zog sie hinein in die Menge von dunklen Körpern, in die er sich hineindrängte, ohne sie zu sehen. Er strebte in Richtung der Glastüren, die sich seiner Erinnerung nach auf der anderen Seite des Raumes befanden, und reckte den Hals, ob dort nicht ein Stern funkelte und ihm den Weg wies. Doch was er sah, war der schmale Lichtstrahl einer Taschenlampe, erst einer und dann ein zweiter, und er spürte, wie sein Herz nach unten sank, ein Gefühl, das sich nur als Traurigkeit bezeichnen ließ.

»Simon?« flüsterte seine Frau.

Das Netz war schon gespannt, ohne daß er es sah, war schon geknüpft und um das Haus zusammengezogen, und während sein erster Impuls, die natürliche Reaktion, darin bestand, sich dennoch weiter voranzuschieben und zu versuchen, es trotzdem zu schaffen, hielt die Vernunft ihn zurück. Lieber nicht auffallen. Lieber nicht zum Exempel werden. Irgendwo dort vorn küßte der Pianist die Sängerin, und so schloß der Botschafter Thibault seine Frau in die Arme.

»Ich würde auch im Dunkeln singen«, rief Roxane Coss, »wenn mir jemand eine Kerze bringt.«

Bei diesen Worten stockten sie – als sie merkten, daß auch die Kerzen erloschen waren, erstarb der letzte Applaus. Der Abend war an sein Ende gelangt. Die Leibwächter in den Limousinen waren eingenickt, wie große, überfütterte Hunde. Überall im Raum griffen Männer in ihre Taschen und fanden darin nur frischgebügelte Taschentücher und ein paar Geldscheine. Stimmen wurden laut, es entstand Bewegung, und dann ging das Licht wie durch Zauberhand wieder an.

Es war eine schöne Feier gewesen, auch wenn sich später niemand daran erinnerte. Weißer Spargel mit Sauce hollandaise, Steinbutt mit knusprigen milden Zwiebeln, winzige Koteletts, nur drei oder vier Bissen groß, mit Preiselbeersoße. Normalerweise tischten wirtschaftlich schwache Länder den Chefs von großen ausländischen Firmen, die sie beeindrucken wollten, russischen Kaviar und französischen Champagner auf. Russisch und französisch, russisch und französisch, als könne man nur auf diese Weise Reichtum demonstrieren. Orchideenzweige mit gelben Blüten, die nicht größer waren als ein Daumennagel, alle aus heimischer Zucht, zitterten und tanzten auf jedem Tisch wie

Mobiles, die sich bei jedem Hauch neu anordneten. All die Mühe, die auf die Vorbereitungen verwendet worden war, auf die Plazierung jedes einzelnen Stengels, auf die schwungvolle Kalligraphie der Tischkarten, war nicht einen Moment lang gewürdigt worden. Aus dem Nationalmuseum hatte man Bilder entliehen: Über dem Kaminsims hing eine dunkeläugige Madonna, die dem Betrachter auf den Fingerspitzen einen winzigen Christus mit einem merkwürdig erwachsenen, wissenden Gesicht präsentierte. Der Garten, den die Gäste doch nur sekundenlang sehen würden, wenn sie die paar Schritte von ihrem Wagen zur Haustür gingen oder vor Einbruch der Dunkelheit zufällig einmal aus dem Fenster sahen, machte mit seinen Paradiesvögeln und den eng gewickelten Cannas, den Wollziest-Beeten und dem smaragdgrünen Farn einen gepflegten, wohlgeordneten Eindruck. Der Dschungel war nicht fern, und selbst in dem kultiviertesten Garten versuchten die Blumen, die langweilige Fläche aus gestutztem Bermudagras in Besitz zu nehmen. Seit dem frühen Morgen hatten junge Männer darin gearbeitet, mit feuchten Tüchern den Staub von den ledrigen Blättern gewischt und die herabgefallenen Blüten der Bougainvilleen, die unter den Hecken verfaulten, aufgesammelt. Drei Tage zuvor hatten sie die hohe, verputzte Mauer, die das Haus des Vizepräsidenten umgab, frisch geweißt, wobei sie achtgaben, daß der Rasen keine Farbspritzer abbekam. Alles war sorgfältig ausgewählt: Salzfäßchen aus Kristallglas, Zitronenmousse, amerikanischer Bourbon. Es gab keine Tanzfläche und keine Band. Musik würden sie nur nach dem Essen hören: Roxane Coss und ihren Pianisten, ein Schwede oder Norweger, der Mitte Dreißig war, mit feinem, strohblondem Haar und schönen, schlanken Fingern.

Zwei Stunden vor Beginn von Herrn Hosokawas Geburtstagsfeier hatte Präsident Masuda, der als Kind japanischer Eltern in diesem Land geboren worden war, in ein paar

Zeilen erklärt, er könne wegen einer wichtigen Angelegenheit, die außerhalb seiner Macht stünde, leider nicht an der Veranstaltung teilnehmen.

Nachdem sich der Abend zum Schlechten gewandt hatte, wurde über die Gründe dieser Entscheidung viel spekuliert. War das ganz einfach Glück? War es Gottes Wille? Oder ein Hinweis, eine Verschwörung, ein Komplott? Bedauerlicherweise war es nichts so Zufälliges. Die Feier sollte um acht Uhr beginnen und hätte bis nach Mitternacht dauern sollen. Die Lieblingsserie des Präsidenten begann um neun. Unter seinen Kabinettsmitgliedern und Beratern war es ein offenes Geheimnis, daß die Staatsangelegenheiten von Montag bis Freitag eine Stunde lang ruhen mußten, von zwei bis drei Uhr nachmittags und am Dienstagabend von neun bis zehn. Herrn Hosokawas Geburtstag fiel in diesem Jahr auf einen Dienstag. Daran war nichts zu ändern. Und niemand hatte eine Idee, wie man eine solche Feier auf zehn Uhr abends verlegen oder um halb neun beenden könnte, damit der Präsident noch rechtzeitig nach Hause kam. Man schlug ihm vor, die Sendung aufzunehmen, doch das haßte er. Das mußte er schon oft genug ertragen – immer, wenn er außer Landes war. Alles, was er verlangte, war, daß bestimmte Zeiten in der Woche freigehalten wurden. Über das Problem von Herrn Hosokawas so ungünstig gelegenem Geburtstag wurde tagelang diskutiert. Nach zähen Verhandlungen gab der Präsident schließlich nach und versprach, an der Feier teilzunehmen. Doch wenige Stunden davor änderte er aus offensichtlichen, wenn auch nicht genannten Gründen – diesmal unwiderruflich – seinen Entschluß.

Während Präsident Masudas Leidenschaft für seine Seifenoper unter seinen politischen Vertrauten kein Geheimnis war, schaffte man es irgendwie, diese Leidenschaft vor der Presse und dem Volk geheimzuhalten. Obwohl das ganze Land verrückt nach Seifenopern war, empfand das Kabinett die unerschütterliche Treue des Präsidenten zu seinem

Fernseher als eine solche Peinlichkeit, daß es sie liebend gern gegen eine indiskrete Geliebte eingetauscht hätte. Selbst Regierungsmitglieder, von denen man wußte, daß auch sie bestimmte Serien verfolgten, konnten einfach nicht mitansehen, welch unerbittliche Form die Obsession bei ihrem Staatsoberhaupt annahm. So registrierten viele Besucher der Feier, die mit dem Präsidenten zusammenarbeiteten, seine Abwesenheit zwar enttäuscht, jedoch ohne großes Erstaunen. Die übrigen Gäste erkundigten sich: Ist etwas Schlimmes passiert? Ist Präsident Masuda krank?

»Probleme in Israel«, erklärte man ihnen im Vertrauen.

»Israel«, flüsterten sie. Sie waren beeindruckt, hätten sie doch nie gedacht, daß man sich bei Problemen in Israel an Präsident Masuda wenden würde.

Die fast zweihundert Gäste der Feier gliederten sich in zwei klar getrennte Fraktionen: diejenigen, die wußten, wo sich der Präsident befand, und die, die keine Ahnung hatten – und so blieb es auch, bis beide Seiten ihn völlig vergaßen. Herr Hosokawa nahm von seiner Abwesenheit kaum Notiz. Er legte nicht viel Wert darauf, ihn kennenzulernen. Was für eine Rolle spielte ein Präsident schon an einem Abend, an dem man Roxane Coss gegenüberstehen würde?

Vizepräsident Ruben Iglesias trat in die entstandene Lücke und übernahm die Rolle des Gastgebers. Das lag nahe, denn die Feier fand in seinem Hause statt. Während des Aperitifs und der Horsd'œuvres, während sie beim Essen saßen und während des schmelzenden Gesangs, dachte er die ganze Zeit an den Präsidenten. Er konnte sich unschwer vorstellen – er hatte es schon hundertmal gesehen –, wie sein Nebenbuhler in seiner Suite im Präsidentenpalast im Dunkeln auf dem Bettrand saß: Sein Jackett lag zusammengefaltet über einem Stuhl, seine Hände steckten gefaltet zwischen seinen Knien. Er würde auf einen kleinen Fernseher auf der Kommode starren, während seine Frau sich die Serie auf dem großen Bildschirm unten im Arbeitszimmer ansah. In seiner Brille spiegelte sich ein hübsches Mädchen, das an einen Stuhl gefesselt war. Sie drehte die Handgelenke hin und her, wieder und immer wieder, bis das Seil plötzlich nachgab und sie die eine Hand herauszog. Maria war frei! Präsident Masuda ließ sich auf dem Bett nach hinten fallen und klatschte lautlos in die Hände. Und das hätte er fast verpaßt, nach wochenlangem Warten! Das Mädchen sah sich schnell in dem Lagerraum um, lehnte sich vor und löste das grobe Seil, mit dem seine Füße gefesselt waren.

Dann war Marias Bild plötzlich verschwunden, und Ruben Iglesias hob den Kopf zu den Lampen, die auf einmal wieder sein Wohnzimmer erleuchteten. Er hatte gerade festgestellt, daß auf einem Beistelltisch eine Glühbirne durchgebrannt war, als durch jedes Fenster und aus jeder Wand Männer in den Raum hineinplatzten. Überall, wo der Vizepräsident hinsah, schienen sich die Begrenzungen des Raumes schreiend nach vorn zu bewegen. Schwere Stiefel und Gewehrkolben durchstießen Lüftungsgitter, stürmten durch Türen herein. Menschen wurden zusammengedrängt und stoben in tierischer Angst gleich wieder auseinander. Das Haus schien emporgehoben zu werden wie ein Boot von dem weiten Arm einer Welle und auf die Seite zu kippen. Tafelsilber flog durch die Luft, in Gabelzinken verkantete Messerklingen, Vasen zerbarsten an Wänden. Menschen rutschten aus, fielen hin, rannten, aber nur für einen Moment, nur bis sie sich wieder an das Licht gewöhnt hatten und sahen, daß es keinen Sinn hatte zu kämpfen.

Es war leicht zu erkennen, wer die Anführer waren: die älteren Männer, diejenigen, die die Kommandos brüllten. Sie stellten sich in dem Moment noch nicht vor, und so identifizierte man sie innerlich nicht mit ihren Namen, sondern mit ihren auffälligsten äußeren Merkmalen. Benjamin: schwere Gürtelrose im Gesicht. Alfredo: Schnurrbart, linke Hand ohne Daumen und Zeigefinger. Hector: goldene Nickelbrille mit nur einem Bügel. Zu den Generälen gehörten fünfzehn Soldaten, die zwanzig bis vierzehn Jahre jung waren. Die Zahl der Anwesenden hatte sich also um achtzehn vermehrt. Doch keiner der Gäste konnte sie zu dem Zeitpunkt zählen. Sie bewegten sich und verteilten sich. Sie verdoppelten und verdreifachten sich, während sie durch den Raum schwirrten, hinter Vorhängen hervorkamen, die Treppe herunterliefen, in der Küche verschwanden. Es war unmöglich, sie zu zählen, weil sie überall zu sein schienen, weil sie alle gleich aussahen – es war, als wolle man die Bienen in einem Bienenschwarm zählen, der einem um den Kopf schwirrte. Sie trugen ausgeblichene Kleidung in dunklen Farben, die meisten in dem trüben Grün seichter, sumpfiger Weiher, einige in Jeansblau oder Schwarz. Darüber trugen sie wie eine zweite Schicht ihre Waffen: Patronengurte, protzige Messer in Gesäßtaschen, alle Arten von Schußwaffen, kleinere, an den Oberschenkel gebunden oder optimistisch aus Gürteln herausragend, größere, die sie wie Babys im Arm hielten oder wie Stöcke schwangen. Sie trugen Mützen mit in die Stirn gezogenen Schirmen, doch die Gäste interessierten sich nicht für ihre Augen, nur für ihre Gewehre, ihre gezähnten Messer. Ein Mann mit drei Schußwaffen wurde unbewußt als drei Männer registriert. Und auch in anderer Hinsicht sahen sich die Männer ähnlich: Sie waren alle dünn, entweder unterernährt oder noch dabei zu wachsen, und ihre Schultern und Knie ragten spitz unter der Kleidung hervor. Außerdem waren sie schmutzig, so schmutzig, daß es auffiel. Selbst in der Verwirrung des Augenblicks konnte jeder sehen, daß sie mit Schlamm bespritzt waren, daß ihre Hände, Arme und Gesichter voller Erde waren, als hätten sie sich, um zu dem Geburtstag zu kommen, unter dem Garten hindurchgegraben und eine Platte im Boden aufgestemmt.

Das Ganze konnte höchstens eine Minute gedauert haben und kam den Gästen doch länger vor als alle vier Gänge des Essens zusammen. Jeder von ihnen hatte Zeit, sich eine Strategie zu überlegen, sie völlig umzuändern und dann zu verwerfen. Ehemänner fanden ihre Frauen, die ans andere Ende des Raumes gedrängt worden waren, Landsleute suchten einander und standen, hastig miteinander redend, beisammen. Alle auf der Feier waren sich einig, daß sie nicht von La Familia de Martín Suárez entführt worden waren (so benannt nach einem zehnjährigen Jungen, der beim Verteilen von Flugblättern für eine politische Kundgebung von Regierungstruppen erschossen worden war), sondern von der sehr viel berühmteren Terroristengruppe La Dirección Auténtica, einer revolutionären Vereinigung von Mördern, die sich in den vergangenen fünf Jahren durch alle möglichen Grausamkeiten einen Namen gemacht hatte. Es war die unausgesprochene Überzeugung eines jeden, der diese Organisation und das Gastland kannte, daß sie alle so gut wie tot waren, während es doch in Wirklichkeit die Terroristen waren, die das Ganze nicht überleben würden. Dann hob der Terrorist mit den zwei fehlenden Fingern, der eine zerknautschte grüne Hose trug und eine nicht dazu passende Jacke, sein Maschinengewehr und feuerte zwei Runden in die Decke. Der herabfallende Putz ließ einen Teil der Gäste weiß bestäubt zur Seite springen, und einige der Frauen schrien, entweder wegen der Schüsse oder weil auf einmal etwas ihre nackten Schultern traf.

»Achtung«, sagte der Mann mit dem Gewehr auf spanisch. »Das ist eine Gefangennahme. Wir verlangen Ihre hundertprozentige Kooperation und Aufmerksamkeit.«

Etwa zwei Drittel der Gäste sahen verängstigt drein, doch ein über den Raum verteiltes Drittel wirkte nicht nur verängstigt, sondern auch verwirrt. Es waren diejenigen, die sich zu dem Mann mit dem Gewehr hinbeugten anstatt weg von ihm. Es waren die, die kein Spanisch sprachen. Sie flüsterten ihren Nachbarn schnell etwas zu. Das Wort *atención* wurde in mehreren Sprachen wiederholt. Es war deutlich genug.

General Alfredo hatte erwartet, daß auf seine Erklärung eine Art gespanntes, erwartungsvolles Schweigen folgen würde, doch es wurde keineswegs still im Raum. Das Gemurmel ließ ihn noch einmal in die Decke schießen, dieses Mal ohne hinzusehen, so daß er eine Lampe traf, die in tausend Stücke zersprang. Es wurde dunkler im Raum, und Glassplitter fielen in Hemdkrägen und blieben auf Haaren liegen. »*Arresto*«, wiederholte er. »*Detengase!*«

Es mag vielleicht zunächst erstaunen, daß so viele von den Gästen die Landessprache nicht beherrschten, doch die Veranstaltung diente schließlich dem Zweck, um das Interesse des Auslands zu werben, und die beiden Ehrengäste hätten keine zehn Wörter Spanisch zusammengebracht – wobei Roxane Coss sich unter *arresto* noch etwas vorstellen konnte, Herr Hosokawa dagegen nicht das geringste. Sie beugten sich vor, als könnten sie ihn dann besser verstehen. Miss Coss konnte sich nicht sehr weit vorlehnen, da der Pianist sie wie ein Schutzschirm umschloß, bereit, ja geradezu begierig darauf, mit seinem Körper jede Kugel abzufangen, die sich in ihre Richtung verirrte.

Gen Watanabe, der junge Mann, der Herrn Hosokawa als sein Dolmetscher begleitete, lehnte sich zu seinem Chef hinüber und wiederholte die Worte auf japanisch.

Nicht daß es ihm in der momentanen Situation viel geholfen hätte, aber Herr Hosokawa hatte einmal versucht, Italienisch zu lernen – von der Kassette, im Flugzeug. Von seiner Arbeit her hätte er zwar eher Englisch lernen sollen, doch er wollte sich die Oper auch von dieser Seite näherbringen. »*Il bigliettaio mi fece il biglietto*«, sagte das Band. »*Il bigliettaio mi fece il biglietto*«, bildete er mit den Lippen lautlos nach, um die anderen Passagiere nicht zu stören. Doch seine Anstrengungen blieben auf ein Minimum beschränkt, und so machte er keinerlei Fortschritte. Der Klang der gesprochenen Sprache weckte in ihm die Sehnsucht nach der gesungenen, und nach kurzer Zeit legte er statt dessen *Madama Butterfly* auf.

Als junger Mann war sich Herr Hosokawa darüber im klaren, wie hilfreich Fremdsprachen waren. Als er älter wurde, wünschte er, er hätte sich die Mühe gemacht, sie zu lernen. Diese Dolmetscher! Sie wechselten unentwegt, waren mal gut, mal steif wie Schuljungen, mal hoffnungslos dumm. Manche beherrschten kaum ihre Muttersprache und brachten die Unterhaltung ständig ins Stocken, indem sie im Wörterbuch nachschlugen. Andere erfüllten zwar ihre Aufgabe, gehörten jedoch nicht zu den Menschen, die man gern mit auf Reisen nahm. Manche ließen ihn stehen, sobald das letzte Wort einer Sitzung gesprochen war, so daß er hilflos und stumm zurückblieb, wenn weitere Verhandlungen nötig wurden. Andere klebten geradezu an ihm, ließen ihn bei keiner Mahlzeit allein, wollten mit ihm spazierengehen und ihm haarklein ihre ganze freudlose Kindheit erzählen. Was hatte er nicht alles durchgemacht nur für ein paar Brocken Französisch, ein paar klare Sätze auf englisch. Was hatte er nicht alles durchgemacht, bevor er Gen traf.

Gen Watanabe war ihm bei einer Tagung zum Thema weltweiter Warenvertrieb in Griechenland zugewiesen worden. Normalerweise versuchte Herr Hosokawa, sich böse Überraschungen durch örtliche Dolmetscher zu ersparen, doch seine Sekretärin hatte keinen Griechisch-Dolmetscher gefunden, der ihn kurzfristig hätte begleiten können. Auf dem Flug nach Athen redete Herr Hosokawa kein Wort mit den beiden stellvertretenden Geschäftsführern und den drei Verkaufsleitern, die mit ihm zu der Tagung fuhren. Statt dessen setzte er seinen Nansei-Kopfhörer auf, hörte sich eine CD von Maria Callas mit griechischen Liedern an und dachte sich voller Gleichmut, daß er, falls er bei den Sitzungen nichts verstand, doch wenigstens das Land würde gesehen haben, das sie als ihre Heimat betrachtete. Nachdem er am Schalter angestanden, einen Stempel in seinen Paß bekommen und sein Gepäck hatte durchstöbern lassen, sah Herr Hosokawa einen jungen Mann, der ein Schild hochhielt, auf dem in säuberlicher Schrift »Hosokawa« stand. Es war ein Japaner, was ihn sehr erleichterte. Mit einem

Landsmann, der ein bißchen Griechisch sprach, kam man leichter zurecht als mit einem Griechen, der ein bißchen Japanisch sprach. Für einen Japaner war dieser Dolmetscher ziemlich groß. Sein Haar war dicht und vorn so lang, daß es über den Rand seiner kleinen runden Brille fiel, seinen Versuchen, es auf einer Seite zu halten, zum Trotz. Er wirkte sehr jung. Es war die Frisur. Seine Frisur wies für Herrn Hosokawa auf einen Mangel an Ernst hin, oder vielleicht war es auch nur die Tatsache, daß der junge Mann in Athen war und nicht in Tokyo, die ihn weniger ernst wirken ließ. Herr Hosokawa ging auf ihn zu und blieb mit der Andeutung einer Verbeugung stehen, die sich auf den Hals und den oberen Schulterbereich beschränkte, eine Geste, die so viel bedeutete wie: Sie haben mich gefunden.

Der junge Mann griff nach Herrn Hosokawas Aktenkoffer, wobei er sich bis zur Taille verbeugte. Ebenso ernst, wenn auch nicht ganz so tief, verbeugte er sich vor den beiden stellvertretenden Geschäftsführern und den drei Verkaufsleitern. Er stellte sich ihnen als ihr Dolmetscher vor, fragte sie, ob sie einen angenehmen Flug gehabt hätten, nannte ihnen die ungefähre Fahrzeit zum Hotel und die Uhrzeit, um die die erste Sitzung beginnen würde. In dem Gedränge auf dem Flughafen von Athen, wo jeder zweite Mann voller Stolz einen Schnurrbart und eine Uzi zu tragen schien, zwischen all dem Gepäck und bei dem Geschrei und dem Dröhnen der Lautsprecheransagen, entdeckte Herr Hosokawa in der Stimme dieses jungen Mannes etwas, das ihm vertraut und tröstlich vorkam. Diese Stimme hatte nichts Melodisches, und doch berührte sie ihn wie Musik. Sagen Sie doch noch etwas.

»Woher kommen Sie?« fragte Herr Hosokawa.

»Aus Nagano.«

»Eine schöne Stadt, und die Olympiade –«

Gen nickte, ohne sich zur Olympiade zu äußern.

Verzweifelt suchte Herr Hosokawa nach einem anderen Gesprächsthema. Es war ein langer Flug gewesen, und es schien, als hätte er in dieser Zeit vergessen, wie man Konversation macht. Dabei fand er, daß es eigentlich Gens Sache sei, ihn auszufragen. »Und Ihre Familie, lebt sie noch dort?«

Gen Watanabe hielt einen Moment lang inne, als versuche er sich zu erinnern. Ein Schwarm von australischen Teenagern mit Rucksäcken auf dem Rücken ging an ihnen vorbei. Die ganze Ankunftshalle war von ihrem Geschrei und ihrem Gelächter erfüllt. »Wombat!« rief eines der Mädchen, und die anderen antworteten im Chor: »Wombat! Wombat! Wombat!« Sie stolperten vor lauter Lachen und hielten sich aneinander fest. »Ja, sie leben alle noch dort«, sagte Gen, der den Teenagern mißtrauisch nachsah. »Mein Vater, meine Mutter und meine zwei Schwestern.«

»Und sind Ihre Schwestern verheiratet?« Die Schwestern interessierten Herrn Hosokawa nicht im geringsten, doch diese Stimme war etwas, das er fast wiedererkannte, wie die Anfangstakte des ersten Aktes von – ja, von was?

Gen sah ihm direkt ins Gesicht. »Ja, sie sind verheiratet.«

Auf einmal bekam diese stumpfsinnige Frage die Peinlichkeit eines Fauxpas. Herr Hosokawa sah weg, während Gen seinen Koffer nahm und die ganze Gruppe durch die gläserne Schiebetür hinausführte in die griechische Mittagsglut. Draußen wartete eine Limousine auf sie, träge und kühl, und die Männer stiegen ein.

In den nächsten zwei Tagen ging alles, was Gen in die Hand nahm, völlig problemlos vonstatten. Er tippte Herrn Hosokawas handgeschriebene Notizen ab, kümmerte sich um den Terminplan, besorgte Karten für eine Aufführung von *Orfeo ed Euridice*, die eigentlich schon seit sechs Wochen ausverkauft war. Bei der Konferenz sprach er für Herrn Hosokawa und seine Begleiter griechisch und mit ihnen japanisch und erwies sich in allem als intelligent, schnell und professionell. Doch es war nicht etwa seine Präsenz, die Herrn Hosokawa für ihn einnahm, es war eher, daß er gar nicht da zu sein schien. Gen war eine Art Verlängerung seiner selbst, ein unsichtbares Ich, das alle seine Bedürfnisse voraussah. Er hatte das Gefühl, Gen würde stets an alles denken, was man vergessen hatte. Eines Nachmittags, als Gen bei einem privaten Gespräch über Reedereien gerade seine Worte ins Griechische übersetzte, erkannte Herr Hosokawa schließlich die Stimme. Sie klingt so vertraut, hatte er gedacht. Es war seine eigene.

»Ich bin nur selten geschäftlich in Griechenland«, sagte Herr Hosokawa an jenem Abend zu Gen, als sie in der Bar des Hilton etwas tranken. Die Bar lag im obersten Stock des Hotels, mit Blick auf die Akropolis, und es schien, als wäre die Akropolis, die dort in der Ferne klein und kreideweiß aufragte, nur zu diesem Zweck errichtet worden: als visueller Leckerbissen für die Hotelgäste. »Was können Sie eigentlich sonst noch für Sprachen?« Herr Hosokawa hatte ihn am Telefon englisch sprechen hören.

Gen fertigte eine Liste an, die er von Zeit zu Zeit durchging, um zu sehen, was darauf noch fehlte. Er teilte die Sprachen danach ein, ob er sie mehr als fließend, fließend oder einigermaßen gut sprach oder nur lesen konnte. Die Liste der Sprachen, die er beherrschte, war länger als die Liste der ausgefallenen Cocktails auf der Karte in dem Plexiglasständer auf ihrem Tisch. Sie bestellten beide einen Drink, der Aeropagus hieß, und stießen an.

Spanisch sprach er mehr als fließend.

Am anderen Ende der Welt, in einem noch viel fremderen Land, dachte Herr Hosokawa jetzt an den Athener Flughafen, an all die Männer mit Schnurrbart und Uzi, die dem Mann mit dem Maschinengewehr in der Hand so ähnlich sahen. Das war der Tag, an dem er Gen begegnet war. War es vier Jahre her oder fünf? Danach war Gen mit ihm nach Tokyo zurückgekehrt, um ganz für ihn zu arbeiten. Wenn es nichts zu übersetzen gab, schien Gen sich einfach um alles zu kümmern, bevor irgend jemand merkte, daß es nötig war. Inzwischen war Gen ein fester Bestandteil seines Denkens, ja er vergaß zuweilen, daß er selbst die Sprache gar nicht beherrschte, daß die Stimme, der die anderen zuhörten, nicht seine eigene war. Er hatte den Mann mit dem Gewehr nicht verstanden, und doch war ihm klar, was er gesagt hatte. Schlimmstenfalls war dies das Ende. Bestenfalls war dies der Anfang einer langen Leidenszeit. Herr Hosokawa war in ein Land gekommen, das er niemals hätte betreten sollen, hatte fremde Menschen glauben lassen, was nicht der Wahrheit entsprach, nur um eine Frau singen zu hören. Er blickte quer durch den Raum zu Roxane Coss hinüber. Es war kaum etwas von ihr zu sehen, denn ihr Pianist hatte sie zwischen sich und dem Flügel eingeklemmt.

»Präsident Masuda«, sagte der Mann mit dem Schnurrbart und dem Gewehr.

Die elegant gekleideten Gäste wechselten nervös die Stellung – keiner wollte der Überbringer der schlechten Nachricht sein.

»Präsident Masuda, treten Sie vor.«

Die meisten warteten mit möglichst leerem Blick, bis der Mann mit dem Maschinengewehr den Lauf senkte, so daß dieser in die Menge wies, wobei es aussah, als ziele er auf eine blonde Frau Mitte Fünfzig, eine Schweizer Bankdirektorin, die Elise hieß. Sie blinzelte ein paarmal und preßte dann die flachen Hände eine über der anderen gegen ihr Herz, als wäre dies die Stelle, auf die er am ehesten schießen würde. Sie war bereit, ihre Hände zu opfern, wenn sie dadurch ihr Herz auch nur den Bruchteil einer Sekunde lang würde schützen können. Ein paar der Zuschauer stöhnten auf, aber das war alles. Ein peinliches Warten begann, das jeden Gedanken an Heldentum oder auch nur ritterliches Benehmen ausschloß, bis der Vizepräsident des Landes schließlich einen kleinen Schritt nach vorn trat und sich vorstellte.

»Ich bin Vizepräsident Ruben Iglesias«, sagte er zu dem Mann mit dem Gewehr. Der Vizepräsident sah außerordentlich müde aus. Er war ein sehr kleiner, schmächtiger Mann, der nicht nur wegen seiner politischen Überzeugungen, sondern ebenso wegen seiner Größe für diesen Posten ausgewählt worden war. In der Regierung war man allgemein der Ansicht, neben einem größeren Vizepräsidenten würde der Präsident schwach und austauschbar wirken.

»Präsident Masuda war heute abend leider verhindert. Er ist nicht hier«, erklärte der Vizepräsident mit schleppender Stimme. Er mußte zuviel von dieser Last auf sich nehmen.

»Sie lügen«, korrigierte ihn der Mann mit dem Gewehr.

Ruben Iglesias schüttelte traurig den Kopf. Niemand wünschte mehr als er, daß Präsident Masuda jetzt hier wäre, statt zu Hause in seinem Bett zu liegen und die heutige Folge seiner Serie zufrieden an seinem inneren Auge vorbeiziehen zu lassen. General Alfredo drehte das Gewehr in seiner Hand blitzschnell herum, so daß er es nun am Lauf statt am Griff hielt. Er hob das Gewehr und schlug den Vizepräsidenten auf den Schläfenknochen neben dem rechten Auge. Als der Gewehrkolben auf die Haut über dem Knochen traf, gab es ein dumpfes Geräusch, das viel weniger brutal wirkte als die Handlung selbst, und der kleine Mann ging zu Boden. Sein Blut ließ nicht lange auf sich warten – es spritzte aus einer drei Zentimeter langen Platzwunde neben dem Haaransatz. Ein Teil davon lief ihm ins Ohr, zurück in seinen Kopf. Trotzdem waren alle, einschließlich des Vizepräsidenten selbst (der jetzt halb bewußtlos auf seinem eigenen Wohnzimmerteppich lag, wo er sich keine zehn Stunden zuvor im Spaß mit seinem dreijährigen Jungen gerauft hatte), überrascht und froh, daß man ihn nicht erschossen hatte.

Der Mann mit dem Gewehr sah auf den Vizepräsidenten hinab, und als würde ihm der Anblick gefallen, befahl er dem Rest der Gesellschaft, sich hinzulegen. Das verstanden auch die, die der Sprache nicht mächtig waren, denn ein Gast nach dem anderen sank auf die Knie und streckte sich am Boden aus.

»Mit dem Gesicht nach oben«, fügte er hinzu.

Die wenigen, die es falsch gemacht hatten, drehten sich auf den Rücken. Zwei von den Deutschen und ein Argentinier blieben hartnäckig stehen, bis die Soldaten hingingen und ihnen das Gewehr in die Kniekehlen stießen. Im Liegen nahmen die Gäste sehr viel mehr Raum ein als im Stehen, und aus Platzmangel legten sich einige in die Eingangshalle und andere ins Eßzimmer. Einhunderteinundneunzig Gäste, zwanzig Kellner, sieben Köche und Küchenhilfen legten sich auf den Boden. Die drei Kinder des Vizepräsidenten und das Kindermädchen wurden aus ihrem Zimmer im ersten Stock geholt, wo sie trotz der späten Stunde noch nicht schliefen, weil sie Roxane Coss von der Treppe aus zugehört hatten, und sie legten sich ebenfalls hin. Über den Boden verteilt wie Teppiche, lagen einige wichtige und einige hochwichtige Persönlichkeiten – Botschafter und diverse Diplomaten, Kabinettsmitglieder, Bankdirektoren, Firmenchefs, ein Monsignore und eine berühmte Opernsängerin, die so auf dem Boden liegend viel kleiner wirkte als zuvor. Der Pianist schob sich nach und nach auf sie und versuchte, sie mit seinem breiten Rücken zu verdecken. Sie wand sich ein wenig. Diejenigen unter den Frauen, die glaubten, das Ganze würde bald überstanden sein und spätestens um zwei Uhr würden sie in ihrem eigenen Bett liegen, zupften ihre weiten Röcke unter sich zurecht, damit sie möglichst wenig zerknautschten. Diejenigen, die glaubten, sie würden jetzt gleich erschossen werden, ließen die Seide getrost Falten bilden und knittern. Als schließlich alle ruhig auf dem Boden lagen, war es im Raum auffallend still.

Jetzt waren die Anwesenden eindeutig in zwei Gruppen geteilt: diejenigen, die standen, und diejenigen, die auf dem Boden lagen. Denjenigen, die auf dem Boden lagen, wurde befohlen, still zu sein und sich nicht zu bewegen, während diejenigen, die standen, jene auf dem Boden nach Waffen durchsuchen und nachsehen sollten, ob nicht einer von ihnen insgeheim der Präsident war.

Man sollte meinen, daß man sich auf dem Boden noch verletzlicher fühlen, mehr Angst haben würde als im Stehen. Es hätte jemand den Fuß auf sie stellen, sie treten können. Es hätte sie jemand erschießen können, ohne daß sie die Chance gehabt hätten davonzulaufen. Doch tatsächlich fühlte sich jeder von ihnen auf dem Boden viel besser. Sie konnten sich nicht länger fragen, wie sie einen Terroristen überwältigen könnten oder ob sie blindlings losrennen sollten in Richtung Tür. Sie liefen kaum noch Gefahr, beschuldigt zu werden, etwas zu tun, was sie nicht taten. Sie waren wie kleine Hunde, die versuchten, den Kampf zu umgehen, und den scharfen Zähnen freiwillig Hals und Bauch entgegenstreckten – *nimm mich*. Selbst die Russen, die sich noch wenige Minuten zuvor flüsternd über eine mögliche Flucht beraten hatten, verspürten jetzt die Erleichterung der Resignation. Etliche von den Gästen schlossen die Augen. Es war spät. Sie hatten Wein getrunken und Steinbutt gegessen und leckere kleine Koteletts, und wenn sie auch alle Angst hatten, so waren sie doch auch müde. Die Stiefel, die um sie herumgingen und über sie hinwegstiegen, waren alt und mit Erde verkrustet, die abbröckelte, so daß sie den kunstvoll gemusterten Savonnerie-Teppich (der zum Glück weich unterfüttert war) mit Schmutzspuren überzogen. Die Stiefel hatten Löcher, durch die man die Spitzen von Zehen sah, jetzt, da Zehen und Augen einander so nahe waren. Zum Teil hatten sich die Stiefel aufgelöst und waren mit silbernem Isolierband umwickelt, das auch schon völlig verdreckt und an den Rändern eingerollt war. Die jungen Leute beugten sich über die Gäste. Sie lächelten nicht, doch ihre Gesichter wirkten auch nicht sehr bedrohlich. Man konnte sich vorstellen, wie das Ganze ausgesehen hätte, wenn sie alle gestanden hätten, wenn sich zum Beispiel ein kleinerer Junge mit einer Reihe von Messern bei einem großen, älteren Mann im teuren Smoking hätte Geltung verschaffen müssen. Jetzt dagegen huschten die Hände der Jungen über sie hinweg, griffen schnell in Taschen, strichen mit gespreizten Fingern über Hosenbeine. Bei den Frauen klopften sie nur hier und da vorsichtig auf die Röcke. Manchmal beugte sich ein Junge über eine Frau, zögerte und ließ sie unbehelligt liegen. Sie fanden nicht viel Interessantes – schließlich war dies nur ein festliches Abendessen.

Folgende Gegenstände trug der wortkarge General Hector in ein Notizbuch ein: sechs silberne Taschenmesser aus Hosentaschen und vier Zigarrenschneider an Uhrketten, ein Revolver mit Perlmuttgriff, kaum größer als ein Kamm, aus einer Damenhandtasche. Sie hielten ihn zunächst für ein Feuerzeug und lösten bei dem Versuch, es anzuzünden, versehentlich einen Schuß aus, der eine schmale Furche im Eßzimmertisch hinterließ. Ein Brieföffner mit einem Goldemaillegriff vom Schreibtisch und alle möglichen Arten von Messern und Fleischgabeln aus der Küche, Feuerhaken und Schaufel vom Ständer neben dem Kamin und eine stupsnasige Smith & Wesson, Kaliber .38, aus dem Nachttisch des Vizepräsidenten – eine Waffe, von der der Vizepräsident auf Befragen unumwunden zugab, daß er sie besaß. All diese Gegenstände wurden in einem Wäscheschrank im ersten Stock verschlossen. Die Uhren, die Brieftaschen und den Schmuck rührten sie nicht an. Ein Junge nahm sich ein Pfefferminzbonbon aus dem Satintäschchen einer Frau, bat sie jedoch, es hochhaltend, vorher stumm um Erlaubnis. Sie bewegte den Kopf einen Zentimeter nach unten und wieder hoch, und er lächelte und wickelte es aus.

Ein Junge sah zunächst Gen und dann Herrn Hosokawa aufmerksam an und studierte dann ein zweites Mal ihre Gesichter. Er starrte auf Herrn Hosokawa und wich dann zurück, wobei er einem Kellner auf die Hand trat, der zusammenzuckte und sie schnell wegzog. »General«, sagte der Junge, viel zu laut für die Stille, die im Raum herrschte. Gen rutschte näher an seinen Chef heran, wie um klar zu machen, daß man sie nur im Doppelpack bekam.

General Benjamin stieg über die warmen, atmenden Gäste hinweg. Auf den ersten Blick hätte man meinen können, er sei mit einem großen, portweinfarbenen Muttermal gestraft, doch auf den zweiten war deutlich zu sehen, daß in seinem Gesicht etwas Lebendiges wütete. Der leuchtend rote Strom des Ausschlags entsprang tief unter seinem schwarzen Haar, zog eine Schneise über seine linke Schläfe und blieb kurz vor dem Auge stehen. Schon bei dem Anblick wurde einem aus Mitgefühl flau vor Schmerz. Der Junge zeigte auf Herrn Hosokawa, und General Benjamin starrte ihn ebenfalls lange an. »Nein«, sagte er zu dem Jungen. Er drehte sich wieder um, doch dann hielt er inne und sagte im Plauderton zu Herrn Hosokawa: »Er dachte, Sie wären der Präsident.«

»Er dachte, Sie wären der Präsident«, sagte Gen leise, und Herr Hosokawa nickte. Ein Japaner, Mitte Fünfzig, mit Brille – es lag noch ein halbes Dutzend davon um sie herum.

General Benjamin senkte sein Gewehr zu Gens Brust und stützte die Mündung wie einen Spazierstock darauf. Die runde Öffnung war nicht viel größer als die Knöpfe an seinem Hemd – ein kleiner, scharf umrissener Druckpunkt. »Hier wird nicht geredet.«

Gen bildete mit den Lippen das Wort *traductor*. Der General dachte einen Moment lang nach, so als hätte man ihm gerade erklärt, der Mann, mit dem er gesprochen habe, sei taub oder blind. Dann zog er sein Gewehr zurück und ging weg. Es gibt bestimmt, dachte Gen, ein Medikament, das diesem Mann helfen würde. Als er einatmete, spürte er an der Stelle, wo das Gewehr gewesen war, einen kleinen, stechenden Schmerz.

Nicht weit entfernt, neben dem Flügel, stießen zwei Jungen dem Pianisten ihr Gewehr in die Rippen, bis er mehr neben Roxane Coss lag als auf ihr. Es war für sie zunächst äußerst unbequem, auf ihren Haaren zu liegen, die am Hinterkopf zu einem kunstvollen Knoten hochgesteckt waren. Sie hatte heimlich die Nadeln entfernt und sie in einem ordentlichen Häuflein auf ihren Bauch gelegt, von wo sie als Waffen eingesammelt werden konnten, falls irgendwem danach zumute war. Jetzt lag ihr langes, lockiges Haar ausgebreitet um ihren Kopf, und die jungen Terroristen ließen es sich nicht nehmen, einer nach dem anderen vorbeizukommen und es sich anzusehen, ja einige wagten sogar, es zu berühren, wenn auch nur vorsichtig mit einem Finger an den gelockten Spitzen, ohne sich die tiefe Befriedigung eines richtigen Darüberstreichens zu gönnen. So über sie gebeugt, rochen sie ihr Parfüm, das ganz anders war als die Parfüms der anderen Frauen, die sie inspiziert hatten. Die Opernsängerin hatte auf irgendeine Weise den Duft der kleinen weißen Blumen im Garten kopiert, an denen sie auf dem Weg zu den Luftschächten vorbeigekommen waren. Selbst an diesem Abend, an dem ihnen die Möglichkeit ihres eigenen Todes und die Möglichkeit der Befreiung vor Augen standen, war ihnen der Geruch dieser kleinen, glockenförmigen Blumen aufgefallen, die an der hohen Mauer wuchsen, und ihn jetzt hier nach so kurzer Zeit im Haar der schönen Frau wiederzufinden kam ihnen wie ein Zeichen, wie ein gutes Omen vor. Sie hatten sie singen gehört, während sie eingezwängt in den Luftschächten gewartet hatten. Jeder von ihnen hatte genaueste Anweisungen, eine bestimmte Aufgabe. Die Lampen sollten nach dem sechsten Lied ausgehen, denn was eine Zugabe war, hatte ihnen nie jemand erklärt. Niemand hatte ihnen erklärt, was eine Oper war oder daß es eine andere Art des Singens gab, als wenn man leise vor sich hin sang, während man Holz ins Haus trug oder Wasser aus dem Brunnen holte. Niemand hatte ihnen jemals etwas erklärt. Selbst die Generäle, die schon öfter in der Hauptstadt gewesen waren und eine Ausbildung hatten, hielten den Atem an, um die Sängerin besser zu hören. Die jungen Terroristen, die in den Luftschächten warteten, waren einfache Leute, die einfache Dinge glaubten. Wenn ein Mädchen in ihrem Dorf eine schöne Stimme besaß, sagten die alten Frauen, sie habe einen Vogel verschluckt, und das versuchten sie sich jetzt zu sagen, während sie das Häuflein von Haarnadeln auf dem pistaziengrünen Chiffon ihres Kleids anstarrten: *Sie hat einen Vogel verschluckt.* Doch sie wußten, daß das nicht stimmte. Bei all ihrer Unwissenheit, all ihrer Weltfremdheit wußten sie doch, daß es solch einen Vogel nicht gab.

In dem stetigen Strom sich nähernder Jungen war einer, der sich neben sie hinhockte und ihre Hand nahm. Er hielt sie ganz locker, ließ eigentlich nur ihre Handfläche auf seiner eigenen ruhen, so daß sie sie jederzeit hätte zurückziehen können, was sie jedoch nicht tat. Roxane Coss wußte, je länger er ihre Hand hielt, um so mehr würde er sie lieben, und wenn er sie liebte, würde er eher versuchen, sie vor den anderen, vor ihm selbst zu beschützen. Das Gesicht des Jungen unter der Schirmmütze sah unglaublich jung und zerbrechlich aus, und seine Augenlider hatten unzählige seidige, schwarze Wimpern. Er trug einen Patronengurt quer über der schmalen Brust, und sein Körper krümmte sich unter seinem Gewicht. Der grobe Holzgriff eines einfachen Küchenmessers ragte oben aus einem Stiefel, und eine Pistole fiel ihm fast aus der Tasche. Roxane Coss dachte an Chicago und daran, wie kalt es dort jetzt, Ende Oktober, in der Nacht bereits war. Hätte dieser Junge in einem anderen Land gelebt, in einer ganz anderen Welt, hätte er nächste Woche an Halloween noch mit von Haustür zu Haustür ziehen können, selbst wenn er dafür zu alt sein sollte. Er hätte sich als Terrorist verkleiden können, mit alten Stiefeln aus dem Geräteschuppen, einem selbstgebastelten Patronengurt aus Wellpappe und den Lippenstiften seiner Mutter als Munition. Der Junge sah ihr nicht ins Gesicht, nur auf ihre Hand. Er studierte sie ganz genau, so als hätte sie keine Verbindung zu ihr. In jeder anderen Situation hätte sie sie ihm entzogen, doch nach den ungewöhnlichen Ereignissen des Abends hielt sie still und ließ ihn ihre Hand studieren.

Der Pianist hob den Kopf und sah den Jungen finster an, woraufhin dieser Roxane Coss' Hand wieder neben ihr Kleid legte und sich entfernte.

Zwei Dinge standen fest: Keiner von den Gästen war bewaffnet, und keiner von ihnen war Präsident Masuda. Einzelne Gruppen von Jungen wurden mit dem Gewehr im Anschlag in verschiedene Ecken des Hauses geschickt, hinunter in den Keller, nach oben auf den Dachboden, hinaus zu der hohen Mauer, um nachzusehen, ob er sich in dem Durcheinander irgendwo hatte verstecken können. Doch immer wieder kam die Meldung, daß dort niemand sei. Durch die offenen Fenster drang das rauhe Summen geschäftiger Insekten herein. Im Wohnzimmer des Vizepräsidenten war alles still. General Benjamin hockte sich neben den Vizepräsidenten, der heftig in die Stoffserviette blutete, die seine neben ihm liegende Frau ihm an den Kopf hielt. Sein Auge war jetzt von einem unheilvollen violetten Ring umgeben. Es sah jedoch längst nicht so schmerzhaft aus wie die Entzündung im Gesicht des Generals. »Wo ist Präsident Masuda?« fragte ihn der General, als wäre ihnen seine Abwesenheit gerade erst aufgefallen.

»Bei sich zu Hause.« Er nahm seiner Frau die blutige Serviette aus der Hand und bedeutete ihr, sich zurückzuziehen.

»Warum ist er nicht gekommen?«

Was der General wissen wollte, war: Hatte er in seiner Organisation einen Maulwurf, war der Präsident über ihre Pläne informiert? Doch der Vizepräsident war noch benommen von dem Schlag und außerdem ziemlich verbittert, denn die Wahrheit war nun einmal bitter. »Er wollte seine Lieblingsserie sehen«, sagte Ruben Iglesias, und da alle im Raum befehlsgemäß still waren, drang seine Stimme an jedes Ohr. »Er wollte sehen, ob Maria heute freikommt.«

»Warum hat man uns gesagt, daß er hier sein würde?«

Der Vizepräsident sprach es ohne zu zögern und ohne jede Reue aus. »Er hatte zugesagt und hat es sich dann doch noch anders überlegt.« Auf dem Boden entstand eine gewisse Unruhe. Diejenigen, für die dies eine Neuigkeit war, waren ebenso schockiert wie jene, die es die ganze Zeit gewußt hatten. Ruben Iglesias hatte gerade seine eigene politische Karriere zerstört. Masuda und er hatten sich nie besonders gemocht, und nun würde Masuda ihn ruinieren. Als Vizepräsident arbeitete man hart, weil man glaubte, man würde eines Tages das Präsidentenamt übertragen bekommen, wie einen Besitz, der vom Vater auf den Sohn übergeht. Bis dahin schluckte man seinen Ärger hinunter, übernahm die Dreckarbeit, die Beerdigungsfeiern, die Besuche von Erdbebengebieten, und bei den endlosen Reden des Präsidenten nickte man zustimmend. Doch an diesem Abend glaubte er nicht mehr daran, daß er eines Tages Präsident werden würde. An diesem Abend glaubte er, er würde erschossen werden, zusammen mit einigen seiner Gäste oder vielleicht auch mit allen, vielleicht sogar mit seinen Kindern, und für den Fall sollte die ganze Welt erfahren, daß Eduardo Masuda, ein Mann, der kaum einen Zentimeter größer war als er, zu Hause saß und fernsah.

Die katholischen Priester, die Nachfahren jener mordenden spanischen Missionare, erzählten den Leuten gern, daß die Wahrheit frei mache, und in diesem Fall hatten sie tatsächlich recht. Der General, der Benjamin hieß, hatte sein Gewehr schon entsichert und war bereit, an dem Vizepräsidenten ein Exempel zu statuieren und ihn ins Jenseits zu befördern, doch die Geschichte mit der Lieblingsserie hielt ihn davon ab. So schmerzlich die Erkenntnis war, daß fünf Monate Vorbereitung auf diesen einen Abend, auf die Entführung des Präsidenten und womöglich den Sturz der Regierung, vergeblich gewesen waren und er statt dessen nun zweihundertzweiundzwanzig Geiseln am Hals hatte, die vor ihm auf dem Boden lagen – die Geschichte des Vizepräsidenten klang absolut überzeugend. Niemand hätte sich so etwas ausdenken können. Es war einfach zu billig und zu banal. General Benjamin hatte keine Skrupel, jemanden umzubringen, denn nach seiner Erfahrung bestand das Leben aus nichts als unsäglichen Leiden. Wenn der Vizepräsident gesagt hätte, der Präsident habe eine Erkältung bekommen, hätte er ihn erschossen. Wenn er gesagt hätte, der Präsident habe wegen einer dringenden nationalen Angelegenheit verreisen müssen, hätte er ihn umgebracht. Wenn er gesagt hätte, das Ganze sei nur ein Trick gewesen und der Präsident habe nie vorgehabt, zu der Feier zu kommen, dann: *Peng!* Aber Maria – sogar im Dschungel, wo ein Fernseher eine Seltenheit war, die Stromversorgung miserabel und der Empfang gleich null, sprach man von dieser Maria. Selbst Benjamin, der sich für nichts anderes interessierte als die Freiheit der Unterdrückten, hatte von Maria gehört. Die Serie lief von Montag bis Freitag am Nachmittag, und am Dienstagabend gab es eine Extrafolge, eine Zusammenfassung der ganzen Woche, für alle, die tagsüber arbeiteten. Wenn Maria freikommen sollte, dann würde dies an einem Dienstagabend geschehen.

Sie hatten einen Plan gehabt, und der hatte darin bestanden, daß sie den Präsidenten gefangennehmen und innerhalb von sieben Minuten wieder verschwinden wollten. Jetzt hätten sie die Stadt eigentlich schon verlassen haben und die gefährlichen Straßen entlangrasen sollen, die zurück in den Dschungel führten.

Durch die Fenster drang helles rotes Stroboskoplicht herein, das zuckend über die Wände lief, begleitet von einem hohen Jaulen. Es klang zeternd und vorwurfsvoll – nicht entfernt wie Gesang.

zwei

Die Außenwelt brüllte die ganze Nacht. Autos bremsten und beschleunigten. Sirenen trafen ein und entfernten sich, wurden aus- und an- und wieder ausgeschaltet. Hölzerne Absperrungen wurden herbeigeschleift, Menschen dahinter zurückgedrängt. Es war erstaunlich, wieviel mehr sie hörten, seit sie auf dem Boden lagen. Sie hatten jetzt Zeit, genau hinzuhören – ja, das waren Füße, die übers Pflaster schlurften, das war ein Gummiknüppel, mit dem sich jemand in die offene Hand schlug. Die Decke kannten sie bereits in- und auswendig (eine hellblaue Decke mit einer Zierleiste, die bis zur Geschmacklosigkeit verschlungen und verschnörkelt und ganz mit Blattgold überzogen war, dazu die drei ausgefransten Einschußlöcher), und so schlossen manche die Augen, um sich auf die schwierige Aufgabe des Hörens zu konzentrieren. Stimmen, die durch das Megaphon überzogen und entstellt klangen, riefen Befehle zur Straße hin, stellten Forderungen in Richtung des Hauses. Sie würden mit nichts anderem zufrieden sein als mit der sofortigen, bedingungslosen Kapitulation.

»Sie werden draußen vor der Tür Ihre Waffen niederlegen«, brüllte die Stimme, wütend und verzerrt, als käme sie vom Meeresgrund herauf. »Sie werden die Haustür öffnen und vor den Geiseln herauskommen, die Hände hinter dem Kopf verschränkt. Dann kommen die Geiseln heraus. Zur Sicherheit sollten die Geiseln die Hände auf den Kopf legen.«

War eine Stimme an ihre Grenzen gelangt, wurde das Megaphon an eine andere weitergereicht, die mit geringfügigen Abweichungen wieder von vorn begann. Sie hörten es mehrmals laut klicken, dann strömte ein künstliches, blauweißes Licht wie kalte Milch durch die Fenster herein, so daß sie alle blinzeln mußten. Wann hatte man bemerkt, daß sie in Schwierigkeiten waren? Wer hatte diese Leute gerufen, und wie war es möglich, daß so schnell so viele von ihnen da waren? Hockten sie alle im Keller eines Polizeireviers und warteten auf einen Abend wie diesen? Übten sie, was sie sagen würden, indem sie durch Megaphone ins Leere schrien, ihre Stimme immer weiter nach oben schraubten? Sogar den Gästen war klar, daß keiner seine Waffen niederlegen und hinausgehen würde, nur weil man ihn dazu aufforderte. Sogar sie begriffen, daß sich mit jeder Wiederholung der Forderungen die Chancen auf eine positive Reaktion verringerten. Jeder von ihnen träumte davon, irgendwo doch eine Waffe versteckt zu haben, und wenn sie eine gehabt hätten, dann hätten sie sie zweifellos nicht die Treppe vorm Eingang hinuntergeworfen. Irgendwann wurden sie so müde, daß sie vergaßen, sich zu wünschen, das alles wäre nie passiert oder sie wären daheim geblieben. Alles, was sie sich wünschten, war, daß die Männer draußen ihre Megaphone ausschalteten und nach Hause gingen und sie alle dort auf dem Boden schlafen ließen. Ab und zu war es ein paar Minuten lang ruhig, und in dieser trügerischen und vorübergehenden Stille war eine andere Art von Geräuschen zu hören, Laubfrösche und Grillen und das metallische Klicken von Gewehren, die geladen und entsichert wurden.

Herr Hosokawa behauptete später, er habe in dieser Nacht kein Auge zugetan, aber irgendwann nach vier Uhr hörte Gen ihn schnarchen. Es war ein weicher, pfeifender Ton, wie Wind, der unter der Tür hereinzieht, und er beruhigte Gen. Auch andere Leute im Raum schnarchten, wenn sie für zehn oder zwanzig Minuten einschliefen, doch selbst im Schlaf blieben sie gehorsam auf dem Rücken liegen. Der

Pianist hatte es geschafft, sein Jackett auszuziehen, indem er sich so langsam bewegte, daß man es praktisch nicht sah, und hatte es zu einem kleinen Kissen für Roxane Coss' Kopf zusammengerollt. Die ganze Nacht lang schritten die schmutzigen Stiefel zwischen ihnen auf und ab.

Als sich die Gäste am Abend zuvor hingelegt hatten, war genug passiert, das sie von dem Gedanken daran, was passieren könnte, ablenkte, doch bis zum Morgen hatte die Angst alle Feuchtigkeit aus ihrem Mund gesogen. Sie hatten wachgelegen und die verschiedenen Möglichkeiten durchgespielt, und keine davon erschien ihnen gut. In der Nacht waren ihnen kratzige Stoppelbärte gesprossen, und Tränen hatten die Wimperntusche verschmiert. Smokings und Kleider waren zerknautscht, Schuhe hatten zu drücken begonnen. Allen taten vom harten Boden Rücken und Hüften weh, und ihr Nacken war steif geworden. Alle, ohne Ausnahme, mußten sie auf die Toilette.

Herr Hosokawa hatte zusätzlich zu dem, woran die anderen litten, auch noch die furchtbare Last der Verantwortung zu tragen. All diese Menschen waren zu seinem Geburtstag hier. Indem er sich unter Vorspiegelung falscher Tatsachen hatte einladen lassen, hatte er zur Gefährdung des Lebens aller hier Anwesenden beigetragen. Mehrere Angestellte von Nansei waren mitgekommen, unter anderen Akira Yamamoto, der Projektmanager, und der stellvertretende Geschäftsführer Tetsuya Kato. Auch zwei Vizedirektoren der Sumitomo Bank und der Bank of Japan, Satoshi Ogawa und Yoshiki Aoi, waren hergeflogen, obwohl Herr Hosokawa sie mehrmals persönlich gebeten hatte, sich diese Mühe zu ersparen. Das Gastland hatte es ihnen nahegelegt, mit der Begründung, es handle sich schließlich um eine Geburtstagsfeier für ihren bedeutendsten Kunden, und sie würden doch eine Geburtstagsfeier nicht verpassen wollen. Auch der japanische Botschafter hatte sich eingefunden. Er lag jetzt auf der Fußmatte im Eingangsbereich.

Doch die Geisel, um die Herr Hosokawa am meisten litt (auch wenn er wußte, daß es falsch war, ein Leben über das anderer zu stellen), war Roxane Coss. Sie war in diesen gottverlassenen Dschungel gekommen, um für ihn zu singen. Wie eitel war es von ihm, dies als ein angemessenes Geschenk anzusehen. Es reichte doch, daß er ihre Aufnahmen hören konnte, und erst recht, daß er sie in Covent Garden, in der Metropolitan Opera auf der Bühne hatte sehen können. Warum glaubte er, es würde noch schöner sein, wenn er ihr nah genug wäre, um ihr Parfüm zu riechen? Es war durchaus nicht schöner. Die Akustik des Wohnzimmers tat, wenn er ganz ehrlich war, ihrer Stimme nicht gut. Es irritierte ihn, die athletischen Höchstleistungen zu sehen, die sie mit ihrem Mund vollbrachte, und die feuchte hellrote Zunge darin, wenn sie ihn immer weiter aufriß. Ihre unteren Zähne standen ziemlich schief. Es war eine Ehre gewesen, aber nichts, was das Risiko wert war, als das es sich nun für Miss Coss, für sie alle erwies. Er versuchte, seinen Kopf einen Zentimeter zu heben, um sie zu sehen. Sie lag nicht weit weg von ihm, denn er hatte während des Auftritts ganz vorn gestanden. Sie hielt die Augen geschlossen, obwohl er glaubte, daß sie nicht schlief. Wenn man sie so sah, auf dem Fußboden eines Wohnzimmers liegend, und sie objektiv betrachtete, war sie durchaus nicht besonders schön. Es schien alles ein bißchen zu groß zu sein für ihr Gesicht – die Nase zu lang, der Mund zu breit. Ihre Augen waren zwar größer und runder als die der meisten Menschen, doch an ihren Augen konnte niemand etwas auszusetzen haben. Sie erinnerten ihn an das Blau der Rindo-Blumen am Nagano-See. Er lächelte bei dem Gedanken und wollte schon den Kopf drehen, um es Gen zu sagen. Doch statt dessen sah er zu Roxane Coss hinüber, deren Gesicht er in den Programmheften und CD-Booklets unermüdlich studiert hatte. Sie hatte hängende Schultern. Ihr Hals hätte vielleicht etwas länger sein können. Ein längerer Hals? Er schalt sich selbst. Was dachte er da für dummes

Zeug? Das alles spielte keine Rolle. Es war sowieso nicht möglich, sie objektiv zu betrachten. Selbst wenn man sie zum erstenmal sah, bevor sie den Mund zum Singen öffnete, hatte sie etwas Strahlendes, als wäre ihr Talent einfach zuviel für ihre Stimme und strömte daher wie Licht aus ihrer Haut. Und alles, was man sah, waren der Glanz ihres dichten Haars, das zarte Rosa ihrer Wangen und ihre schönen Hände. Dem Pianisten fiel auf, daß Herr Hosokawa den Kopf hob, und Herr Hosokawa legte ihn schnell wieder hin. Die Terroristen hatten begonnen, einige der Gäste anzutippen und ihnen wortlos zu bedeuten, daß sie mitkommen sollten. So konnte Herr Hosokawa so tun, als hätte er nur darum den Kopf gehoben.

Um zehn Uhr morgens hatte sich bereits ein gewisses Geflüster breitgemacht. Bei all dem Lärm, der durch die Fenster hereindrang, und dem ständigen Kommen und Gehen von Gästen, die in die Eingangshalle geführt wurden, war es nicht allzuschwer, heimlich ein, zwei Worte zu wechseln. Dieses Abführen einzelner Gäste hatte das Geflüster ausgelöst. Anfangs glaubten sie, man würde sie in kleinen Gruppen wegführen und dann erschießen, wahrscheinlich im Garten hinter dem Haus. Viktor Fjodorow tastete nach den Zigaretten in seiner Jackettasche und fragte sich, ob er wohl für einen Moment würde rauchen dürfen, bevor sie ihn erschossen. Er spürte, wie Ströme von Schweiß ihm das Haar strähnig werden ließ. Jetzt eine Zigarette rauchen zu können wäre es fast wert, erschossen zu werden. Eine quälende Stille erfüllte den Raum, während sie auf die Meldung warteten, doch als die ersten lächelnd und nickend zurückkamen, flüsterten sie den neben ihnen Liegenden zu: »Toilette, Bad, WC.« Die Neuigkeit sprach sich schnell herum.

Jeder wurde mit einem Begleiter weggeführt: für jeden Gast ein dreckverschmierter junger Terrorist, der mehrere Waffen zur Schau trug. Einige der jungen Männer gingen einfach neben den Gästen her, während andere sie mehr oder weniger aggressiv am Oberarm hielten. Der Junge, der zu Roxane Coss kam, nahm sie eher bei der Hand als am Arm und hielt diese wie ein Verliebter, der Ausschau nach einem einsamen Stück Strand hält. Er war nicht so hübsch wie der Junge, der zuvor ihre Hand gehalten hatte.

Manche von ihnen glaubten, sie würden irgendwann doch erschossen werden – wie in einem Film sahen sie wieder und wieder die Szene, wie man sie nachts hinausführte und in den Hinterkopf schoß –, doch Roxane Coss dachte nichts dergleichen. Vielleicht würde es für manche ein schlimmes Ende nehmen, aber niemand würde eine Sopranistin erschießen. Sie war bereit, nett zu sein, sich die Hand halten zu lassen, aber wenn es soweit war, würde sie es sein, die davonkam. Davon war sie überzeugt. Sie lächelte den Jungen an, als er ihr die WC-Tür aufhielt. Sie erwartete fast, daß er mit ihr hineingehen würde. Als er es nicht tat, schloß sie hinter sich die Tür ab, setzte sich auf die Toilette und weinte, heftig schluchzend und schluckend. Sie wickelte ihre Haare um ihre Hände und hielt sie vor ihre Augen. Ihr verfluchter Agent, der meinte, das hier sei all das Geld wert! Ihr Hals war ganz steif, und ihr war, als würde sie eine Erkältung bekommen, aber das war ja kein Wunder, wenn man auf dem Boden schlief. War sie nicht Tosca? War sie nicht jede Nacht aus der Engelsburg gesprungen? Tosca war härter als das hier. Von jetzt an würde sie nur noch in Italien, in England und in Amerika singen. Italien, England, Amerika. Sie sagte die drei Wörter immer wieder vor sich hin, bis sie ihren Atem unter Kontrolle bekam und aufhören konnte zu weinen.

Cesar, der Junge mit dem Gewehr, der auf dem Flur wartete, klopfte nicht an die Tür, wie sie es bei den anderen taten. Er lehnte sich an die Wand und stellte sich vor, wie sie sich zu dem goldenen Wasserhahn hinabbeugte, um sich den Mund zu spülen. Er sah vor sich, wie sie sich mit den kleinen, muschelförmigen Seifen Gesicht und Hände wusch. Er hörte in seinem Kopf noch die Lieder, die sie gesungen hatte, und summte, um sich die Zeit zu vertreiben, leise vor sich hin, was er davon behalten hatte: *Vissi d'arte, vissi d'amore, non feci mai male ad anima viva!* Seltsam, wie deutlich sich diese Klänge ihm eingeprägt hatten. Sie war nicht besonders schnell auf der Toilette, doch was konnte man von solch einer Frau verlangen? Sie war ein Wunder. Man konnte sie einfach nicht drängen. Als sie endlich herauskam, war ihre Hand noch feucht und aufregend kühl. *Vissi d'arte*, wollte er zu ihr sagen, doch er wußte nicht, was die Worte bedeuteten. Als er sie wieder zu ihrem Platz neben dem Flügel brachte, war der Pianist nicht mehr da, dann wurde auch er wieder hereingeführt. Er sah entschieden schlechter aus als die übrigen Gäste. Der Pianist war erschreckend blaß, bleich wie der Mond, und hatte blutrote Ränder um die Augen. Gilbert und Francisco, zwei von den größeren Jungen, hielten ihn auf beiden Seiten fest. Sie zerrten ihn mit beiden Händen weiter. Zuerst sah es so aus, als wäre der Pianist zu einem Fenster oder zur Tür gestürzt und wäre dabei überwältigt worden, doch als sie ihn zu seinem Platz brachten, knickten seine Beine unter ihm ein, als wären sie zwei Blätter Notizpapier, die das ganze Gewicht seines Körpers tragen sollten. Er sank, ohnmächtig zusammenklappend, auf den Boden. Die Terroristen gaben Roxane auf spanisch einen Rat oder erklärten ihr etwas, aber sie konnte kein Spanisch.

Sie setzte sich nur halb auf, da sie nicht sicher war, ob sie das durfte, und legte seine Beine gerade hin. Er war zwar nicht schwer, aber groß, und sie mühte sich mit seinen unnatürlich daliegenden Gliedern. Zuerst hatte sie gedacht, er spiele ihnen nur etwas vor. Sie hatte von Geiseln gehört, die taten, als ob sie blind wären, um freigelassen zu werden, doch eine solche Hautfarbe konnte niemand vortäuschen. Als sie ihn schüttelte, wackelte sein Kopf matt hin und her. Einer der Kellner, der neben ihnen lag, lehnte sich zu dem Pianisten hinüber, zog die Arme unter seinem Körper hervor und streckte sie neben ihm aus.

»Was haben Sie?« flüsterte sie. Ein erdverkrustetes Stiefelpaar ging an ihnen vorbei. Sie legte sich neben den Pianisten und nahm sein Handgelenk zwischen die Finger.

Schließlich rührte er sich und seufzte und drehte den Kopf zu ihr hin, wobei er heftig blinzelte, als versuche er, aus einem tiefen, köstlichen Schlaf zu erwachen. »Sie werden Ihnen nichts tun«, sagte er zu Roxane Coss, doch obwohl er die bläulichen Lippen seitlich an ihren Kopf preßte, klang seine Stimme erschöpft, so als käme sie aus weiter Ferne.

»Sie werden ein Lösegeld verlangen«, sagte Herr Hosokawa zu Gen. Sie sahen jetzt beide zu Roxane und dem Pianisten hinüber, und sie hielten den Pianisten mehrere Male für tot, bis er sich wieder rührte oder einen Seufzer ausstieß. »Nansei zahlt immer das Lösegeld, egal, wie hoch es ist. Sie werden uns beide auslösen.« Er sprach so leise er konnte – es war kaum ein Flüstern zu nennen –, aber Gen verstand ihn gut. »Sie werden es auch für Miss Coss bezahlen. Das wäre nur recht und billig. Schließlich ist sie meinetwegen hier.« Und auch der Pianist sollte nicht hierbleiben müssen, vor allem, wenn er krank war. Herr Hosokawa seufzte. In gewisser Weise war eigentlich jeder im Raum seinetwegen hier, und er fragte sich, welche Summe dabei wohl zusammenkäme. »Ich habe das Gefühl, daß ich an allem schuld bin.«

»Schließlich halten Sie kein Gewehr in der Hand«, sagte Gen. Der Klang ihrer eigenen, japanisch sprechenden Stimmen, die man keine zehn Zentimeter weit gehört hätte, beruhigte sie. »Es war der Präsident, den sie gestern abend entführen wollten.«

»Ich wünschte, sie hätten ihn bekommen«, sagte Herr Hosokawa.

Am anderen Ende des Raumes, zu Füßen eines goldenen Brokatsofas, hielten Simon und Edith Thibault einander die Hand. Sie taten sich nicht mit den übrigen Franzosen zusammen, sondern blieben allein. Sie sahen sehr wie ein Paar aus, fast wie Bruder und Schwester, mit ihrem glatten, dunklen Haar und den blauen Augen. Sie lagen mit solcher Würde und so entspannt auf dem Boden, daß sie nicht wie Menschen wirkten, die man mit vorgehaltenem Gewehr dazu zwang, sondern eher wie zwei, denen das Stehen zu anstrengend geworden war. Während die anderen steif und zitternd dalagen, lehnten sich die Thibaults aneinander. Ihr Kopf ruhte auf seiner Schulter, seine Wange auf ihrem Scheitel. Er dachte weniger an die Terroristen als an die erstaunliche Tatsache, daß die Haare seine Frau nach Flieder rochen.

In Paris hatte Simon Thibault seine Frau geliebt, wenn auch ohne ihr immer ganz treu zu sein und ohne sich besonders um sie zu bemühen. Sie waren seit fünfundzwanzig Jahren verheiratet. Ihr Leben hatte aus zwei Kindern bestanden, dem alljährlichen Sommerurlaub mit Freunden am Meer, verschiedenen Stellungen, verschiedenen Hunden, großen Weihnachtsfeiern im Kreis der Familie mit vielen älteren Verwandten. Edith Thibault war eine elegante Frau in einer Stadt, in der es Tausende von eleganten Frauen gab – so viele, daß er im Laufe der Jahre oft gar nicht mehr an sie dachte. Ganze Tage vergingen, ohne daß sich seine Gedanken ein einziges Mal zu ihr verirrten. Er fragte sich nie, was sie gerade tat oder ob sie wohl glücklich war.

Dann hatte das Hin und Her von Versprechungen und Rückziehern der Regierung sie in dieses Land verschlagen, das sie untereinander stets *ce pays maudit* nannten, »dieses verwünschte Land«. Beide nahmen die Entsendung voller Angst und mit stoischem Pragmatismus hin, doch schon wenige Tage nach ihrer Ankunft geschah etwas ganz Erstaunliches: Er fand Edith wieder, wie etwas, dessen Verlust ihm nie aufgefallen war, wie ein Lied, das er in seiner Jugend gelernt und dann vergessen hatte. Auf einmal, und ganz deutlich, sah er sie so, wie er sie mit Zwanzig hatte sehen können, nicht ihr körperliches Ich von damals – denn sie kam ihm jetzt in jeder Hinsicht schöner vor –, doch die alte Empfindung kehrte zurück, dieses Höherschlagen des Herzens, dieses ungestüme Aufwallen der Begierde. Er kam nach Hause und sah sie, wie sie Papier für die Schränke zuschnitt oder bäuchlings auf dem Bett lag und an ihre Töchter schrieb, die in Paris studierten, und es verschlug ihm den Atem. War sie immer so gewesen, hatte er es nur nie bemerkt? Hatte er es gewußt und es dann aus Unachtsamkeit irgendwie wieder vergessen? In diesem Land mit den unbefestigten Straßen und dem gelben Reis entdeckte er, daß er sie liebte, daß er eins mit ihr war. Vielleicht wäre dem nicht so gewesen, wenn sie nach Spanien gegangen wären. Ohne diese speziellen Umstände, ohne diesen schrecklichen Ort, hätte er vielleicht nie gemerkt, daß die größte Liebe seines Lebens seine Frau war.

»Sie scheinen es nicht eilig zu haben, jemanden umzubringen«, flüsterte Edith Thibault ihrem Mann mit den Lippen an seinem Ohr zu.

Denn so weit das Auge reicht, gibt es nichts als weißen Sand und das strahlend blaue Meer. Edith geht ins Wasser, um zu schwimmen, und dreht sich zu ihm um, während die Wellen gegen ihre Schenkel schlagen. »Soll ich dir einen Fisch mitbringen?« ruft sie ihm zu, und dann ist sie verschwunden, taucht unter einer Welle hindurch.

»Irgendwann werden sie uns trennen«, sagte Simon.

Sie schlang den Arm fest um den seinen und nahm wieder seine Hand. »Das sollen sie nur versuchen.«

Letztes Jahr hatte er in der Schweiz ein Pflichtseminar über Maßnahmen bei der Besetzung einer Botschaft besucht. Er nahm an, daß die Regeln auch für einen Überfall während einer Geburtstagsfeier galten. Sie würden die Frauen freilassen. Sie würden – er hielt inne. Er wußte wahrhaftig nicht mehr, was danach kam. Er fragte sich, ob Edith, wenn sie sie wegführten, ob sie wohl etwas bei sich hatte, etwas Persönliches, das er behalten könnte, einen Ohrring vielleicht? Wie schnell wir uns mit weniger zufrieden geben! dachte Simon Thibault.

Was anfangs nur ein vereinzeltes, vorsichtiges Flüstern gewesen war, wurde jetzt, als einer nach dem anderen von der Toilette zurückkehrte, zu einem beständigen Tuscheln. Nachdem sie aufgestanden waren und sich bewegt hatten, fühlten sie sich auf dem Boden nicht mehr so eingeschüchtert. Vorsichtig begannen sie, leise miteinander zu reden, und vom Boden stieg erst ein Gemurmel und dann ein regelrechtes Stimmengewirr auf, bis das Ganze einer Cocktailparty glich, bei der alle auf dem Boden lagen. Schließlich sah sich General Alfredo genötigt, ein weiteres Loch in die Decke zu schießen, mit dem gewünschten Erfolg. Ein paar spitze Schreie ertönten, dann war alles still. Keine Minute nach dem Schuß klopfte es an der Tür.

Alle blickten zur Haustür. Bei all dem Megaphongebrüll, dem Geschiebe der Menschenmengen, dem Hundegebell und dem Knattern der über ihnen kreisenden Hubschrauber hatte es doch nie an die Tür geklopft, und alle im Haus horchten angespannt auf, wie man aufhorcht, wenn man nicht gestört werden will. Die jungen Terroristen sahen einander nervös an, atmeten tief durch und steckten den Zeigefinger in das leere Rund des Abzugs, wie um deutlich zu machen, daß sie bereit waren, jemanden zu erschießen. Die drei Generäle berieten sich, zeigten hierhin und dorthin, bis auf beiden Seiten der Tür eine Reihe von jungen Männern stand. Dann nahm General Benjamin sein eigenes Gewehr, stupste mit der runden Kappe seines Stiefels den Vizepräsidenten an der Schulter und bedeutete ihm, aufzustehen und zur Tür zu gehen.

Es sprach alles dafür, daß, wer immer dort vor der Tür stand, vorhatte, sich den Weg freizuschießen, und diesem Fehler sollte lieber Ruben Iglesias zum Opfer fallen. Er erhob sich aus dem Nest, das er sich vor dem leeren Kamin mit seiner Frau und seinen drei Kindern gebaut hatte, zwei Mädchen mit großen Augen und ein kleiner Junge, dessen Gesicht von der Anstrengung eines so tiefen Schlafes noch schweißbedeckt und gerötet war. Das Kindermädchen,

Esmeralda, blieb bei ihnen. Sie kam aus dem Norden und scheute sich nicht, die Terroristen finster anzustarren. Der Vizepräsident sah immer wieder zur Decke, denn er fürchtete, die letzte Kugel könnte ein Wasserrohr getroffen haben. Das hätte jetzt gerade noch gefehlt. Seine rechte Gesichtshälfte, deren Farbe und Form sich von Stunde zu Stunde veränderte, war zu einem gelbroten Fleischklumpen angeschwollen, und er konnte das rechte Auge keinen Spaltbreit mehr öffnen. Die Wunde hörte nicht auf zu bluten. Zweimal mußte er sich eine neue Stoffserviette holen. Als Junge hatte Ruben Iglesias stundenlang in der katholischen Kirche gekniet und darum gebetet, daß Gott ihm eine gewisse Körpergröße möge zuteil werden lassen, etwas, womit nicht einer in seiner weitläufigen Familie gesegnet war. »Gott wird wissen, was gut für dich ist«, hatten die Priester ohne eine Spur von Interesse erklärt, und sie hatten recht gehabt. Seine geringe Größe hatte ihn zum zweitwichtigsten Mann in der Regierung gemacht, und nun hatte sie ihn wahrscheinlich vor einer schweren Verletzung bewahrt, denn der Schlag hatte eher die harte, flache Schläfe getroffen als das relativ fragile Kiefergelenk. Sein Gesicht war ein deutliches Zeichen, daß nicht alles problemlos verlaufen war – eine klare Botschaft für diejenigen, die draußen warteten. Als der Vizepräsident steif und gequält auf beiden Beinen stand, drückte ihm General Benjamin den schlanken Gewehrlauf wie einen Besenstiel zwischen die Schulterblätter und schob ihn damit voran. Sein eigenes Leiden, das bei Streß stets schlimmer wurde, trieb jetzt an jedem Nervenende eine winzige Pustel hervor, und er sehnte sich fast ebensosehr nach einem feuchtwarmen Umschlag, wie er die Revolution herbeisehnte. Es klopfte erneut.

»Ich komme schon«, sagte Ruben Iglesias, nicht zu der Tür, sondern zu dem bewaffneten Mann dahinter. »Ich habe noch nicht vergessen, wo meine Tür ist.« Er wußte, daß sein Leben wahrscheinlich gleich zu Ende war, und dieses Wissen gab ihm eine Dreistigkeit, die ihm half.

»Langsam«, befahl ihm General Benjamin.

»Langsam, langsam, ja, sagen Sie's mir nur. Ich habe noch nie eine Tür aufgemacht«, brummelte der Vizepräsident in sich hinein und öffnete dann in seinem eigenen Tempo die Tür, das heißt weder langsam noch schnell.

Der Mann, der auf der vorderen Veranda stand, war ungewöhnlich blond, und sein gelbweißes Haar war ordentlich gescheitelt und zurückgekämmt. Mit seinem weißen Hemd, der schwarzen Krawatte und der schwarzen Hose sah er aus wie der seriöse Vertreter einer amerikanischen Sekte. Man nahm unwillkürlich an, daß es auch ein Jackett gab, das der Hitze zum Opfer gefallen war, oder vielleicht hatte er es abgelegt, damit man die Armbinde vom Roten Kreuz sah. Ruben Iglesias hätte den Mann gern aus der stechenden Sonne ins Haus geholt. Seine Stirn und seine Wangen waren schon ziemlich verbrannt. Der Vizepräsident blickte an ihm vorbei den Weg entlang, der durch seinen eigenen Vorgarten führte oder durch das, was er inzwischen als solchen betrachtete. Es war eigentlich nicht sein Haus, ebensowenig wie es sein Rasen, sein Personal, seine weichen Betten, seine flauschigen Handtücher waren. Das alles gehörte zu seinem Amt und würde bei ihrem Auszug auf Vollständigkeit überprüft werden. Ihre eigenen Sachen waren eingelagert, und es hatte eine Zeit gegeben, in der er gehofft hatte, daß sie es auch bleiben würden, während er und seine Familie in den Präsidentenpalast übersiedelten. Durch die schmale Öffnung des Tores sah er eine aufgebrachte Schar von Polizisten, Soldaten und Journalisten. Irgendwo auf einem Baum flammte ein Blitzlicht auf.

»Joachim Messner«, sagte der Mann und hielt ihm die Hand hin. »Ich bin vom Internationalen Roten Kreuz.« Er sprach französisch, und als der Vizepräsident ihn fragend ansah, wiederholte er seine Worte in mangelhaftem Spanisch.

Er wirkte so ruhig, schien das Chaos um sie herum so wenig wahrzunehmen, daß man hätte meinen können, er werbe an einem Sonntagmorgen für Spenden. Das Rote Kreuz war immer da, wenn es galt, den Opfern von Erdbeben und Überschwemmungen zu helfen, eben jenen Menschen, die zu beruhigen und deren Verluste zu taxieren Vizepräsident Iglesias losgeschickt wurde. Ruben Iglesias schüttelte dem Mann die Hand und machte ihm ein Zeichen, daß er warten solle. »Das Rote Kreuz«, sagte er zu der Batterie von Gewehren hinter ihm.

Die drei Generäle besprachen sich erneut und waren sich einig, daß sie dies erlauben konnten. »Sind Sie sicher, daß Sie hereinkommen wollen?« fragte der Vizepräsident den Mann leise auf englisch. Sein Englisch war nicht sehr gut, vielleicht ähnlich schlecht wie Messners Spanisch. »Wer weiß, ob sie Sie wieder rauslassen.«

»Das werden sie schon«, sagte er und trat ein. »Das Problem ist, daß sie zu viele Geiseln haben. Mehr Geiseln ist im Moment nicht das, was sie brauchen.« Er sah sich unter den Terroristen um und blickte dann wieder den Vizepräsidenten an. »Ihr Gesicht sieht nicht gut aus.«

Ruben Iglesias zuckte die Achseln, um anzudeuten, daß er das gelassen hinnahm, hatte er doch das harmlosere Ende eines Gewehrs zu spüren bekommen, doch Messner dachte, er hätte ihn nicht verstanden.

»Ich spreche Englisch, Französisch, Deutsch und Italienisch«, sagte er auf englisch. »Ich komme aus der Schweiz. Ich kann auch ein bißchen Spanisch.« Er hielt zwei Finger hoch, im Abstand von zwei Zentimetern, wie um zu sagen, daß seine Spanischkenntnisse dazwischen paßten. »Das hier ist eigentlich nicht mein Gebiet. Ich war im Urlaub, können Sie sich das vorstellen? Ich bin begeistert von den Ruinen hier. Ich bin Tourist, und jetzt soll ich hier arbeiten.« Joachim Messner wirkte allzu entspannt, wie ein Nachbar, der kam, um sich ein paar Eier zu borgen, und sich verplauderte. »Ich müßte einen Dolmetscher mitbringen, wenn ich auf spanisch verhandeln soll. Da draußen wartet einer.«

Der Vizepräsident nickte, obwohl er nicht einmal die Hälfte verstanden hatte. Er konnte ein bißchen Englisch, aber nur, wenn der andere jedes Wort getrennt aussprach und er selbst nicht gerade mit einem Gewehr auf den Kopf geschlagen worden war. Er glaubte, Messner hatte etwas von einem Dolmetscher gesagt. Und selbst wenn er sich täuschte, würde er doch gern selbst einen haben. »*Traductor*«, sagte er zu dem General.

»*Traductor*«, sagte General Benjamin, und sich dunkel an etwas vom vorigen Abend erinnernd, ließ er den Blick über den Boden schweifen. »*Traductor?*«

Gen, der von Natur aus hilfsbereit, aber kein Held war, blieb einen Moment lang reglos liegen und erinnerte sich an den scharf umrissenen Druckpunkt der Gewehrmündung auf seiner Brust. Selbst wenn er nichts sagte, würden sie früher oder später merken, daß er der Dolmetscher war. »Hätten Sie etwas dagegen?« flüsterte er Herrn Hosokawa zu.

»Gehen Sie nur«, sagte er und legte Gen die Hand auf die Schulter.

Einen Moment lang war alles still, dann hob Gen Watanabe unsicher die Hand.

General Alfredo winkte ihn heran. Wie die meisten Männer hatte Gen die Schuhe ausgezogen, und er bückte sich, um sie wieder anzuziehen, doch der General fuhr ihn ungeduldig an. Verlegen stakste Gen auf Socken zwischen den Gästen hindurch. Es kam ihm unverschämt vor, über jemanden hinwegzusteigen. Leise entschuldigte er sich, während er weiterging. *Perdon, perdonare, pardon me.*

»Joachim Messner«, sagte der Mann vom Roten Kreuz, schüttelte Gen die Hand und fuhr auf englisch fort: »Was ist Ihnen lieber, Englisch oder Französisch?«

Gen sagte, das sei ihm egal.

»Gut, dann Französisch. Ist alles in Ordnung?« fragte Messner auf französisch. Sein Gesicht wies eine interessante Farbzusammenstellung auf: das tiefe Blau seiner Augen, das strahlende Weiß seiner Haut, das Rot seiner von der Sonne verbrannten Wangen und Lippen, das blonde Haar, dessen Farbe Gen an den weißen Mais erinnerte, den er in Amerika gesehen hatte. Lauter Primärfarben, dachte Gen. Ein solches Gesicht ließ alles offen.

»Es geht uns gut.«

»Hat man Sie mißhandelt?«

»Spanisch«, sagte General Alfredo.

Gen erklärte es ihm und wiederholte dann mit einem blitzschnellen Blick auf den Vizepräsidenten, daß es ihnen gutgehe. Doch der Vizepräsident sah ziemlich schlecht aus.

»Sagen Sie ihnen, ich werde ihr Unterhändler sein.« Messner dachte kurz nach und wiederholte den Satz dann selbst in halbwegs korrektem Spanisch. Dann lächelte er Gen an und sagte auf französisch: »Ich sollte es lieber gar nicht versuchen. Sonst mache ich noch irgendeinen dummen Fehler und bringe uns alle in Schwierigkeiten.«

»Spanisch«, sagte General Alfredo.

»Er sagt, das Spanischsprechen fällt ihm sehr schwer.«

Alfredo nickte.

»Was wir wollen, ist natürlich, daß sie alle Geiseln unverletzt freilassen, ohne irgendwelche Bedingungen. Für den Anfang werden wir uns mit den überzähligen Geiseln zufriedengeben.« Messner sah auf den Boden, auf den Teppich voll gutangezogener Gäste und Kellnern in weißen Jacketts, die sich den Hals nach ihm ausrenkten. Das Ganze wirkte ausgesprochen unnatürlich. »Es sind zu viele Leute hier. Wahrscheinlich haben Sie jetzt schon nichts mehr zu essen oder spätestens heute abend. Es müssen doch nicht so viele sein. Lassen Sie die Frauen frei, das Personal und alle, die krank sind, alle, die Sie nicht unbedingt brauchen. Fürs erste.«

»Und im Austausch dafür?« sagte der General.

»Im Austausch dafür bekommen Sie genug zu essen, Kissen, Decken und Zigaretten. Was brauchen Sie?«

»Wir haben Forderungen.«

Messner nickte. Er wirkte ernst, aber zugleich gelang-weilt, als wäre dies ein Gespräch, das er jeden Tag noch vor dem Frühstück an die zehn Mal führte, oder als würde jede Geburtstagsfeier mit einem solchen Dilemma enden. »Natürlich, und natürlich wird man Sie anhören. Was ich meine, ist«, und er wies mit der Hand auf die Leute auf dem Boden, »das hier ist für alle unhaltbar. Lassen Sie jetzt die überzähligen Geiseln frei, diejenigen, die Sie nicht brau-chen, und man wird es als eine Geste des guten Willens ver-stehen. Damit weisen Sie sich als vernünftige Leute aus.«

»Wer sagt, daß wir vernünftig sind?« fragte General Benjamin Gen, der die Frage weitergab.

»Sie haben das Haus seit zwölf Stunden in Ihrer Gewalt, und es gibt noch keine Toten. Es gibt doch keine, oder?« fragte Messner Gen. Gen schüttelte kurz den Kopf und übersetzte dann den Rest von Messners Worten. »Das heißt für mich, daß Sie vernünftig sind.«

»Sagen Sie ihnen, sie sollen uns Präsident Masuda brin-gen. Wir sind wegen des Präsidenten gekommen, und für ihn werden wir alle anderen frei lassen.« Er deutete mit einer ausgreifenden Armbewegung in den Raum. »Sehen Sie sich das an! Ich weiß nicht einmal, wie viele Leute das sind. Zweihundert? Noch mehr? Sagen Sie bloß, *ein* Mann für zweihundert Menschen ist kein vernünftiger Tausch.«

»Den Präsidenten werden Sie nicht bekommen«, sagte Messner.

»Seinetwegen sind wir hier.«

Messner seufzte und nickte ernst. »Tja, ich bin hier, um Urlaub zu machen. Sieht so aus, als ob keiner von uns be-kommt, was er will.«

Ruben Iglesias stand neben Gen und hörte sich das Ge-spräch wortlos an, als würde ihn dessen Ausgang nichts weiter angehen. Er war der höchste politische Vertreter im Raum, und doch betrachtete ihn niemand als den Anführer oder als eine wertvolle Ersatzgeisel, die dem Präsidenten fast gleichkam. Wenn man den Durchschnittsbürger dieses schönen Landes, das den Segen der Massenmedien noch kaum kannte, nach dem Namen des Vizepräsidenten gefragt hätte, hätte er sich wohl achselzuckend abgewandt. Vizepräsidenten waren wie Visitenkarten, etwas, das man statt des Gewünschten schickte. Sie waren ersetzbar, austauschbar. Noch kein Krieg war durch die beflügelnden Worte eines Vizepräsidenten ausgelöst oder gewonnen worden, und niemand wußte das besser als der Vizepräsident des Gastlandes.

»Lassen Sie sie frei«, sagte Ruben mit ruhiger Stimme zu den Generälen. »Der Mann hat recht. Masuda würde niemals hierherkommen.« Komischerweise dachte er in dem Moment bei »hierher« tatsächlich an »in dieses Haus, zu mir«. Masuda hatte Ruben immer ausgeschlossen. Er hatte seine Kinder nie gesehen. Bei offiziellen Abendessen forderte er seine Frau nie zum Tanzen auf. Einen Mann aus dem Volke auf seiner Wahlliste zu haben war eines, mit ihm an einem Tisch zu essen etwas völlig anderes. »Ich weiß, wie so etwas abläuft. Schicken Sie ihnen die Frauen, die überzähligen Geiseln – das beweist ihnen, daß man mit Ihnen zusammenarbeiten kann.« Als vor zwei Jahren die größte Bank des Landes von Terroristen besetzt worden war, hatten sie niemanden hinausgelassen, keinen der Kunden, keinen der Schalterbeamten. Sie hatten den Bankdirektor am Haupteingang aufgehängt, als wirkungsvolles Bild für die Medien. Sie wußten alle noch, wie es ausgegangen war: Die Terroristen waren bis zum letzten Mann an die marmorne Wand gestellt und erschossen worden. Was Ruben sagen wollte, war, daß so etwas niemals Erfolg hatte. Die Forderungen wurden nie erfüllt, oder wenn, dann war es eine Falle. Niemand kam mit dem Geld davon oder damit, daß ein paar Kameraden aus einem Hochsicherheitstrakt freikamen. Die Frage war nur, wie lange es dauerte, bis sie mürbe waren, und wie viele Menschen dafür sterben mußten.

General Benjamin hob die Hand und bohrt seinen Finger in die blutige Stoffserviette, die der Vizepräsident an sein

Gesicht hielt. Ruben ertrug es mit Fassung. »Hat Sie jemand gefragt?«

»Das hier ist schließlich mein Haus«, sagte er, während der Schmerz ihn durchzuckte und ihm leicht übel wurde.

»Legen Sie sich wieder hin.«

Ebendanach war Ruben zumute, und so drehte er sich kommentarlos um. Er war fast traurig, als Messner ihn am Arm zurückhielt.

»Das muß genäht werden«, sagte Messner. »Ich hol einen Arzt.«

»Kein Arzt, keine Nadeln«, sagte General Alfredo. »Es war nie ein hübsches Gesicht.«

»Sie können ihn nicht so vor sich hin bluten lassen.«

Der General zuckte die Achseln. »Kann ich schon.«

Der Vizepräsident hörte zu. Er mochte nicht für sich selbst bitten. Und der Gedanke an eine Nadel, jetzt, wo sich alles so wund anfühlte, bei diesen Kopfschmerzen und dem heißen Druck hinter seinen Augen – nun, er war sich nicht sicher, ob er in diesem Punkt nicht auf der Seite der Terroristen stand.

»Wenn dieser Mann hier verblutet, geht gar nichts mehr«, erklärte Messner mit ruhiger Stimme, um das Gewicht seiner Aussage aufzufangen.

Verblutet? dachte der Vizepräsident.

General Hector, der sich nur selten äußerte, sagte der Kinderfrau, sie solle nach oben gehen und ihr Nähzeug holen. Er klatschte zweimal in die Hände, wie ein Lehrer, der die Kinder zur Ordnung ruft, und sie sprang auf und wäre fast hingefallen, denn ihr linker Fuß war eingeschlafen. Kaum war sie fort, begann Rubens vierjähriger Sohn Marco jämmerlich zu schreien, denn er sah die Hausangestellte als seine Mutter an. »Regeln Sie das jetzt sofort«, sagte General Hector mit gewichtiger Stimme.

Ruben Iglesias wandte sein geschwollenes Gesicht Joachim Messner zu. Nähzeug war nicht das, woran er gedacht hatte. Er war schließlich kein loser Knopf, kein

Saum, den es zu kürzen galt. Sie waren doch nicht im Dschungel, und er selbst war doch kein Wilder. Er war schon zweimal genäht worden, beide Male im Krankenhaus, säuberlich und mit sterilen Instrumenten aus flachen, silbernen Schalen.

»Gibt es hier einen Arzt?« fragte Messner Gen.

Gen konnte die Frage nicht beantworten, rief sie jedoch in verschiedenen Sprachen in den Raum.

»Wir haben bestimmt mindestens einen Arzt eingeladen«, sagte Ruben Iglesias, doch bei dem wachsenden Druck in seinem Kopf konnte er sich an nichts erinnern.

Mit einem viereckigen Deckelkorb unter dem Arm kam Esmeralda die Treppe herunter. Unter all den Frauen in Abendkleidern wäre sie niemandem aufgefallen. Sie war ein Mädchen vom Land in Dienstbotentracht – schwarzer Rock und schwarze Bluse mit weißem Kragen und weißen Manschetten –, und ihr langer, schwarzer Zopf, der so dick war wie eine Kinderfaust, wippte bei jedem Schritt auf ihrem Rücken. Doch jetzt sahen alle im Raum sie an – wie ungezwungen sie sich bewegte, wie unbekümmert sie wirkte, als wäre dies ein Tag wie jeder andere, und sie hätte einen Moment Zeit, etwas fertigzunähen. Sie hatte kluge Augen und trug den Kopf hoch. Auf einmal kam sie allen im Raum sehr schön vor, und die Marmortreppe, die sie hinabging, erglänzte in ihrem Licht. Gen rief immer wieder: »Arzt«, »Arzt«, während der Vizepräsident unwillkürlich den Namen des Mädchens ausstieß: »Esmeralda.«

Niemand auf dem Boden hob die Hand, woraus sie schlossen, daß kein Arzt dabei war. Doch das stimmte nicht. Dr. Gomez lag ganz hinten, beinahe schon im Eßzimmer, und seine Frau stach ihn mit zwei rot lackierten Fingernägeln heftig in die Rippen. Er hatte seine Praxis vor Jahren geschlossen, um Leiter eines Krankenhauses zu werden. Wann hatte er zum letztenmal eine Wunde genäht? Als er noch praktiziert hatte, war er Lungenspezialist gewesen. Mindestens seit seiner Zeit als Assistenzarzt hatte er keine Nadel mehr durch Haut gezogen. Er war dafür wahrscheinlich nicht eher qualifiziert als seine Frau, die doch zumindest immer ein Petit-point-Stück in Arbeit hatte. Er brauchte keinen Stich zu machen, um zu sehen, wie sich das Ganze entwickeln würde: Die Wunde würde sich infizieren; sie würden nicht die notwendigen Antibiotika bekommen; schließlich würde man die Wunde wieder öffnen, ausschaben und von neuem nähen müssen. Und das alles im Gesicht des Vizepräsidenten. Er erschauderte bei dem Gedanken. Es würde bestimmt nicht gutgehen. Man würde ihn zur Verantwortung ziehen. Das Ganze würde publik gemacht werden. Ein Arzt, der Leiter eines Krankenhauses, hatte einen Mann umgebracht, auch wenn niemand sagen konnte, daß es seine Schuld war. Er fühlte, wie seine Hände zitterten. Auch wenn er nur so dalag, zitterten seine Hände auf seiner Brust. Wie konnte er mit solchen Händen das Gesicht eines Mannes nähen, eine Narbe darin hinterlassen, durch die sie beide berühmt werden würden?

Und dann war da dieses Mädchen, das mit ihrem Korb die Treppe herunterkam und aussah wie die Hoffnung selbst. Sie war ein Engel! Es war ihm nie gelungen, als Putzhilfen im Krankenhaus so intelligent aussehende Mädchen zu finden, so hübsche junge Frauen, die ihre Dienstkleidung so sauber hielten.

»Steh auf!« zischte seine Frau ihn an. »Sonst muß ich für dich den Arm heben.«

Der Arzt schloß die Augen und schüttelte nur ganz leicht den Kopf, um ja keine Aufmerksamkeit zu erregen. Es würde alles seinen Lauf nehmen. Die Stiche würden den Mann weder retten noch umbringen. Die Würfel waren bereits gefallen, und man konnte nichts anderes tun als abwarten, was dabei herauskam.

Esmeralda gab Joachim Messner den Korb, ging jedoch nicht zurück an ihren Platz. Statt dessen hob sie den Deckel hoch, der mit einem wattierten Stoff mit Rosenmuster gefüttert war, nahm eine Nadel von dem tomatenförmigen

Kissen und eine Rolle schwarzes Garn und fädelte den Faden ein. Sie biß ihn graziös mit den Zähnen ab und machte am einen Ende einen ordentlichen, kleinen Knoten. Alle Männer, sogar die Generäle, sahen ihr zu, als vollbringe sie eine Art Wunder, etwas, das weit über den Umgang mit Nadel und Faden hinausging und das sie selbst nie hätten leisten können. Dann griff sie in ihre Rocktasche und zog eine Flasche Isopropylalkohol hervor, in den sie die Nadel hinabsenkte und noch ein paarmal tief eintauchte. Sterilisation. Ein einfaches Mädchen vom Land. Man hätte nicht umsichtiger vorgehen können. Den Faden nur hinten am Knoten anfassend, zog sie die Nadel heraus und hielt sie Joachim Messner hin.

»Ah«, sagte er und nahm den Knoten zwischen Zeigefinger und Daumen.

Es gab einiges Hin und Her. Zuerst dachten sie, sie könnten beide stehen, dann erschien es ihnen besser, wenn der Vizepräsident sich setzte, und schließlich, daß er sich neben einer Tischlampe hinlegte, wo das Licht am besten war. Die beiden Männer zögerten das Ganze hinaus – sie hatten einer mehr Angst als der andere. Messner rieb sich die Hände dreimal mit Alkohol ab. Iglesias dachte, lieber würde er sich noch einmal mit dem Gewehrkolben schlagen lassen. Er legte sich auf den Teppich, weit von seiner Frau und den Kindern entfernt, und Messner beugte sich über ihn, saß sich damit jedoch selbst im Licht, lehnte sich wieder zurück und drehte den Kopf des Vizepräsidenten erst zur einen Seite und dann zur anderen. Der Vizepräsident versuchte, an etwas Schönes zu denken, und so dachte er an Esmeralda. Es war wirklich erstaunlich, wie patent sie war. Vielleicht hatte seine Frau ihr das beigebracht, die Sache mit den Bakterien und daß Sauberkeit wichtig war. Was hatte er für ein Glück, ein solches Mädchen für seine Kinder zu haben. Das Blut pulsierte nicht mehr, sickerte jedoch immer noch aus der Wunde, und Messner hielt inne, um es mit einer Serviette abzutupfen. Man hätte meinen können, daß es unter den gegebenen Umständen, bei dem Megaphongebrüll, das durch die Fenster drang, und dem ständigen Aufheulen und Verstummen von Sirenen, angesichts all der auf dem Boden liegenden Geiseln und der übermüdeten Terroristen mit ihren Messern und Gewehren – daß es in dieser Situation niemanden gekümmert hätte, was mit Ruben Iglesias' Wange geschah. Doch die Leute reckten die Hälse wie Schildkröten, um zu sehen, wie es weiterging, um zu sehen, wie sich die Nadel zum ersten Stich hinabsenkte.

»Sie haben noch fünf Minuten«, sagte General Alfredo.

Joachim Messner hielt mit der linken Hand die Haut zusammen und stach mit der Nadel in seiner rechten Hand zu. In der Meinung, daß ein schneller Stich weniger schlimm wäre, verschätzte er sich in der Dicke des Materials, und stieß die Nadel bis in den Knochen hinein. Beide Männer gaben einen Laut von sich, der nicht ganz ein Schrei war, schrill und doch gedämpft, und Messner riß die Nadel mit einiger Anstrengung wieder heraus, womit sie wieder da waren, wo sie angefangen hatten – außer daß jetzt auch aus dem kleinen Loch ein Blutstropfen quoll.

Niemand hatte nach ihr gefragt, doch Esmeralda stand schon bereit und reinigte sich die Hände. Dabei machte sie ein Gesicht, wie der Vizepräsident es sie bei seinen Kindern hatte aufsetzen sehen. Sie hatten sich vergeblich mit etwas abgemüht, und Esmeralda hatte ihnen lange genug zugesehen. Sie nahm Joachim Messner Nadel und Faden aus der Hand und tauchte sie wieder in den Alkohol. Erleichtert machte Messner ihr Platz. Es war ihm egal, was sie dazu bewog oder berechtigte, er sah einfach zu, wie sie sich neben der Lampe hinabbeugte.

Ruben Iglesias kam ihr Gesicht sehr freundlich vor, so engelhaft freundlich wie das von Heiligen, auch wenn sie durchaus nicht lächelte. Er war dankbar für ihre ernsten braunen Augen, die jetzt nur noch Zentimeter von seinen eigenen entfernt waren. Er wollte die Augen nicht schließen, so groß die Versuchung auch war. Nie wieder würde er so viel Konzentration und Mitgefühl sehen, die seinem eigenen Gesicht galten, selbst wenn er diese Tortur überlebte und hundert Jahre alt würde. Als die Nadel auf ihn zukam, hielt er still und atmete den Grasduft ihres Haares ein. Jetzt fühlte er sich tatsächlich wie ein abgerissener Knopf, wie eine Kinderhose, die sie am Abend auf ihrem warmen Schoß flickte. Es war gar nicht so schlimm. Er war einfach ein weiterer Gegenstand, den Esmeralda zusammenflickte, wieder einmal etwas, das es auszubessern galt. Die kleine Nadel tat weh. Es war ihm unangenehm, wenn sie vor seinen Augen vorbeifuhr. Es war ihm unangenehm, am Ende eines jeden Stichs diesen kleinen Ruck zu spüren, bei dem er sich vorkam wie eine Forelle an der Angel. Doch er war dankbar, diesem Mädchen, das er jeden Tag sah, so nahe zu sein. Er sah sie vor sich, wie sie mit seinen Kindern auf dem Rasen saß, auf einem Leintuch unter einem Baum, und Tee in angeschlagene Tassen goß, mit Marco auf dem Schoß und Rosa und Imelda mit ihren Puppen neben sich. Er sah sie, wie sie rückwärts aus dem Zimmer kam, gute Nacht, gute Nacht, nein, kein Wasser mehr, schlaft jetzt, macht die Augen zu, gute Nacht. Sie schwieg in ihrer Konzentration, doch schon der Gedanke an ihre Stimme wirkte beruhigend auf ihn, und obwohl es weh tat, wußte er, er würde traurig sein, wenn es vorbei war, wenn sie ihre Hüfte nicht mehr gegen seine Taille drücken würde. Dann war sie fertig und verknotete auch das zweite Ende. Sie beugte sich wie zum Kuß hinab und biß den Faden durch, und ihren Lippen blieb keine andere Wahl, als über die Naht zu fahren, die ihre Hand genäht hatte. Er hörte das schnelle Zuschnappen ihrer Zähne, das Abtrennen dessen, was sie verband, dann richtete Esmeralda sich auf. Sie fuhr ihm mit der Hand übers Haar, zum Ausgleich für seine Qualen. Die schöne Esmeralda.

»Das war sehr tapfer«, sagte sie.

Alle, die ihnen nah genug waren, um sie zu sehen, lächelten und seufzten. Sie hatte es wirklich schön gemacht: An der einen Seite seines Kopfes lief ein ordentliches kleines Gleis aus gleichmäßigen schwarzen Stichen entlang. Es war ganz so, wie man es von einem Mädchen erwarten würde, das von klein auf zum Nähen bestimmt gewesen war. Als sie zu den Kindern zurückkam, kletterte Marco wieder auf ihren Arm. Er preßte den Kopf an ihre Brust und atmete ihren Geruch ein. Der Vizepräsident blieb reglos liegen. In seinem Innern rangen Schmerz und Wohlgefühl, und er gab sich dem Augenblick hin. Er schloß die Augen, als hätte er ein Anästhetikum gespritzt bekommen.

»Sie beide«, sagte der General zu Messner und Gen. »Legen Sie sich da auf den Boden. Wir werden die Sache besprechen.« Er wies mit dem Gewehr auf eine Stelle ein Stück weit entfernt.

Messner unternahm keinen Versuch, das Gespräch wiederaufzunehmen. »Ich werde mich nicht hinlegen«, sagte er, wobei er jedoch so müde klang, daß man hätte meinen können, er hätte durchaus nichts dagegen. »Ich werde draußen warten. Ich komme in einer Stunde zurück.« Mit diesen Worten nickte er Gen freundlich zu, öffnete einfach die Tür und ging hinaus. Gen fragte sich, ob er das wohl auch könnte: erklären, er würde draußen warten. Aber Gen wußte, daß er nicht Messner war. Es war schwer zu sagen, warum, aber irgendwie schien es keinen Sinn zu haben, Messner zu erschießen. Er wirkte wie jemand, der sein Leben lang täglich erschossen worden war und einfach genug davon hatte. Gen dagegen, der die Nadel noch vor sich sah, kam sich gerade sehr sterblich vor. Sterblich und loyal, und so ging er zurück an seinen Platz neben Herrn Hosokawa.

»Was haben sie gesagt?« fragte Herr Hosokawa ihn leise.

»Ich glaube, sie werden die Frauen freilassen. Es ist noch nicht beschlossen, aber sie scheinen dazu bereit zu sein. Sie sagen, wir sind zu viele.« Rund um ihn herum lagen Menschen, zum Teil keine fünf Zentimeter entfernt. Er kam sich vor wie in der U-Bahn in Tokyo um acht Uhr morgens. Er griff an seinen Hals und löste seine Krawatte.

Herr Hosokawa schloß die Augen und spürte, wie sich Entspannung auf ihn herabsenkte wie eine weiche Decke. »Gut«, sagte er. Roxane Coss würde freigelassen werden, rechtzeitig, um noch in Argentinien auftreten zu können. Innerhalb weniger Tage würde die Angst dieser Stunden von ihr weichen. Sie würde das Schicksal der Männer aus sicherer Entfernung in der Zeitung verfolgen. Sie würde die Geschichte bei Cocktailpartys erzählen, und die Leute würden staunen. Aber das taten sie immer. In der ersten Woche in Buenos Aires würde sie die Gilda singen. Das schien ihm ein glücklicher Zufall zu sein. Sie singt die Gilda, und er ist noch ein Junge, der mit seinem Vater in Tokyo ist. Er sieht ihr vom obersten Rang aus zu, von so weit weg, und trotzdem klingt ihre Stimme so klar und zart, als stünde er dicht genug bei ihr, um sie mit der Hand zu berühren. Aus der Ferne wirken ihre übertriebenen Gesten, ihr Bühnen-Make-up perfekt. Sie singt zusammen mit ihrem Vater, Rigoletto. Sie sagt ihrem Vater, daß sie ihn liebt, während hoch oben im Rang der kleine Katsumi Hosokawa nach der Hand seines Vaters greift. Die Oper steigt von den edlen Teppichen und den halb leeren Gläsern *pisco sour* im Wohnzimmer auf, löst sich von Geburtstagen und Fabrikbauplänen. Kreiselnd steigt sie über dem Gastland empor, bis sie sanft auf der Bühne landet, wo sie ganz sie selbst wird, etwas Schönes, Fernes. Jetzt wird ihre Stimme vom ganzen Orchester getragen, es strebt mit den Stimmen hinauf, hebt die Stimmen empor, Roxane Coss' herrliche Stimme singt ihre Gilda für den kleinen Katsumi Hosokawa. Ihre Stimme läßt die winzigen Knochen tief in seinen Ohren vibrieren. Ihre Stimme bleibt in ihm, wird eins mit ihm. Ihr Gesang gilt ihm – ihm und tausend anderen. Er bleibt anonym, den anderen gleich, geliebt.

Auf dem Fußboden des Wohnzimmers, auf verschiedenen Seiten des Raumes, lagen auch zwei Priester der heiligen römisch-katholischen Kirche. Monsignore Rolland hatte sich hinter das Sofa gelegt, vor dem die Thibaults lagen, in

der Meinung, es sei besser, sich von den Fenstern fernzu-
halten, für den Fall, daß geschossen würde. Als ein Führer
seines Volkes hatte er die Pflicht, sich zu schützen. Katho-
lische Priester waren bei politischen Aufständen oft zur
Zielscheibe geworden, man brauchte nur in die Zeitung zu
sehen. Sein Ornat war feucht von Schweiß. Der Tod war
ein heiliges Mysterium. Gott allein konnte den Zeitpunkt
bestimmen. Doch der Monsignore hatte gewichtige Gründe,
um leben zu wollen. Man hielt es praktisch für ausgemacht,
daß er Nachfolger des steinalten Bischofs Romero werden
würde, wenn dieser seine Amtszeit, beendete, indem er
starb. Schließlich war es Monsignore Rolland, der den Ze-
remonien beiwohnte und die Übereinkünfte aushandelte,
die der Kirche neue Wege eröffneten. Nichts auf der Welt
war wirklich sicher, nicht einmal der Katholizismus, hier in
diesem von Armut geplagten Dschungel. Man denke nur an
die Flut von Mormonen, die sich mit ihrem Geld und ihren
Missionaren im Land ausbreiteten. Was für eine Frechheit,
Missionare in ein katholisches Land zu schicken! Als ob sie
Wilde wären, die nur darauf warteten, bekehrt zu werden.
Wenn sein Kopf auch auf einem kleinen Sofakissen lag, das
er beim Hinlegen unauffällig hatte stibitzen können, so
taten ihm doch die Hüften weh, und er überlegte sich, daß
er, wenn das hier vorbei war, ein ausgiebiges heißes Bad
nehmen und anschließend mindestens drei Tage in seinem
weichen Bett verbringen würde. Man konnte das Ganze
natürlich auch positiv sehen, denn, solange hier niemand
den Kopf verlor und er unter den ersten Freigelassenen
war, konnte diese Geiselnahme genau das sein, was das
Schicksal des Monsignore besiegelte. Die damit verbundene
Publicity konnte sogar einen Mann, der unversehrt davon-
gekommen war, zu einem heiligen Märtyrer machen.

Und das wäre bestimmt auch der Fall gewesen, hätte es
den jungen Priester nicht gegeben, der auf den kalten Marmorfliesen in der Eingangshalle lag. Monsignore Rolland
hatte Pater Arguedas schon einmal gesehen, bei dessen

Ordination vor zwei Jahren, doch er erinnerte sich nicht mehr daran. Es gab reichlich junge Männer im Land, die sich als Priester verpflichten wollten. Mit ihren kurzen dunklen Haaren und den steifen schwarzen Hemden glichen sich diese Priester wie die weißgekleideten Kinder bei der Erstkommunion. Der Monsignore hatte nicht einmal eine Ahnung, daß sich Pater Arguedas im selben Raum befand, denn er war ihm im Laufe des Abends nicht aufgefallen. Doch wie kam ein junger Priester dazu, zu einer Feier im Hause des Vizepräsidenten eingeladen zu werden?

Pater Arguedas war sechsundzwanzig Jahre alt, und arbeitete als unterster Gemeindepfarrer auf der anderen Seite der Hauptstadt, wo er Kerzen anzündete, das Abendmahl austeilte und Aufgaben erfüllte, die denen eines bewährten Ministranten entsprachen. In den wenigen Stunden des Tages, in denen er nicht durch Beten Gott seine Liebe darbrachte oder durch Taten der Gemeinde diente, ging er in die Universitätsbibliothek und hörte sich Opern an. Von den Holzwänden einer alten Lesekabine abgeschirmt, saß er dort im Keller und lauschte mit riesigen Kopfhörern, die ihm zu eng waren und ihm Kopfschmerzen verursachten, den vorhandenen Aufnahmen. Die Universität war alles andere als reich, und es gab wichtigere Dinge als die Oper, so daß die Sammlung noch aus Schallplatten bestand statt aus CDs. Auch wenn ihm einige Werke besser gefielen als andere, hörte sich Pater Arguedas einfach alles an, von der *Zauberflöte* bis *Trouble in Tahiti*. Er schloß die Augen und bildete mit den Lippen lautlos die Worte nach, die er nicht verstand. Anfangs verfluchte er seine Vorgänger, alle, die auf den Platten ihre Fingerabdrücke hinterlassen, sie zerkratzt oder sogar eine Platte entwendet hatten, so daß der dritte Akt von *Lulu* fehlte. Dann erinnerte er sich, daß er Priester war, und sank auf dem Betonboden im Keller der Bibliothek auf die Knie.

Allzuoft hatte er dort beim Zuhören gespürt, wie seine Seele von einer Art Entzücken erfaßt wurde, einem Gefühl, das er nicht benennen konnte, das ihn jedoch beunruhigte – war es Sehnsucht? Liebe? In seiner ersten Zeit im Seminar hatte er sich vorgenommen, der Oper zu entsagen, wie es sich andere junge Männer mit den Frauen vornahmen. Er hatte das Gefühl, daß eine solche Leidenschaft etwas Gefährliches hatte, vor allem für einen Priester. Da er keine richtigen oder interessanten Sünden zu beichten hatte, brachte er eines Mittwochnachmittags die eingebildete Sünde seiner Liebe zur Oper als sein größtes Opfer an Christus dar.

»Verdi oder Wagner?« fragte die Stimme auf der anderen Seite des Gitters.

»Beide«, sagte Pater Arguedas, doch als er sich von der Überraschung erholt hatte, korrigierte er sich. »Verdi.«

»Du bist noch jung«, antwortete die Stimme. »Komm in zwanzig Jahren wieder und laß mich dich dann noch einmal fragen, wenn Gott mich bis dahin nicht zu sich holt.«

Der junge Priester bemühte sich, die Stimme zu erkennen. Er war überzeugt, daß er alle Priester von San Pedro kannte. »Ist das denn keine Sünde?«

»Die Kunst ist keine Sünde. Sie ist nicht immer gut. Aber sie ist keine Sünde.« Die Stimme hielt einen Moment lang inne, und Pater Arguedas steckte einen Finger in sein schwarzes Kragenband, um ein bißchen stickige, warme Luft unter sein Hemd zu bekommen. »Die Libretti sind allerdings manchmal ... versuche, dich auf die Musik zu konzentrieren. Die Wahrheit der Oper liegt in der Musik.«

Pater Arguedas nahm seine kleine, obligate Buße entgegen und sagte voll Dankbarkeit jedes Gebet dreimal. Er brauchte seiner Liebe nicht zu entsagen. Ja, er kehrte seine Ansicht danach völlig um und kam zu dem Schluß, daß etwas so Schönes eins sein mußte mit Gott. Die Musik lobte Gott, davon war er überzeugt, und wenn der Text sich allzuoft um menschliche Sünden drehte – nun, hatte Jesus selbst sich nicht ebendamit befaßt? Wenn ihn irgendwelche fragwürdigen Empfindungen überkamen, die ihm Unbehagen bereiteten, umging er das Problem dadurch, daß er das Libretto nicht las. Er hatte im Seminar Latein gelernt, doch er weigerte sich, die Verbindung zum Italienischen herzustellen. Tschaikowskij kam ihm von daher besonders entgegen, denn Russisch verstand er kein Wort. Leider war es manchmal eher die Musik als der Text, die die Lust erzeugte. Kein Wort Französisch zu können schützte einen Priester nicht vor *Carmen*. Von *Carmen* bekam er Träume. Aber meistens gelang es ihm, so zu tun, als würden die Männer und Frauen in den Opern alle so anmutig und herrlich singen, weil sie von der Liebe zu Gott sangen, die sie im Herzen trugen.

Von seinem Beichtvater freigesprochen, bemühte sich Pater Arguedas nicht, seine Liebe zur Musik zu verbergen. Es schien sich ohnehin niemand um seine Interessen zu kümmern, solange sie ihn nicht von seinen Pflichten abhielten. Es war vielleicht kein besonders modernes Land und keine sehr moderne Religion, doch es waren moderne Zeiten. Die Gemeindemitglieder hatten den jungen Priester ins Herz geschlossen, der mit so unermüdlichem Eifer die Kirchenbänke polierte und jeden Morgen vor der Messe eine Stunde vor den Kerzen kniete. Unter den Leuten, denen seine guten Werke auffielen, war eine Frau namens Ana Loya, die Lieblingscousine der Frau des Vizepräsidenten. Sie interessierte sich ebenfalls für Musik und lieh Pater Arguedas bereitwillig Aufnahmen. Als sie gerüchteweise hörte, daß Roxane Coss bei einer Geburtstagsfeier singen würde, rief Ana ihre Cousine an und fragte sie, ob ein gewisser junger Priester nicht auch kommen dürfe. Sie müßten ihn natürlich nicht zum Essen einladen, er könnte so lange in der Küche warten. Ja er könnte sogar in der Küche bleiben, während Roxane Coss sang, doch sie wäre ihnen sehr dankbar, wenn er sich an dem Abend im Haus oder auch nur im Garten aufhalten dürfte. Pater Arguedas hatte Ana nach einer besonders mittelmäßigen Darbietung des Kirchenchors einmal gestanden, daß er noch nie eine Opernarie live gehört hatte. Die größte Liebe seines Lebens – nach Gott dem Herrn – existierte für ihn nur in schwarzem Vinyl. Ana hatte einen Sohn verloren, vor mehr als zwanzig Jahren. Der Junge war drei Jahre alt, als er in einem Bewässerungsgraben ertrank. Sie hatte viele Kinder und liebte sie alle sehr, und sie sprach nie mehr von dem, das gestorben war. Tatsächlich dachte sie nur noch an dieses Kind, wenn sie Pater Arguedas sah. Sie wiederholte ihre Frage an ihre Cousine: »Darf Pater Arguedas kommen, um sich die Sängerin anzuhören?«

Es war ganz anders, in einem Sinne, wie er es sich nie hätte vorstellen können – als wäre ihre Stimme etwas, was man sehen konnte. Auf jeden Fall konnte man sie spüren, selbst dort, wo er stand, ganz hinten im Raum. Sie ließ die Falten seiner Soutane erzittern, strich über seine Wangen. Nie hätte er gedacht, niemals, daß es eine Frau wie diese gab, eine Frau, die Gott so nahestand, daß aus ihrem Mund seine eigene Stimme strömte. Wie weit mußte sie in sich gegangen sein, um diese Stimme hervorzuholen. Es war, als käme die Stimme vom Mittelpunkt der Erde, als hätte sie sie durch ihren Eifer und die bloße Kraft ihres Willens durch die Erdmassen und das Gestein und die Bodendielen in ihre Füße heraufgezogen, von wo diese Stimme durch sie hindurchströmte und, von ihr erwärmt, aufwärts strebte, hinaufstieg, bis sie sich aus der weißen Lilie ihres Halses geradewegs zu Gott emporschwang. Es war ein Wunder, und er weinte vor Dankbarkeit, daß er dieses Wunder erleben durfte.

Selbst jetzt, nach mehr als zwölf Stunden auf den Marmorfliesen der Eingangshalle, in denen die Kälte ihm bis ins Mark gedrungen war, zog die Stimme von Roxane Coss in seinem Kopf noch immer weite, schweifende Kreise. Wenn er nicht aufgefordert worden wäre, sich hinzulegen, hätte er vielleicht darum bitten müssen, es zu dürfen. Er brauchte diese Zeit der Ruhe, und es war gut, daß der Boden aus

Marmor war. Der Boden ließ ihn in Gedanken bei Gott bleiben. Hätte er auf einem weichen Teppich gelegen, hätte er sich womöglich vergessen. Er war froh, die Nacht unter dem Geheul von Megaphonen und Sirenen verbracht zu haben, weil er dadurch wach blieb und nachdachte, er war froh (und dafür bat er um Vergebung), die Morgenmesse und die Kommunion verpaßt zu haben, denn so konnte er länger liegenbleiben. Je länger er blieb, wo er war, desto länger hielt der Augenblick an, als hallte von den tapezierten Wänden immer noch ihre Stimme zurück. Schließlich war Roxane Coss noch da, lag irgendwo, wo er sie nicht sehen konnte, aber nicht weit entfernt. Er betete darum, daß sie eine angenehme Nacht gehabt hatte, daß irgend jemand daran gedacht hatte, ihr eines der Sofas anzubieten.

Neben der Sängerin galt Pater Arguedas' Sorge auch den jungen Banditen. Viele von ihnen lehnten aufrecht an der Wand, die Füße weit auseinander gestellt, und stützten sich auf ihre Gewehre wie auf Spazierstöcke. Dann kippte ihr Kopf nach hinten, und sie nickten für zehn Sekunden ein, bevor ihre Knie nachgaben und sie vornüber auf ihre Gewehre fielen. Pater Arguedas hatte schon mehrmals zusammen mit der Polizei Selbstmordopfer abgeholt, und sie hatten oft so ausgesehen, als hätten sie eben in dieser Haltung angefangen, mit den Zehen am Abzug.

»Mein Sohn«, sprach er einen der Jungen leise an, der die Leute in der Eingangshalle bewachte, größtenteils Kellner und Köche, die auf dem harten Boden lagen, Leute von niederem Rang. Da er selbst noch jung war, kostete es ihn oft Überwindung, einen anderen »mein Sohn« zu nennen, aber dieser Junge hier kam ihm wie sein eigenes Kind vor. Er sah aus wie seine Cousins. Er sah aus wie die Jungen, die kaum daß sie die Kommunion empfangen hatten, aus der Kirche liefen, noch mit der runden, weißen Hostie auf der Zunge. »Komm her.«

Der Junge blinzelte zur Decke hinauf, als höre er Stimmen im Schlaf. Er tat so, als würde er den Priester nicht bemerken. »Mein Sohn«, sagte Pater Arguedas erneut. »Komm her.«

Jetzt sah der Junge nach unten, und Verwirrung huschte über sein Gesicht. Wie konnte man einem Priester nicht antworten? Wie konnte man nicht zu ihm gehen, wenn man gerufen wurde? »Pater?« flüsterte er.

»Komm her.« Der Priester formte die Worte mit den Lippen und klopfte nur mit einem leichten Flattern seiner Finger neben sich auf den Boden. Auf den Marmorfliesen war noch genug Platz. Anders als auf dem Teppich im Wohnzimmer konnte man sich hier noch ausstrecken, und wenn man sich die ganze Nacht auf ein Gewehr gestützt hatte, wirkte ein freies Stück Marmorboden so einladend wie ein Federbett.

Der Junge blickte nervös um die Ecke, dorthin, wo sich die Generäle berieten. »Das darf ich nicht«, sagte er stumm mit den Lippen. Der Junge war ein Indio. Er sprach die Sprache des Nordens wie Pater Arguedas' Großmutter, wenn sie mit seiner Mutter und seinen Tanten redete.

»Und ich sage, du darfst«, erklärte er, nicht im Kommandoton, sondern voll Mitgefühl.

Der Junge dachte einen Moment lang nach, dann hob er den Kopf, als studiere er die kunstvolle Zierleiste, die rund um die Decke lief. Seine Augen füllten sich mit Tränen, und er mußte krampfhaft blinzeln, um sie zurückzuhalten. Er hatte so lange nicht geschlafen, und seine Fingerspitzen auf dem kalten Gewehrkolben zitterten. Er konnte nicht mehr genau sagen, wo seine Finger aufhörten und das blaugrüne Metall anfing.

Pater Arguedas seufzte und ließ ihn für diesmal in Ruhe. Er würde den Jungen später noch einmal fragen, nur um ihn wissen zu lassen, daß es einen Ort gab, wo er sich ausruhen konnte, und Vergebung für alle Sünden.

In der Menge auf dem Boden brodelte es inzwischen vor Bedürfnissen. Einige mußten wieder zur Toilette. Man murmelte etwas von Medikamenten. Die Leute wollten aufstehen, etwas zu essen haben oder ein Glas Wasser, um den schlechten Geschmack im Mund wegzuspülen. Ihre Unruhe ließ sie mutiger werden, doch hinzu kam, daß fast achtzehn Stunden vergangen waren und es noch keine Toten gab. Die Geiseln hatten begonnen zu glauben, daß sie vielleicht doch nicht erschossen würden. Wer um sein Leben bangt, verlangt meistens nichts anderes. Sobald das eigene Leben außer Gefahr zu sein scheint, fühlt man sich frei, sich zu beschweren.

Viktor Fjodorow, der aus Moskau kam, konnte schließlich nicht mehr widerstehen und zündete sich eine Zigarette an, auch wenn sie eigentlich alle Feuerzeuge und Streichhölzer hätten abgeben sollen. Er blies den Rauch senkrecht zur Decke. Er war siebenundvierzig Jahre alt und hatte, seit er zwölf war, geraucht, selbst in harten Zeiten, selbst als er sich zwischen einer Zigarette und etwas zu essen hatte entscheiden müssen.

General Benjamin schnippte mit den Fingern, und einer vom Fußvolk stürzte herbei, um Fjodorow die Zigarette wegzunehmen, aber Fjodorow rauchte unbeirrt weiter. Er war ein großer Mann, selbst im Liegen, selbst wenn er nur mit der Zigarette bewaffnet war. Er sah aus, als würde er den Kampf gewinnen. »Versuch es nur«, sagte er auf russisch zu dem Soldaten.

Der Junge, der ihn nicht verstand, wußte nicht, was er tun sollte. Er versuchte, nicht zu zittern, als er seine Pistole herauszog und sie halbherzig auf Fjodorows Bauch richtete.

»Na, wunderbar!« sagte Jegor Ledbed, ein weiterer Russe, der mit Fjodorow befreundet war. »Jetzt erschießt ihr uns schon fürs Rauchen!«

Diese Zigarette war wirklich ein Traum! Wieviel köstlicher war doch das Rauchen, wenn man es einen Tag lang entbehrt hatte. Dann konnte man auf den Geschmack achten, auf die bläuliche Färbung des Rauches. Man konnte sich entspannen und die leichte Benommenheit genießen, die man aus seiner Jugend kannte. Es war beinahe so schön, daß man hätte aufhören können, nur um wieder die

Freuden des Anfangens zu genießen. Die Zigarette war jetzt fast so weit heruntergebrannt, daß er sich die Finger verbrannte. Wie schade. Er setzte sich auf, wobei der Junge mit der Pistole über seinen Umfang erschrak, und drückte die Zigarette an seiner Schuhsohle aus.

Zur großen Freude des Vizepräsidenten steckte Fjodorow den Stummel in seine Smokingtasche, und der Junge stopfte die Pistole verlegen wieder in das Gurtband seiner Hose und stahl sich davon.

»Ich werde das keine Minute mehr hinnehmen!« schrie eine Frau, doch als sie sich umsahen, konnten sie nicht sagen, wer es gewesen war.

Zwei Stunden, nachdem Joachim Messner gegangen war, schickte General Benjamin den Vizepräsidenten zur Tür, um Messner wieder hereinzuholen.

Konnte es sein, daß er die ganze Zeit draußen vor der Tür gewartet hatte? Seine zarten Wangen sahen noch verbrannter aus als zuvor.

»Alles in Ordnung?« fragte Messner den Vizepräsidenten auf spanisch, als hätte er die zwei Stunden damit verbracht, in der Sonne zu stehen und sein Spanisch aufzufrischen.

»Es hat sich nicht viel verändert«, sagte der Vizepräsident auf englisch in dem Versuch, sich zuvorkommend zu zeigen. Ein wenig hatte er immer noch das Gefühl, der Gastgeber zu sein.

»Ihr Gesicht sieht gar nicht so schlecht aus. Sie kann wirklich sehr gut« – er suchte nach dem richtigen Wort – »nähen«, sagte er schließlich.

Der Vizepräsident faßte nach seiner Wange, doch Messner hielt seine Hand fest. »Nicht anfassen.« Er sah sich im Raum um. »Dieser Japaner, ist der noch hier?«

»Wohin sollte er wohl gehen?« fragte Ruben ihn.

Messner ließ den Blick über die Menschen zu seinen Füßen schweifen, all die warmen, ruhig atmenden Körper. Er hatte wirklich schon Schlimmeres gesehen.

»Ich werde den Dolmetscher rufen«, erklärte der Vizepräsident den Generälen, die in die andere Richtung sahen, als hätten sie Messners Ankunft gar nicht bemerkt. Schließlich blickte einer von ihnen auf und zuckte kurz auf eine Weise mit den Augenbrauen, die Ruben Iglesias als Zeichen des Einverständnisses deutete.

Doch statt Gen zu rufen, ging er durch den ganzen Raum, um ihn zu holen, was ihm Gelegenheit gab, sich zu bewegen und zugleich einen Blick auf seine Gäste zu werfen. Die meisten reagierten auf seinen Anblick mit einer Mischung aus Zusammenzucken und Lächeln. So ohne Eis war sein Gesicht wirklich fürchterlich angeschwollen. Der Faden spannte sich bereits in dem Bemühen, sein Gesicht zusammenzuhalten. Eis. Es war ja nicht so, als würde er Penicillin verlangen. Sie hatten reichlich Eis im Haus. Es gab zwei Gefrierschränke, einen gleich neben dem Kühlschrank in der Küche und einen für die Vorratshaltung im Keller. Unabhängig davon stand in der Küche noch eine Maschine, die den ganzen Tag lang nichts anderes tat, als Eis in ein kleines Plastikfach zu spucken. Doch er wußte, daß er bei den Generälen nicht sehr beliebt war, und auch nur nach einem Eiswürfel zu fragen könnte bedeuten, daß er auch das andere Auge bald nicht mehr aufbekam. Wie wunderbar wäre es bereits, die Wange an das kühle weiße Metall der Gefrierschranktür zu halten. Das würde schon reichen, er brauchte nicht einmal Eis. »Monsignore«, sagte er, als er um den auf dem Boden liegenden Monsignore Rolland herumging. »Es tut mir so leid. Liegen Sie bequem? Ja? Gut, gut.«

Es war ein schönes Haus, ein schöner Teppich, auf dem sich jetzt seine Gäste drängten. Wer hätte gedacht, daß er eines Tages in einem solchen Haus leben würde mit zwei Gefrierschränken und einer Maschine, die nur zum Eismachen da war? Er hatte sagenhaftes Glück gehabt. Sein Vater lud Koffer auf Gepäckwagen, erst bei der Eisenbahn, dann auf dem Flughafen. Seine Mutter zog acht Kinder groß, verkaufte Gemüse, nahm Näharbeiten an. Wie oft war diese Geschichte erzählt worden? Ruben Iglesias' Weg nach oben. Der erste in der Familie mit einem High-School-Abschluß! Arbeitete erst als Hausmeister, um auf die Universität gehen zu können, dann als Hausmeister und als Sekretär bei einem Richter, um sein Jurastudium beenden zu können. Dann die Karriere als Anwalt, die richtigen Schritte auf der wackligen Leiter der Politik. Das alles machte ihn als Mitkandidaten ebenso attraktiv wie seine Größe. Was nie erwähnt wurde, war, daß er reich geheiratet hatte, die Tochter seines Seniorpartners, die er bei einer vornehmen Weihnachtsfeier geschwängert hatte, und wie sehr seine Frau und ihre Eltern ihn mit ihrem Ehrgeiz antrieben. Das war eine weniger interessante Geschichte.

Ein Mann, der neben dem Ohrensessel mit Gobelinbezug lag, fragte ihn etwas in einer Sprache, die Ruben für Deutsch hielt. Der Vizepräsident antwortete ihm, er wisse es nicht.

Gen, der Dolmetscher, lag dicht neben Herrn Hosokawa. Er flüsterte ihm etwas ins Ohr, und Herr Hosokawa schloß die Augen und nickte fast unmerklich mit dem Kopf. Ruben hatte seinen Ehrengast ganz vergessen. Alles Gute zum Geburtstag, dachte er im stillen. In diesem Jahr werden wohl keine Fabriken gebaut werden. Nicht weit entfernt lagen Roxane Coss und der Pianist. Sie sah, wenn das überhaupt möglich war, noch besser aus als am Abend zuvor. Ihr Haar war offen, und ihre Haut strahlte, als hätte die Sängerin auf diese Gelegenheit, sich einmal ausruhen zu können, nur gewartet. »Wie geht es Ihnen?« fragte sie ihn lautlos, nur die Lippen bewegend, auf englisch und faßte sich mit der Hand an die Wange, um ihre Sorge um sein Gesicht auszudrücken. Vielleicht lag es daran, daß er so lange nichts gegessen hatte, vielleicht war es die Erschöpfung oder der Blutverlust oder der Beginn einer Infektion, jedenfalls war ihm auf einmal, als würde er gleich ohnmächtig werden. Die Art, wie sie die Hand an ihre Wange hielt, weil sie nicht aufstehen und sie an die seine legen konnte, die Vorstellung, wie sie dastand und seine Wange berührte, ließ ihn zu Boden sinken: Er kippte auf den Fußspitzen nach vorn, stützte sich mit den Händen ab und wartete mit gesenktem Kopf, bis das Gefühl vorüberging. Langsam hob er den Blick zu ihren Augen, die ihn jetzt erschrocken ansahen. »Es geht mir gut«, flüsterte er. In dem Moment fiel sein Blick auf den Pianisten, der wirklich schlecht aussah. Wenn Roxane Coss, dachte er, in seinem eigenen Fall zu soviel Mitgefühl fähig war, dann sollte sie doch einmal einen Blick auf den Mann neben ihr werfen. Seine Blässe hatte einen deutlichen Stich ins Graue, und auch wenn seine Augen geöffnet waren und seine Brust sich leicht hob und senkte, wirkte er doch auf eine Weise reglos, die dem Vizepräsidenten gar nicht gefiel. »Und er?« fragte er sanft und zeigte auf den anderen.

Sie sah den Mann neben ihr an, als hätte sie ihn noch gar nicht bemerkt. »Er sagt, er ist erkältet. Ich glaube, er ist sehr nervös.«

Es war ein kaum hörbares Flüstern, wodurch ihre Stimme etwas Aufregendes bekam, auch wenn er nicht sicher war, was sie sagte.

»Dolmetscher!« brüllte General Alfredo.

Ruben hatte sich hinstellen und Gen die Hand reichen wollen, aber Gen, der Jüngere von beiden, war als erster aufgesprungen und half dem Vizepräsidenten hoch. Er nahm Ruben am Arm, als wäre dieser plötzlich blind geworden, und führte ihn durch den Raum. Wie schnell man sich unter solchen Umständen näherkam, zu was für kühnen Schlüssen man gelangte: Roxane Coss war die Frau, die er sein Leben lang geliebt hatte; Gen Watanabe war sein Sohn; sein Haus war nicht mehr das seine; das Leben, das er gewohnt war, sein Leben als Politiker, war vorbei. Ruben Iglesias fragte sich, ob es wohl allen Geiseln auf der Welt mehr oder weniger genauso ging.

»Gen«, sagte Messner und schüttelte ihm bedrückt die Hand, als spreche er ihm sein Beileid aus. »Der Vizepräsident braucht Medikamente.« Er sagte es auf französisch und ließ Gen es übersetzen.

»Zuviel Zeit wird vertan mit den Bedürfnissen eines Dummkopfs«, sagte General Benjamin.

»Vielleicht Eis?« schlug Ruben selbst vor, denn auf einmal hatte er all die schönen Seiten des Eises vor Augen, den Schnee auf den Gipfeln der Anden, diese reizenden Eisläuferinnen im Fernsehen, junge Mädchen mit durchscheinenden Gazefitzelchen um die Puppentaillen. Er verbrannte bei lebendigem Leibe, und die silbernen Kufen ihrer Schlittschuhe ließen blau-weiße Splitter durch die Luft fliegen. Am liebsten wäre er ganz unter Eis begraben gewesen.

»Ishmael«, sagte der General ungeduldig zu einem der Jungen. »Geh in die Küche. Hol ihm ein Handtuch und Eis.«

Ishmael, einer der Jungen, die die Wand abstützten, ein kleiner Kerl mit den schlechtesten Schuhen von allen, schien sich zu freuen. Vielleicht war er stolz, diesen Auftrag bekommen zu haben, vielleicht wollte er dem Vizepräsidenten helfen, vielleicht wollte er auch nur in die Küche gehen, wo höchstwahrscheinlich noch Tabletts mit übriggebliebenen Kräckern und aufgeweichten Kanapees standen. »Niemand gibt meinem Volk Eis, wenn es welches braucht«, sagte General Alfredo bitter.

»Natürlich«, sagte Messner, der sich Gens Übersetzung nur mit einem Ohr anhörte. »Sind Sie zu irgendeinem Kompromiß gekommen?«

»Sie können die Frauen haben«, sagte General Alfredo. »Wir haben kein Interesse daran, Frauen etwas zuleide zu tun. Die Arbeiter können gehen, die Priester, alle, die krank sind. Danach werden wir die Liste derer durchgehen, die wir noch hierhaben. Vielleicht lassen wir noch ein paar raus. Im Austausch dafür wollen wir Proviant und ein paar andere Sachen.« Er zog ein ordentlich zusammengefaltetes Blatt aus seiner Brusttasche und steckte es zwischen die drei verbliebenen Finger seiner linken Hand. »Hier steht drauf,

was wir brauchen. Die zweite Seite soll der Presse vorgelesen werden. Unsere Forderungen.« Alfredo war so sicher
gewesen, daß ihr Plan funktionieren würde. Schließlich
hatte sein eigener Cousin die Klimaanlage in dieses Haus
mit eingebaut und es geschafft, eine Kopie des Bauplans zu
stehlen.

Messner nahm das Blatt, warf einen Blick darauf und
bat dann Gen, es ihm vorzulesen. Zu seinem Erstaunen
stellte Gen fest, daß seine Hände zitterten. Er konnte sich
nicht erinnern, daß ihn das, was er übersetzte, jemals wirklich berührt hätte. »Im Namen des Volkes hat La Familia
de Martin Suarez –«

Messner unterbrach ihn, indem er die Hand hob. »La
Familia de Martin Suarez?«

Der General nickte.

»Nicht La Dirección Auténtica?« fragte Messner leise.

»Sie haben doch gesagt, daß wir vernünftige Leute
sind«, erwiderte General Alfredo mit vor Entrüstung an-
schwellender Stimme. »Was glauben Sie denn? Glauben
Sie, La Dirección Auténtica würde mit Ihnen reden? Glauben Sie, sie würden die Frauen gehen lassen? Ich kenne La
Dirección. Bei La Dirección werden die, die man nicht
brauchen kann, erschossen. Wen haben wir erschossen?
Wir versuchen, dem Volk zu helfen, begreifen Sie?« Er
machte einen Schritt auf Messner zu, der wußte, wie das
gemeint war, aber Gen trat schnell dazwischen.

»Wir versuchen, dem Volk zu helfen«, sagte Gen, wobei
er bedächtig und langsam sprach. Der letzte Teil des Satzes
– »begreifen Sie?« – war nicht weiter von Bedeutung, und
darum ließ er ihn weg.

Messner entschuldigte sich für seinen Irrtum. Er hatte
sich wirklich getäuscht. Es war nicht La Dirección. Er mußte sich konzentrieren, um seine Mundwinkel unten zu halten. »Wann wird die erste Gruppe gehen können?«

General Alfredo brachte kein Wort mehr heraus. Er
knirschte mit den Zähnen. Sogar General Hector, der sonst

kaum etwas beitrug, spuckte auf den Savonnerie-Teppich. Ishmael kam mit zwei Geschirrhandtüchern voller Eis zurück, ein Beweis für den Überfluß, der in der Küche herrschte. General Benjamin schlug ihm einen Beutel aus der Hand, so daß die glasklaren Eiswürfel über den Teppich sprangen. Alle, die nah genug lagen, sammelten die Eiswürfel auf und steckten sie sich in den Mund. Erschrocken reichte Ishmael den ihm verbliebenen Beutel schnell dem Vizepräsidenten, wobei er leicht den Kopf senkte. Ruben nickte zurück, bemüht, nicht mehr Aufmerksamkeit auf sich zu ziehen, als unvermeidlich war, denn offenbar stand er kurz davor, sich einen weiteren Schlag mit dem Gewehr einzufangen. Er hielt sich das Eis ans Gesicht und erschauderte vor Schmerz und vor Wonne.

General Benjamin räusperte sich und gewann seine Fassung zurück. »Wir werden sie jetzt aufteilen«, sagte er. Als erstes wandte er sich an seine Truppe. »Achtung! Stillgestanden!« Die Jungen an der Wand standen stramm und hielten das Gewehr vor der Brust. »Alles aufstehen«, sagte er.

»Ich bitte Sie um Ihre Aufmerksamkeit«, sagte Gen auf japanisch. »Stehen Sie jetzt bitte auf.« Wenn die Terroristen ihnen das Sprechen verboten hatten, so machten sie für Gen eine Ausnahme. Er wiederholte den Satz in allen Sprachen, die ihm einfielen, auch in solchen, von denen er wußte, daß sie hier niemand sprach, wie Serbokroatisch oder Kantonesisch, einfach, weil das Sprechen ihm Mut machte und niemand ihn davon abhielt. »Aufstehen!« ist ohnehin nichts, was man übersetzen muß. Die Menschen sind in mancher Hinsicht wie Schafe. Wenn einige sich hinstellen, machen die anderen es nach.

Sie waren alle ganz steif und unbeholfen. Einige versuchten, wieder in ihr Schuhe zu schlüpfen, andere dachten gar nicht mehr daran. Einige stampften leicht mit dem Fuß auf, kämpften gegen das taube Gefühl. Sie waren nervös. Während sie zuvor gedacht hatten, sie wünschten sich nichts sehnlicher als aufzustehen, fühlten sie sich in dieser Haltung jetzt unsicher. Es schien soviel wahrscheinlicher, daß die Wendung eine zum Schlechten war, daß mit dem Stehen die Gefahr, erschossen zu werden, wuchs.

»Die Frauen stellen sich dort rechts hin, die Männer da drüben links.«

Gen ließ den Satz durch die Mühle der verschiedenen Sprachen laufen, ohne genau zu wissen, welche Länder hier vertreten waren oder wer einen Dolmetscher brauchte. Seine Stimme klang so beruhigend monoton wie die Durchsagen auf Bahnhöfen und Flughäfen.

Doch die Männer und Frauen trennten sich nicht sofort. Vielmehr klammerten sie sich aneinander, schlangen sich die Arme um den Hals. Paare, die sich seit Jahren nicht mehr auf diese Weise umarmt hatten und in der Öffentlichkeit vielleicht noch nie, hielten sich eng umschlungen. Das Ganze glich einer Party, die zu lange gedauert hat. Die Musik ist verstummt, und niemand tanzt mehr, doch die Paare stehen immer noch da, abwartend, unzertrennlich. Die einzigen, bei denen es peinlich wirkte, waren Roxane Coss und der Pianist. Sie sah so klein aus in seinen Armen, fast wie ein Kind. Es schien, als sperre sie sich gegen die Umarmung, doch auf den zweiten Blick stellte man fest, daß sie ihn stützte. Er lag förmlich auf ihr, und ihr verzerrtes Gesicht war das einer Frau, die der Last, die man ihr aufgebürdet hat, nicht gewachsen ist. Herr Hosokawa, der ihre Verzweiflung bemerkte (er hatte zugesehen, da er selbst niemanden hatte, den er hätte umarmen können – seine eigene Frau saß ja sicher in Tokyo), nahm ihr den Pianisten ab und hängte sich den sehr viel größeren Mann über die Schultern wie einen Mantel an einem warmen Tag. Herr Hosokawa schwankte ein wenig, doch das war nichts gegenüber der Erleichterung, die sich auf ihrem Gesicht ausbreitete.

»Vielen Dank«, sagte sie.

»Vielen Dank«, wiederholte er.

»Sie werden sich um ihn kümmern?« Bei diesen Worten hob der Pianist den Kopf und verlagerte einen Teil seines Körpergewichts auf seine eigenen Füße.

»Vielen Dank«, wiederholte Herr Hosokawa hingebungsvoll.

Andere Männer, die allein waren – zum Großteil Kellner –, von denen jeder wünschte, er wäre es gewesen, der ihr den sterbenden Gringo von den Schultern nahm, kamen herbei, um Herrn Hosokawa zu helfen, und gemeinsam schleiften sie den säuerlich riechenden Mann, dessen blonder Kopf hin und her schwang, als hätte man ihm den Hals gebrochen, auf die andere Seite des Raumes. Herr Hosokawa drehte sich nach ihr um – es schmerzte ihn, sie so allein zu lassen. Man hätte meinen können, daß sie ihm nachsah, doch in Wirklichkeit galt ihr Blick ihrem Pianisten, der zusammengesackt in Herrn Hosokawas Armen lag. Sobald er von ihr getrennt war, war viel deutlicher zu sehen, wie schlecht es ihm ging.

Angesichts so vieler leidenschaftlicher Abschiede fiel es Herrn Hosokawa zum ersten Mal auf, daß er nie auch nur daran gedacht hatte, seine Frau hierher mitzunehmen. Er hatte ihr nicht gesagt, daß sie eingeladen war. Er erzählte ihr, daß er zu einem Geschäftstreffen fuhr, nicht zu einer Geburtstagsfeier zu seinen Ehren. Ihrer stillschweigenden Übereinkunft gemäß blieb Frau Hosokawa stets zu Hause bei ihren Töchtern. Sie gingen nie zusammen auf Reisen. Jetzt sah er, was für eine kluge Entscheidung das war. Er hatte seine Frau vor Unannehmlichkeiten und wer weiß welchem Unheil bewahrt. Er hatte sie beschützt. Und doch fragte er sich unwillkürlich, wie es wohl gewesen wäre, wenn sie beide hier gestanden hätten. Hätte auch sie solche Traurigkeit befallen, wenn man sie aufgefordert hätte, sich zu trennen?

Eine Ewigkeit lang, die noch nicht einmal eine Minute dauerte, sahen Edith und Simon Thibault einander schweigend an. Dann küßte sie ihn, und er sagte: »Die Vorstellung, daß du da draußen bist, gefällt mir.« Er hätte sagen können, was er wollte, es machte keinen Unterschied. Er dachte an die ersten zwanzig Jahre ihrer Ehe, Jahre, in denen er sie geliebt hatte, ohne sie wirklich zu verstehen. Das hier würde seine Strafe sein für all die vertane Zeit. Liebe Edith. Sie nahm den leichten Seidenschal ab, den sie um den Hals trug. Er hatte vergessen, sie darum zu bitten. Der Schal war blau – es war das wunderbare Blau, das die Eßteller von Königen und die Brust der Vögel in diesem verwünschten Urwald zierte. Sie knüllte den Schal zu einem erstaunlich kleinen Ball zusammen und drückte ihm diesen in die bereitgehaltenen Hände.

»Mach keinen Unsinn«, sagte sie, und weil es das letzte war, worum sie ihn bat, schwor er, sich daran zu halten.

Die Aufteilung der Geiseln verlief zum Großteil reibungslos. Kein Paar mußte mit dem Gewehr getrennt werden. Wenn sie wußten, daß ihre Zeit vorüber war, gingen die Männer und Frauen auseinander, als würde nun ein komplizierter Rundtanz beginnen, und sie würden gleich wieder zusammenkommen, sich erneut trennen und ihren Partner weitergeben, jedoch nur, um ihn kurz darauf wieder in den Armen zu halten.

Messner nahm einen Stapel Visitenkarten aus seiner Brieftasche, von denen er den Generälen, Gen und aufmerksamerweise auch dem Vizepräsidenten jeweils eine gab, dann legte er den Rest in eine Schale auf dem Couchtisch. »Da steht meine Handynummer drauf«, sagte er. »Da geh nur ich dran. Wenn Sie mit mir reden wollen, wählen Sie diese Nummer. Der Telefonanschluß im Haus ist vorläufig noch nicht gesperrt.«

Sie starrten alle verwirrt auf die Karten. Es war, als würde er sich mit ihnen zum Essen verabreden, als würde ihm der Ernst der Lage völlig entgehen.

»Vielleicht brauchen Sie etwas«, sagte Messner. »Vielleicht möchten Sie mit jemandem da draußen reden.«

Gen verbeugte sich leicht. Eigentlich hätte er sich vor ihm bis zur Taille verbeugen sollen, aus Achtung vor diesem Mann, der hier hereingekommen war, für sie sein Leben riskierte, doch er wußte, das würde niemand verstehen. Dann kam Herr Hosokawa und nahm sich eine Karte aus der Schale, schüttelte Messner die Hand und verbeugte sich so tief, daß sein Gesicht zum Boden sah.

Anschließend gingen die Generäle zu den Männern und pickten die Arbeiter heraus, die Kellner und das Küchen- und Reinigungspersonal, und stellten sie zu den Frauen. Ihr Ziel war schließlich die Befreiung der Arbeiter, und sie würden keine Arbeiter gefangenhalten. Dann fragten sie, ob irgend jemand ernsthaft krank sei und ließen Gen die Frage mehrmals wiederholen. Man hätte meinen können, daß sich nun jeder auf sein schwaches Herz berufen hätte, doch die Menge blieb erstaunlich still. Ein paar sehr alte Männer traten schlurfend vor, ein gutaussehender Italiener zeigte ihnen sein medizinisches Erkennungsarmband und wurde wieder mit seiner Frau vereint. Nur ein einziger Mann log, und seine Lüge blieb unentdeckt: Dr. Gomez erklärte, seine Nieren hätten vor einigen Jahren versagt und er müsse dringend zur Dialyse. Seine Frau wandte sich beschämt von ihm ab. Der Kränkste von allen, der Pianist, schien zu verwirrt zu sein, um sich zu melden, und wurde daher auf einen Sessel an der Seite gesetzt, wo sie ihn nicht vergessen konnten. Auch die Priester durften gehen. Monsignore Rolland schlug über denen, die dablieben, das Kreuz – eine schöne Geste – und entfernte sich dann, doch Pater Arguedas, der keine dringenden Pflichten zu erfüllen hatte, bat darum, bleiben zu dürfen.

»Hierbleiben?« fragte General Alfredo.

»Sie werden einen Priester brauchen«, sagte er.

Alfredo lächelte schwach – es war das erste Mal. »Aber Sie möchten doch bestimmt gehen.«

»Wenn die Leute am Sonntag noch hier sind, brauchen Sie jemanden, der die Messe liest.«

»Wir werden allein beten.«

»Bei allem Respekt«, sagte der Priester mit gesenkten Augen. »Ich bleibe hier.«

Und damit war die Frage geklärt. Monsignore Rolland konnte nichts weiter tun als dem Ganzen hilflos zusehen. Er stand bereits bei den Frauen, und die Schande ließ ihn innerlich toben vor Wut. Er hätte den jungen Priester mit nur einer Hand erwürgen können, aber es war zu spät. Er war schon gerettet worden.

Der Vizepräsident hätte aus medizinischen Gründen frei-gelassen werden sollen, doch er machte sich nicht einmal die Mühe zu fragen. Trotz seines Fiebers und des geschmol-zenen Eisbeutels, den er sich ans Gesicht hielt, bekam er statt dessen die Order, zu dem schweren Tor in der Mauer hinauszugehen und die Presse über die Freilassung zu infor-mieren. Ihm blieb kaum eine Sekunde Zeit für den Ab-schied von seiner Frau, einer braven Ehefrau, deren Lebens-werk seine Karriere war und die sich mit keinem Wort beschwerte, als sie mitansehen mußte, wie er ihr Lebens-werk vernichtete. Ihm blieb keine Minute Zeit für den Ab-schied von seinen Töchtern Imelda und Rosa, die so artig gewesen waren und den ganzen Tag lang auf der Seite gele-gen und ein kompliziertes Fingerspiel gespielt hatten, das er nicht kannte. Zu Esmeralda sagte er kein Wort, denn seine Dankbarkeit ließ sich nicht in Worte fassen. Er machte sich Sorgen um sie. Wenn sie ihn erschießen würden, würde sei-ne Frau sie dann behalten? Er hoffte es. Sie hatte so einen wunderbaren geraden Rücken und soviel Geduld mit den Kindern. Sie hatte ihnen beigebracht, Tiere auf kleine Stei-ne zu malen und daraus ganze Welten zu bauen. Es gab reichlich davon im ersten Stock. Irgendwann würde er sich davonstehlen können und sie suchen gehen. Seine Frau hielt ihren Sohn so fest umklammert, daß er aufschrie, weil sie ihm wehtat. Sie hatte Angst, sie würden versuchen, ihn zu den Männern zu stellen, aber Ruben streichelte ihr die Hand und beruhigte sie. »Niemand wird ihn dazuzählen«, sagte er. Er küßte Marco auf den Kopf, küßte sein seidiges, ganz nach kleinem Jungen riechendes Haar. Dann ging er zur Tür.

Er war für diese Aufgabe besser geeignet als Präsident Masuda. Der Präsident brachte keinen Satz zustande, wenn er ihn nicht schriftlich vor sich hatte. Er war nicht dumm, doch es mangelte ihm an Spontanität. Außerdem war er reizbar und voll von falschem Stolz und hätte es nicht ertragen, vom Boden zur Tür und wieder zurück geschickt zu werden. Er hätte etwas gesagt, was nicht vorgesehen war, und wäre erschossen worden, was schließlich dazu geführt hätte, daß sie alle erschossen worden wären. Zum erstenmal fand Ruben es besser, daß Masuda daheimgeblieben war, um seine Lieblingsserie zu sehen, denn Ruben konnte den Dienstboten spielen, den verläßlichen Mann, und damit seiner Frau und seinen Kindern, ihrem hübschen Kindermädchen und der berühmten Roxane Coss das Leben retten. Tatsächlich entsprach die Aufgabe, mit der man ihn jetzt betraut hatte, eher den Fähigkeiten eines Vizepräsidenten. Messner kam heraus und stieß auf der Treppe zu ihm. Der Himmel hatte sich bewölkt, aber die Luft war herrlich. Die Menschen am anderen Ende des Weges senkten ihre Gewehre, und die Frauen kamen heraus, und ihre Kleider schimmerten in dem spätnachmittäglichen Licht. Wenn all die Polizisten und Fotografen nicht gewesen wären, hätte ein zufälliger Beobachter denken können, es handle sich um eine Party, bei der sämtliche Paare sich gestritten hätten und die Frauen es übernommen hätten, früher und allein zu gehen. Sie weinten, und die Haare hingen ihnen in zerzausten Strähnen vom Kopf. Ihr Make-up war völlig verschmiert, und sie rafften ihre Röcke mit den Händen hoch. Die meisten hielten ihre Schuhe in der Hand oder hatten sie zurückgelassen und zerrissen sich ihre Strümpfe an den Schieferplatten, ohne darauf zu achten. Hinter ihnen hätte ein sinkendes Schiff sein sollen oder ein brennendes Gebäude. Je weiter sie sich vom Haus entfernten, desto heftiger weinten sie. Anschließend kamen die wenigen Männer heraus, die Angestellten und die Gebrechlichen, die hilflos wirkten angesichts von soviel Traurigkeit, für die sie nicht verantwortlich waren.

drei

Um genau zu sein: Es wurden alle Frauen freigelassen bis auf eine.

Sie befand sich ungefähr in der Mitte der Schlange. Wie die anderen Frauen blickte auch sie eher zurück ins Wohnzimmer als durch die offene Tür, zurück auf den Boden, auf dem sie geschlafen hatte, als wäre es nicht eine Nacht, sondern ein ganzes Jahr gewesen. Sie blickte zurück zu den Männern, die nicht mit hinauskommen würden und von denen sie keinen kannte. Allenfalls noch den Japaner, dem diese Feier gegolten hatte, und auch ihn kannte sie nicht wirklich, doch er hatte ihr mit dem Pianisten geholfen, und dafür suchte sie ihn jetzt mit den Augen und lächelte ihm zu. Die Männer traten von einem Fuß auf den anderen, wirkten, dort am anderen Ende des Raumes zusammengedrängt, allesamt traurig und nervös. Herr Hosokawa lächelte zurück – ein kleines, würdevolles Zeichen des Dankes – und verbeugte sich mit dem Kopf. Mit Ausnahme von Herrn Hosokawa dachte keiner der Männer an Roxane Coss. Sie dachten nicht mehr an die Sopranistin und die schwindelerregenden Höhen ihrer Arien. Sie sahen zu, wie ihre Frauen eine nach der anderen in das helle Nachmittagslicht hinausgingen, in dem Bewußtsein, daß sie sie wahrscheinlich nie wiedersehen würden. Die Liebe, die sie empfanden, stieg ihnen in den Hals und schnürte ihnen die Kehle zu. Da ging Edith Thibault, da ging die Frau des Vizepräsidenten, die schöne Esmeralda.

Roxane Coss war schon fast an der Tür, vielleicht noch fünf Frauen davon entfernt, als General Hector vortrat und sie am Arm nahm. Es war keine besonders aggressive Geste. Er hätte auch lediglich vorhaben können, sie irgendwohin zu führen, vielleicht an den Anfang der Schlange. »*Espera*«, sagte er und zeigte zur Wand, wo sie sich allein neben einen großen Matisse stellen sollte, ein Stilleben mit einer Schale voll Äpfeln und Birnen. Es war eines der zwei Werke von Matisse, die sich in diesem Land befanden, und man hatte es sich für die Feier vom Museum geliehen. Verwirrt sah Roxane den Dolmetscher an.

»Warten Sie«, sagte Gen sanft auf englisch und versuchte, den zwei Wörtern einen möglichst aufmunternden Klang zu geben. *Warten Sie* hieß schließlich nicht, daß sie nicht würden hinausgehen dürfen, sondern nur, daß sich das Ganze verzögerte.

Sie dachte einen Moment lang über die Worte nach. Selbst als sie ihr übersetzt worden waren, zweifelte sie noch, daß er das wirklich meinte. In ihrer Kindheit hatte sie gewartet. Beim Vorsingen hatte sie gewartet, bis sie an der Reihe war. Aber jetzt hatte schon seit Jahren niemand sie mehr gebeten zu warten. Die Leute warteten auf sie. Sie selbst wartete nie. Und das Ganze hier, diese Geburtstagsfeier, dieses lächerliche Land, die Gewehre, die Gefahr, das *Warten*, das mit all dem verbunden war – es war der blanke Hohn. Sie zog ihren Arm so unsanft zurück, daß dem General die Brille herabrutschte. »Hören Sie«, sagte sie zu General Hector, auf einmal nicht mehr bereit, seine Hand auf ihrer Haut zu dulden. »Es reicht jetzt.« Gen öffnete den Mund, um es zu übersetzen, besann sich jedoch eines Besseren. Außerdem sprach sie noch weiter. »Ich bin hierhergekommen, um meine Arbeit zu tun, um bei einer Feier zu singen, und das hab ich getan. Man hat von mir verlangt, auf dem Boden zu schlafen, mit all diesen Leuten, die hierzubehalten sie irgendeinen Grund haben, und auch das habe ich getan. Aber jetzt ist es genug.« Sie zeigte auf den

Sessel, auf dem ihr Pianist in sich zusammengesunken war. »Er ist krank. Er braucht mich«, sagte sie, doch es wirkte wie ihr schwächstes Argument. So wie er dasaß, mit zusammengeklapptem Körper und Armen, die zu beiden Seiten herabhingen wie Fahnen an einem windstillen Tag, sah der Pianist eher aus wie ein Toter als wie ein kranker Mann. Er hob auch nicht den Kopf, als sie sprach. Die Schlange war jetzt zum Stillstand gekommen, selbst die Frauen, die gehen durften, blieben stehen, um zuzusehen, ganz gleich, ob sie verstanden, was sie sagte, oder nicht. In diesem Moment der Unsicherheit, in der Pause, die vor der Übersetzung zwangsläufig entsteht, sah Roxane Coss ihre Chance. Sie stürzte ungehindert los in Richtung der Tür, die offenstand, nur auf sie wartete. General Hector griff nach ihr und verfehlte zwar ihren Arm, bekam jedoch ihre Haare zu fassen. Solche Haare machen eine Frau zu einem leichten Opfer. Es war, als hinge sie an lauter langen Seilen.

Dann geschahen schnell hintereinander drei Dinge: Als erstes gab der lyrische Sopran Roxane Coss einen hellen, hohen Ton von sich, der einer Mischung aus Überraschung und echtem Schmerz zu entspringen schien, denn ihr Hals wurde mit einem Ruck nach hinten gerissen; zweitens traten alle Gäste, die zu der Feier geladen waren (mit Ausnahme ihres Pianisten), vor, zum Zeichen, daß dies der Moment war, um aufzubegehren; drittens entsicherten alle Terroristen, von vierzehn bis einundvierzig, die Waffe, die sie gerade in der Hand hielten, und das laute metallische Klicken ließ alle erstarren, als würde man einen Film zu einem einzigen Bild zusammenkleben. Und so warteten sie alle, und die Zeit stand still, bis Roxane Coss sich umdrehte, ohne auch nur ihr Kleid zurechtzuziehen oder sich übers Haar zu fahren, und sich neben ein Bild stellte, das offen gestanden eines der schwächeren Werke des Künstlers war.

Danach begannen die Generäle leise zu diskutieren, und selbst die Fußsoldaten, die kleinen Banditen, lehnten sich vor, um sie zu verstehen. Doch ihre Stimmen verschwammen zu einem Gemurmel. Man hörte das Wort »Frau« und dann die Wörter »nie« und »Abmachung«. Und dann sagte einer von ihnen mit leiser, unsicherer Stimme: »Sie könnte singen.« Da sie die Köpfe zusammensteckten, konnte man nicht sagen, wer es war. Es hätte jeder von ihnen sein können, jeder von uns.

Es gab schlechtere Gründe, einen Menschen als Geisel zu nehmen. Man nimmt einen Menschen immer dafür als Geisel, was er oder sie einem wert zu sein scheint, was man für ihn bekommen kann, Geld oder die Freiheit oder einen anderen Menschen, der einem mehr bedeutet. Jeder kann zu einer Art Münze werden, wenn man einen Weg findet, ihn festzuhalten. Eine Frau um ihrer Stimme willen festzuhalten, weil es einen danach verlangte, sie singen zu hören – war das nicht letztlich dasselbe? Die Terroristen, die keine Chance hatten, das zu bekommen, was sie hatten haben wollen, beschlossen, sich dafür etwas anderes zu nehmen, etwas, von dem sie nie gewußt hatten, daß sie es begehrten, bis sie geduckt in den niedrigen, dunklen Luftschächten saßen: Opernmusik. Sie beschlossen, sich genau das zu nehmen, wofür Herr Hosokawa lebte.

Roxane wartete allein an der Wand neben den leuchtenden, herabstürzenden Früchten und weinte vor Enttäuschung. Die Generäle begannen lauter zu sprechen, während die übrigen Frauen und dann die Angestellten nacheinander hinausgingen. Die Männer machten ein finsteres Gesicht, und die jungen Terroristen hielten ihre Waffen im Anschlag. Der Pianist, der kurzzeitig auf seinem Sessel eingenickt war, raffte sich so weit auf, daß er stehen konnte, und verließ, vom Küchenpersonal gestützt, den Raum, ohne zu merken, daß seine Begleiterin sich jetzt hinter ihm befand.

»Ah, das ist besser«, sagte General Benjamin, während er in einem weiten Kreis auf dem Boden herumging, auf dem sich die Geiseln gedrängt hatten. »Endlich kann man hier frei atmen.«

Sie hörten, wie die Geiseln draußen mit stürmischem Applaus und großem Wirbel empfangen wurden. Über der Gartenmauer zuckte der helle Schein von Blitzlichtern. Inmitten all der Verwirrung kam der Pianist wieder zur Tür herein, die abzuschließen sich niemand die Mühe gemacht hatte. Er stieß sie mit solcher Kraft auf, daß sie gegen die Wand knallte und der Türknauf eine Delle im Holz hinterließ. Sie hätten ihn erschossen, wenn sie ihn nicht erkannt hätten. »Roxane Coss ist nicht draußen«, sagte er auf schwedisch. Seine Stimme war belegt, und die Konsonanten blieben ihm zwischen den Zähnen stecken. »Sie ist nicht draußen!«

Der Pianist sprach so undeutlich, daß selbst Gen eine Weile brauchte, bis er die Sprache erkannte. Seine Schwedischkenntnisse stammten zum Großteil aus Ingmar-Bergman-Filmen. Er hatte es als Student gelernt, indem er die Untertitel mit den Lauten in Verbindung brachte. Er konnte in dieser Sprache nur über sehr düstere Themen reden. »Sie ist hier«, sagte Gen.

Durch seine Wut schien sich der Zustand des Pianisten vorübergehend gebessert zu haben, und für einen Moment schoß das Blut wieder in seine grauen Wangen. »Aber sie haben doch alle Frauen freigelassen!« Er wedelte mit den Armen, als wolle er Krähen von einem Kornfeld verscheuchen, und auf seinen plötzlich blau werdenden Lippen glänzte schäumender Speichel. Gen gab die Information auf spanisch weiter.

»Hier, Christopf«, rief Roxane und winkte schwach mit der Hand, als wären sie nur auf einem Fest für einen Moment getrennt worden.

»Nehmen Sie mich statt dessen«, jaulte der Pianist, während seine Knie gefährlich zitterten. Es war ein wunderbar altmodisches Angebot, auch wenn alle im Raum wußten, daß ihn keiner haben wollte – alle wollten sie.

»Bringt ihn raus«, sagte General Alfredo.

Zwei der Jungen traten vor, doch der Pianist, den angesichts der schnellen, rätselhaften Verschlechterung seines

Zustands niemand einer Flucht für fähig hielt, stürzte an ihnen vorbei und ließ sich neben Roxane Coss auf den Boden fallen. Einer der Jungen richtete sein Gewehr genau auf seinen großen blonden Kopf.

»Paßt auf, daß ihr nicht aus Versehen sie erschießt«, sagte General Alfredo.

»Was sagt er?« fragte Roxane Coss gequält.

Gen übersetzte es widerstrebend.

Aus Versehen. Genau so wurde man bei solchen Anlässen erschossen. Nicht wirklich in böser Absicht, nur durch eine Kugel, die ein paar Zentimeter daneben ging. Roxane Coss hielt den Atem an und verfluchte alle, die hier versammelt waren. Zu sterben, nur weil ein unerfahrener Terrorist schlecht zielte, war nicht gerade die Art, wie sie einmal aus dem Leben hatte scheiden wollen. Der Pianist atmete unwahrscheinlich schnell und flach. Er schloß die Augen und lehnte den Kopf an ihr Bein. Sein letzter Gefühlsausbruch hatte ihm den Rest gegeben. Er schlief genauso plötzlich ein.

»Dann laßt ihn in Gottes Namen da sitzen«, sagte General Benjamin, womit er einen der größten Fehler bei einer Geiselnahme beging, die ohnehin ein einziger Fehler war.

Kaum hatte er das gesagt, kippte der Pianist nach vorn und erbrach einen Mundvoll blaßgelben Schaum. Roxane versuchte, seine Beine wieder gerade hinzulegen, diesmal ohne daß ihr jemand half. »Schaffen Sie ihn wenigstens nach draußen«, sagte sie haßerfüllt. »Sehen Sie denn nicht, daß mit ihm etwas nicht stimmt?« Jeder konnte sehen, daß mit ihm etwas ganz und gar nicht stimmte. Seine Haut war naß und kalt und hatte die Farbe des Fleisches von schlecht gewordenem Fisch.

Gen trug ihre Bitte vor, doch man überging sie. »Kein Präsident, eine Opernsängerin«, sagte General Benjamin. »Ein schlechter Tausch, wenn ihr mich fragt.«

»Mit dem Pianisten zusammen ist sie mehr wert«, sagte General Alfredo.

»Für den würde man keinen Dollar bekommen.«

»Wir behalten die Sängerin hier«, sagte General Hector ruhig, womit das Thema erledigt war. Obwohl Hector am wenigsten sprach, hatten die Soldaten am meisten Angst vor ihm. Selbst die anderen beiden Generäle waren ihm gegenüber vorsichtig.

Die Geiseln, einschließlich Gen, standen alle auf der anderen Seite des Raumes, gegenüber der Wand, an der sich Roxane über ihren Pianisten beugte. Pater Arguedas sagte ein stilles Gebet und ging dann hinüber, um ihr zu helfen. Als General Benjamin ihm befahl, auf seine Seite zurückzugehen, lächelte er und nickte, als erlaube sich der General einen kleinen Scherz und beginge insofern keine Sünde. Der Priester war erstaunt, daß ihm das Herz pochte, daß die Angst ihm in die Beine schoß und er weiche Knie bekam. Natürlich war es nicht die Angst, erschossen zu werden – er glaubte nicht, daß sie ihn erschießen würden, und wenn doch, dann war es eben vorbei. Was ihm Angst machte, war der Geruch der kleinen, glockenförmigen Lilien und der warme, goldene Glanz ihres Haars. Seit seinem fünfzehnten Lebensjahr, dem Jahr, in dem er sein Herz Jesus Christus geöffnet und derartige Sorgen hinter sich gelassen hatte, hatte ihn so etwas nicht mehr berührt. Und warum ergriff ihn hier inmitten all der Angst und Verwirrung, wo das Leben so vieler Menschen bedroht war, das schwindelerregende Gefühl, großes Glück zu haben? Ein unglaubliches Glück! Daß Ana Loya, die Cousine der Frau des Vizepräsidenten, ihm freundschaftlich zugetan war, daß sie um seinetwillen eine so ausgefallene Bitte geäußert hatte, daß diese Bitte ihr freundlicherweise gewährt worden war und er ganz hinten im Raum stehen und – zum ersten Mal in seinem Leben – Opernarien live hören durfte, und nicht nur live, sondern auch noch von Roxane Coss gesungen, die nach allgemeiner Ansicht die größte Sopranistin ihrer Zeit war. Allein schon, daß Roxane Coss überhaupt in ein Land wie dieses gekommen war, hätte eigentlich gereicht.

Wie geehrt hätte er sich gefühlt, wenn er im Keller des Pfarrhauses auf seiner Pritsche gelegen und gewußt hätte, daß sie sich eine Nacht lang in der Stadt aufhielt, in der er lebte – schon das wäre ein großes Geschenk gewesen. Doch er hatte sie sogar sehen dürfen und befand sich nun durch die Macht des Schicksals (das wohl einen schlimmen Verlauf nehmen konnte, aber immer *Gottes Wille* war, Gottes Wunsch) hier in diesem Raum, ging hin, um ihr beim Ordnen der schweren, langen Glieder des Pianisten zu helfen, und kam ihr dabei so nah, daß er die Lilien riechen und sehen konnte, wie ihre glatte weiße Haut im Ausschnitt ihres pistaziengrünen Kleides verschwand. Er konnte sehen, daß oben auf ihrem Kopf noch ein paar Haarnadeln steckten, so daß ihr die Haare nicht in die Augen fielen. Welch ein Geschenk – er konnte es nicht anders empfinden. Denn er glaubte doch, daß eine solche Stimme von Gott kommen mußte, was bedeutete, daß er jetzt neben der Liebe Gottes stand. Und das Flattern in seiner Brust, seine zitternden Hände – das alles war durchaus angebracht. Wie hätte sein Herz nicht von Liebe erfüllt sein sollen, wenn er Gott so nahe war?

Sie lächelte ihn an, mit freundlichem und doch den Umständen angemessenem Gesicht. »Wissen Sie, warum man mich hier warten läßt?« flüsterte sie.

Als er ihre Stimme hörte, stieg zum ersten Mal eine Welle der Enttäuschung in ihm auf. Nicht von ihr war er enttäuscht, niemals, aber von sich selbst. Englisch. Alle behaupteten, man müsse unbedingt Englisch lernen. Was sagten die Touristen immer? »Einen schönen Tag noch«? Aber wenn das nun irgendwie unpassend war? Oder sogar verletzend? Es könnte ja eine Bitte sein, um einen Film oder um Auskunft oder um *Geld*. Er betete. Schließlich antwortete er ihr betrübt mit dem einzigen Wort, das er wirklich kannte: »Englisch.«

»Ah«, sagte sie, nickte ihm mitfühlend zu und widmete sich wieder ihrer Aufgabe.

Als sie den Pianisten so hingelegt hatten, daß es zumindest aussah, als liege er bequem, zog Pater Arguedas sein Taschentuch hervor und wischte ihm damit den weißlichen Film von Erbrochenem ab. Er hätte nie behaupten wollen, etwas von Medizin zu verstehen, doch er verbrachte zweifellos viel Zeit bei Kranken, und das Sakrament, das er am häufigsten gespendet hatte, war das Viatikum, und nach diesen Erfahrungen mußte er leider sagen, daß bei diesem Mann hier, der so wunderbar Klavier gespielt hatte, eher das Viatikum als eine Krankensalbung angezeigt zu sein schien. »Katholisch?« fragte er Roxane Coss, wobei er die Hand auf die Brust des Pianisten legte.

Sie hatte keine Ahnung, ob der Mann, der sie am Flügel begleitete, überhaupt eine Beziehung zu Gott hatte, und schon gar nicht, in was für einer Kirche er diese gegebenenfalls pflegte. Sie zuckte die Achseln. So weit konnte sie sich mit dem Priester immerhin verständigen.

»*Católica*?« fragte er aus reiner Neugier und zeigte dabei höflich auf sie.

»Ich?« fragte sie und faßte sich vorn ans Kleid. »Ja.« Dann nickte sie. »*Sí, católica.*« Zwei einfache Wörter, doch sie war stolz darauf, ihm auf spanisch antworten zu können.

Er lächelte. Was den Pianisten betraf: *Wenn* er im Sterben lag, *wenn* er katholisch war ... das waren zwei ziemlich wichtige offene Fragen. Doch wo es um die ewige Ruhe der Seele ging, konnte man gar nicht vorsichtig genug sein. Selbst wenn er einem Juden, der sich dann wieder erholte, irrtümlich die Letzte Ölung gab, was wäre dann Schlimmes geschehen, außer daß er ihm ein wenig Zeit gestohlen hätte, die Zeit einer bewußtlosen politischen Geisel. Er tätschelte Roxane die Hand. Es hätte die Hand eines Kindes sein können! So weiß war sie, so weich und so rundlich der Rücken. An einem Finger trug sie einen dunkelgrünen Stein von der Größe eines Wachteleis in einem funkelnden Kranz aus Brillanten. Wenn er sonst Frauen solche Ringe tragen sah, wünschte er immer, sie würden sie für die Armen spenden, aber jetzt ertappte er sich bei der Vorstellung, wie wunderbar es wäre, ihr einen solchen Ring langsam auf den Finger zu schieben. Das war zweifellos völlig unangebracht, und er spürte, wie eine nervöse Feuchtigkeit seine Stirn überzog. Und er hatte doch jetzt kein Taschentuch mehr. Er entschuldigte sich, um zu den Generälen zu gehen und mit ihnen zu reden.

»Ich fürchte«, sagte Pater Arguedas mit gesenkter Stimme, »dieser Mann liegt im Sterben.«

»Er liegt nicht im Sterben«, sagte General Alfredo. »Er versucht, sie hier herauszuholen. Er tut nur so, als ob er stirbt.«

»Das glaube ich nicht. Der Puls, die Farbe seiner Haut.« Er sah sich über die Schulter um, am Flügel und den riesigen Lilien- und Rosensträußen vorbei, der Dekoration für eine Feier, die längst zu Ende war, dorthin, wo der Pianist auf dem Teppichrand lag wie etwas Großes, Ausgelaufenes. »Manche Dinge kann man nicht spielen.«

»Er wollte hierbleiben. Wir haben ihn rausgeschickt, und er ist zurückgekommen. So benimmt sich niemand, der stirbt.« General Alfredo wandte den Kopf ab. Er rieb sich die Hand. Die beiden Finger fehlten ihm jetzt schon seit zehn Jahren, und sie taten ihm immer noch weh.

»Gehen Sie zurück an Ihren Platz«, sagte General Benjamin zu dem Priester. Seit die Hälfte der Geiseln gegangen war, gab er sich einem trügerischen Gefühl der Erleichterung hin, als wäre damit die Hälfte seiner Probleme gelöst. Er wußte, daß dem nicht so war, doch er wollte dieses Gefühl einen Moment lang in Ruhe genießen. Der Raum wirkte so offen.

»Ich hätte gern ein wenig Öl aus der Küche, um ihm die Letzte Ölung zu geben.«

»Niemand geht in die Küche«, sagte General Benjamin und schüttelte den Kopf. Er zündete sich eine Zigarette an, um den jungen Priester zu brüskieren. Er wünschte, der

Priester und der Pianist wären gegangen, als man sie dazu aufforderte. Man sollte den Leuten nicht erlauben, selbst zu entscheiden, ob sie Geiseln bleiben wollten. Er hatte nicht viel Erfahrung darin, Priester zu brüskieren, und er brauchte die Zigarette als Hilfsmittel. Er schüttelte das Streichholz, bis es erlosch, und ließ es dann auf den Teppich fallen. Am liebsten hätte er ihm den Rauch ins Gesicht geblasen, doch das konnte er nicht.

»Ich kann es auch ohne Öl machen«, sagte Pater Arguedas.

»Keine Letzte Ölung«, sagte General Alfredo. »Er wird nicht sterben.«

»Ich habe nur wegen des Öls gefragt«, sagte der Priester höflich. »Die Frage bezog sich nicht auf die Letzte Ölung.«

Die Generäle wollten ihn alle drei aufhalten, ihm ins Gesicht schlagen, ihn von einem Soldaten mit dem Gewehr an seinen Platz führen lassen, doch keiner von ihnen war dazu fähig. Die Macht der Kirche hielt sie davon ab, oder auch die der Opernsängerin, die sich über den Mann beugte, den sie für ihren Geliebten hielten. Pater Arguedas ging wieder zu Roxane Coss und ihrem Pianisten. Sie hatte ihm ein Stück weit das Hemd aufgeknöpft und hielt ein Ohr an seine Brust. Ihr Haar lag auf eine Art auf seinem Hals und seinen Schultern, die der Pianist sehr aufregend gefunden hätte, wäre er bei Bewußtsein gewesen. Doch weder Roxane noch der Priester konnten ihn aus seiner Ohnmacht wecken. Pater Arguedas kniete neben ihm nieder und begann, das Gebet der Letzten Ölung zu sprechen. Es war vielleicht glanzvoller, wenn man in vollem Ornat dastand, wenn es Öl gab und schimmerndes Kerzenlicht, doch mit einem einfachen Gebet schien man Gott in mancher Hinsicht näher zu sein. Er hoffte, daß der Pianist katholisch war. Er hoffte, seine Seele würde den offenen Armen Jesu Christi entgegeneilen.

»Gott, der Vater aller Gnaden, hat durch den Tod und die Wiederauferstehung Seines Sohnes die Welt erlöst und den Heiligen Geist zu uns ausgesandt, auf daß uns unsere Sünden vergeben werden. Gott, der Herr, vergebe dir durch Seine Kirche und schenke deiner Seele Frieden.« Pater Arguedas empfand auf einmal große Zärtlichkeit für diesen Mann, eine fast erdrückende Liebe. Er hatte sie am Flügel begleitet. Er hatte fast jeden Tag ihre Stimme gehört, die ihn geformt hatte. Zutiefst überzeugt flüsterte er in das kalkweiße Ohr: »Ich spreche dich los von deinen Sünden.« Und er vergab dem Pianisten tatsächlich alles, was er je getan haben mochte, »im Namen des Vaters, des Sohnes und des Heiligen Geistes«.

»Die Letzte Ölung?« sagte Roxane Coss und ergriff die kalte, feuchte Hand, die so unermüdlich für sie gearbeitet hatte. Auch wenn sie die Sprache nicht verstand, die Riten des Katholizismus waren auf der ganzen Welt leicht zu erkennen. Das hier konnte kein gutes Zeichen sein.

»Der allmächtige Gott entbinde dich von jeder Strafe in diesem und dem kommenden Leben durch das heilige Mysterium unserer Erlösung. Er öffne dir die Tore des Paradieses und nehme dich auf in ewiger Freude.«

Roxane Coss schien wie betäubt, als hätte der Hypnotiseur schon seine Uhr geschwenkt, aber noch nicht mit den Fingern geschnippt. »Er war ein sehr guter Pianist«, sagte sie. Gern hätte sie es dem Priester nachgetan, doch sie hatte die Gebete nicht mehr im Kopf. Sie fügte hinzu: »Er war immer sehr pünktlich.«

»Laßt uns den Herrn bitten, mit Seiner gnadenreichen Liebe zu unserem Bruder zu kommen und ihm durch diese heilige Salbung Trost zu bringen.« Pater Arguedas befeuchtete seinen Daumen mit der Zunge, denn er brauchte irgend etwas Nasses, und etwas anderes fiel ihm nicht ein. Er salbte die Stirn des Pianisten und sagte: »Durch diese heilige Salbung stehe der Herr in Seiner Liebe und Gnade dir bei mit der Barmherzigkeit des Heiligen Geistes.«

Roxane sah im Geiste die Nonnen, die sie beaufsichtigten, während sie ihre Gebete lernte. Sie sah die dunklen

Perlenschnüre aus Rosenholz, die ihnen von der Taille her-abhingen, sie roch den Kaffeeduft in ihrem Atem und den leichten Schweißgeruch im Stoff ihrer Gewänder – Schwester Joan, Schwester Mary Joseph und Schwester Serena. An die drei Schwestern konnte sie sich gut erinnern, aber nicht an eine einzige Gebetszeile. »Manchmal haben wir uns nach der Probe Kaffee und Sandwiches bestellt«, sagte sie, auch wenn der Priester sie nicht verstand und der Pianist sie nicht mehr hörte. »Dann haben wir uns ein bißchen unterhalten.« Er hatte ihr von seiner Kindheit erzählt. Er kam aus Schweden – oder aus Norwegen? Er erzählte ihr, daß es dort im Winter sehr kalt sei, doch da er dort aufwuchs, sei ihm das gar nicht aufgefallen. Seine Mutter verbot ihm, an irgendeiner Art von Ballspiel teilzunehmen, aus Sorge um seine Hände. Sie hatte doch so viel Geld für die Klavierstunden bezahlt.

Pater Arguedas salbte die Hände des Pianisten und sagte: »Der Herr, der dich von Sünden befreit, rette dich und richte dich auf.«

Roxane nahm eine Strähne seines feinen blonden Haars und hielt sie zwischen ihren Fingern. Es wirkte irgendwie blutleer. Es sah aus wie das Haar eines Menschen, der nicht lange auf dieser Welt weilen würde. Die Wahrheit war, daß sie den Pianisten ein klein wenig haßte. Monatelang hatten sie friedlich zusammengearbeitet. Er kannte die Stücke genau. Er spielte voller Leidenschaft, versuchte jedoch nie, sie in den Hintergrund zu drängen. Er war zurückhaltend und still, und das gefiel ihr. Sie versuchte nicht, ihn auszufragen. Sie machte sich nicht genügend Gedanken über ihn, um sich zu fragen, ob sie das sollte. Dann hatten sie beschlossen, daß er mit ihr hierherfahren sollte. Und kaum hatte das Flugzeug abgehoben, ergriff der Pianist ihre Hand und begann, von der unerträglichen Last seiner Liebe zu reden. Hatte sie das nicht gewußt? All die Tage, an denen er ihr so nahe gewesen war, sie hatte singen hören. Er beugte sich zu ihr hinüber und versuchte, ein Ohr an ihre Brust zu legen, aber sie schob ihn weg. So ging es die ganzen achtzehn Stunden des Fluges. So ging es in der Limousine, die sie zum Hotel brachte. Er bettelte und weinte wie ein Kind. Er beschrieb ihr jedes Kleidungsstück, das sie bei den Proben getragen hatte. Vor dem Fenster des Wagens flog eine undurchdringliche Wand aus Blättern und Ranken vorbei. Wohin führte sie diese Reise? Sein Finger wanderte zu ihrem Rock, und sie stieß ihn mit dem Handrücken weg.

Roxane senkte den Kopf und schloß die Augen, preßte die Hände um seine Haarsträhne zusammen. »Ein Gebet kann auch einfach etwas Nettes sein«, hatte Schwester Joan gesagt. Schwester Joan war ihre Lieblingsschwester, sie war jung und beinahe hübsch. Sie hatte in ihrem Schreibtisch Schokolade liegen. »Es muß nicht immer um das gehen, was du haben willst. Es kann auch das sein, was du schön findest.« Schwester Joan bat Roxane oft, vor der Morgenandacht für die Kinder zu singen. »*Oh Mary We Crown Thee with Flowers Today*«, selbst mitten im Winter in Chicago.

»Ich mußte ihm immer von Chicago erzählen, da komm ich her«, flüsterte sie. »Er wollte wissen, wie es war, in der Nähe eines Opernhauses aufzuwachsen. Er hat gesagt, jetzt, wo er einmal in Italien sei, könne er nie mehr zurück. Diese kalten nordischen Winter würde er jetzt nicht mehr ertragen.«

Pater Arguedas sah zu ihr auf – er hätte zu gern gewußt, was sie sagte. War es eine Beichte, ein Gebet?

»Vielleicht hat er etwas Falsches gegessen«, sagte sie. »Vielleicht war er auf etwas allergisch. Oder er war schon krank, bevor wir hierherkamen.« Auf jeden Fall war er ganz anders, als sie gedacht hatte.

Eine Weile waren sie alle drei still, der Pianist, dessen Augen geschlossen waren, die Opernsängerin und der Priester, die auf seine geschlossenen Augen hinabsahen. Dann kam Roxane Coss ein Gedanke, und sie griff, ohne zu zögern, in seine Fracktaschen und zog seine Brieftasche, ein Taschentuch und eine Rolle Pfefferminzbonbons heraus. Sie blätterte die Brieftasche durch und legte sie auf den Boden. Da war sein Paß: aus Schweden. Als sie mit den Händen tief in seine Hosentaschen fuhr, hörte Pater Arguedas auf zu beten und sah zu ihr hin. Sie fand eine Spritze, die benutzt und mit einer Kappe gesichert war, und ein kleines Fläschchen mit einem Gummipfropfen, das leer war bis auf ein, zwei Tropfen, die am Rand des Bodens entlangliefen. Insulin. Kein Insulin mehr. Man hatte ihnen versichert, daß sie um Mitternacht wieder im Hotel sein würden. Es gab keinen Grund, warum er mehr als eine Dosis hätte mitnehmen sollen. Sie stand mühsam auf, den Beweis in der geöffneten Hand. Pater Arguedas hob den Kopf, als sie zu den Generälen hinüberlief. »Diabetes!« rief sie, ein Wort, das wohl in allen Sprachen mehr oder weniger dasselbe war. Solche medizinischen Ausdrücke kamen doch aus dem Lateinischen, aus der einen Ursprache, die sie alle verstehen sollten. Sie drehte den Kopf zu der Wand, von der aus die Männer ihr zusahen, als wären sie in der Oper, wo an diesem Abend der tragische Tod des Pianisten gegeben würde, *Il pianoforte triste*.

»Diabetes«, sagte sie zu Gen.

Gen, der das Feld dem Priester überlassen hatte, trat vor und erklärte den Generälen, was sie auch ohne Übersetzung verstanden haben mußten: Der Mann lag im diabetischen Koma, was bedeutete, daß es irgendwo da draußen das Medikament gab, das ihn retten konnte, vorausgesetzt, daß er noch am Leben war. Sie gingen hinüber, um nachzusehen, und General Benjamin warf seine Zigarette in den marmornen Kamin, der so groß war, daß drei mittelgroße Kinder darin Platz gefunden hätten. Tatsächlich hatten sich die Kinder des Vizepräsidenten, nachdem die Asche entfernt und er geschrubbt worden war, in ihn hineingehockt und so getan, als würden sie von Hexen gekocht. Pater Arguedas hatte das förmliche Gebet beendet und kniete jetzt einfach mit gefalteten Händen und gesenktem Kopf neben dem Mann und betete still, er möge nun, da er tot sei, in Gottes ewiger Liebe Trost und Freude finden.

Als der Priester die Augen aufschlug, sah er, daß er und der Pianist nicht mehr allein waren. Pater Arguedas lächelte den Umstehenden milde zu. »Wer kann uns von der Liebe Jesu Christi trennen?« sagte er zur Erklärung.

Es sah reizend aus, wie Roxane Coss auf den Boden sank und ihr hellgrünes Chiffonkleid sich bauschte wie ein Baldachin aus frischem Laub, in das der Aprilwind fuhr. Sie nahm die Hand, um die sich seine Mutter so gesorgt hatte, die Hand, die sie stundenlang unermüdlich hatte Schumann-Lieder spielen sehen. Seine Hand war schon kalt, und sein Gesicht, das schon seit Stunden eine unnatürliche Farbe aufwies, verfärbte sich jetzt vollends, wurde gelb um die Augen und blaßviolett um den Mund. Seine Krawatte und die Knöpfe an seiner Hemdbrust fehlten, doch seinen schwarzen Frack und die weiße Weste hatte er nach wie vor an. Er war immer noch für den Auftritt gekleidet. Sie hatte ihn nie für einen schlechten Menschen gehalten, keine Sekunde lang. Und er war ein großartiger Pianist gewesen. Er hätte nur mit seinem Geständnis nicht warten sollen, bis sie in diesem Flugzeug eingesperrt saßen, doch jetzt, da er tot war, würde sie ihm auch das nicht mehr übelnehmen.

Die Männer waren alle von der anderen Seite des Raumes herübergekommen und standen nun fast Schulter an Schulter mit den Terroristen da. Keiner von ihnen hatte den Pianisten gemocht, keiner ihm das Glück gegönnt, so gut Klavier spielen zu können, sie hatten ihn allzu dreist gefunden – diese Art, wie er die Sängerin gegen alle anderen abgeschirmt hatte. Dennoch empfanden sie seinen Tod als Verlust. Schließlich war er für Roxane Coss gestorben. Auch von der anderen Seite des Raumes aus, auch wenn sie die Sprachen zum Teil nicht verstanden, konnten sie dem Ganzen problemlos folgen. Er hatte ihr nie gesagt, daß er Diabetiker war. Er hatte lieber bei ihr bleiben wollen, als um das Insulin zu bitten, das seine Rettung gewesen wäre. Der arme Pianist, ihr aller Freund. Er war einer von ihnen.

»Jetzt ist einer tot!« sagte General Benjamin und warf die Arme hoch. Bei dem Gedanken flammte seine eigene Krankheit auf, und ihn durchfuhr ein Schmerz, als würden die Enden seiner Gesichtsnerven mit heißen Nadeln zusammengenäht.

»Das ist vor ihm schon anderen passiert«, antwortete General Alfredo kühl. Er war öfter, als er sich erinnern konnte, selbst dem Tod nahe gewesen: Ein Bauchschuß hätte ihn beinahe umgebracht! Sechs Monate darauf waren ihm zwei Finger weggeschossen worden, und letztes Jahr hatte er seitlich am Hals einen glatten Durchschuß gehabt.

»Wir sind nicht hier, um diese Menschen zu töten. Wir sind hier, um den Präsidenten gefangenzunehmen und dann zu verschwinden.«

»Der Präsident ist nicht da«, erinnerte Alfredo ihn.

General Hector, der niemandem traute, griff hinab und preßte seine dünnen Finger gegen die Halsschlagader des Toten. »Vielleicht sollten wir ihm eine Kugel in den Kopf jagen und ihn dann rauslegen. Ihnen zeigen, mit wem sie es zu tun haben.«

Pater Arguedas, der bis dahin weitergebetet hatte, sah auf und starrte die Generäle eindringlich an. Die Vorstellung, daß sie ihrem neuen toten Freund eine Kugel in den Kopf jagen würden, ließ die spanisch sprechenden Geiseln erschaudern. Wem bis dahin entgangen war, daß Roxane Coss kein Spanisch sprach, konnte sich jetzt davon überzeugen, denn sie blieb, während die Generäle von Leichenschändung sprachen, in derselben Haltung sitzen, den Kopf in die Hände gestützt und von ihrem weiten Rock umgeben.

Ein Deutscher namens Lothar Falken, der gerade genug Spanisch verstand, um zu ahnen, worum es ging, drängelte sich durch die Menge zu Gen und bat ihn zu übersetzen.

»Sagen Sie ihnen, das funktioniert nicht«, forderte er ihn auf. »Die Wunde würde nicht bluten. Man könnte ihm jetzt glatt durch den Kopf schießen, und trotzdem würden sie sehr schnell feststellen, daß er nicht an einer Schußwunde gestorben ist.« Lothar gehörte der Geschäftsführung von Hoechst an und hatte vor langer Zeit Biologie studiert. Der Tod des Pianisten traf ihn insofern besonders, als Insulin das meistverkaufte Produkt des Pharmakonzerns war. Tatsächlich war der Konzern der führende Hersteller von Insulinpräparaten in Deutschland. In der Firma hatten sie Unmengen davon, Werbemuster jeder Art von Insulin, die nur darauf warteten, verteilt zu werden, ganze Kühlschränke voll klirrender Fläschchen, von denen sich jeder bedienen konnte. Er war zu der Feier gekommen, weil er dachte, wenn Nansei erwog, eine Zweigstelle in diesem Land zu bauen, könnte er das ebenfalls in Erwägung ziehen. Jetzt lag vor ihm ein Mann, der wegen Mangels an Insulin gestorben war. Er konnte den Mann nicht mehr retten, doch er konnte ihm zumindest die Erniedrigung ersparen, ein zweites Mal getötet zu werden.

Gen gab die Information weiter, wobei er sich bemühte, das Ganze möglichst schaurig darzustellen, denn auch er wollte nicht mitansehen müssen, wie sie dem armen Pianisten in den Kopf schossen.

General Hector nahm sein Gewehr und blickte nachdenklich durch das Visier. »So ein Unsinn«, sagte er.

Jetzt sah Roxane Coss auf. »Wen will er damit erschießen?« fragte sie Gen.

»Niemanden«, beruhigte Gen sie.

Sie wischte sich mit den Fingern in einer gerade Linie unter den Augen entlang. »Nun, er wird wohl nicht gerade sein Gewehr putzen wollen. Fangen sie jetzt an, uns zu erschießen?« Ihre Stimme klang müde, pragmatisch, als wolle sie sagen, sie habe Termine und müsse wissen, wie die Dinge stünden.

»Sagen Sie ihr ruhig die Wahrheit«, flüsterte der Vizepräsident Gen auf spanisch zu. »Wenn irgend jemand das verhindern kann, dann sie.«

Es hätte nicht Gens Aufgabe sein sollen, zu entscheiden, was für Miss Coss das beste war, was er sagen sollte und was nicht. Er kannte sie nicht. Er wußte nicht, wie sie reagieren würde. Doch dann griff sie nach seinem Fußgelenk, so wie man bei einem Wortwechsel im Stehen manchmal nach dem Handgelenk des anderen greift. Er sah auf diese berühmte Hand hinab, die sein Hosenbein umfaßte, und es verwirrte ihn.

»Auf englisch!« sagte sie.

»Sie überlegen, ob sie ihm eine Kugel in den Kopf jagen sollen«, gestand ihr Gen.

»Er ist tot«, sagte sie, für den Fall, daß ihnen das entgangen war. »Was heißt ›tot‹ auf spanisch? *Tot.*«

»*Difunto*«, sagte Gen.

»*Difunto!*« Ihre Stimme rutschte in ein höheres Register hinauf. Sie erhob sich. Sie hatte irgendwann den Fehler begangen, ihre Schuhe auszuziehen, und in einem Raum voller Männer wirkte diese kleine Frau noch kleiner. Selbst der Vizepräsident hatte ihr ein paar Zentimeter voraus. Doch als sie die Schultern durchdrückte und den Kopf zurückwarf, war es, als würde sie aus eigenem Willen wachsen, als hätte sie in all den Jahren, in denen man sie nur weit weg auf der Bühne sah, gelernt, nicht nur ihre Stimme, sondern ihre ganze Person in den Raum zu projizieren, und die Wut in ihr trug sie empor, bis sie alle anderen zu überragen schien. »Nur, damit das klar ist«, sagte sie zu den Generälen. »Jede Kugel, die diesen Mann trifft, geht vorher durch mich hindurch.« Sie wurde von Gewissensbissen geplagt. Im Flugzeug hatte sie einen anderen Platz verlangt, doch die Maschine war voll. Sie hatte den Pianisten auf dem Flug ziemlich brutal behandelt, um ihn zum Schweigen zu bringen.

Jetzt zeigte sie mit dem Finger auf Gen, der ihre Worte widerstrebend weitergab.

Die Männer, die im Halbkreis um sie herumstanden wie auf einer Galerie, zollten ihr innerlich Beifall. Das war wahre Liebe! Er war für sie gestorben, und sie würde für ihn das gleiche tun.

»Sie haben *eine* Frau hierbehalten, eine Amerikanerin, die eine Person, deren Name der Welt etwas sagt, und wenn Sie mich umbringen – und verstehen Sie mich recht, das müssen Sie dazu tun – können Sie mir folgen?« fragte sie den Dolmetscher. »Dann wird Sie und Ihr Volk der Zorn Gottes treffen.«

Auch wenn Gen diese Erklärung genau übersetzte, klar und deutlich, wortgetreu, hatten sie doch alle im Raum auch ohne seine Hilfe verstanden, genauso, wie sie sie verstanden hätten, hätte sie eine Puccini-Arie auf italienisch gesungen.

»Bringen Sie ihn raus. Legen Sie ihn, wenn es sein muß, auf die Treppe zum Eingang, aber die Leute da draußen werden ihn ohne Loch im Kopf nach Hause schicken.« Auf ihrer Stirn hatte sich ein wenig Schweiß gesammelt, so daß sie aussah wie Johanna von Orléans auf dem Scheiterhaufen. Als sie geendet hatte, atmete sie tief durch, füllte ihre mächtigen Lungen bis zum Anschlag, und setzte sich dann wieder auf den Boden. Sie wandte den Generälen den Rücken zu, beugte sich vor und legte den Kopf auf die Brust des Pianisten. So auf seiner reglosen Brust ruhend, bemühte sie sich, ihre Fassung zurückzugewinnen. Sie war erstaunt über die beruhigende Wirkung, die von seinem Körper ausging, und fragte sich, ob das wohl daran lag, daß sie ihn jetzt, da er tot war, gern haben konnte. Als sie sich wieder ruhiger fühlte, küßte sie ihn, um ihren Worten Nachdruck zu verleihen. Seine Lippen waren kühl und lagen schlaff über den harten Zähnen.

Herr Hosokawa trat aus der Menge vor, griff in seine Tasche und reichte ihr sein sauberes, gebügeltes Taschentuch. Wie seltsam war es, auf einmal so reduziert zu sein, so wenig anbieten zu können, doch sie nahm sein Taschentuch entgegen, als wäre es genau das, was sie sich gerade am allermeisten wünschte, und hielt es sich unter die Augen.

»Alle zurück an ihren Platz«, sagte General Benjamin, der nicht noch eine anrührende Szene mitansehen wollte. Er ging zum Kamin, setzte sich in einen der großen Ohrensessel und zündete sich eine Zigarette an. Da war nichts zu machen. Er konnte sie nicht schlagen, wie er es hätte tun sollen – dann würde es in diesem Wohnzimmer einen Aufstand geben, und er war sich nicht sicher, ob die jüngeren unter seinen Soldaten nicht schießen würden, um Roxane Coss zu schützen. Was er nicht verstand, war, warum der Tod des Pianisten ihn so berührte. Alfredo hatte recht: Es waren schon andere Leute gestorben. Meistens kam es ihm vor, als ob die Hälfte der Menschen, die er kannte, tot wären. Der Punkt war, daß die, die er kannte, ermordet worden waren, auf Weisen, die ihn nachts nicht ruhig schlafen ließen, und dieser Mann hier, der Pianist, war einfach gestorben. Irgendwie schien das nicht ganz das gleiche zu sein. Er dachte an seinen Bruder im Gefängnis, seinen Bruder, der so gut wie tot war und Tag um Tag in einem kalten, dunklen Loch hockte. Er fragte sich, ob sein Bruder wohl noch ein wenig am Leben bleiben könnte, vielleicht bloß einen Tag oder zwei, bis ihre Forderungen erfüllt würden und er freikäme. Der Tod des Pianisten hatte ihn beunruhigt. Die Menschen konnten einfach sterben, wenn sie nicht rechtzeitig Hilfe bekamen. Er sah von seiner Zigarette auf. »Los, weg hier«, sagte er zu der Menge, und schließlich traten alle zurück. Selbst Roxane stand auf und ließ ihren Toten liegen, wie befohlen. Sie wirkte jetzt sehr erschöpft. Der General beorderte seine Soldaten zurück auf ihre Posten. Die Gäste sollten sich hinsetzen und warten.

Alfredo ging zum Telefon und nahm zögernd den Hörer ab, als wisse er nicht genau, wozu der Apparat gut sei. In einem Krieg sollte es keine Handys geben, dadurch wirkte alles weniger ernst. Er griff in eine der vielen Taschen seiner

Armeehose, zog eine Visitenkarte heraus und wählte Messners Nummer. Er erklärte ihm, jemand sei krank geworden, nein, gestorben, und sie müßten über den Abtransport der Leiche reden.

Ohne den Pianisten war alles anders. Man sollte meinen, der Satz würde lauten: *Ohne die einhundertsiebzehn anderen Geiseln war alles anders*, oder: *Jetzt, da die Terroristen erklärt hatten, daß sie nicht hier seien, um sie zu töten, schien alles anders zu sein.* Doch dem war nicht so. Es war der Pianist, dessen Abwesenheit sie als Verlust empfanden. Selbst die Männer, die sich eben erst von ihren Frauen und Geliebten verabschiedet und zugesehen hatten, wie sie in ihren prachtvollen Abendkleidern hinausgingen, dachten an den Toten. Sie hatten ihn nicht gekannt. Viele hielten ihn für einen Amerikaner. Da saßen sie und produzierten mit größter Selbstverständlichkeit unablässig Insulin, während ein anderer aus Mangel daran gestorben war, nur um bei der Frau zu bleiben, die er liebte. Jeder von ihnen fragte sich, ob er wohl dasselbe getan hätte, und alle kamen zu dem Schluß, daß das nicht sehr wahrscheinlich war. Der Pianist verkörperte eine Bedingungslosigkeit der Liebe, die sie seit ihrer Jugend nicht mehr aufbrachten. Was sie nicht wußten, war, daß Roxane Coss, die jetzt in der Ecke eines der großen Daunensofas saß und leise in Herrn Hosokawas Taschentuch weinte, den Pianisten nie geliebt hatte, ja daß sie ihn kaum gekannt hatte außer in seiner Eigenschaft als Pianist und daß sein Versuch, ihr seine Gefühle zu gestehen, sich als ein verheerender Fehler erwiesen hatte. Die Liebe, die so schnell und auf so törichte Weise zu jedwedem Opfer bereit ist, ist immer die Liebe, die nicht erwidert wird. Simon Thibault würde nie in solch einer törichten Geste für Edith sterben. Im Gegenteil, er würde zu jedem noch so feigen Mittel greifen, um sicherzustellen, daß sie den Rest ihres Lebens gemeinsam verbrachten. Doch ohne die entsprechenden Informationen konnten sie nicht wissen, was passiert war, und so mußten sie zu dem Schluß kommen, daß der Pianist ein besserer, mutigerer Mann gewesen war als sie, daß er rückhaltloser geliebt hatte, als sie zu lieben fähig waren.

Im Raum war jetzt eine allgemeine Erschlaffung wahrzunehmen. Die riesigen Blumenbuketts, die im Zimmer verteilt waren, begannen schon zu verwelken, und die Blütenblätter der weißen Rosen säumte bereits ein feiner brauner Rand. Der Champagner in den halbleeren Gläsern auf den Anrichten und Beistelltischen war abgestanden und warm. Die jungen Soldaten waren so erschöpft, daß einige von ihnen, an der Wand stehend, einschliefen und, ohne aufzuwachen, hinunterrutschten auf den Boden. Die Gäste blieben im Wohnzimmer und wechselten leise ein paar Worte, doch die meiste Zeit war es still. Sie rollten sich in den allzudick gepolsterten Sesseln zusammen und schliefen. Sie stellten die Geduld ihrer Aufpasser nicht auf die Probe. Sie nahmen sich ein Kissen vom Sofa, und streckten sich auf dem Boden aus, ähnlich wie in der Nacht zuvor, aber in einer bequemeren Lage. Sie wußten, daß sie im Wohnzimmer bleiben, mehr oder weniger still sein und abrupte Bewegungen vermeiden mußten. Keiner von ihnen kam auf die Idee, durch das Fenster im WC zu fliehen, wenn sie allein zur Toilette gingen – vielleicht in einer Art Gentleman's Agreement. Man hatte der Leiche des Pianisten, *ihrem* Pianisten, einen gewissen, wenn auch erzwungenen Respekt erwiesen, und nun mußten sie sich bemühen, den von ihm gesetzten Maßstäben zu entsprechen.

Als Messner hereinkam, verlangte er als erstes, Roxane Coss zu sehen. Seine Lippen wirkten jetzt schmäler, strenger, und er sprach unwillkürlich deutsch. Gen erhob sich schwerfällig aus seinem Sessel und ging hinüber, um Messners Worte zu übersetzen. Die Generäle zeigten auf die Frau, die auf dem Sofa saß und das Gesicht nach wie vor in das Taschentuch drückte.

»Sie kommt jetzt mit raus«, sagte Messner, und es war keine Frage.

»Das heißt, der Präsident kommt her?« sagte General Alfredo.

»Sie werden sie ja wohl mit der Leiche nach Hause fahren lassen.« Das war nicht der Messner, den sie zuvor erlebt hatten. Der Anblick eines Raumes voller Geiseln, die gezwungen wurden, auf dem Boden zu liegen, der verletzte Vizepräsident, die Jungen mit den Waffen – das alles hatte er nur ermüdend gefunden, aber jetzt war er wütend. Und dabei trug er nur ein kleines rotes Kreuz am Oberarm, um sich gegen einen ganzen Raum voll Waffen zu schützen.

Seine Wut schien die Generäle plötzlich sehr geduldig werden zu lassen. »Tote«, erklärte Hector, »haben keine Ahnung, wer neben ihnen sitzt.«

»Sie haben gesagt, *alle* Frauen.«

»Wir sind durch die Luftschächte raufgekommen«, sagte Benjamin und fügte dann nach einer Weile zur Erläuterung hinzu: »Wie Maulwürfe.«

»Ich muß wissen, ob ich Ihnen vertrauen kann«, sagte Messner. Gen wünschte, er hätte Messners gewichtigen Ton imitieren können, bei dem jedes Wort wie ein Schlag mit einem weichen Paukenschlegel klang. »Wenn Sie etwas sagen, soll ich Ihnen das dann glauben?«

»Wir haben die Bediensteten freigelassen, die Kranken und alle Frauen bis auf eine. Vielleicht ist an dieser einen etwas, das Sie interessiert. Eine andere wäre Ihnen vielleicht nicht so wichtig gewesen.«

»Soll ich Ihnen dann glauben?«

General Benjamin dachte einen Moment lang nach. Er hob die Hand, als wolle er sich über die Wange streichen, besann sich jedoch eines besseren. »Wir stehen auf verschiedenen Seiten.«

»Schweizer stehen auf niemandes Seite«, sagte Messner. »Wir stehen nur auf der Seite der Schweizer.«

Keiner der Generäle hatte ihm noch etwas zu sagen. Messner brauchte keine Bestätigung, daß der zu seinen Füßen liegende Pianist tot war. Der Priester hatte ein Tischtuch über die Leiche gedeckt, und das Tischtuch wurde nicht gelüftet. Messner ging wortlos zur Tür hinaus und kehrte eine Stunde darauf mit einem Helfer zurück. Sie brachten eine Tragbahre auf Rädern mit, wie sie in Krankenwägen benutzt werden. Es lagen lauter Schachteln und Tüten darauf, und nachdem sie diese abgeladen hatten, nahmen Messner und sein Helfer die Tragbahre ab und versuchten, den großen Mann darauf zu ziehen. Sie mußten sich schließlich von einigen der jüngeren Terroristen helfen lassen. Der Tod hatte seinen Körper so schwer werden lassen, als wäre in den letzten Augenblicken seines Lebens jeder Auftritt, jeder endlos lange Tag des Probens wiedergekehrt und hätte sich wie ein Bleigewicht auf seine Brust gelegt. Als er schließlich auf der Bahre festgeschnallt war, fuhren sie ihn hinaus, wobei seine schönen Hände unter dem durchbrochenen Rand der Tischdecke herabhingen. Roxane Coss drehte den Kopf zur Seite, als wolle sie sich die Sofakissen genauer ansehen. Herr Hosokawa fragte sich, ob sie wohl an Brunhilde dachte, ob sie sich wünschte, ein Pferd zu haben, auf dem sie der Leiche ihres Geliebten in die Flammen folgen könnte.

»Ich finde, sie hätten das Essen nicht auf der Bahre hereinbringen sollen«, sagte der Vizepräsident zu einem neben ihm sitzenden Fremden, obwohl er hungrig war und neugierig, was sich in den Tüten verbarg. »Ich finde, sie hätten so respektvoll sein und zweimal kommen können.« Die Sonne fiel jetzt am späten Nachmittag durch die hohen Fenster schräg ins Wohnzimmer und malte breite goldene Streifen auf den Boden. Es war ein schöner Raum, dachte Ruben, und es war schön, sich um diese Tageszeit in ihm aufzuhalten. Er kam selten vor Einbruch der Dunkelheit heim, und oft war er überhaupt nicht zu Hause, weil er auf irgendeiner Reise den Präsidenten vertrat. Das Eis in dem

Handtuch war jetzt fast völlig geschmolzen, und der Ärmel seines gestärkten Frackhemds war von dem beständig heruntertröpfelnden Wasser durchweicht. Doch das kühle, nasse Handtuch tat seinem geschwollenen Gesicht immer noch gut. Er fragte sich, wo seine Frau und seine Kinder wohl heute nacht schlafen würden, ob der Präsident und seine Frau sie wohl zu sich einladen würden, der Publicity wegen, oder ob sie ein bewachtes Zimmer in einem Hotel bekommen würden. Er hoffte, daß seine Frau zu ihrer Cousine Ana ging. Ana würde sie wenigstens trösten, würde mit den Kindern scherzen und den Mädchen zuhören, wenn sie erzählten, wie es war, gekidnapt zu werden. Sie würden zu zweit in den Gästebetten schlafen müssen und auf ausgezogenen Sofas, aber das würde nichts machen. Es wäre trotzdem besser als die sterile Gästesuite im Haus der Masudas, wo man Esmeralda sicher bei den Dienstboten unterbringen würde.

An der breiten Fensterfront auf der anderen Seite des Raumes saßen Gen und Herr Hosokawa, abseits von ihren Landsleuten. Eine komplizierte Benimmregel verbot den anderen Männern, sich unaufgefordert zu ihnen zu setzen. Selbst in dieser Ausnahmesituation verlor der soziale Kodex nicht seine Gültigkeit. Herrn Hosokawa war nicht nach Gesellschaft zumute. »Er war ein großartiger Pianist«, sagte er zu Gen. »Und ich habe schon so manchen gehört.« Herr Hosokawa war von allen Anwesenden der einzige, der nach wie vor Jackett und Krawatte trug. Aus irgendeinem Grund war sein Anzug noch immer erstaunlich faltenlos.

»Soll ich es ihr sagen?«

»Was?«

»Das mit dem Pianisten«, sagte Gen.

Herr Hosokawa sah zu Roxane Coss hinüber, die ihr Gesicht immer noch hinter ihren herabhängenden Haaren verbarg. Obwohl neben ihr auf dem Sofa ein paar Männer saßen, war sie doch offensichtlich allein. Der Priester saß zwar direkt neben ihr, aber er war weit weg. Er hatte die Augen geschlossen, und seine Lippen formten lautlos Worte des Gebets. »Oh, das weiß sie bestimmt.« Dann setzte er zweifelnd hinzu: »Das haben ihr bestimmt schon viele Leute gesagt.«

Gen redete ihm nicht weiter zu. Er wartete. Es war nicht seine Aufgabe, Herrn Hosokawa Empfehlungen zu geben. Er wußte, daß das Geheimnis darin lag, zu warten, bis er einen eigenen Entschluß faßte.

»Wenn Sie meinen, daß Sie sie nicht stören«, sagte er, »könnten Sie ihr vielleicht mein Beileid ausdrücken. Sagen Sie ihr, ihr Pianist war ein tapferer und begabter Mann.« Er sah Gen direkt in die Augen, was bei ihnen beiden sehr selten vorkam.

»Und wenn ich nun für seinen Tod verantwortlich bin?« sagte Herr Hosokawa.

»Wieso sollten Sie?«

»Es war schließlich mein Geburtstag. Sie sind meinetwegen hierhergekommen.«

»Sie sind hergekommen, um ihre Arbeit zu tun«, sagte Gen. »Sie kennen Sie überhaupt nicht.«

Einen Tag nach seinem dreiundfünfzigsten Geburtstag wirkte Herr Hosokawa auf einmal alt. Es war ein Fehler gewesen, solch ein Geschenk anzunehmen, und jetzt schien dieser Fehler ihn um Jahre älter zu machen. »Sagen Sie es ihr trotzdem, sagen Sie ihr, daß es mir ganz besonders leid tut.«

Gen nickte, stand auf und ging quer durch das Zimmer. Es war ein riesiger Raum. Selbst wenn man die großzügige Eingangshalle am einen Ende und das Eßzimmer am anderen nicht mitrechnete, war das Wohnzimmer mehr als geräumig: Es umfaßte drei gesonderte Sitzecken mit Sofas und Sesseln – Wohnzimmer in einem Wohnzimmer. Die Möbel waren für das Konzert zur Seite geschoben und, als die übriggebliebenen Gäste es sich bequem machten, zu wahllosen Kombinationen zusammengestellt worden. Es fehlte nur die Rezeption, und das Ganze hätte ausgesehen wie eine große Hotellobby. Wenn es einen Klavierspieler gegeben hätte, dachte Gen, aber dann rief er sich selbst zur Ordnung. Roxane Coss war allein, doch hinter ihr, nicht weit entfernt, stand ein junger Terrorist, der sein Gewehr dicht vor der Brust hielt. Gen hatte den Jungen am Abend zuvor schon gesehen. Es war derjenige, der Roxane Coss' Hand gehalten hatte, kurz nachdem sie sich alle auf den Boden gelegt hatten. Warum war ihm dieser Junge in Erinnerung gelieben, während ihm alle anderen ununterscheidbar vorkamen? Es hatte etwas mit seinem Gesicht zu tun, seinen feinen, intelligent wirkenden Zügen, durch die er sich von den anderen abhob. Es war Gen unangenehm, das überhaupt bemerkt zu haben. Dann hob der Junge die Augen und sah, daß Gen ihn musterte. Sie starrten einander eine Sekunde lang an und sahen dann beide ebensoschnell wieder weg. Gen hatte ein seltsames Gefühl im Bauch. Der Vorfall erleichterte es ihm, Roxane Coss anzusprechen. Sie machte ihm nicht solche Angst wie dieser Junge.

»Verzeihen Sie«, sagte er zu der Opernsängerin. Er verjagte den Gedanken an den Jungen aus seinem Kopf. Nie im Leben wäre Gen aus eigenem Antrieb zu ihr gegangen. Nie hätte er den Mut gefunden, ihr sein eigenes Mitgefühl und sein Bedauern auszudrücken, genauso, wie Herr Hosokawa es nie gewagt hätte, sie anzusprechen, auch dann nicht, wenn er perfekt Englisch gesprochen hätte. Doch gemeinsam kamen sie ganz gut zurecht – ihr doppelter halber Mut summierte sich zu einem ganzen.

»Gen«, sagte sie. Sie lächelte traurig, und ihre Augen waren immer noch rot und feucht. Sie hob den Arm und ergriff seine Hand. Er war der einzige von all den Menschen im Raum, dessen Namen sie zweifelsfrei wußte, und es beruhigte sie, ihn auszusprechen. »Gen, danke für vorhin, danke, daß Sie das verhindert haben.«

»Ich habe gar nichts verhindert.« Er schüttelte den Kopf. Er war erstaunt, sie seinen Namen sagen zu hören. Erstaunt darüber, wie er klang. Erstaunt, ihre Hand um die seine zu spüren.

»Na ja, es hätte alles nichts geholfen, wenn Sie nicht dagewesen wären und ihnen übersetzt hätten, was ich gesagt habe. Ich wäre einfach eine kreischende Frau gewesen.«

»Sie haben sich sehr deutlich ausgedrückt.«

»Allein die Vorstellung, daß sie ihm eine Kugel in den Kopf jagen wollten.« Sie ließ seine Hand los.

»Ich bin froh«, setzte Gen an, mußte jedoch überlegen, was ihm eigentlich Grund gab, froh zu sein. »Ich bin froh, daß Ihr Freund noch ein wenig Ruhe hatte. Sie werden ihn bestimmt bald nach Hause schicken.«

»Ja«, sagte sie.

Gen und Roxane stellten sich beide vor, wie der Pianist nach Hause flog, auf einem Fensterplatz mit Blick auf die Wolken, die sich über dem Gastland zusammenzogen.

»Mein Chef, Herr Hosokawa, hat mich gebeten, Ihnen sein Beileid auszudrücken. Ich soll Ihnen sagen, daß Ihr Pianist sehr begabt war. Wir haben uns sehr geehrt gefühlt, ihn spielen hören zu dürfen.«

Sie nickte. »Ja, da hat er recht«, sagte sie. »Christopf war wirklich sehr gut. Ich glaube, die Leute nehmen den Pianisten meist gar nicht wahr. Es ist nett von ihm, das zu sagen. Ihr Chef.« Sie hob die geöffnete Hand. »Er hat mir sein Taschentuch gegeben.« Es lag in ihrer Hand wie eine kleine zerknautschte weiße Fahne. »Ich befürchte, ich habe es ruiniert. Jetzt wird er es wohl nicht mehr zurückhaben wollen.«

»Er möchte sicher, daß Sie es behalten.«

»Sagen Sie mir noch einmal seinen Namen.«

»Ho-so-ka-wa.«

»Hosokawa«, sagte sie und nickte. »Es war sein Geburtstag.«

»Ja. Auch das tut ihm sehr leid. Er fühlt sich verantwortlich.«

»Weil es sein Geburtstag war?«

»Weil Sie und Ihr Freund hergekommen sind, um für ihn aufzutreten. Er hat das Gefühl, daß Sie seinetwegen hier eingesperrt sind und daß Ihr Freud vielleicht –« Gen hielt erneut inne. Es war nicht nötig, so deutlich zu werden. So aus der Nähe gesehen, wirkte ihr Gesicht sehr jung, fast wie das eines Mädchens, wegen der hellen Augen und des langen Haars. Doch er wußte, daß sie mindestens zehn Jahre älter war als er, ungefähr Ende Dreißig.

»Sagen Sie Herrn Hosokawa«, begann sie, brach jedoch ab, um sich eine Haarsträhne zurückzustecken. »Ach was, ich bin doch nicht so beschäftigt, daß ich es ihm nicht selbst sagen kann. Spricht er kein Englisch? Na gut, dann werden Sie es ihm übersetzen. Sie sind jetzt der einzige von uns, der etwas zu tun hat. Gibt es irgendeine Sprache, die Sie nicht können?«

Bei dieser Vorstellung mußte Gen lächeln: Er dachte an die unendlich lange Liste von Sprachen, die er nicht konnte. »Von den meisten verstehe ich kein Wort«, sagte er. Er stand auf, und während sie den Raum durchquerten, hielt sich Roxane Coss an seinem Arm fest, als könne sie jeden Moment in Ohnmacht fallen. Das war immerhin denkbar. Sie hatte einen schlimmen Tag hinter sich. Im ganzen Raum hoben die Männer den Kopf und unterbrachen ihr Gespräch, um ihnen zuzusehen, dem großen, jungen Japaner, dem Dolmetscher, der die Sängerin an seinem Arm durch die Weite des Wohnzimmers führte. Wie merkwürdig war es, wie schön, ihre Hand auf seinem Ärmel, ihre weißen Finger knapp über seinem Handgelenk liegen zu sehen.

Als Herr Hosokawa, der sich bemüht hatte, in die andere Richtung zu sehen, bemerkte, daß Gen mit Roxane Coss zu ihm kam, spürte er, wie eine tiefe Röte von seinem Hemdkragen nach oben stieg, und er stand auf, um sie zu empfangen.

»Herr Hosokawa«, sagte Roxane und hielt ihm die Hand hin.

»Miss Coss«, sagte er und verneigte sich.

Roxane nahm den einen Sessel und Herr Hosokawa den anderen. Gen zog einen dritten, kleineren Sessel heran und wartete.

»Gen hat mir gesagt, Sie fühlen sich in gewisser Hinsicht für das hier verantwortlich«, sagte sie.

Herr Hosokawa nickte. Er war sehr offen zu ihr, so wie es Menschen sind, die sich ein Leben lang kennen. Doch wie lang war ein Leben? So lang wie dieser Nachmittag? Dieser Abend? Die Geiselnehmer hatten die Uhren umgestellt, und sie hatten alle jedes Zeitgefühl verloren. Lieber sich einmal danebenbenehmen und offen sein, denn die Last seiner Schuld schnürte ihm langsam die Kehle zu. Er erzählte ihr, er habe viele Einladungen des Gastlandes abgelehnt, doch sobald er erfahren habe, daß sie kommen würde, habe er zugesagt. Er gestand ihr, daß er nie vorgehabt hatte, dem Land zu helfen. Er sagte ihr, daß er ein großer Bewunderer von ihr sei, und zählte die Städte auf, in denen er sie hatte auftreten sehen. Er sagte, er sei zumindest mitverantwortlich für den Tod des Pianisten.

»Nein«, sagte sie. »Nein. Ich singe an so vielen Orten. Es kommt selten vor, daß ich auf einer Privatfeier singe – die meisten Leute haben, ehrlich gesagt, nicht genug Geld dafür. Aber es war nicht das erste Mal. Ich bin nicht zu Ihrem Geburtstag hierhergekommen. Ich will nicht unhöflich sein, aber ich wußte nicht einmal mehr, wessen Geburtstag es war. Und soweit ich verstanden habe, wollten diese Leute nicht Sie, sondern den Präsidenten.«

»Aber ich war der, der den Stein ins Rollen gebracht hat«, sagte Herr Hosokawa.

»Oder war ich das?« sagte sie. »Ich habe überlegt, ob ich ablehnen sollte. Ich habe mehrmals abgelehnt, bis man mir noch mehr Geld geboten hat.« Sie beugte sich vor, woraufhin auch Gen und Herr Hosokawa den Kopf vorstreckten. »Verstehen Sie mich nicht falsch. Ich kann durchaus Leute zur Verantwortung ziehen. Und das hier schreit mehr danach als alles, was ich je erlebt habe. Nur liegt die Verantwortung in meinen Augen nicht bei Ihnen.«

Wenn die Mitglieder von LFMDS in dem Moment sämtliche Türen geöffnet, ihre Waffen niedergelegt und allen gesagt hätten, sie könnten gehen, hätte Herr Hosokawa doch keine größere Erleichterung empfinden können als die, die ihm das Bewußtsein verschaffte, daß Roxane Coss ihm verzieh.

Mehrere von den Fußsoldaten gingen jetzt mit den Tüten herum, die Messner auf der Tragbahre mitgebracht hatte, und verteilten Sandwiches und Softdrinkdosen, dunkelbraune Kuchenstücke in Plastikfolie und Mineralwasserflaschen. Von all dem schien es zumindest reichlich zu geben, und als sie sich ein Sandwich nahmen, schüttelte der Junge einladend die Tüte und drängte sie wortlos, zuzugreifen. Doch vielleicht bekamen sie auch nur deshalb mehr, weil sie mit Roxane Coss zusammensaßen.

»Sieht aus, als würde ich zum Essen bleiben«, sagte sie und wickelte ihr Sandwich aus dem weißen Papier wie ein Geschenk. Zwischen den dicken Brotscheiben steckte ein Stück Fleisch, das von einer Soße oder wässriger Paprika orangerot gefärbt war. Der Saft tropfte auf das Papier, das Roxane auf ihrem Schoß ausbreitete. Die beiden Männer warteten, bis sie anfing, doch sie mußten sich nicht lang gedulden. Sie aß, als wäre sie kurz vorm Verhungern. »Davon hätten manche Leute bestimmt gern ein Foto«, sagte sie und hielt das Sandwich hoch. »Sonst bin ich beim Essen sehr heikel.«

»In ungewöhnlichen Zeiten ist man bereit, eine Ausnahme zu machen«, sagte Herr Hosokawa, und Gen übersetzte es ihr. Er war froh, sie essen zu sehen, froh, daß der Schmerz sie nicht so überwältigte, daß ihre Gesundheit gefährdet war.

Dagegen hielt Gen angesichts des fettigen Stücks Fleisch (von was für einem Tier?) in dem verfärbten Brot inne und fragte sich, ob sein Hunger wirklich so groß war. Er war tatsächlich sehr hungrig. Aus Angst, sich mit dem orangefarbenen Fett den Mund zu beschmieren, wandte er sich von Roxane Coss und Herrn Hosokawa ab. Doch bevor er auch nur die Hälfte seines Sandwiches gegessen hatte, kam ein Junge mit einer grünen Baseballkappe und holte ihn. Allmählich konnte er die Jungen unterscheiden. Dieser trug eine Mütze mit einem Che-Guevara-Sticker, ein anderer trug ein Messer auf der Brust, einer hatte sich ein billiges Amulett mit dem Heiligen Herzen an einem Stück Schnur um den Hals gebunden. Einige waren sehr kräftig oder sehr klein, anderen sprossen am Kinn ein paar Barthaare, einige hatten Akne. Der Junge, den Gen bei Roxane hatte stehen sehen, hatte das Gesicht einer zartgliedrigen Madonna. Der, der jetzt zu ihm kam, erklärte Gen in so rudimentärem Spanisch, daß er ihn kaum verstand, die Generäle bräuchten ihn.

»Ich bitte um Verzeihung«, sagte er auf englisch und auf japanisch, packte den Rest seiner Mahlzeit ein und schob ihn diskret unter einen Sessel, in der Hoffnung, daß er noch da sein würde, wenn er zurückkam. Auf den Kuchen hatte er sich besonders gefreut.

General Hector benutzte einen Bleistift, um auf einem gelben Notizblock mitzuschreiben. Er nahm es mit dem Schreiben sehr genau.

»Name?« fragte General Alfredo einen Mann, der auf einer roten Ottomane am Kamin saß.

»Oscar Mendoza.« Der Mann nahm sein Taschentuch heraus und wischte sich damit den Mund ab. Er aß gerade die letzten Bissen seines Kuchens.

»Irgendwelche Ausweispapiere?«

Herr Mendoza nahm seine Brieftasche heraus, zog einen Führerschein hervor, eine Kreditkarte, Fotos seiner fünf

Töchter. General Hector notierte die Angaben zur Person und die Adresse. General Benjamin nahm die Bilder in die Hand und betrachtete sie. »Beruf?« fragte er.

»Bauunternehmer.« Es behagte Herrn Mendoza nicht, daß sie seine Adresse wußten. Er wohnte nur acht Kilometer entfernt. Er hatte vorgehabt, ein Angebot für die Errichtung der Fabrik zu machen, von der man ihm gesagt hatte, Herr Hosokawa wolle sie in diesem Land bauen. Statt dessen hatte er die Nacht auf dem Fußboden verbracht, seiner Frau und seinen prachtvollen Töchtern für wer weiß wie lange Lebewohl gesagt und mußte nun damit rechnen, erschossen zu werden.

»Ihr Gesundheitszustand?«

Herr Mendoza zuckte die Achseln. »Gut genug, würde ich sagen. Ich bin ja hier.«

»Wissen Sie das genau?« fragte General Benjamin, wobei er versuchte, sich an den Ton des Arztes zu erinnern, den er vor Jahren wegen seiner Gürtelrose in der Stadt aufgesucht hatte. »Haben Sie irgendwelche unerkannten Leiden?«

Herr Mendoza zuckte die Achseln, als würde er nach dem inneren Mechanismus seiner Armbanduhr gefragt. »Woher soll *ich* das wissen.«

Gen trat von hinten heran und wartete, während sie dem Mann weitere Fragen stellten, die nur insofern bemerkenswert waren, als die Antworten ihnen nicht im geringsten weiterhalfen. Die Generäle versuchten, noch mehr Geiseln loszuwerden. Sie versuchten, herauszufinden, wer womöglich noch sterben könnte. Der Tod des Pianisten hatte sie nervös gemacht. Als die Leiche unter dem weißen Tischtuch herausgebracht wurde, hatte die Menschenmenge vor dem Tor, die inzwischen ruhiger geworden war, wieder begonnen zu schreien. »*Mör*-der! *Mör*-der!« skandierte sie. Von der Straße her bombardierte man sie durchs Megaphon mit Mitteilungen und Forderungen. Pausenlos klingelte das Telefon, und selbsternannte Vermittler boten ihre Dienste an. Bald würden sie allen ihren Leuten erlauben müssen, ein paar Stunden zu schlafen. Die Generäle zankten sich in einem verkürzten Kauderwelsch, dem Gen nicht folgen konnte. General Hector beendete die Diskussion, indem er seine Pistole zog und die Uhr auf dem Kaminsims entzweischoß. Es waren einfach zu viele Leute da, die bewacht werden mußten, auch wenn die Hälfte schon fort war. Sie gingen von einem Mann zum anderen, stellten Fragen, notierten den Namen und die Antworten. Gen half ihnen, wenn der Befragte kein Spanisch verstand. Die größten Hoffnungen setzten sie ohnehin auf die Ausländer. Auf ausländische Regierungen, die bereit waren, Lösegelder an ausländische Geiselnehmer zu zahlen. Die Generäle mußten ihr gescheitertes Unternehmen neu definieren. Irgendwie mußte sich die Mühe doch gelohnt haben, auch wenn sie den Präsidenten nicht bekamen. Sie hatten vor, mit allen Geiseln zu reden, sie zu taxieren und einzustufen, um herauszufinden, wer am ehesten dazu geeignet war, ihre Kameraden aus Hochsicherheits-Gefängnissen zu befreien oder Geld für ihre Sache herauszuholen. Doch ihr Vorgehen war nicht sehr durchdacht. Die Gäste spielten bei der Befragung ihre eigene Bedeutung herunter.

»Nein, man kann nicht sagen, daß ich die Firma wirklich leite.«

»Ich bin nur eines von vielen Vorstandsmitgliedern.«

»Dieser Posten im diplomatischen Dienst ist nicht so spektakulär, wie es scheint. Mein Schwager hat das für mich arrangiert.«

Niemand mochte wirklich lügen, doch sie zogen die Ränder der Wahrheit ein wenig nach unten. Daß jemand mitschrieb, machte sie nervös.

»Alle diese Angaben werden von unseren Leuten draußen überprüft«, sagte Alfredo immer wieder, und Gen wiederholte es auf französisch und auf deutsch, auf griechisch und auf portugiesisch, wobei er jedesmal darauf achtete,

»*ihre* Leute« zu sagen. Was man als Dolmetscher eigentlich nicht tat.

Mitten in dem Verhör eines Dänen, der als potentieller Partner für das nicht existierende Projekt von Nansei galt, wandte sich General Benjamin, dessen rechte obere Gesichtshälfte wie Feuer brannte, an Gen. »Wie kommt es, daß Sie so schlau sind?« fragte er in anklagendem Ton, als gäbe es irgendwo im Haus einen Geheimvorrat an Intelligenz, den Gen vor den anderen verborgen hielt.

Gen fühlte sich müde, nicht schlau. Er hatte Hunger. Der Schlaf wiegte ihn ein. Er sehnte sich nach dem Rest seines Sandwichs. »Wie bitte?« sagte er. Er sah, daß Herr Hosokawa und Roxane Coss schweigend beisammen saßen, unfähig, sich zu unterhalten, weil ihr Dolmetscher den Terroristen assistieren mußte.

»Wo haben Sie so viele Sprachen gelernt?«

Gen war nicht danach zumute, seine Lebensgeschichte zu erzählen. Ob sein Sandwich wohl noch unter dem Sessel lag? Und der Kuchen? Er fragte sich, ob sie wohl für eine Freilassung in Frage kämen, und die Gewißheit, daß dem nicht so war, machte ihn traurig und resigniert. »An der Uni«, sagte er, kurz angebunden, und wandte sich dann wieder dem Mann zu, den sie befragten.

Als sie in zwei Listen festhielten, wen sie dabehalten und wen sie fortschicken würden, hätten sie Gen eigentlich zuoberst auf die der Freizulassenden setzen sollen. Er war weder besonders viel Geld wert, noch besaß er irgendwelchen Einfluß. Er war genauso ein Angestellter, ein Arbeiter, wie die Leute, die die Zwiebeln für das Abendessen in feine Halbringe geschnitten hatten. Doch sein Name tauchte in den Listen überhaupt nicht auf. Sie schienen ihn gar nicht in ihre Überlegungen einzubeziehen. Nicht, daß er ohne Herrn Hosokawa gegangen wäre. Er wäre ebenso freiwillig geblieben wie der junge Priester, aber man möchte doch gefragt werden. Als alle Geiseln verhört worden waren und sie ihre Entscheidung getroffen hatten, war es Abend geworden. Überall im Raum wurden Lampen angeknipst. Gen wurde mit der Aufgabe betraut, die Listen abzuschreiben. Irgendwie schien er der Sekretär dieser ganzen Veranstaltung geworden zu sein.

Das Ergebnis der Prozedur war, daß sie einschließlich des Dolmetschers (er setzte seinen Namen selbst hinzu) neununddreißig Geiseln behalten würden. Zu guter Letzt waren es jedoch vierzig, denn Pater Arguedas weigerte sich erneut zu gehen. Bei fünfzehn Soldaten und drei Generälen kamen sie damit annähernd auf das Verhältnis zwei Geiseln pro Geiselnehmer, auf das sie sich als vernünftig geeinigt hatten. Angesichts der Tatsache, daß ursprünglich achtzehn Terroristen für einen Präsidenten vorgesehen waren, schien dies die Grenze des Machbaren zu sein. Am besten wäre es gewesen, wenn sie das Ganze ausgereizt und die überzähligen Geiseln noch eine Woche festgehalten hätten, um sie dann nach und nach freizulassen, ein paar hier, ein paar da, im Austausch für die Erfüllung ihrer verschiedenen Forderungen. Doch die Terroristen waren erschöpft. Die Geiseln brauchten alles mögliche und beschwerten sich. Sie waren so lästig wie ein Raum voller quengliger Kinder, die alle beruhigt und gehätschelt und unterhalten werden wollen. Die Generäle wollten sie loswerden.

Irgendwann konnte sich der Vizepräsident nicht mehr beherrschen. Er sammelte Gläser ein und stellte sie auf ein großes Silbertablett, von dem er wußte, daß es in der Anrichte im Eßzimmer stand. Als er in die Küche ging, kam ein Soldat hinter ihm her, hielt ihn jedoch nicht zurück, und er nahm sich eine Minute Zeit, um seine Wange an die Kühlschranktür zu lehnen. Er kehrte mit einer dunkelgrünen Mülltüte zurück und begann, das Papier von den Sandwichs hineinzustecken. Kein Krümel war mehr darin, nur orangerotes Öl, das kleine Lachen bildete. Sie waren alle sehr hungrig gewesen. Er sammelte die Softdrinkdosen von den Tischen und vom Teppich, auch wenn es genaugenommen nicht seine Tische und sein Teppich waren. Er war glücklich gewesen in diesem Haus. Es war immer ein so heiterer Ort gewesen, wenn er nach Hause kam und seine Kinder mit ihren Spielkameraden lachend die Flure entlangliefen und die hübschen indianischen Dienstmädchen auf allen vieren den Boden polierten, obwohl in der Besenkammer eine Bohnermaschine stand, und ihm das Parfüm seiner Frau in die Nase stieg, die am Frisiertisch saß und sich die Haare bürstete. Es war sein Zuhause. Er mußte irgend etwas tun, damit es ihm wieder vertrauter vorkam, damit das Ganze halbwegs erträglich blieb.

»Haben Sie es auch bequem?« fragte er seine Gäste, während er ein paar weiche Krümel in seine offene Hand wischte. »Können Sie noch?« Am liebsten hätte er ihre Schuhe unter das Sofa geschubst. Am liebsten hätte er den Sessel mit dem blauen Seidenbezug ans andere Ende des Raumes gezogen, wo er hingehörte, aber der Anstand verbot es ihm.

Er ging noch einmal in die Küche, um einen nassen Lappen zu holen, in der Hoffnung, etwas, das aussah wie Grapefruitsaft, aus dem dicht geknüpften Savonnerie-Teppich ausreiben zu können. Am anderen Ende des Raumes sah er die Opernsängerin mit dem Japaner zusammensitzen, der gestern Geburtstag gehabt hatte. Komisch, doch bei den Schmerzen in seinem Kopf fiel ihm weder ihr noch sein Name ein. Sie beugten sich zueinander hin, und von Zeit zu Zeit lachte sie, und dann nickte er beglückt. War es ihr Ehemann, der gerade gestorben war? Der Japaner summte etwas, und sie hörte zu, und dann sang sie es ihm leise vor. Was für ein lieblicher Klang. Bei dem Gedröhne der Mitteilungen, das ständig durchs Fenster hereindrang, war kaum auszumachen, was sie sag. Er hörte nur die Töne, ihre klare, volltönende Stimme, und es war wie in seiner Kindheit, wenn er den Hügel hinunterlief, am Kloster vorbei, und die Nonnen nur einen Moment lang singen hörte. Es war viel besser, so vorbeizusausen, als stehenzubleiben, zu warten und zuzuhören. Wenn er lief, flog die Musik ihm entgegen, wurde eins mit dem Wind, der sein Haar nach hinten blies, und dem Klatschen seiner Füße auf dem Pflaster. Als er die Sopranistin jetzt so leise singen hörte, während er auf dem Teppich herumrieb, hatte er ein ähnliches Gefühl. Es war, wie wenn man einen Vogel einem anderen antworten hört, nur die Antwort und nicht den ersten klagenden Ruf.

Als sie Messner zum zweitenmal anriefen, kam er sofort. Ruben Iglesias, Vizepräsident und Hausdiener, wurde zur Tür geschickt, um ihn hereinzulassen. Der arme Messner sah noch erschöpfter, noch verbrannter aus als beim letztenmal. Wie lang waren diese Tage? War es heute gewesen, daß der Pianist gestorben war? Hatten sie erst gestern abend in frischen Hemden und Anzügen die kleinen Koteletts gegessen und die Dvořák-Arie gehört? Oder war Dvořák ein Drink, den sie nach dem Essen in kleinen Gläsern serviert bekommen hatten? War es erst so kurze Zeit her, daß der Raum noch voller Frauen gewesen war, die ihn mit dem zauberhaften Chiffon ihrer Kleider, ihrem Schmuck, ihren juwelenbesetzten Haarkämmen und den kleinen, pfingstrosenförmigen Satintäschchen erfüllten? War es erst gestern gewesen, daß sie das ganze Haus geputzt hatten, die Fenster und die Fensterbänke, die feinen Gardinen und die schweren Vorhänge gewaschen und wiederaufgehängt, damit alles tipptopp in Ordnung war, wenn der Präsident und der berühmte Herr Hosokawa, der in ihrem Land eventuell eine Fabrik bauen würde, zum Essen kamen? Auf einmal wurde dem Vizepräsidenten klar: Warum hatte Masuda ihn gebeten, dafür sein Haus zur Verfügung zu stellen? Wenn diese Geburtstagsfeier so wichtig war, warum fand sie dann nicht im Präsidentenpalast statt? Warum, wenn nicht darum, weil er nie vorgehabt hatte zu kommen?

»Ich glaube, Sie bekommen eine Infektion«, sagte Messner und berührte mit seinen weißen Fingerspitzen Rubens glühende Stirn. Er klappte sein Handy auf und bat in einem Mischmasch aus Englisch und Spanisch um Antibiotika. »Ich weiß nicht, was für welche«, sagte er. »Was immer man Leuten gibt, die ein Gewehr ins Gesicht bekommen haben.« Er hielt die Hand über die Sprechmuschel und fragte Ruben: »Irgendwelche –« Er wandte sich an Gen. »Was heißt ›Allergien‹ auf spanisch?«

»*Alergia.*«

Ruben nickte mit seinem empfindlichen Kopf. »Erdnüsse.«

»Warum telefoniert er?« erkundigte sich General Benjamin bei Gen.

Gen erklärte ihm, es gehe um Medikamente für den Vizepräsidenten.

»Keine Medikamente. Für Medikamente habe ich keine Genehmigung erteilt«, sagte General Alfredo. Was hatte dieser Vizepräsident für eine Ahnung von Infektionen? Die Kugel in seinem Bauch, das war eine Infektion gewesen, die der Rede wert war.

»Jedenfalls nicht für Insulin«, sagte Messner und klappte sein Handy zu.

Alfredo tat, als habe er das nicht gehört. Er blätterte in seinen Unterlagen. »Hier sind die Listen. Auf dieser hier steht, wen wir hierbehalten. Auf der hier, wen wir gehen lassen.« Er legte die gelben Notizblätter vor Messner auf den Tisch. »Das hier sind unsere Forderungen. Wir haben sie auf den neuesten Stand gebracht. Es wird keine weiteren Freilassungen mehr geben, solange diese Forderungen nicht vollständig erfüllt sind. Wir sind, wie Sie gesagt haben, bis jetzt sehr vernünftig gewesen. Jetzt sollte die Regierung vernünftig sein.«

»Ich werde es ihnen sagen«, antwortete Messner, nahm die Blätter vom Tisch, faltete sie und steckte sie in seine Brusttasche.

»Wir waren sehr gewissenhaft, was den Gesundheitszustand jedes einzelnen betrifft«, sagte Alfredo.

Gen, der auf einmal erschöpft war, bat mit erhobener Hand um einen Moment Geduld und suchte nach dem englischen Wort für *concienzudo*. Schließlich fiel es ihm ein.

»Alle, die medizinische Hilfe brauchen, werden freigelassen.«

»Also auch er?« Messner wies mit dem Kopf auf den Vizepräsidenten, der, in seine eigene, verworrene Fieberwelt versunken, das Gespräch nicht verfolgte.

»Ihn behalten wir hier«, sagte General Alfredo schroff. »Den Präsidenten haben wir nicht bekommen. Irgend etwas müssen wir haben.«

Es gab noch eine andere Liste als die mit den »Forderungen« (Geld, die Freilassung von Häftlingen, ein Flugzeug, Beförderung zum Flugzeug usw.). Das war die Liste, die das Ganze in die Länge zog, die Liste der »Kleineren, unmittelbaren Bedürfnisse«. Ihr Inhalt war nicht sehr interessant, aber so manches mußte ins Haus geschafft werden, bevor sie die überzähligen Geiseln hinauslassen würden: Kissen (58), Decken (58), Zahnbürsten (58), Obst (Mangos, Bananen), Zigaretten (20 Stangen mit Filter, 20 Stangen ohne), Süßigkeiten (aller Art, außer Lakritze), Schokolade, Butter, Zeitungen, ein Heizkissen und so weiter und so fort. Die sich im Haus befanden, stellten sich vor, wie die Leute draußen ausschwärmten zu einer Art großem Geländespiel und versuchten, mitten in der Nacht die verlangten Gegenstände zusammenzubekommen. Wie sie an Glastüren hämmerten und Ladeninhaber aufweckten, die notgedrungen das helle Neonlicht einschalten würden. Keiner wollte bis zum Morgen warten und riskieren, daß irgend jemand seine Meinung änderte.

Als die noch verbliebenen Gäste zur Verlesung der Listen mit den Geiseln und den Freizulassenden ins Eßzimmer gepfercht wurden, war die Aufregung im Raum deutlich zu spüren. Es war eine Art Reise nach Jerusalem, ein Spiel, bei dem man durch puren Zufall gewann oder verlor, und jeder von ihnen war froh, dabei mitspielen zu dürfen. Selbst Leute wie Herr Hosokawa und Simon Thibault, die eigentlich wissen mußten, daß man sie nicht würde gehen lassen, standen mit heftig pochendem Herzen unter den übrigen Männern. Sie alle dachten, daß sie Roxane Coss nun sicher freilassen würden, denn eine einzelne Frau dazubehalten wäre auf die Dauer schwierig und peinlich. Sie würden sie vermissen, sie vermißten sie schon jetzt, aber alle wollten, daß man sie gehen ließ.

Die Generäle riefen ihre Namen auf und schickten sie entweder auf die rechte oder auf die linke Seite, und wenn sie ihnen auch nicht sagten, welches die Seite der Freizulassenden war, so war es doch allen klar. Man konnte gleichsam am Schnitt des Smokings erkennen, wen sie weiterhin festhalten würden. Von denen, an deren Schicksal nun kaum noch zu zweifeln war, ging eine große Finsternis aus, die sich wie eine Wand zwischen sie und die freudige Heiterkeit der anderen schob. Die Männer auf der einen Seite, die man für weniger wichtig hielt, würden zu ihren Frauen zurückkehren, daheim in ihren eigenen Betten schlafen, von ihren Kindern und Hunden mit feuchter, rückhaltloser Zuneigung empfangen werden. Die neununddreißig Männer und die eine Frau auf der anderen Seite fingen dagegen an, zu begreifen, daß sie die Stellung halten würden, daß dies jetzt das Haus war, in dem sie lebten, daß sie tatsächlich Geiseln waren.

vier

Pater Arguedas erklärte Gen, der es Herrn Hosokawa erklärte, das, was sie sähen, wenn sie stundenlang aus dem Fenster starrten, nenne man *garúa*: etwas, das mehr war als Nebel und weniger als Nieselregen und das wattig und grau über der Stadt hing, in der sie jetzt gezwungen waren zu bleiben. Nicht daß sie die Stadt gesehen hätten – sie sahen überhaupt nichts. Sie hätten auch in London oder in Paris, in New York oder in Tokyo sein können. Sie hätten auf eine Wiese mit bläulich schimmerndem Gras blicken können oder auf einen Verkehrsstau an einer Kreuzung. Sie konnten nichts sehen. Keinen Hinweis auf die Kultur, kein landschaftliches Merkmal. Sie hätten überall sein können, wo das Wetter auf unbestimmte Zeit schlecht bleiben konnte. Hin und wieder dröhnten Anweisungen über die Mauer, doch auch sie schienen weniger zu werden, als könnten die Stimmen zum Teil nicht durch den Nebel dringen. Die trübe Zeit der *garúa* dauere mit Unterbrechungen von April bis November, sagte Pater Arguedas und machte ihnen Mut, denn der Oktober sei ja fast schon vorbei und dann würde wieder die Sonne scheinen. Der junge Priester lächelte sie an. Wenn er nicht lächelte, sah er fast gut aus, doch sein Lächeln war viel zu breit, und die Zähne standen völlig schief im Mund, was seinem Aussehen etwas Debiles gab. Trotz ihrer Gefangenschaft blieb Pater Arguedas heiter und fand oft einen Grund zum Lächeln. Er wirkte nicht wie eine Geisel, sondern eher wie jemand, der zur Aufmunterung der Geiseln engagiert worden war. Und er nahm diese Aufgabe sehr ernst. Er öffnete die Arme, legte die eine Hand Herrn Hosokawa und die andere Gen auf die Schulter, beugte dann leicht den Kopf und schloß die Augen. Vielleicht um zu beten, doch er zwang die anderen nicht, es ihm gleichzutun. »Faßt Mut«, sagte er, bevor er weitereilte zum nächsten.

»Ein guter Mensch«, sagte Herr Hosokawa, und Gen nickte, und dann sahen sie wieder hinaus. Was das Wetter betraf, hätte der Priester sich keine Sorgen zu machen brauchen. Sie hatten mit dem Wetter kein Problem. Die *garúa* paßte viel besser zu ihrer Lage, als es ein klarer Himmel getan hätte. Wenn man jetzt aus dem Fenster sah, konnte man die Mauer, die den Garten von der Straße trennte, nicht sehen. Es war schwer, die Umrisse der Bäume zu erkennen, einen Baum von einem Strauch zu unterscheiden. Die *garúa* machte den Tag zum Abend, ähnlich, wie die Flutlichter, die auf der anderen Seite der Mauer installiert worden waren, beinah die Nacht zum Tag machten, mit diesem falschen elektrischen Tageslicht von abendlichen Baseballspielen. Kurz, alles, was man sah, wenn man während der *garúa* aus dem Fenster blickte, war die *garúa* selbst, nicht, ob es Tag oder Nacht war, welche Jahreszeit und welcher Ort. Die Tage verliefen nicht mehr linear, sondern jede Stunde kehrte im Kreis zu ihrem Anfang zurück, jeder Moment wurde wieder und wieder durchlebt. Die Zeit, so, wie sie sie gekannt hatten, existierte nicht mehr.

So schadet es auch nichts, erst eine Woche nach Herrn Hosokawas Geburtstag in der Erzählung fortzufahren. Diese erste Woche bestand ohnehin nur aus banalen Details, dem mühsamen Erlernen einer neuen Lebensweise. Anfangs wurde alles streng überwacht. Man richtete Gewehre auf sie, erteilte Befehle, die sie befolgten, sie schliefen in Reihen auf dem Fußboden und fragten selbst bei den privatesten

Dingen um Erlaubnis. Dann wurden die Details allmählich unwichtig. Die Leute standen einfach auf. Sie putzten sich die Zähne, ohne zu fragen, unterhielten sich, ohne gestört zu werden. Schließlich gingen sie sogar in die Küche, wenn sie hungrig waren, und machten sich ein Sandwich, wobei sie die Butter mit der Rückseite eines Löffels aufs Brot strichen, weil die Messer alle konfisziert worden waren. Die Generäle entwickelten eine besondere Zuneigung zu Joachim Messner (auch wenn sie ihm das nicht zeigten) und bestanden darauf, daß er nicht nur die Verhandlungen führte, sondern auch derjenige war, der ihnen brachte, was sie brauchten, daß er jede Kiste allein durch das Tor und den ganzen Plattenweg entlangschleifte. Und so war es Messner, dessen Urlaub inzwischen längst zu Ende war, der ihnen ihr Brot und die Butter ins Haus brachte.

Es war unglaublich, was sie schon alles erreicht hatten – war wirklich erst eine Woche vergangen? Eigentlich hätte es mindestens ein Jahr dauern sollen, von dem Punkt, an dem man ihnen die Gewehre in den Rücken stieß, dahin zu kommen, daß die meisten Gewehre in einer Besenkammer eingeschlossen waren, doch die Geiselnehmern wußten bereits, daß die Geiseln nicht revoltieren würden, und umgekehrt wußten die Geiseln – oder waren so gut wie sicher –, daß die Terroristen sie nicht erschießen würden. Natürlich gab es noch Wachposten. Zwei Jungen patrouillierten draußen im Garten, und drei gingen im Haus herum, wobei sie ihre Waffen vor sich hertrugen wie Blinde ihren Stock. Die Generäle gaben ihnen weiterhin Befehle. Von Zeit zu Zeit stupste einer der Jungen einen von den Gästen mit dem Gewehrlauf an und befahl ihm, ans andere Ende des Raumes zu gehen, nur, weil es ihm Spaß machte, zu sehen, wie er sich bewegte. Auch nachts wurden Wachposten aufgestellt, aber spätestens um Mitternacht waren sie eingenickt. Und sie wachten nicht einmal auf, wenn ihnen das Gewehr aus den Händen glitt und krachend auf dem Boden aufschlug.

Die Gäste von Herrn Hosokawas Geburtstagsfeier verbrachten den Großteil des Tages, indem sie von Fenster zu Fenster gingen, vielleicht einmal eine Runde Karten spielten oder in einer Zeitschrift blätterten, als wäre die Welt ein riesiger Bahnhof geworden, und alle Züge würden sich auf unbestimmte Zeit verspäten. Es war diese Abwesenheit der Zeit, die alle verwirrte. General Benjamin hatte einen dicken Buntstift gefunden, der Marco gehörte, dem kleinen Jungen des Vizepräsidenten, und machte damit jeden Tag einen dicken blauen Strich an die Eßzimmerwand, sechsmal senkrecht und dann einmal quer, um anzuzeigen, daß eine Woche vergangen war. Er stellte sich vor, wie sein Bruder Luis in der Isolierhaft gezwungen war, mit einem Fingernagel Kerben in die Ziegelwand zu kratzen, um die Tage mitzuzählen. In einem Haus gab es natürlich konventionellere Möglichkeiten, einen Überblick über die Zeit zu behalten. Es gab mehrere Kalender, einen Terminplaner neben dem Telefon in der Küche, und viele der Männer trugen Uhren, die nicht nur die Zeit, sondern auch das Datum anzeigten. Und falls alle diese Methoden versagten, konnten sie einfach das Radio oder den Fernseher einschalten und hören, welcher Tag heute war, während sie den neuesten Nachrichten über sich selbst lauschten. Doch General Benjamin hielt dieses altmodische Verfahren nach wie vor für das beste. Er spitzte seinen Buntstift mit einem Ausweidmesser und fügte seiner Sammlung an der Wand einen weiteren Strich hinzu. Ruben Iglesias machte das rasend. Er hätte seine Kinder hart bestraft, wenn sie so etwas Barbarisches getan hätten.

Allen diesen Männern war die Vorstellung von Freizeit fremd. Diejenigen von ihnen, die sehr reich waren, blieben bis spätabends im Büro. Sie saßen hinten im Wagen und diktierten Briefe, während ihr Fahrer sie wohlbehalten nach Hause brachte. Diejenigen, die noch jung waren und sehr arm, arbeiteten genauso hart, wenn auch auf andere Weise. Da war das Holz, das gehackt werden mußte, die

Süßkartoffeln, die es zu ernten galt. Da waren der Umgang mit der Waffe, Lauftechniken und Tarnmethoden, die gelernt werden wollten. Jetzt war eine große, völlig neue Untätigkeit über sie hereingebrochen, und sie saßen da und starrten einander an und trommelten mit den Fingern auf die Armlehnen.

In diesem grenzenlosen Meer der Zeit wollte es Herrn Hosokawa nicht gelingen, sich um Nansei zu sorgen. Während er in die feuchte Witterung hinausstarrte, fragte er sich nicht ein einziges Mal, ob sich seine Entführung wohl auf den Aktienkurs auswirkte. Es kümmerte ihn nicht, wer jetzt statt seiner die Entscheidungen traf, wer an seinem Schreibtisch saß. Er hatte das Interesse für die Firma, die bis dahin sein Leben, sein Sohn gewesen war, verloren, wie man eine Münze verliert: ohne es überhaupt zu merken. Er zog ein kleines Notizbuch mit Spiralbindung aus seiner Smokingtasche und fügte seiner Liste, nachdem er Gen nach der korrekten Schreibweise gefragt hatte, das Wort *garúa* hinzu. Man brauchte einfach einen Anreiz. Sooft sich Herr Hosokawa in Japan auch seine Italienisch-Kassetten angehört hatte, er konnte sich an nichts mehr erinnern. Kaum hatte er die schönen Wörter – *dimora*, *patrono* – gehört, waren sie ihm schon wieder entfallen. Doch wieviel Spanisch hatte er in nur einer Woche der Gefangenschaft schon gelernt! *Ahora* hieß »jetzt«; *sentarse* »sitzen«; *ponerse de pie* »aufstehen«; *sueño* »Schlaf«; und *requetebueno* »sehr gut«, doch es wurde stets mit einer gewissen Grobheit und Herablassung ausgesprochen, die dem anderen sagte, daß er seine Sache zwar gut gemacht hatte, aber zu dumm war, um zu hohen Erwartungen Anlaß zu geben. Und nicht nur die Sprache galt es zu lernen, sondern auch all die Namen, die der Geiseln und die der Geiselnehmer, wenn man einen von ihnen dazu bringen konnte, ihn preiszugeben. Die Leute kamen aus so vielen verschiedenen Ländern, daß man sich keine Eselsbrücken bauen, von nichts Vertrautem ausgehen konnte. Der Raum war voller Männer, die er kennen sollte, aber nicht kannte, auch wenn sie einander zulächelten und zunickten. Er würde sich mehr Mühe geben müssen, mit ihnen bekannt zu werden. Bei Nansei hatte er es sich zum Prinzip gemacht, so viele Angestellte wie möglich mit Namen zu kennen. Er merkte sich die Namen der Geschäftsleute, die er bewirtete, und die Namen ihrer Ehefrauen, nach denen er sich erkundigte, ohne sie jemals kennenzulernen.

In Herrn Hosokawas Leben hatte es nie einen Stillstand gegeben. Während er seine Firma aufbaute, lernte er ständig dazu. Aber dies war eine andere Art des Lernens als die, die er gewohnt war. Er kam sich vor wie ein Kind. Darf ich mich setzen? Darf ich aufstehen? Vielen Dank. Bitte. Was heißt »Apfel« auf spanisch? Oder »Brot«? Und er erinnerte sich an das, was sie ihm sagten, denn anders als bei den Italienisch-Kassetten war das hier wirklich wichtig. Jetzt wurde ihm erst klar, in welchem Maße er sich in der Vergangenheit auf Gen verlassen hatte, wie sehr er noch immer auf ihn angewiesen war, auch wenn er jetzt mit seinen Fragen häufig warten mußte, weil Gen für die Generäle dolmetschte. Vor zwei Tagen hatte Vizepräsident Iglesias Herrn Hosokawa freundlicherweise dieses Notizbuch und einen Stift aus einer Schublade in der Küche geschenkt. »Hier«, hatte er gesagt. »Betrachten Sie es als ein verspätetes Geburtstagsgeschenk.« In dieses Notizbuch trug Herr Hosokawa das Alphabet ein und ließ sich von Gen die Ziffern von eins bis zehn schreiben, und jeden Tag wollte er ein paar neue spanische Wörter hinzufügen. Zur Übung schrieb er sie zigmal ab, in möglichst kleiner Schrift, denn wenn sie im Moment auch genug Papier hatten, so konnte doch eine Zeit kommen, in der man mit solchen Dingen würde sparsam sein müssen. Wann hatte er zuletzt selbst etwas geschrieben? Seine Gedanken wurden protokolliert, auf Band aufgenommen, übertragen. Aus dieser einfachen Wiederholung, aus der Wiederentdeckung der Tatsache, daß er schreiben konnte, schöpfte

Herr Hosokawa Trost. Er spielte wieder mit dem Gedanken, Italienisch zu lernen, und dachte, er könnte Gen ja bitten, ihm pro Tag vielleicht auch ein, zwei italienische Wörter beizubringen. Zu ihrer Gruppe gehörten zwei Italiener, und wenn er sie reden hörte, merkte er, daß er verzweifelt versuchte, sie zu verstehen, wie bei einer schlechten Verbindung am Telefon. Das Italienische lag ihm so sehr am Herzen. Und Englisch auch. Wie schön wäre es, sich mit Miss Coss unterhalten zu können.

Er setzte sich und tippte mit seinem Stift auf das Notizbuch. Er sollte sich nicht zuviel vornehmen. Wenn es zu viele Wörter waren, würde dabei nichts herauskommen. Zehn spanische Wörter pro Tag, zehn Substantive, die er wirklich lernte, und dann ein Verb, vollständig durchkonjugiert – das war wohl das äußerste, wenn er sich wirklich jedes Wort merken und bis zum nächsten Tag behalten sollte.

Garúa. Wenn er am Fenster saß, dachte Herr Hosokawa oft an die Leute auf der anderen Seite der Mauer, die Polizei und das Militär, die inzwischen lieber anriefen, als durch das Megaphon zu brüllen. Ob ihre Kleidung wohl ständig feucht war? Ob sie in ihren Autos saßen und Kaffee tranken? Wahrscheinlich saßen die Befehlshaber im Wagen, während die Jungs mit den Gewehren, das Fußvolk, in Habtachtstellung standen und der kalte Regen ihnen ungehindert in den Kragen lief.

Wahrscheinlich waren diese Soldaten den Kindern, die im Wohnzimmer des Vizepräsidenten patrouillierten, gar nicht so unähnlich, obwohl es beim Militär vermutlich ein Mindestalter gab. Wie alt waren diese Kinder eigentlich? Immer wieder kam es vor, daß einer von denen, die am ältesten aussahen, in das helle Licht einer Lampe trat, und dann sah man, daß er nicht älter, sondern nur größer war. Sie schlenderten durch das Haus und stießen überall an, weil sie ihre eigene, gerade erreichte Größe noch nicht gewohnt waren. Zumindest hatten diese Jungen schon Adamsäpfel, und zwischen den eitrigen Pickeln sprossen die ersten Barthaare. Diejenigen, die tatsächlich die jüngsten waren, wirkten beängstigend jung. Ihr Haar war so schwer und glänzend wie Kinderhaar, und sie hatten die glatte Haut und die schmalen Schultern von Kindern. Sie umspannten mit ihren kleinen Händen den Gewehrkolben und versuchten, ein möglichst ausdrucksloses Gesicht zu machen. Die Geiseln starrten die Terroristen an, und je länger sie hinsahen, desto jünger wurden sie. Konnten das wirklich die Männer sein, die in ihre Feier hineingeplatzt waren, diese raubgierigen Tiere? Jetzt schliefen sie, in sich zusammengesunken und mit offenem Mund und verdrehten Armen, auf dem Boden ein. Sie schliefen wie Teenager, mit einer Zielstrebigkeit und Konzentration, die den anwesenden Erwachsenen schon seit Jahrzehnten abhanden gekommen war. Einigen von ihnen gefiel es, Soldat zu sein. Sie liefen weiter mit ihren Gewehren herum und drohten den Erwachsenen gelegentlich mit einem Stoß und haßerfüllten Blicken. Dann hatte man den Eindruck, daß bewaffnete Kinder eine sehr viel gefährlichere Spezies waren als bewaffnete Erwachsene. Sie waren launisch, irrational, immer auf Konfrontation aus. Die anderen verbrachten ihre Zeit damit, sich alles im Haus ganz genau anzusehen. Sie hüpften auf den Betten und probierten die Sachen in den Schränken an. Sie betätigten immer wieder die Toilettenspülung, nur um des Vergnügens willen, das Wasser strudelnd abfließen zu sehen. Anfangs hatten sie die Gefangenen nicht ansprechen dürfen, doch auch diese Vorschrift wurde von manchen nicht mehr strikt befolgt. Sie unterhielten sich jetzt manchmal mit den Geiseln, vor allem, wenn die Generäle gerade in einer Besprechung saßen. »Woher kommen Sie?« war die beliebteste Frage, auch wenn die Antworten ihnen meist nichts sagten. Schließlich ging Ruben Iglesias in sein Arbeitszimmer und holte einen großen Atlas, damit sie es ihnen auf den Karten zeigen konnten, und als auch das nichts half, schickte er einen Wachposten nach oben, um den Globus seines Sohnes herunterzuholen, einen hübschen blau-grünen Planeten, der sich reibungslos um seine feste Achse drehte.

»Paris«, sagte Simon Thibault und zeigte auf seine Heimatstadt. »Frankreich.«

Lothar Falken zeigte ihnen Deutschland, und Rasmus Nilson legte den Finger auf Dänemark. Akira Yamamoto, der keine Lust hatte zu spielen, wandte sich ab, und so zeigte Gen ihnen Japan. Roxane Coss bedeckte die ganzen Vereinigten Staaten mit der Hand und tippte dann mit dem Fingernagel auf den Punkt, der Chicago war. Die Jungen gingen mit dem Globus zu der nächsten Gruppe, und selbst wenn die Männer die Frage nicht verstanden, war das Spiel doch leicht zu durchschauen. »Das hier ist Rußland«, sagten sie. »Das ist Italien.« – »Das hier ist Argentinien.« – »Das ist Griechenland.«

»Woher kommen Sie?« fragte der Junge, der Ishmael hieß, Ruben Iglesias. Er sah den Vizepräsidenten als seine persönliche Geisel an, weil er ihm das Eis aus der Küche geholt hatte, als seine Verletzung noch frisch war. Er brachte ihm immer noch Eis, manchmal drei- oder viermal am Tag, ohne daß ihn jemand dazu aufforderte. Die Kälte tat dem Vizepräsidenten wohl, denn seine Wange hatte sich entzündet und war noch immer geschwollen.

»Von hier«, sagte der Vizepräsident und zeigte auf den Fußboden.

»Zeigen Sie es mir«, Ishmael hielt ihm den Globus hin.

»Von hier.« Ruben tippte mit dem Fuß auf den Teppich. »Das hier ist mein Haus. Ich lebe in dieser Stadt. Ich komme aus demselben Land wie du.«

Ishmael sah zu seinem Freund auf. Es war leichter gewesen, die Russen zum Mitspielen zu bringen. »Zeigen Sie es mir.«

So setzte sich Ruben schließlich zu dem Jungen und dem Globus auf den Boden und zeigte auf das Gastland, das flach und rosa war. »Da leben wir.« Ishmael war der kleinste von allen, wirklich noch ein Junge mit den weißen

Zähnen eines Kindes. Ruben hätte dieses Kind am liebsten auf den Schoß genommen und behalten.

»*Sie* leben da.«

»Nein, nicht nur ich«, sagte Ruben. Wo waren wohl seine eigenen Kinder? Wo schliefen sie jetzt? »Wir beide.«

Ishmael seufzte und stemmte sich, enttäuscht über die Dickköpfigkeit seines Freundes, vom Boden hoch. »Sie wissen nicht, wie das Spiel geht«, sagte er.

»Ich weiß nicht, wie das Spiel geht«, sagte Ruben und starrte auf die Stiefel des Jungen, die in einem erbärmlichen Zustand waren. Die Sohle konnte jeden Moment abfallen. »Hör mal zu. Du gehst jetzt rauf in das größte Schlafzimmer, daß du finden kannst, und öffnest alle Türen, bis du auf einen Ankleideraum voller Damenkleider stößt. Da drinnen stehen hundert Paar Schuhe, und wenn du ein bißchen suchst, findest du sicher ein Paar Tennisschuhe, die dir passen. Vielleicht sogar ein Paar Stiefel.«

»Ich kann doch keine Damenschuhe anziehen.«

Ruben schüttelte den Kopf. »Die Tennisschuhe und die Stiefel sind nicht für Damen. Sie stehen nur da. Ich weiß, das klingt absurd, aber du kannst mir vertrauen.«

»Es ist lächerlich, daß wir hier so untätig herumsitzen«, sagte Franz von Schuller. Gen übersetzte es für Simon Thibault und Jacques Maitessier ins Französische und dann für Herrn Hosokawa ins Japanische. Außer ihnen gehörten noch zwei weitere Deutsche zu der Runde. Sie standen zusammen vor dem leeren Kamin und tranken Grapefruitsaft. Dieser Grapefruitsaft war einfach köstlich. Besser als ein richtig guter Scotch. Der herbe Geschmack legte sich ihnen auf die Zunge und gab ihnen das Gefühl, lebendig zu sein. Er war ihnen an diesem Tag zum ersten Mal ins Haus gebracht worden. »Diese Leute sind Amateure. Die hier drinnen ebenso wie die da draußen.«

»Und was schlagen Sie vor?« fragte Simon Thibault. Thibault hatte sich den riesigen blauen Schal seiner Frau um den Hals geschlungen und ließ ihn hinten herabhängen, und dieses Detail bewirkte, daß ihn die anderen bei ernsten Themen seltener nach seiner Meinung fragten.

Pietro Genovese stellte sich dazu und bat Gen, ihm ebenfalls zu dolmetschen. Er konnte zwar genug Französisch, aber kein Deutsch.

»Schließlich wissen wir, wo die Gewehre sind«, sagte von Schuller, wobei er die Stimme senkte, auch wenn niemand die deutschen Wörter hätte verstehen können. Sie warteten auf Gens Übersetzung.

»Und dann schießen wir uns den Weg frei. Wie im Fernsehen«, sagte Pietro Genovese. »Ist das Grapefruitsaft?« Das Gespräch schien ihn zu langweilen, obwohl er gerade erst dazugestoßen war. Er baute Flughäfen. Wenn die Industrie eines Landes wächst, braucht man auch größere Flughäfen.

Gen hielt die Hand hoch. »Einen Moment, bitte.« Er übersetzte gerade erst von Schullers Worte ins Japanische.

»Wir bräuchten ein Dutzend Dolmetscher und einen Schiedsspruch der UNO, um den Beschluß fassen zu können, auch nur einen Jungen mit einem Messer zu überwältigen«, sagte Jacques Maitessier ebensosehr zu sich selbst wie zu den anderen, und er wußte, wovon er sprach, denn er war einmal Frankreichs Vertreter bei den Vereinten Nationen gewesen.

»Ich sage ja nicht, daß alle einverstanden sein müßten«, erwiderte von Schuller.

»Sie wollen es allein versuchen?« fragte Thibault.

»Meine Herren, bitte gedulden Sie sich.« Gen versuchte, das Ganze ins Japanische zu übersetzen. Das war schließlich seine erste Pflicht. Er war keine gemeinnützige Einrichtung, auch wenn das alle nur zu gern vergaßen. Er arbeitete für Herrn Hosokawa.

Bei Unterhaltungen in mehr als zwei Sprachen kam er sich schwerfällig und nicht sehr verläßlich vor, als hätte er den Mund voll Watte und Novocain. Keiner konnte sich seine Gedanken so lange merken, bis er an der Reihe war. Diese Männer waren es nicht gewohnt, zu warten oder sich kurz zu fassen. Sie holten lieber weit aus, gerieten, wenn nötig, ins Schwafeln. Pietro Genovese ging in die Küche, um nachzusehen, ob es noch Saft gab. Simon Thibault strich mit der flachen Hand seinen Schal glatt und fragte Jacques Maitessier, ob er Lust habe zu einem Kartenspiel. »Meine Frau würde mich umbringen, wenn ich mich an einem Aufstand beteiligen würde«, sagte Thibault auf französisch.

Die drei Deutschen sprachen jetzt schnell miteinander, und Gen machte keinen Versuch, ihnen zu folgen.

»Das Wetter wird mir niemals langweilig«, sagte Herr Hosokawa zu Gen, als sie wieder zum Fenster gingen. Eine Weile standen sie nebeneinander und versuchten, den Kopf von dem Sprachengewirr frei zu bekommen.

»Denken Sie manchmal daran, sich mit Gewalt zu befreien?« fragte Gen. Er sah ihr Spiegelbild in der Scheibe. Sie standen sehr dicht am Fenster. Zwei Japaner mit Brille – der eine war größer und fünfundzwanzig Jahre jünger, doch in diesem Raum, in dem die Menschen so wenig gemeinsam hatten, wurde Gen zum erstenmal klar, wie ähnlich sie einander sahen.

Herr Hosokawa starrte weiter ihr Spiegelbild an oder vielleicht auch hinaus in die *garúa*. »Zu irgendeiner Art von Gewalt wird es früher oder später kommen«, sagte er. »Und dann werden wir nichts dagegen tun können.« Seine Stimme bekam einen düsteren Klang.

Die Soldaten verbrachten den Großteil des Tages damit, das Haus zu erkunden, die Pistazien zu essen, die sie in der Speisekammer fanden, und an der Lavendellotion im Bad zu riechen. Das Haus bot endlos viele Attraktionen: Ankleideräume, die so groß waren wie so manche Häuser, die sie gesehen hatten, Schlafzimmer, in denen niemand schlief, Schränke, die nichts weiter enthielten als Rollen buntes

Papier und Schleifenband. Besonders beliebt war das Arbeitszimmer des Vizepräsidenten, das am Ende eines langen Flurs lag. Die Fenster endeten seitlich, hinter den schweren Vorhängen, in zwei gepolsterten Sitzen – gerade recht, um mit angezogenen Beinen dazuhocken und stundenlang in den Garten hinauszusehen. In dem Zimmer standen zwei Ledersofas und zwei Ledersessel, und auch die Bücher waren alle in Leder gebunden. Selbst die Schreibunterlage, der Becher für die Stifte und der obere Teil des Löschers waren aus Leder Der Raum war erfüllt von dem tröstlichen, vertrauten Geruch von Kühen, die in der heißen Sonne stehen.

Außerdem gab es dort einen Fernseher. Einige von ihnen hatten schon einmal einen Fernseher gesehen, eine Holzkiste mit einer gewölbten Glasscheibe, in der man sich merkwürdig gespiegelt sah. Aber diese Fernseher waren immer kaputt. Das war bei Fernsehern so. Die Leute prahlten, erzählten tolle Geschichten darüber, was dieses Ding einst getan hatte, aber niemand glaubte es, denn niemand hatte es je gesehen. Der Junge, der Cesar hieß, hielt sein Gesicht dicht vor den Bildschirm, steckte zwei Finger in die Mundwinkel, zog die Lippen zurück und freute sich dann an dem Bild. Die anderen sahen ihm zu. Er verdrehte die Augen und streckte die Zunge heraus. Dann nahm er die Finger aus dem Mund, kreuzte die Hände vor der Brust und begann ein Lied zu singen, das sie Roxane Coss am ersten Abend von den Luftschächten aus hatten singen hören. Den Text bekam er zwar nicht ganz zusammen, doch vom Klang her stimmte es fast, und die Tonhöhe traf er genau. Dabei äffte er Roxane Coss eigentlich nicht nach – er sang, und er sang sehr gut. Als er nicht mehr weiter wußte, brach er unvermittelt ab und verbeugte sich tief. Dann drehte er sich um und schnitt wieder Grimassen vor dem Fernseher.

Es war Simon Thibault, der den Fernseher einschaltete. Er hatte sich dabei nichts weiter gedacht. Er war hereingekommen, weil er den Gesang gehört hatte, in dem Glauben, irgend jemand hätte eine seltsame, schöne alte Platte aufgelegt, was ihn neugierig gemacht hatte. Dann sah er den Jungen Grimassen schneiden, einen ganz witzigen Jungen, und er dachte, es würde ihm gefallen, wenn da, wo sein Gesicht gewesen war, plötzlich ein Bild erschiene. Simon nahm die Fernbedienung, die auf der Armlehne eines bequem aussehenden Ledersessels lag, und drückte auf den Einschaltknopf.

Sie schrien. Sie heulten auf wie Hunde. Sie riefen die Namen ihrer Landsleute: »Gilbert! Francisco! Jesus!« in dem Ton, in dem man »Feuer!«, »Mord!« oder »Die Polizei kommt!« ruft. Der Effekt war ein lautes Klicken, mit dem Gewehre entsichert wurden, und daß die anderen Soldaten und die drei Generäle hereinstürzten, Simon Thibault gegen die Wand stießen und ihn an der Lippe verletzten.

»Mach keinen Unsinn«, hatte Edith gesagt, den Mund dicht an seinem Ohr. Doch was schloß das alles ein? Auch das Einschalten eines Fernsehers?

Einer der Jungen, die hereinstürmten, ein kräftiger Kerl namens Gilbert, drückte Thibault mit der runden Mündung seines Gewehrs den blauen Seidenschal in die weiche Haut an seinem Hals. Er nagelte ihn an die Wand, wie man einen Schmetterling auf ein Korkbrett spießt.

»Fernseher«, brachte Thibault mühsam hervor.

Doch die Aufmerksamkeit der vielen Menschen in dem Arbeitszimmer hatte sich schon wieder von Thibault abgewandt. Genausoschnell, wie er zur Bedrohung, zum Star geworden war, hatten sie ihre Gewehre wieder gesenkt und ihn zu einem zitternden Häuflein Angst zusammensacken lassen. Jetzt starrten alle auf den Fernseher. Eine dunkelhaarige, attraktive Frau hielt mit beiden Händen verschmutzte Kleidungsstücke vor die Kamera und schüttelte, leicht angewidert, den Kopf, bevor sie sie in die Waschmaschine stopfte. Sie trug einen knallroten Lippenstift, und die Wand hinter ihr war leuchtend gelb. »Eine echte Herausforderung«, sagte sie auf spanisch. Gilbert hockte sich hin, um zuzusehen.

Simon Thibault hustete und rieb sich den Hals.

Die Generäle hatten natürlich schon einmal ferngesehen, allerdings schon seit Jahren nicht mehr – seit sie in den Dschungel zurückgegangen waren. Auch sie standen jetzt vor dem Gerät. Es war ein guter Fernseher, Farbe, mit einem 70-cm-Bildschirm. Die Fernbedienung war auf den Boden gefallen, und General Alfredo hob sie auf und begann, von einem Sender zum anderen zu schalten: ein Fußballspiel; ein Mann mit Krawatte, der im Mantel an einem Schreibtisch saß und las; ein singendes Mädchen in einer silbernen Hose; ein Dutzend Hundewelpen in einem Korb. Bei jedem neuen Bild ging eine Welle des Staunens, ein lautes »Ah!« durch den Raum.

Simon Thibault ging hinaus, ohne daß jemand es merkte. Cesars Gesang hatte er völlig vergessen.

An den meisten Tagen wünschten sich die Geiseln nichts sehnlicher, als daß das Ganze endlich vorbei war. Sie sehnten sich nach ihrem Land, nach ihrer Frau, nach ein bißchen Privatsphäre. An anderen Tagen wollten sie einfach nur weg von all diesen Kindern, von ihrem Mißmut und ihrer Müdigkeit, von ihren Fangspielen und ihren Gelüsten. Wie alt konnten sie sein? Wenn man sie fragte, logen sie entweder und sagten: »Fünfundzwanzig«, oder sie zuckten die Achseln, als hätten sie keine Ahnung, was die Frage bedeutete. Herr Hosokawa wußte, daß er sich bei Kindern häufig vertat. In Japan sah er oft junge Leute, die höchstens wie zehn aussahen, am Steuer eines Autos sitzen. Seine eigenen Töchter stellten ihn ständig vor ein mathematisches Rätsel, indem sie in einem Moment noch in Schlafanzügen durchs Haus liefen, die mit ausdruckslos vor sich hin starrenden »Hello Kittys« gemustert waren, um im nächsten zu verkünden, sie seien jede mit einem Jungen verabredet, der sie um sieben abholen komme. Er fand, daß seine Töchter noch nicht alt genug waren, um mit Jungen auszugehen, doch in diesem Land wären sie offenbar alt genug gewesen, um Mitglieder einer terroristischen Vereinigung zu sein. Er versuchte, sich vorzustellen, wie sie mit ihren Blümchen-haarspangen und ihren weißen Söckchen die scharfe Spitze eines Messers zwischen Tür und Türrahmen zwängten.

Doch Herr Hosokawa konnte sich die beiden nicht anders vorstellen, als wie sie eingerollt auf dem Bett ihrer Mutter lagen und sich die Nachrichten ansahen und weinend darauf warteten, daß er zurückkam. Doch tatsächlich stellte sich zur Überraschung aller heraus, daß zwei der jüngeren Soldaten Mädchen waren. Die eine wurde ganz einfach entdeckt: Nach knapp zwei Wochen nahm sie ihre Mütze ab, um sich am Kopf zu kratzen, und es fiel ein Zopf heraus. Und nachdem sie sich gekratzt hatte, machte sie sich nicht mehr die Mühe, ihn wieder darunterzustecken. Sie schien nicht das Gefühl zu haben, daß ihr Geschlecht ein Geheimnis war. Sie hieß Beatriz, was sie jedem, der sie fragte, bereitwillig verriet. Sie war nicht mit einem hübschen Gesicht oder einem anmutigen Wesen gesegnet und war ohne weiteres als Junge durchgegangen. Sie hatte den Finger genauso schnell am Abzug wie die Jungen, und ihr Blick blieb noch stumpf, wenn es schon gar nicht mehr nötig war. Doch trotz ihrer außergewöhnlichen Durchschnittlichkeit starrten die Geiseln sie an wie ein Wunder, wie ein Nachtfalter, der auf einem Schneefeld saß. Wie konnte es sein, daß unter den Terroristen ein Mädchen war? Wie hatte ihnen das so lange entgehen können? Das andere Mädchen war leichter zu erkennen. Ihr Verstand sagte ihnen, daß, wenn es *ein* Mädchen gab, durchaus noch mehr dabei sein konnten, und alle sahen sofort zu dem stillen Jungen hin, der auf keine ihrer Fragen antwortete und ihnen von Anfang an verdächtig vorgekommen war – viel zu schön und viel zu nervös. Sein Haaransatz ragte v-förmig in die Stirn hinein, was seinem Gesicht die Form eines Herzens gab. Seine Lippen waren voll und weich. Er hielt die Augen immer halb geschlossen, als wäre die Last seiner dichten Wimpern zu groß. Er roch anders als die anderen Jungen, lieblich und warm, und sein Hals war lang und glatt. Es war derjenige, der Roxane Coss mehr als alle anderen zu verehren schien und nachts vor ihrem Zimmer auf dem Boden schlief, um mit seinem eigenen Körper den Türspalt gegen jeden Luftzug abzudichten. Gen sah ihn sich an, diesen Jungen, der ihn so irritiert hatte, und die Beklemmung in seiner Brust wurde von einer langen, weichen Welle davongeschwemmt.

»Beatriz«, sagte Simon Thibault, »dieser Junge da drüben. Ist das deine Schwester?«

Beatriz schnaubte verächtlich und schüttelte den Kopf. »Carmen? Meine Schwester? Sie sind wohl verrückt.«

Als sie ihren Namen hörte, sah Carmen vom anderen Ende des Zimmers herüber. Beatriz, die ihnen ihren Namen verriet. Es gab keine Geheimnisse auf dieser Welt. Carmen warf die Zeitschrift hin, die sie sich angesehen hatte. (Es war eine italienische mit lauter Hochglanzbildern von Filmstars und den Angehörigen verschiedener Königshäuser. Der Text enthielt sicher wichtige Informationen über die privatesten Dinge in deren Leben, die Carmen vorenthalten blieben. Sie hatte die Zeitschrift in der Nachttischschublade am Bett der Frau des Vizepräsidenten gefunden.) Carmen nahm ihren Revolver, ging in die Küche und schloß die Tür. Niemand folgte ihr – einem offensichtlich wütenden, bewaffneten jungen Mädchen. Sie konnte nirgendwo hingehen, und so nahm man an, daß sie irgendwann von selbst wieder herauskommen würde. Sie hätten sie sich gern genauer angesehen, ohne die Mütze, sie in Ruhe als Mädchen in Augenschein genommen, aber sie waren bereit zu warten. Wenn dies das Ereignis des Nachmittags war – daß eine Terroristin sich selbst für ein paar Stunden als Geisel nahm –, dann war das bei weitem spannender, als stur in den Sprühregen hinauszustarren.

»Ich hätte wissen müssen, daß sie ein Mädchen ist«, sagte Ruben zu Oscar Mendoza, dem Bauunternehmer, der nur wenige Kilometer entfernt wohnte.

Oscar zuckte die Achseln. »Ich habe zu Hause fünf Töchter. Ich hab hier im Raum kein Mädchen gesehen.« Er hielt inne, um dies zu überdenken, und beugte sich dann zum Vizepräsidenten vor. »Ich habe hier nur ein einziges Mädchen gesehen. Eine Frau. Es gibt in diesem Zimmer nur *eine* Frau.« Er deutete mit dem Kopf vielsagend ans andere Ende des Raumes, wo Roxane Coss saß.

Ruben nickte. »Natürlich«, sagte er. »Da hast du recht.«

»Ich werde wohl nie mehr so eine gute Gelegenheit haben, ihr zu sagen, daß ich sie liebe.« Oscar rieb sich das Kinn. »Ich meine nicht unbedingt jetzt. Es muß ja nicht heute sein, obwohl wer weiß. Die Tage sind hier so lang, daß sich bis zum Abend durchaus der richtige Moment ergeben kann. Das weiß man nie, bevor es soweit ist. Bevor man genau an dem Punkt ist.« Er war ein kräftiger Mann, weit über eins achtzig groß, mit breiten Schultern. Er war immer noch stark, denn wenn er auch Unternehmer war, so war er sich doch nicht zu schade, selbst mit anzupacken und Bretter zu tragen oder Gipsplatten aufzustellen. So ging er denen, die für ihn arbeiteten, mit gutem Beispiel voran. Oscar Mendoza mußte sich vorbeugen, um dem Vizepräsidenten leise ins Ohr sprechen zu können. »Aber ich werde es tun, bevor das hier vorbei ist. Denk an meine Worte.«

Ruben nickte. Roxane Coss trug schon seit Tagen nicht mehr ihr Abendkleid, sondern eine gelbbraune Freizeithose, die seiner Frau gehörte, sowie deren Lieblingsstrickjacke, eine marineblaue Jacke aus extraweicher Alpacawolle, die er ihr zum zweiten Hochzeitstag geschenkt hatte. Er hatte einen Wachposten gebeten, mit ihm nach oben zu gehen, und hatte die Jacke selbst aus dem Schrank geholt und der Sopranistin heruntergebracht. »Ist Ihnen kalt?« hatte er sie gefragt und ihr dann die Strickjacke behutsam um die Schultern gehängt. War das ein Verrat an seiner Frau, daß er ihre geliebte Strickjacke so schnell einer anderen anbot? Durch diese Kleidungsstücke verschmolzen die beiden Frauen für ihn auf beglückende Weise zu einer – die schöne Sängerin in den Sachen seiner Frau, die er so sehr vermißte, in der Strickjacke, in deren Maschen noch ein Hauch von ihrem Parfüm hing, so daß er, wenn er jetzt an der einen vorbeiging, beide Frauen auf einmal roch. Und als wäre das noch nicht genug, trug Roxane auch noch die vertrauten Pantoffeln des Kindermädchens, denn die Schuhe seiner Frau waren ihr zu klein. Wie herrlich war es gewesen, den Kopf in Esmeraldas winzigen Schrank zu stecken, in dem peinliche Ordnung herrschte!

»Willst du ihr auch sagen, daß du sie liebst?« fragte ihn der Bauunternehmer. »Das ist dein Haus. Ich würde dir natürlich den Vortritt lassen.«

Ruben erwog das zuvorkommende Angebot seines Gastes. »Vielleicht.« Er bemühte sich, nicht zu Roxane hinüberzustarren, jedoch ohne Erfolg. Er stellte sich vor, wie er ihre Hand ergriff und ihr anbot, ihr von der großen, gemauerten Veranda, die sich hinten um das Haus herumzog, die Sterne zu zeigen – das jedenfalls hätte er getan, wenn man ihnen erlaubt hätte hinauszugehen. Schließlich war er der Vizepräsident, vielleicht würde sie das beeindrucken. Zumindest war sie nicht groß. Sie war eine Elfe, eine Venus im Taschenformat. Dafür war er dankbar. »Es wäre meiner Situation hier vielleicht nicht ganz angemessen.«

»Was ist hier schon angemessen?« sagte Oscar in einem gelassenen, unbeschwerten Ton. »Irgendwann werden sie uns umbringen. Entweder die hier drinnen oder die da draußen. Es wird geschossen werden. Es wird irgendein fatales Mißverständnis geben, darauf kannst du dich verlassen. Die da draußen können doch nicht zulassen, daß es so aussieht, als wären wir gar nicht mißhandelt worden. Sie werden dafür sorgen, daß wir am Ende tot sind. Denk an die Leute, die Masse. Es geht doch nicht, daß sie einen falschen Eindruck bekommen. *Du* bist doch der Politiker. Du verstehst mehr von solchen Dingen als ich.«

»So etwas kommt vor.«

»Warum sollten wir es ihr also nicht sagen? Ich jedenfalls möchte sicherstellen, daß ich in den letzten Tagen meines Lebens kein Feigling war. Ich werde mit dem jungen Japaner reden, dem Dolmetscher. Wenn es soweit ist, wenn ich weiß, was ich sagen will. Eine solche Frau kann man nicht einfach so ansprechen.«

Ruben mochte den Bauunternehmer. Obwohl sie sich vorher nicht gekannt hatten, kamen sie sich allein dadurch, daß sie in derselben Stadt wohnten, wie Nachbarn vor, dann wie alte Freunde und dann wie Brüder. »Was weißt denn du von solchen Frauen?«

Oscar lachte in sich hinein und legte seinem Bruder die Hand auf die Schulter. »Mein lieber kleiner Vizepräsident«, sagte er. »Du glaubst gar nicht, was ich alles weiß.« Das waren große Töne, aber hier schienen solche Töne durchaus zu passen. Während er alle Freiheiten, die er gewohnt war, verloren hatte, begann in ihm eine neue, kleinere Gruppe von Freiheiten aufzuscheinen: die Freiheit, sich obsessiven Gedanken hinzugeben, das Recht, in Erinnerungen zu schwelgen. Da seine Frau und seine fünf Töchter nicht da waren, gab es niemanden, der ihm widersprach oder ihn verbesserte, und von dieser Last befreit, konnte er träumen, ohne jeden Gedanken prüfen zu müssen. Sein Leben war das eines guten Vaters gewesen, doch jetzt entdeckte Oscar Mendoza wieder den Jungen in sich. Eine Tochter löste einen Kampf zwischen Vätern und Jungen aus, in dem die Väter sich heldenhaft schlugen und am Ende doch stets die Verlierer waren. Er wußte, daß er nach und nach alle seine Töchter verlieren würde, entweder auf ehrenhafte Weise durch Heirat oder auf die realistische Art in einem Auto, das lange nach Einbruch der Dunkelheit mit Blick aufs Meer am Ufer stand. Oscar hatte zu seiner Zeit selbst zu viele Mädchen ihre instinktiven Bedenken und ihre gute Erziehung vergessen lassen, indem er sie mit zärtlicher Hartnäckigkeit in den Nacken biß, bei den flaumigen Büscheln am Haaransatz. Mädchen waren in dieser Hinsicht wie kleine Katzen: Wenn man sie am Nacken erwischte, wurden sie völlig wehrlos. Dann hauchte er ihnen ins

Ohr, was sie alles zusammen tun könnten, in was für wunderbare dunkle Regionen er sie entführen würde. Wie eine Droge tropfte seine Stimme in die Windungen ihres Gehörgangs, bis sie alles vergessen hatten, sogar den eigenen Namen, bis sie sich umdrehten und sich ihm hingaben mit ihrem ganzen Körper, der so süß und so zart war wie Marzipan.

Der Gedanke ließ Oscar erschaudern. Nun, da er bereit war, wieder die Rolle des Jungen zu spielen, sah er all die Jungen vor sich, die sein Haus umlagerten, Jungen, die bereit waren, seine Töchter in ihrem schrecklichen Kummer um ihren als Geisel festgehaltenen Vater zu trösten. *Pilar, das muß ja schrecklich für dich sein. Isabelle, du darfst nicht immer nur zu Hause sitzen. Teresa, dein Vater würde bestimmt nicht wollen, daß du so leidest. Schau, ich habe dir Blumen mitgebracht (oder einen Vogel oder ein Wollknäuel oder einen Buntstift* – ES WAR ALLES EINS). Würde seine Frau so schlau sein, die Tür abzusperren? Sie würde sicher nicht schlau genug sein, um sich vorstellen zu können, daß die Jungen etwas im Schilde führten. Sie glaubte ihnen ihre Lügen, so wie sie ihm damals geglaubt hatte, als sie noch ein Mädchen war und er bei ihr geklingelt hatte, während ihr krebskranker Vater im Sterben lag.

Was dachte er sich nur dabei, einer Opernsängerin den Hof zu machen? Und wer waren überhaupt diese Mädchen, Beatriz und Carmen? Was taten sie hier? Wo waren ihre Väter? Wahrscheinlich erschossen, bei irgendeinem Aufstand auf dem Land. Wie sollten sich diese Mädchen die Jungen vom Leib halten, ohne einen Vater, der sie beschützte? Das ganze Haus war voller Jungen, voll dieser schrecklichen, finsteren Jungen mit fettigem Haar und abgekauten Fingernägeln, die hofften, eine Brust berühren zu können.

»Du siehst mitgenommen aus«, sagte der Vizepräsident. »Das Thema scheint dir nicht zu bekommen.«

»Wann kommen wir endlich hier raus?« fragte Oscar. Er setzte sich auf das Sofa und legte den Kopf auf die Knie, als ob ihm schwindlig wäre.

»Hier rauskommen? *Du* hast doch eben gesagt, daß wir erschossen werden.«

»Ich hab meine Meinung geändert. Mich wird niemand erschießen. Vielleicht werde ich jemanden umbringen, aber mich bringt niemand um.«

Ruben setzte sich neben ihn und lehnte seine heile Wange an die breite Schulter des Freundes. »Von mir aus darfst du deine Meinung ruhig ändern. Diese Einstellung gefällt mir sowieso besser. Nehmen wir an, daß wir das hier überleben.« Er richtete sich wieder auf. »Bleib sitzen. Ich geh in die Küche und hol dir ein bißchen Eis. Du glaubst nicht, wieviel einem Eis manchmal helfen kann.«

»Können Sie Klavier spielen?« fragte Roxane Coss Gen.

Er hatte sie nicht kommen sehen. Er stand mit dem Rücken zum Raum und sah durch das Erkerfenster hinaus in die *garúa*. Er lernte allmählich, sich zu entspannen, wenn er in den Sprühregen hinausblickte, anstatt seine Augen anzustrengen. Fast glaubte er jetzt, etwas erkennen zu können. Herr Hosokawa sah Gen erwartungsvoll an, voller Neugier darauf, was Roxane Coss sagte, und einen Moment lang wußte Gen nicht, ob er ihre Frage zuerst beantworten oder zuerst übersetzen sollte, denn schließlich galt die Frage ja ihm. Er übersetzte sie und erklärte dann, nein, er spiele leider nicht Klavier.

»Ich dachte, Sie könnten es vielleicht«, sagte sie. »Sie können so vieles.« Sie sah seinen Chef an. »Und Herr Hosokawa?«

Herr Hosokawa schüttelte traurig den Kopf. Bis zu ihrer Gefangennahme hatte er geglaubt, in seinem Leben viel geleistet und Erfolg gehabt zu haben. Jetzt kam es ihm vor wie eine lange Reihe von Versäumnissen: Er sprach weder Englisch noch Italienisch, noch Spanisch. Er konnte nicht

Klavier spielen. Er hatte es nicht einmal versucht. Er und Gen konnten zusammen nicht eine Klavierstunde vorweisen.

Roxane Coss sah sich im Zimmer um, als suche sie ihren Pianisten, doch er befand sich schon am anderen Ende der Welt, und der erste Rauhreif des schwedischen Winters hatte sich auf sein Grab gelegt. »Ich sage mir immer wieder, es ist bald vorbei, ich erhole mich nur ein wenig.« Sie sah zu Gen auf. »Nicht, daß mir das hier wie Urlaub vorkommt.«

»Ich verstehe schon.«

»Seit zwei Wochen sind wir jetzt an diesem erbärmlichen Ort. Ich habe noch nie eine ganze Woche lang nicht gesungen, außer wenn ich krank war. Ich muß bald wieder damit anfangen.« Sie beugte sich zu den beiden Männern vor, die sich reflexartig ebenfalls vorbeugten. »Ich möchte hier wirklich nicht singen. Ich gönne es ihnen einfach nicht. Meinen Sie, es lohnt sich, noch ein paar Tage zu warten? Meinen Sie, daß sie uns bis dahin gehen lassen?« Ihr Blick wanderte durch den Raum, auf der Suche nach zwei besonders eleganten Händen, die gefaltet in jemandes Schoß lagen.

»Irgend jemand hier muß doch Klavier spielen«, sagte Gen, um ihrer anderen Frage auszuweichen.

»Der Flügel ist sehr gut. Ich kann es ein bißchen, aber nicht so, daß ich mich selbst begleiten kann. Und ich bezweifle, daß sie jemanden losschicken würden, um einen neuen Pianisten für mich zu entführen.« Dann wandte sie sich direkt an Herrn Hosokawa. »Ich weiß einfach nichts mit mir anzufangen, wenn ich nicht singen kann. Ich habe kein Talent zum Urlaubmachen.«

»Mir geht es genauso«, sagte er, mit jedem Wort leiser werdend, »wenn ich keine Musik hören kann.«

Roxane lächelte. Was für ein würdevoller Mann. Den anderen war die Angst anzusehen, dieser gelegentliche Anflug von Panik. Nicht daß Panik unter diesen Umständen nicht angebracht gewesen wäre – an den meisten Abenden

hatte auch sie sich in den Schlaf geweint. Doch Herr Hosokawa schien davon völlig frei zu sein, oder er schaffte es,
seine Angst nicht zu zeigen. Und wenn sie bei ihm stand,
empfand auch sie keine Panik mehr, auch wenn sie nicht
sagen konnte, warum. In seiner Nähe hatte sie das Gefühl,
als trete sie aus grellem Scheinwerferlicht dorthin, wo es
still und dunkel war, als wickele sie sich in den schweren
samtenen Bühnenvorhang, wo sie keiner sah. »Wenn Sie
mir helfen, einen Pianisten zu finden«, sagte sie zu ihm,
»sind unser beider Probleme gelöst.«

Sie trug kein Make-up mehr. In den ersten Tagen hatte
sie sich noch die Mühe gemacht, sich im WC mit dem Lippenstift aus ihrer Abendtasche zu schminken. Dann band
sie sich mit einem Gummi straff das Haar zurück und lief in
fremden Sachen herum, die ihr nicht richtig paßten. Herrn
Hosokawa kam sie von Tag zu Tag schöner vor. Wie oft
hatte er sie schon bitten wollen zu singen, aber er hätte es
nie getan, denn schließlich war sie dadurch, daß sie für ihn
gesungen hatte, in diese mißliche Lage gekommen. Er
schaffte es nicht, sie zu fragen, ob sie Lust habe zu einem
Kartenspiel oder was sie von der *garúa* halte. Er sprach sie
überhaupt nicht an, und so tat Gen es auch nicht. Tatsächlich hatten sie beide bemerkt, daß die Männer (mit Ausnahme des Priesters, dessen Sprache sie nicht verstand) in ihrem
Drang, sie anzusprechen, sie wie aus Achtung vor ihr dennoch in Ruhe ließen, so daß sie die ganze Zeit allein dasaß.
Manchmal weinte sie, manchmal blätterte sie in einem Buch
oder schlief ein wenig auf dem Sofa. Es war ein Vergnügen,
ihr beim Schlafen zuzusehen. Roxane war die einzige Geisel,
die das Vorrecht eines eigenen Schlafzimmers genoß, mit
einem eigenen Wachposten, der draußen vor der Tür schlief
– ob um aufzupassen, daß sie nicht herauskam, oder damit
niemand hineinging, war nicht ganz klar. Seit sie wußten,
daß dieser Wachposten Carmen war, fragten sie sich, ob
Carmen vielleicht nur versuchte, sich selbst zu schützen,
indem sie in der Nähe einer so wichtigen Person blieb.

»Vielleicht spielt der Vizepräsident ja Klavier«, meinte Herr Hosokawa. »Er hat doch einen hervorragenden Flügel.«

Gen ging den Vizepräsidenten suchen, der in einem Sessel schlief, mit zur Seite gekipptem Kopf, so daß die blau-rot verfärbte Wange mit Esmeraldas Faden nach oben zeigte. Die Haut wuchs schon um den Faden zusammen. Er mußte dringend gezogen werden. »Herr Iglesias?« sagte Gen leise.

»Hmm?« machte Ruben mit geschlossenen Augen.

»Spielen Sie Klavier?«

»Klavier?«

»Der Flügel im Wohnzimmer. Können Sie darauf spielen?«

»Wir haben ihn für die Feier kommen lassen«, sagte Ruben, bemüht, nicht ganz wach zu werden. Er hatte von Esmeralda geträumt, die an der Spüle stand und eine Kartoffel schälte. »Den anderen haben sie weggebracht, weil er nicht gut genug war. Er war natürlich nicht schlecht, meine Tochter lernt darauf, nur nicht gut genug für die beiden«, sagte er mit schläfriger Stimme. »Das ist nicht mein Flügel. Der andere allerdings auch nicht.«

»Aber können Sie Klavier spielen?«

»Klavier?« Endlich sah Ruben ihn an und hob dann den Kopf.

»Ja.«

»Nein«, sagte er und lächelte. »Ist das nicht schade?«

Gen stimmt ihm zu. »Ich glaube, man sollte den Faden ziehen.«

Ruben faßte sich ins Gesicht. »Meinen Sie, es ist soweit?«

»Ich glaube, ja.«

Ruben lächelte, als sei die Tatsache, daß seine Haut wieder zusammenwuchs, seine eigene Leistung. Er ging Ishmael suchen, um ihn zu bitten, ihm das Maniküreetui aus dem Bad im ersten Stock zu holen. Hoffentlich hatten sie die Hautschere nicht als Waffe konfisziert.

Gen suchte allein weiter nach einem neuen Pianisten. Man brauchte dazu keine besonderen Sprachkenntnisse, denn mit *piano* kam man schon ziemlich weit. Mit ein biß-chen Gestikulieren hätte sich Roxane Coss zweifellos ver-ständlich machen können, doch sie blieb bei Herrn Hoso-kawa stehen, und sie starrten zusammen in das Nichts, das ihnen das Fenster darbot.

»Spielen Sie Klavier?« fragte Gen zuerst die Russen, die im Eßzimmer saßen und rauchten. Sie blinzelten ihn durch den blauen Dunst an und schüttelten dann alle den Kopf. »Mein Gott«, sagte Viktor Fjodorow und legte die Hände auf die Brust. »Was gäbe ich dafür, es zu können! Sagen Sie dem Roten Kreuz, sie sollen uns einen Klavierlehrer schicken, dann werde ich es um ihretwillen lernen.« Die anderen beiden Russen lachten und spielten ihre Karten aus. »*Piano?*« fragte Gen die nächste Gruppe. Er ging durchs ganze Haus und fragte alle bis auf die Geiselneh-mer, da er annahm, im Dschungel könne man nicht Kla-vierspielen lernen. Im Geiste sah Gen einen Flügel mit Eidechsen auf den Pedalen, mit von der Feuchtigkeit verzo-genen Tasten und zähen Schlingpflanzen um die hölzernen Beine. Ein Spanier (Manuel Flores), ein Franzose (Étienne Boyer) und ein Argentinier (Alejandro Rivas) erklärten, sie könnten zwar ein bißchen spielen, aber keine Noten lesen. Andreas Epictetus sagte, er habe in seiner Jugend ganz gut gespielt, jedoch schon lange nicht mehr an einem Klavier gesessen. »Ich mußte zu Hause jeden Tag üben«, sagte er. »An dem Tag, an dem ich ausgezogen bin, habe ich die Noten hinter dem Haus alle auf einen Haufen geworfen und dann in Brand gesteckt, direkt vor den Augen meiner Mutter. Seitdem habe ich kein Klavier mehr angerührt.« Alle anderen sagten, sie könnten nicht spielen. Sie began-nen, von ihren zwei, drei Klavierstunden zu erzählen oder von denen ihrer Kinder. Aus allen Ecken des Raums hörte man das Wort *piano*. Gen hatte das Gefühl (und er schloß sich selbst dabei nicht aus), daß nie eine unkultiviertere

Gruppe von Männern als Geiseln genommen worden waren. Was hatten sie all die Jahre getan, daß keiner von ihnen ein so wichtiges Instrument gelernt hatte? Spätestens jetzt wünschten sich alle, es spielen zu können. Für Roxane Coss Klavier spielen zu können.

Doch dann lächelte Tetsuya Kato, einer der stellvertretenden Geschäftsführer von Nansei, den Gen schon seit Jahren kannte, und ging wortlos zum Steinway hinüber. Er war Anfang fünfzig, ein schmächtiger, schon leicht ergrauter Mann, der nach Gens Erinnerung nur selten etwas sagte. Er stand in dem Ruf, ein Zahlengenie zu sein. Er hatte die Ärmel seines Smokinghemds bis über die Ellbogen hochgekrempelt und trug längst kein Jackett mehr, doch jetzt nahm er sehr förmlich auf der Klavierbank Platz. Alle im Wohnzimmer sahen zu, wie er den Deckel hochklappte und mit den Händen einmal sanft über die Tasten strich, so als wolle er sie beruhigen. Einige Männer sprachen immer noch vom Klavierspielen, und man hörte die Russen im Eßzimmer reden. Dann begann Tetsuya Kato, ohne vorher um Ruhe zu bitten, zu spielen. Er spielte Chopins *Nocturne* op. 9 in Es-Dur Nr. 2. Es war das Stück, das er, seit er hier war, am häufigsten im Kopf gehört und das er lautlos auf dem Eßtischrand gespielt hatte, wenn gerade keiner hinsah. Zu Hause blickte er dabei ins Notenheft und blätterte die Seiten um. Jetzt wußte er, daß er das Stück schon die ganze Zeit auswendig gekonnt hatte. Er sah die Noten vor sich und spielte sie fehlerlos ab. In seinem Herzen fühlte er sich Chopin, den er wie einen Vater liebte, so nahe wie noch nie. Wie merkwürdig fühlten sich seine Finger nach zwei Wochen ohne Klavierspielen an – als steckten sie in einer neuen Haut. Wenn er die Tasten berührte, hörte er das hauchzarte Klicken seiner Fingernägel, die um zwei Wochen zu lang waren. Die filzbezogenen Hämmer schlugen zunächst ganz behutsam gegen die Saiten, und die Musik klang wie eine Erinnerung, selbst für die, die das Stück noch nicht kannten. Überall im Haus wandten sich die Terroristen und die Geiseln zu der Musik hin und lauschten, und es war, als würde ihnen eine Last von der Brust genommen. Tetsuya Katos Hände bewegten sich mit einer Zartheit über die Klaviatur, als würden sie nur mal hier, mal dort auf ihr ruhen. Dann ließ seine rechte Hand Töne hervorsprudeln wie Wasser, und das Ganze klang so hell und schwerelos, daß man versucht war, nachzusehen, ob im Flügel Glöckchen hingen. Kato schloß die Augen, um sich einbilden zu können, er sei zu Hause und säße an seinem eigenen Flügel. Seine Frau schlief. Seine Kinder, zwei unverheiratete Söhne, die noch zu Hause wohnten, schliefen auch. Für sie war Katos Klavierspiel Luft geworden: etwas, das sie zum Leben brauchten und längst nicht mehr wahrnahmen. Während er jetzt auf dem Flügel hier spielte, sah er sie schlafend vor sich, und er legte diese Vorstellung in sein Spiel hinein – den gleichmäßigen Atem seiner Söhne, die Art, wie seine Frau mit einer Hand das Kopfkissen umklammerte. Alle Zärtlichkeit, die er für sie empfand, floß in die Tasten hinein. Er berührte sie, als wolle er sie nicht wecken. In seinem Spiel lagen die Liebe und die Einsamkeit, die sie alle empfanden und von denen zu sprechen keiner gewagt hatte. Hatte der Pianist so gut gespielt? Das war im nachhinein schwer zu sagen, denn seine Gabe bestand darin, unsichtbar zu sein, die Sängerin zu unterstützen. Jetzt dagegen lauschten die Menschen im Wohnzimmer des Vizepräsidenten Kato mit einer Art Heißhunger, und nichts im Leben hatte sie so genährt.

Die meisten Männer kannten ihn nicht. Den meisten war er bis dahin nicht weiter aufgefallen, so daß es jetzt schien, als käme er von draußen, wäre nur da, um für sie zu spielen. Keiner von denen, die ihn kannten, wußte, daß er Klavier spielen konnte, daß er die ganze Zeit Unterricht nahm und jeden Morgen eine Stunde lang übte, bevor er mit dem Zug zur Arbeit fuhr. Es war wichtig für Kato gewesen, noch ein anderes Leben zu haben, eines, von dem niemand wußte. Jetzt kam es ihm nicht mehr wichtig vor, es geheimzuhalten.

Sie standen alle am Flügel, Roxane Coss, Herr Hosokawa, Gen, Simon Thibault, der Priester, der Vizepräsident, Oscar Mendoza, der kleine Ishmael und Beatriz und Carmen, die ihren Revolver in der Küche ließ und sich zu den anderen stellte. Alle Russen waren da und die Deutschen, die von einem Aufstand gesprochen hatten, und die Italiener, die weinten, und die beiden Griechen, die die ältesten unter den Geiseln waren. Auch die Jungen waren da, Paco und Ranato und Humberto und Bernardo und all die anderen, diese riesige, bedrohliche Masse von jugendlichmännlichem Fleisch, die mit jedem Ton weicher zu werden schien. Selbst die Generäle kamen. Alle kamen ins Wohnzimmer, bis dort achtundfünfzig Menschen versammelt waren, und als er das Stück zu Ende gespielt hatte, neigte Tetsuya Kato den Kopf, während sie applaudierten. Hätten sie nicht einen Pianisten gesucht, hätte sich Kato an diesem Nachmittag wohl kaum ans Klavier gesetzt, obwohl er immer wieder zum Flügel hingeschielt hatte wie die anderen Männer zur Tür. Er hätte nicht so viel Aufmerksamkeit auf sich ziehen wollen, und wenn er nicht gespielt hätte, wäre er in dieser Geschichte vielleicht gar nicht erwähnt worden. Doch es bestand ein Mangel, ein expliziter Bedarf, und so trat er vor.

»Schön, sehr schön«, sagte General Benjamin, den die Vorstellung erleichterte, daß der Pianist, den sie verloren hatten, damit ersetzt war.

»Ausgezeichnet«, sagte Herr Hosokawa voller Stolz darauf, daß es ein Mitarbeiter von Nansei war, der die Aufgabe übernahm. Er kannte Kato seit zwanzig Jahren. Er kannte seine Frau und die Namen seiner Kinder. Wie war es möglich, daß er von seinen Fähigkeiten nichts geahnt hatte?

Einen Moment lang war es sehr still im Raum, dann sagte Carmen, die für die Gäste erst seit so kurzem ein Mädchen war, etwas in einer Sprache, die nicht einmal Gen zu kennen schien.

»Zugabe«, antwortete der Priester ihr.

»Zugabe!« sagte Carmen.

Den Kopf senkend, verbeugte sich Kato vor Carmen, die ihn anlächelte. Wie hatten sie Carmen nur für einen dieser Jungen halten können? Selbst mit der Mütze sah sie einfach reizend aus. Sie wußte, daß alle sie ansahen, und schloß die Augen – jetzt konnte sie nicht mehr in die Küche gehen, wie sie es eigentlich wollte, mußte an der einladenden Ausbuchtung des Flügel stehenbleiben. Wenn Kato spielte, spürte sie die Schwingungen der Saiten in der Hüfte, mit der sie sich an das Instrument lehnte. Noch nie hatte sich jemand vor Carmen verbeugt. Noch nie war jemand ihrem Wunsch gefolgt. Ganz zu schweigen davon, daß jemand für sie Klavier gespielt hätte.

Kato spielte noch ein Stück und dann noch eines, bis alle im Raum vergaßen, daß sie sich an einen anderen Ort wünschten. Als er fertig war und keine weitere Zugabe mehr geben konnte, weil seine Hände vor Erschöpfung zitterten, schüttelte Roxane Coss ihm die Hand und neigte den Kopf, womit besiegelt war, daß er sie künftig am Flügel begleiten würde.

fünf

Gen war ein vielbeschäftigter Mann.
Er mußte Herrn Hosokawa helfen, der täglich zehn Wörter für sein Notizbuch brauchte und wissen wollte, wie man sie aussprach. Er mußte den anderen Geiseln helfen, die ihn fragten, was »Haben Sie die Zeitung ausgelesen?« auf griechisch oder auf deutsch oder auf französisch hieß, und wenn sie kein Spanisch konnten, mußte er ihnen dann aus der Zeitung vorlesen. Er mußte Messner helfen, der ihn jeden Tag für die Verhandlungen brauchte. Vor allem aber mußte er den Generälen helfen, die ihn praktischerweise für Herrn Hosokawas Sekretär hielten anstatt für seinen Dolmetscher und seine Dienste in Anspruch nahmen. Die Vorstellung, einen Sekretär zu haben, gefiel ihnen, und bald weckten sie Gen mitten in der Nacht auf und befahlen ihm, sich mit Bleistift und Block hinzusetzen, damit sie ihm ihre neuesten Forderungen an die Regierung diktieren konnten. Gen kamen ihre Forderungen ziemlich wirr vor. Sie hatten den Präsidenten entführen wollen, um die Regierung zu stürzen, und weiter hatten sie nicht gedacht. Jetzt sprachen sie in allgemeinen Phrasen von Geld für die Armen. Sie gruben die Namen sämtlicher Personen aus, die sie jemals gekannt hatten und die im Gefängnis saßen, wovon es unerschöpflich viele zu geben schien. Spät in der Nacht, in einem Rausch der Macht und des Großmuts verlangten sie, daß sie alle freikämen. Dabei beschränkten sie sich nicht auf die politischen

Gefangenen. Sie erinnerten sich an die Autodiebe, die sie in ihrer Jugend gekannt hatten, an die kleinen Banditen, Männer, die Hühner stahlen, an ein paar Drogendealer, die gar keine so schlechte Menschen waren, wenn man sie näher kannte. »Daß Sie mir den nicht vergessen«, sagte Alfredo und tippte Gen auf provozierende Weise auf die Schulter. »Sie können sich nicht vorstellen, was dieser Mann gelitten hat.« Sie bewunderten Gens saubere Handschrift, und als sie im Zimmer der älteren Tochter des Vizepräsidenten eine Schreibmaschine fanden, waren sie beeindruckt, daß er darauf schreiben konnte. Manchmal rief Hector, während Gen tippte, plötzlich: »Auf englisch!« und dann Alfredo: »Auf portugiesisch!« Es war verblüffend, ihm über die Schulter zu sehen, während er in verschiedenen Sprachen weitertippte! Es war, als hätten sie ein unglaublich faszinierendes Spielzeug. Wenn es sehr spät war, tippte Gen manchmal zu seiner eigenen Unterhaltung alles auf schwedisch in die Maschine, auf der es keine Umlaute gab, doch auch das fand er bald nicht mehr lustig. Soweit Gen wußte, gab es nur zwei Geiseln, die nicht unglaublich reich und mächtig waren: ihn selbst und den Priester, und sie waren die beiden einzigen, die arbeiten mußten. Der Vizepräsident arbeitete natürlich auch, aber nicht, weil ihn jemand darum gebeten hätte. Er schien zu glauben, daß er nach wie vor für das Wohlbefinden seiner Gäste verantwortlich war. Ständig brachte er ihnen Sandwiches und sammelte Tassen ein. Er spülte Geschirr und fegte, und zweimal am Tag wischte er in den Toiletten den Boden. Mit einem Geschirrtuch um die Taille gebärdete er sich wie der charmante Empfangschef eines Hotels. »Möchten Sie einen Tee?« fragte er. »Würde es Ihnen etwas ausmachen, kurz aufzustehen, damit ich unter Ihrem Sessel saugen kann?« Sie mochten Ruben alle sehr gern. Sie hatten alle völlig vergessen, daß er der Vizepräsident des Landes war.

Während Gen darauf wartete, daß die Generäle sich entschieden, was sie als nächstes sagen wollten, bestellte ihm

Ruben Iglesias, daß man ihn am Flügel brauche. Roxane Coss und Kato hatten eine Menge zu besprechen. Ob sie Gen wohl kurz entbehren könnten? Allen war daran gelegen, die Sopranistin bei Laune zu halten und sie womöglich wieder singen zu hören, und so erteilten sie Gen die Erlaubnis zu gehen. Gen kam sich vor wie ein Schuljunge, den man aus der Klasse holt. Er erinnerte sich an seine hübsche Schachtel mit Stiften, an den leeren, weißen Schreibblock, an das Glück, einen Platz am Fenster zu bekommen, weil sein Name im Alphabet an dieser Stelle stand. Er war ein guter Schüler, und doch erinnerte er sich genau, wie verzweifelt er sich jede Stunde wünschte, den Raum verlassen zu können. Ruben Iglesias nahm ihn am Arm. »Die Probleme der Welt werden wohl warten müssen«, flüsterte er ihm zu und lachte dann so, daß keiner es hörte.

Herr Hosokawa blieb bei Kato und Roxane am Flügel. Es war ihm eine Freude, ein so eingehendes Gespräch über die Oper übersetzt zu bekommen, Roxane Coss' Bemerkungen auf japanisch zu hören. Es war ein Unterschied, ob sie mit ihm selbst redete oder mit jemand anderem, mit jemandem über Musik sprach. Durch das Mithören von Gesprächen konnte man sich regelrecht weiterbilden. So vieles von dem, was man lernte, hatte man durch Zufall aufgeschnappt, in einem Halbsatz, den man beim Eintreten mitbekam. Seit sie gefangengenommen worden waren, empfand Herr Hosokawa die Verzweiflung eines Tauben. Auch wenn er fleißig Spanisch lernte, hörte er doch nur gelegentlich ein Wort, das er schon kannte. Sein Leben lang hatte er mehr Zeit zum Zuhören haben wollen, und jetzt, da er diese Zeit hatte, gab es nichts, wo er hätte zuhören können, nur überall ein Geplapper, das er nicht verstand, und das gelegentliche Gebrüll der Polizisten von der anderen Seite der Mauer. Der Vizepräsident besaß zwar eine Stereoanlage, doch er schien nur die Musik seines Landes zu mögen. Er besaß ausschließlich CDs von Musikanten, die auf schrillen Flöten bliesen und auf primitive Trommeln schlugen. Herr Hosokawa bekam davon Kopfweh. Doch die Generäle fanden die Musik sehr anregend und schlugen jede Bitte um andere CDs aus.

Aber jetzt zog Herr Hosokawa seinen Sessel an den Flügel und hörte zu. Alle, die Geiseln wie die Terroristen, blieben im Wohnzimmer in der Hoffnung, Kato würde sich überreden lassen, wieder zu spielen, oder, besser noch, Roxane Coss würde singen. Carmen schien Roxane mit besonderem Eifer zu bewachen. Sie betrachtete sich als Roxanes Leibwächter, der persönlich für sie verantwortlich war. Sie stand in der Ecke und starrte mit unbeirrbarer Konzentration zu der Gruppe hinüber. Beatriz kaute eine Weile auf ihrem Zopf und plauderte mit den Jungen, die in ihrem Alter waren. Als es schien, daß sie so bald keine Musik hören würden, stahlen sie und einige ihrer Getreuen sich davon, um fernzusehen.

Nur Herr Hosokawa und Gen wurden gebeten, bei den beiden Hauptdarstellern Platz zu nehmen. »Ich beginne den Tag gern mit Tonleiternsingen«, sagte Roxane. »Nach dem Frühstück arbeite ich dann an ein paar Liedern – Bellini, Tosti oder Schubert. Wenn Sie Chopin spielen können, werden Sie damit keine Probleme haben.« Roxane ließ die Finger über die Tasten laufen und hielt sie dann in der Stellung für den Anfang von Schuberts »Forelle«.

»Vorausgesetzt, wir bekommen die Noten«, sagte Kato.

»Wenn man uns ein Abendessen bringen kann, werden wir doch wohl auch Noten bekommen. Mein Manager soll eine Kiste zusammenstellen und sie uns schicken. Irgend jemand kann sie mit dem Flugzeug herbringen. Sagen Sie mir, was Sie gern hätten.« Roxane sah sich nach etwas zu schreiben um, und Herr Hosokawa war froh, sein Notizbuch und den Stift aus der Innentasche seines Jacketts ziehen zu können. Er schlug eine leere Seite ziemlich weit hinten auf und hielt ihr beides hin.

»Ah, Herr Hosokawa«, sagte Roxane. »Ohne Sie wäre die Gefangenschaft nicht halb so leicht zu ertragen.«

»Sie haben sicher schönere Geschenke bekommen als einen Notizblock und einen Stift«, sagte Herr Hosokawa.

»Die Qualität eines Geschenks hängt davon ab, mit welchen Gefühlen es geschenkt wird. Und es hilft auch, wenn das Geschenk etwas ist, was der Empfänger wirklich haben will. Sie haben mir bis jetzt ihr Taschentuch, ihr Notizbuch und ihren Stift gegeben. Und alle drei Dinge habe ich wirklich gebraucht.«

»Das Wenige, das ich hier habe, gehört Ihnen«, sagte er mit einem Ernst, der zu ihrem heiteren Ton nicht paßte. »Wenn Sie wollen, können Sie meine Schuhe haben. Meine Armbanduhr.«

»Sie müssen noch etwas behalten, um mich später damit überraschen zu können.« Roxane riß ein Blatt heraus und gab ihm das Notizbuch zurück. »Lernen Sie fleißig weiter. Wenn wir lange genug hierbleiben, werden wir Gen irgendwann nicht mehr brauchen.«

Gen übersetzte es ihm und fügte hinzu: »Ich mache mich noch selber arbeitslos.«

»Sie können ja mit ihnen zurück in den Dschungel gehen«, sagte Roxane und blickte über die Schulter hinüber zu den Generälen, die die freie Zeit damit verbrachten, ihr zuzusehen. »Mir scheint, sie würden Sie gern anstellen.«

»Ich würde ihn niemals gehen lassen«, sagte Herr Hosokawa.

»Manchmal«, sagte Roxane und berührte ihn kurz am Handgelenk, »stehen diese Dinge nicht in unserer Macht.«

Herr Hosokawa lächelte sie an. Ihm war ganz schwindlig davon, wie ungezwungen sie miteinander sprachen, wie leicht es auf einmal war, sich die Zeit zu vertreiben. Man stelle sich vor, es wäre nicht Kato gewesen, der Klavier spielen konnte, sondern einer von den Griechen oder den Russen. Dann wäre er wieder ausgeschlossen gewesen und hätte zuhören müssen, wie englische Worte ins Griechische und griechische ins Englische übersetzt wurden, ohne daß Gen, sein eigener Dolmetscher, jeden Satz auf japanisch hätte wiederholen können. Kato sagte, er hätte gern etwas von Fauré, wenn das nicht zuviel Mühe mache, und Roxane lachte und sagte, in dieser Situation könne nichts zuviel Mühe machen. Kato war wirklich erstaunlich. Er schien Roxane kaum zu beachten. Statt dessen konnte er kein Auge von dem Flügel wenden. Er war immer ein sehr tüchtiger Mann gewesen, und jetzt war er der Held des Tages. Er würde eine kräftige Gehaltserhöhung bekommen, wenn das alles vorbei war.

Messner kam um elf Uhr, wie jeden Vormittag. Zwei der jüngeren Soldaten durchsuchten ihn an der Tür. Sie ließen ihn die Schuhe ausziehen und spähten hinein, auf der Suche nach irgendwelchen Miniaturwaffen. Sie tasteten seine Beine ab und strichen unter seinen Armen entlang. Es war ein lächerliches Ritual, das nicht aus Mißtrauen, sondern aus Langeweile entstanden war. Die Generäle versuchten verzweifelt, den Kampfgeist ihrer Truppe aufrechtzuhalten. Immer häufiger räkelten sich die Teenager auf dem Ledersofa im Arbeitszimmer und sahen fern. Sie standen eine Ewigkeit unter der Dusche und schnitten sich mit einer eleganten Silberschere, die sie im Schreibtisch gefunden hatten, gegenseitig die Haare. Und so verdoppelten die Generäle die Wachposten in der Nacht und am Tag. Sie ließen die Soldaten zu zweit durchs Haus patrouillieren und schickten zwei andere hinaus, die im Nieselregen am Rand des Grundstücks entlanggehen mußten. Dabei hielten sie ihre geladenen Gewehre im Anschlag, wie um Kaninchen zu schießen.

Messner ließ diese Exerzierübung geduldig über sich ergehen. Er öffnete seinen Aktenkoffer und zog die Schuhe aus. Er streckte die Arme zur Seite und stellte sich in seinen Socken breitbeinig hin, damit die fremden kleinen Hände ihn betasten konnten, wie sie es für nötig hielten. Einmal kitzelte ihn einer an den Rippen, und Messner senkte ruckartig den Arm. »*Basta!*« sagte er. Er hatte noch nie so unprofessionelle Terroristen gesehen. Es war ihm völlig unerklärlich, wie sie jemals das Haus hatten einnehmen können.

General Benjamin versetzte Ranato, dem Jungen, der Messner gekitzelt hatte, eine kräftige Ohrfeige und nahm ihm sein Gewehr weg. Er hatte zumindest den Anschein von militärischer Disziplin erwecken wollen. »Was fällt dir ein!« sagte er barsch.

Messner setzte sich auf einen Sessel und band sich die Schnürsenkel zu. Sie gingen ihm allesamt auf die Nerven. Eigentlich hätte diese Reise jetzt schon vergessen sein sollen, die Filme hätten entwickelt, die Fotos herumgezeigt und eingeklebt sein sollen. Er hätte längst zu Hause sein sollen, in seiner überteuerten Wohnung in Genf mit der schönen Aussicht und den modernen dänischen Möbeln, die er so sorgfältig zusammengestellt hatte. Er hätte morgens aus den kühlen Händen seiner Sekretärin einen Stapel Post empfangen sollen. Statt dessen ging er hier zur Arbeit und erkundigte sich, wie es den Leuten ging. Er hatte sein Spanisch aufgebessert, und wenn er Gen auch gern noch dabei hatte, sowohl aus einem Bedürfnis nach Schutz wie auch als wandelndes Wörterbuch, kam er doch beim inoffiziellen Teil des Gesprächs weitgehend allein zurecht.

»Wir haben jetzt langsam genug«, sagte der General und strich sich mit beiden Händen nach hinten über den Kopf. »Wir wollen wissen, warum Ihre Leute zu keiner Entscheidung kommen. Müssen wir erst anfangen, Geiseln zu erschießen, um ihre Aufmerksamkeit zu bekommen?«

»Also erstens sind das nicht *meine* Leute.« Messner zog seine Schnürsenkel fest. »Und um *meine* Aufmerksamkeit brauchen Sie nicht zu werben. Bringen Sie meinetwegen bitte niemanden um. Meine Aufmerksamkeit haben Sie. Eigentlich hätte ich vor einer Woche heimfahren sollen.«

»Wir hätten alle vor einer Woche heimfahren sollen«, sagte General Benjamin seufzend. »Aber erst müssen wir unsere Brüder befreien.« Damit meinte General Benjamin natürlich sowohl seine Brüder im Geiste als auch seinen

Bruder Luis. Luis, dessen ganzes Vergehen darin bestand, Flugblätter mit einem Aufruf zum politischen Widerstand verteilt zu haben, und der jetzt in einem Hochsicherheitsgefängnis lebendig begraben war. Bis zur Verhaftung seines Bruders war Benjamin kein General gewesen, sondern Grundschullehrer. Er hatte im Süden des Landes gelebt, nicht weit vom Meer. Er hatte nie Probleme mit den Nerven gehabt.

»Ja, das ist genau der Punkt«, sagte Messner und sah sich im Wohnzimmer um, wobei er rasch die Anwesenden durchzählte.

»Und, geht es voran?«

»Ich habe nichts Neues gehört.« Er griff in seinen Aktenkoffer und zog einen Stapel Papiere hervor. »Die sind für Sie. Die Forderungen der anderen Seite. Wenn es noch etwas gibt, worum ich sie bitten soll –«

»Señorita Coss«, sagte General Benjamin und wies mit dem Daumen in ihre Richtung. »Sie hat einen Wunsch.«

»Ah, ja.«

»Sie hat ständig irgendeinen Wunsch«, sagte der General. »Frauen entführen und Männer entführen sind zwei völlig verschiedene Dinge. Das war mir vorher nicht klar. Für unser Volk: die Freiheit. Für die Señora: etwas anderes, Kleider vermutlich.«

»Ich kümmere mich drum«, sagte Messner und tippte sich mit dem Finger an den Kopf, stand jedoch nicht sofort auf. »Und Sie, kann ich Ihnen etwas besorgen?« Er sprach es zwar nicht direkt aus, doch er dachte dabei an die Grütelrose im Gesicht des Generals, die ihr grobes rotes Netz täglich einen Millimeter weiter auszuwerfen schien und wohl bald ihre Finger in den kühlen See seines linken Auges tauchen würde.

»Ich brauche nichts.«

Messner nickte und entschuldigte sich. Benjamin war ihm lieber als die anderen beiden. Er hielt ihn für einen vernünftigen, vielleicht sogar intelligenten Mann. Doch er tat alles, um keine echte Zuneigung zu ihm aufkommen zu lassen, oder auch zu irgend jemand anderem von den Geiselnehmern oder von den Geiseln. Solche Zuneigung hielt einen oft davon ab, seine Aufgabe auf die bestmögliche Weise zu erfüllen. Außerdem wußte Messner, wie solche Geschichten gewöhnlich endeten. Es war besser, tiefere persönliche Beziehungen zu vermeiden.

Doch Roxane Coss stand außerhalb aller Regeln der Vernunft. Fast jeden Tag wollte sie irgend etwas haben, und während die Generäle sich um die Wünsche der anderen Geiseln wenig scherten, gaben sie bei ihr schnell nach. Jedesmal, wenn sie um etwas bat, spürte Messner, wie sein Herz ein wenig schneller schlug, als wäre es er selbst, nach dem sie verlangte. Mal war es Zahnseide, mal ein Wollschal, mal waren es Kräuterpastillen für den Hals, die, wie Messner voller Stolz feststellte, aus der Schweiz kamen. Die anderen Geiseln hatten sich angewöhnt, Roxane zu fragen, wenn sie etwas brauchten. Und Roxane zuckte nicht mit der Wimper, wenn sie um Herrensocken oder eine Segelzeitschrift bat.

»Hat man Ihnen die gute Nachricht schon mitgeteilt?« fragte Roxane.

»Ach, es gibt gute Nachrichten?« Messner versuchte, vernünftig zu bleiben. Er versuchte zu verstehen, was an ihr so Besonderes war. Er stand neben ihr und blickte hinab auf die Stelle, wo ihr Haar sich teilte. War sie nicht genau wie die anderen? Bis auf die Farbe ihrer Augen vielleicht.

»Mr. Kato spielt Klavier.«

Als er seinen Namen hörte, erhob sich Kato von der Klavierbank und verbeugte sich vor Messner. Sie waren einander noch nicht vorgestellt worden. Die Geiseln bewunderten Messner alle sehr, sowohl wegen seines gelassenen Auftretens als auch wegen seiner scheinbar magischen Fähigkeit, nach Belieben in beide Richtungen durch die Haustür zu gehen.

»Jetzt kann ich wenigstens wieder singen«, sagte Roxane. »Wenn wir hier jemals herauskommen sollten, dann möchte ich das Singen nicht verlernt haben.«

Messner sagte, er hoffe, ihr einmal zuhören zu können. Einen kurzen, irritierenden Moment lang empfand Messner beinahe so etwas wie Neid. Die Geiseln waren die ganze Zeit da, und wenn sie beschloß, gleich nach dem Aufstehen oder mitten in der Nacht zu singen, würden sie sie trotzdem hören können. Er hatte sich einen tragbaren CD-Player gekauft und alle CDs von ihr, die er hatte auftreiben können. Nachts lag er in seinem Zwei-Sterne-Hotel, das das Internationale Rote Kreuz bezahlte, und hörte sie die Norma oder *La Somnambula* singen. Er würde allein in seinem unbequemen Bett liegen und die spinnwebartigen Risse in der Decke anstarren, während die Geiseln in dem prunkvollen Wohnzimmer des Vizepräsidenten sitzen und zusehen würden, wie sie »*Casta diva*« sang.

Jetzt aber Schluß, sagte sich Messner im stillen.

»Ich habe immer ohne Zuhörer geprobt«, sagte Roxane. »Ich finde, daß niemand das Recht hat, meine Fehler zu hören. Aber das wird hier wohl nicht gehen. Ich kann sie ja nicht alle auf den Dachboden schicken.«

»Da würden sie Sie auch noch hören.«

»Dann würde ich sie zwingen, sich Watte in die Ohren zu stopfen.« Roxane lachte, und Messner war gerührt. Seit sie einen neuen Pianisten hatten, schien hier im Haus alles erträglicher geworden zu sein.

»Und was kann ich für Sie tun?« Wenn sie Gen zum Sekretär gemacht hatten, so war Messner zum Laufburschen geworden. In der Schweiz war er Mitglied eines hochrangigen Schlichtungsteams. Für seine zweiundvierzig Jahre war er beim Roten Kreuz bereits sehr weit aufgestiegen. Seit knapp zwanzig Jahren hatte er schon keine Lebensmittelkisten mehr gepackt oder Wolldecken in Überflutungsgebiete gebracht. Jetzt suchte er in der ganzen Stadt nach Schokolade mit Orangengeschmack und bat einen

Freund in Paris, ihm eine teure Augencreme zu schicken, die dann in einem schwarzen Fäßchen eintraf.

»Ich brauche Noten«, sagte sie und reichte ihm ihre Liste. »Rufen Sie meinen Manager an, und sagen Sie ihm, er soll uns das alles über Nacht herschicken. Sagen Sie ihm, er soll sich selbst ins Flugzeug setzen, wenn es nicht anders geht. Ich will das morgen hier haben.«

»Morgen ist vielleicht ein bißchen viel verlangt«, sagte Messner. »In Italien ist es schon dunkel.«

Messner und Roxane sprachen Englisch, und Gen übersetzte ihr privates Gespräch diskret ins Japanische. Pater Arguedas, der nicht stören, aber mitbekommen wollte, was sie sagten, stellte sich verstohlen an den Flügel.

»Gen«, sagte er leise. »Was braucht sie denn?«

»Noten«, sagte Gen, bevor ihm einfiel, daß die Frage auf spanisch gestellt worden war. »*Partituras.*«

»Weiß Messner, an wen er sich wenden muß? Wo er sie bekommen kann?«

Gen mochte den Priester und wollte sich eigentlich nicht ärgern, doch Herr Hosokawa und Kato wollten das Gespräch offensichtlich auf japanisch mitverfolgen, und Gen kam bereits nicht mehr mit. »Sie werden ihre Leute in Italien anrufen.« Gen wandte Pater Arguedas den Rücken zu und widmete sich wieder seiner Aufgabe.

Der Priester zupfte Gen am Ärmel. Gen hielt die Hand hoch, um ihn um etwas Geduld zu bitten.

»Aber ich weiß, wo es hier Noten gibt«, beharrte der Priester. »Keine drei Kilometer entfernt. Ich kenne da einen Musiklehrer, einen Diakon unserer Gemeinde. Er leiht mir immer Schallplatten. Er hat sicher alle Noten, die sie brauchen.« Seine Stimme war lauter geworden. Pater Arguedas, dessen Lebensinhalt es war, gute Werke zu tun, suchte hier verzweifelt nach einer Gelegenheit dazu. Er half Ruben bei der Wäsche und legte morgens die Decken zusammen und stapelte sie mit den Kissen ordentlich an der Wand, doch er sehnte sich danach, eine essentiellere Art von Hilfe und geistiger Führung anbieten zu können. Er kam sich die ganze Zeit vor, als würde er den Leuten eher auf die Nerven gehen, als ihnen Trost zu spenden, während doch sein einziges Ziel, das einzig Wichtige für ihn war, anderen Menschen zu helfen.

»Was sagt er?« fragte Roxane.

»Was haben Sie gesagt?« fragte Gen den Priester.

»Die Noten sind hier. Sie bräuchten bloß anzurufen. Manuel würde sie herbringen, alles, was Sie brauchen. Wenn etwas dabei wäre, das er nicht hat – was ich mir eigentlich nicht vorstellen kann –, würde er es für Sie besorgen. Sie brauchen nur zu sagen, daß es für Señorita Coss ist. Oder nicht einmal das. Er ist ein guter Christ. Wenn Sie ihm sagen, daß Sie es aus irgendeinem Grund brauchen, dann hilft er Ihnen ganz bestimmt.« Die Aufregung ließ Roxanes Augen noch mehr strahlen. Seine Hände zuckten vor seiner Brust, als biete er ihr sein Herz an.

»Sie meinen, er hat auch Bellini?« fragte Roxane, als sie die Übersetzung gehört hatte. »Ich brauche Lieder. Ich brauche ganze Opern, Rossini, Verdi, Mozart.« Sie beugte sich zum Priester vor und verlangte geradewegs das Unmögliche. »Offenbach.«

»Offenbach! *Les contes d'Hoffmann*!« Der Priester sprach den französischen Titel wenn auch nicht perfekt, so doch verständlich aus. Er hatte ihn nur auf der Platte gelesen.

»Die hat er auch?« fragte sie Gen.

Gen wiederholte die Frage, und der Priester antwortete: »Ich habe seine Noten gesehen. Rufen Sie ihn an, er heißt Manuel. Wenn ich darf, rufe ich gern an und gebe dann an Sie weiter.«

Da sich General Benjamin oben in einem Zimmer eingeschlossen hatte, um ein Heizkissen an sein entzündetes Gesicht zu halten, und nicht gestört werden wollte, wandte Messner sich an General Hector und General Alfredo, die ihm seine Bitte gelangweilt gewährten.

»Für Señorita Coss«, fügte Messner hinzu.

General Hector nickte und winkte ihn fort, ohne ihn noch einmal anzusehen. Als Messner schon an der Zimmertür war, bellte ihm General Alfredo in dem Gefühl, sie hätten allzuschnell zugestimmt und nicht genug Autorität bewiesen, hinterher: »Aber nur ein Anruf!« Sie saßen im Arbeitszimmer und sahen die Lieblingsserie des Präsidenten. Maria sagte ihrem Geliebten gerade, sie liebe ihn nicht mehr, in der Hoffnung, er würde in seiner Verzweiflung die Stadt verlassen und so seinem eigenen Bruder entkommen, der ihn aus Liebe zu Maria umbringen wollte. Messner blieb kurz an der Schwelle stehen, um dem weinenden Mädchen im Fernsehen zuzusehen. Ihr Schmerz wirkte so echt, daß es ihm schwerfiel zu gehen.

»Rufen Sie Manuel an«, sagte er, als er wieder ins Wohnzimmer kam. Ruben ging in die Küche, um das Telefonbuch zu holen, und Messner gab dem Priester sein Handy und zeigte ihm, wie man wählte.

Beim dritten Klingeln nahm jemand ab. »*Alo!*«

»Manuel?« sagte der Priester. »Hallo, Manuel?« Er konnte vor Aufregung kaum sprechen. Jemand, der draußen war! Es war, als sähe er einen Geist aus seinem früheren Leben, einen silbrigen Schatten, der den Mittelgang entlang auf den Altar zuging. Manuel. Er war noch keine zwei Wochen in Gefangenschaft, doch als er diese Stimme hörte, kam es dem Priester vor, als wäre er schon so gut wie tot.

»Wer ist da?« Die Stimme klang mißtrauisch.

»Dein Freund, Pater Arguedas.« Die Augen des Priesters füllten sich mit Tränen, und er hielt entschuldigend die Hand hoch, stellte sich in die Ecke und versteckte sich in den schimmernden Falten der Vorhänge.

Am anderen Ende trat eine lange Pause ein. »Ist das ein Scherz?«

»Nein, Manuel, ich bin es wirklich.«

»Pater?«

»Ich bin hier –«, sagte er, zögerte jedoch. »Sie haben mich hierbehalten.«

»Das wissen wir alles. Pater, geht es Ihnen gut? Werden Sie gut behandelt? Sie dürfen also telefonieren?«

»Mir geht es gut. Telefonieren? Nein, ich rufe aus einem bestimmten Grund an.«

»Wir beten jeden Tag die Messe für Sie.« Jetzt war es sein Freund, dessen Stimme brach. »Ich bin nur kurz zum Essen hier. Ich bin gerade erst heimgekommen. Wenn Sie fünf Minuten früher angerufen hätten, wäre ich nicht dagewesen. Ist alles in Ordnung? Man hört hier ganz schreckliche Dinge.«

»Man liest die Messe für mich?« Pater Arguedas umklammerte den schweren Vorhang mit der Hand und lehnte das Kinn gegen den weichen Stoff. Soweit er wußte, war er nur einmal in der Messe erwähnt worden, zusammen mit dreiundzwanzig anderen, an dem Sonntag, an dem er die Weihe zum Priester empfing. Die Vorstellung, daß all diese Leute, die Menschen, für die er betete, für ihn beteten. Die Vorstellung, daß Gott aus so vielen Mündern seinen Namen hörte. »Sie müssen für uns alle beten, für die Geiseln wie für die Geiselnehmer.«

»Das tun wir auch«, sagte Manuel. »Aber die Messe wird in Ihrem Namen gehalten.«

»Ich kann es kaum glauben«, flüsterte er.

»Hat er die Noten?« fragte Roxane, und Gen fragte den Priester.

Pater Arguedas riß sich zusammen. »Manuel.« Er räusperte sich, um die Bewegung in seiner Stimme hinunterzuschlucken. »Ich rufe an, um Sie um einen Gefallen zu bitten.«

»Was immer Sie wollen, mein Freund. Wollen die Terroristen Geld?«

Der Priester lächelte bei der Vorstellung, daß man bei all den wohlhabenden Männern im Haus von ihm verlangen würde, einen Musiklehrer um Geld zu bitten. »Nein, nichts dergleichen. Ich brauche Noten. Hier ist eine Sängerin –«

»Roxane Coss.«

»Sie wissen ja alles«, sagte er, den die Anteilnahme seines Freundes tröstete. »Sie braucht Noten, um singen zu können.«

»Ich dachte, ihr Pianist sei tot. Von den Terroristen erschossen. Ich habe gehört, sie hätten ihm die Hände abgehackt.«

Pater Arguedas war entsetzt. Was erzählten die Leute wohl noch alles, jetzt, da sie nicht mehr hier waren? »Es war ganz anders. Er ist von selbst gestorben. Der Mann war Diabetiker.« Sollte er die Leute verteidigen, die sie gefangenhielten? Jedenfalls sollten sie nicht beschuldigt werden, einem Pianisten die Hände abgehackt zu haben. »Es ist gar nicht so schlimm hier. Mir macht es wirklich nichts aus. Wir haben einen neuen Pianisten gefunden. Jemanden, der hier ist und der sehr gut spielt«, sagte er, wobei er die Stimme senkte. »Vielleicht sogar noch besser als der letzte. Sie will alles mögliche haben, Opern, Lieder von Bellini, Chopin für den Pianisten. Ich habe eine ganze Liste.«

»Ich habe alles, was sie braucht«, sagte Manuel zuversichtlich.

Der Priester hörte, wie sein Freund sich etwas zu schreiben suchte. »Das habe ich ihr auch gesagt.«

»Sie haben mit Roxane Coss über mich gesprochen?«

»Natürlich. Darum ruf ich ja an.«

»Sie hat meinen Namen gehört?«

»Sie möchte nach Ihren Noten singen«, sagte der Priester.

»Sie schaffen es, selbst wenn Sie eingesperrt sind, gute Werke zu tun.« Manuel seufzte. »Was für eine Ehre für mich. Ich werde sie Ihnen sofort bringen. Ich lasse das Mittagessen ausfallen.«

Die beiden gingen die Liste durch, und Pater Arguedas überprüfte sie nochmals mit Gen. Als alles klar war, bat der Priester seinen Freund, am Apparat zu bleiben. Er zögerte, dann hielt er Roxane das Handy hin. »Bitten Sie sie, etwas zu sagen«, forderte er Gen auf.

»Was denn?«

»Irgend etwas. Es ist egal. Die Titel der Opern zum Beispiel. Würde sie das wohl tun?«

Gen gab die Bitte weiter, und Roxane Coss nahm dem
Priester den kleinen Apparat aus der Hand und hielt ihn
sich ans Ohr. »Hallo?« sagte sie.

»Hallo?« plapperte Manuel ihr auf englisch nach.

Sie sah den Priester an und lächelte. Sie sah ihm direkt
ins Gesicht, während sie die Titel ins Telefon sagte. »*La
Bohème*«, sagte sie. »*Così fan tutte.*«

»Großer Gott«, flüsterte Manuel.

»*La Gioconda, I Capuleti e i Montecchi, Madama Butterfly.*«

Dem Priester war, als breite sich in seiner Brust ein weißes
Licht aus, eine heiße Helligkeit, von der seine Augen feucht
wurden und ihm das Herz klopfte wie ein Verzweifelter, der
nachts an die Kirchentür schlägt. Wäre er fähig gewesen, die
Hände zu heben, um Roxane Coss zu berühren, hätte er sich
vielleicht nicht mehr beherrschen können. Aber es war egal.
Er war wie gelähmt von ihrer Stimme, der Musik der gespro-
chenen Worte, dem Rhythmus der Titel, die aus ihrem
Mund in die Sprechmuschel flossen und dann gut drei Kilometer entfernt in Manuels Ohr. In dem Moment wußte der
Priester, daß er das Ganze überleben würde. Daß er eines
Tages mit Manuel in dessen kleiner, mit Noten vollgestopf-
ter Wohnung am Küchentisch sitzen und sich schamlos in
Erinnerungen an diesen glücklichen Moment ergehen würde.
Er würde weiterleben müssen, und sei es nur, um so mit seinem Freund beim Kaffee sitzen zu können. Und während sie
sich erinnern, während sie versuchen würden, die Titel in der
von ihr gewählten Reihenfolge zu wiederholen, würde Pater
Arguedas wissen, daß er damals der Glücklichere von ihnen
war, denn ihn hatte sie beim Sprechen angesehen.

»Geben Sie mir das Handy«, sagte Simon Thibault zu
Messner, als sie fertig waren.

»Er hat gesagt, nur ein Anruf.«

»Es ist mir scheißegal, was er gesagt hat. Geben Sie mir das Telefon.«

»Simon.«

»Sie sitzen doch alle vor dem Fernseher. Geben Sie mir das Handy.« Die Terroristen hatten die Kabel von den Telefonen enfernt.

Messner seufzte und gab ihm das Handy. »Aber nur eine Minute.«

»Ich schwöre es«, sagte Simon. Er wählte schon. Das Telefon klingelte fünfmal, dann schaltete sich der Anrufbeantworter ein. Es war seine eigene Stimme, die erst auf spanisch und dann auf französisch sagte, daß sie nicht zu Hause seien, daß sie zurückrufen würden. Warum hatte er nicht Edith die Ansage aufsprechen lassen? Was hatte er sich nur dabei gedacht? Er hielt die Hand vor die Augen und fing an zu weinen. Er konnte den Klang seiner Stimme fast nicht ertragen. Als sie verstummte, folgte ein langer, dumpfer Ton. »*Je t'adore*«, sagte er. »*Je t'aime. Je t'adore.*«

Nach dem Anruf gingen alle auseinander, suchten sich einen Sessel zum Schlafen oder spielten eine Runde Patience. Als Roxane gegangen war und Kato sich wieder hingesetzt hatte, um den Brief an seine Söhne weiterzuschreiben (er hatte ihnen jetzt so viel zu sagen!), bemerkte Gen, daß Carmen nach wie vor auf ihrem Posten am anderen Ende des Zimmers stand, doch sie beobachtete jetzt nicht mehr die Sängerin oder den Pianisten. Sie beobachtete ihn. Er empfand dieselbe Beklemmung wie damals, als sie ihn angesehen hatte. Das Gesicht, das ihm für einen Jungen allzu hübsch erschienen war, war völlig regungslos, ja sie schien kaum zu atmen. Carmen trug keine Mütze. Ihre Augen waren groß und starr auf Gen gerichtet, als würde sie, wenn sie wegsah, zugeben, daß sie ihn vorher angesehen hatte.

Bei all seinem Talent für Sprachen wußte Gen oft nicht, was er sagen sollte, wenn ihm nur die eigenen Worte zur Verfügung standen. Hätte Herr Hosokawa noch dagesessen, dann hätte er Gen vielleicht gebeten, hinüberzugehen und das Mädchen zu fragen, was es wolle, und Gen wäre hingegangen und hätte sie, ohne zu zögern, gefragt. Er hatte schon öfter das Gefühl gehabt, er hätte die Seele einer Maschine und könne sich nur bewegen, wenn jemand anderes den Motor anwarf. Er war ein sehr guter Dolmetscher und konnte sehr gut allein sein. Daheim in seiner Wohnung, allein mit Büchern und Kassetten, machte er sich an Sprachen heran wie andere Männer an Frauen, erst mit schönen Worten und dann mit Leidenschaft. Er verstreute Bücher auf dem Boden und hob dann nach dem Zufallsprinzip eines auf. Er las Czesław Miłosz auf polnisch, Flaubert auf französisch, Tschechow auf russisch, Nabokov auf englisch, Thomas Mann auf deutsch, und dann vertauschte er die Sprachen: Miłosz auf französisch, Flaubert auf russisch, Thomas Mann auf englisch. Es war wie ein Spiel, ein virtuoses Kunststück, das er sich selbst vorführte und mit dem er seinen Geist trainierte, doch das war etwas ganz anderes, als auf jemanden zugehen zu können, der einen vom anderen Ende des Zimmers aus fixierte. Vielleicht hatten die Generäle ihn doch richtig eingeschätzt.

Carmen trug einen breiten Ledergürtel um ihre schmale Taille, in dem rechts eine Pistole steckte. Ihr grüner Kampfanzug war nicht so schmutzig wie die Kleidung ihrer Landsleute, und der Riß in ihrer Hose gleich über dem Knie war mit derselben Nadel, mit der Esmeralda das Gesicht des Vizepräsidenten wieder zusammengeflickt hatte, säuberlich genäht worden. Esmeralda hatte nach vollendeter Arbeit die Garnrolle mit der Nadel darin auf das Beistelltischchen gelegt, und Carmen hatte sie bei nächster Gelegenheit unauffällig in ihrer Hosentasche verschwinden lassen. Seit sie begriffen hatte, was ein Dolmetscher tat, hatte sie ihn ansprechen wollen, doch sie hatte nicht gewußt, wie, ohne ihn merken zu lassen, daß sie ein Mädchen war. Dann hatte Beatriz ihr das abgenommen, und so gab es jetzt kein Geheimnis mehr, keinen Grund mehr zu warten, außer dem, daß sie an der Wand festgeklebt zu sein schien. Er hatte sie bemerkt. Er sah sie an, und weiter schien nichts geschehen zu können. Sie konnte nicht weggehen, und sie konnte auch nicht zu ihm hingehen. Sie hätte den Rest ihres Lebens gut an dieser Stelle zubringen können. Sie versuchte, sich an ihre Aggressionen zu erinnern, an all das, was die Generäle ihr bei der Ausbildung beigebracht hatten, doch es war ein Unterschied, ob man sich für das Volk nahm, was man brauchte, oder ob man für sich selbst um etwas bat. Sie hatte keine Ahnung, wie man jemanden um etwas bat.

»Mein lieber Gen«, sagte Messner und ließ eine Hand auf dessen Schulter fallen. »Ich hab Sie noch nie allein sitzen sehen. Es muß Ihnen manchmal so vorkommen, als ob jeder etwas zu sagen hat und keiner weiß, wie er es sagen soll.«

»Ja, manchmal«, sagte Gen geistesabwesend. Er hatte das Gefühl, wenn er in ihre Richtung bliese, würde der Luftzug sie hochheben und davontanzen lassen wie eine Feder.

»Wir beide sind wirklich die Sklaven der Umstände.« Messner setzte sich zu Gen auf die Klavierbank und sah in dieselbe Richtung wie Gen. »Mein Gott«, sagte er leise. »Ist das nicht ein Mädchen?«

Gen bestätigte es ihm.

»Wo kommt denn die her? Bis jetzt waren doch keine Mädchen da. Die haben doch nicht etwa einen Weg gefunden, noch mehr von ihren Leuten hier reinzubringen?«

»Sie war die ganze Zeit da«, sagte Gen. »Sie und noch eine andere. Wir haben es nur nicht gemerkt. Das ist Carmen. Die andere, Beatriz, sieht gerade fern.«

»Wir haben es nicht gemerkt?«

»Offenbar«, sagte Gen in dem sicheren Gefühl, es gemerkt zu haben.

»Aber ich war doch gerade im Arbeitszimmer.«

»Dann haben Sie Beatriz wieder übersehen.«

»Beatriz. Und das da ist Carmen. Tja«, sagte Messner und stand auf. »Dann stimmt wohl etwas nicht mit uns. Bitte übersetzen Sie für mich. Ich möchte mit ihr reden.«

»Ihr Spanisch ist doch sehr gut.«

»Mein Spanisch ist ziemlich holprig, und ich kann nicht richtig konjugieren. Stehen Sie auf. Sehen Sie, Gen? Sie starrt Sie direkt an.« Es stimmte. Seit sie gemerkt hatte, daß Messner zu ihr kommen wollte, konnte sie nicht einmal mehr blinzeln. Ihr Blick war jetzt so starr wie der einer Figur auf einem Porträt. Sie betete zu der heiligen Rosa von Lima, sie möge ihr doch die seltene Gabe schenken, sich unsichtbar machen zu können. »Entweder hat man ihr gedroht, sie zu erschießen, wenn sie Sie nicht richtig bewacht, oder sie will uns etwas sagen.«

Gen stand auf. Er war schließlich Dolmetscher. Er würde hingehen und das Gespräch für Messner übersetzen. Dennoch hatte er ein merkwürdiges Flattern in der Brust, ein Gefühl, das einem Jucken nicht unähnlich war, unmittelbar unter den Rippen.

»Das ist ja erstaunlich, und niemand hat etwas davon gesagt«, meinte Messner.

»Wir haben alle nur an den neuen Pianisten gedacht«, sagte Gen, dessen Knie mit jedem Schritt weicher wurden. *Femur*, *patella*, *tibia*. »Das mit den Mädchen hatten wir schon ganz vergessen.«

»Wahrscheinlich ist es schrecklich sexistisch von mir, daß ich dachte, die Terroristen wären alle Männer. Wir leben schließlich in einer modernen Welt. Man sollte meinen, daß ein Mädchen ebensogut Terrorist werden kann wie ein Junge.«

»Ich kann mir das eigentlich nicht vorstellen«, sagte Gen.

Als sie nur noch einen Meter entfernt waren, nahm Carmen all ihre Kraft zusammen und legte die rechte Hand auf ihre Pistole, was die beiden augenblicklich stehenbleiben ließ.

»Wollen Sie uns erschießen?« fragte Messner auf französisch – ein einfacher Satz, den er nicht auf spanisch sagen konnte, weil er das Wort für »erschießen« nicht kannte – ein Wort, von dem er dachte, er sollte es wohl lieber lernen. Gen übersetzte, und seine Stimme klang unsicher. Carmen stand mit feuchter Stirn und aufgerissenen Augen da und schwieg.

»Sind Sie sicher, daß sie Spanisch spricht? Sind Sie sicher, daß sie sprechen kann?« fragte Messner Gen.

Gen fragte sie, ob sie Spanisch könne.

»*Poquito*«, flüsterte sie.

»Nicht schießen«, sagte Messner gutmütig und zeigte auf die Pistole.

Carmen zog die Hand zurück und verschränkte die Arme vor der Brust. »Ich werde nicht schießen«, sagte sie.

»Wie alt bist du?«

Sie sagte, sie sei siebzehn, was ihnen glaubhaft vorkam.

»Was ist deine Muttersprache?« fragte Messner sie.

Gen fragte sie, welche Sprache bei ihr zu Hause gesprochen wurde.

»Ketschua«, sagte sie. »Wir sprechen alle Ketschua, aber wir können auch Spanisch.« Und dann unternahm sie den ersten Versuch, anzusprechen, was sie von Gen wollte: »Ich sollte besser Spanisch können.« Die Worte kamen in Form eines dumpfen Krächzens heraus.

»Aber dein Spanisch ist gut«, sagte Gen.

Bei diesem Kompliment veränderte sich ihr Gesichtsausdruck. Man hätte lügen müssen, um es ein Lächeln zu nennen, doch sie zog die Brauen hoch, und ihr Kopf neigte sich einen Zentimeter zu ihnen hin, als hielte sie ihr Gesicht in die Sonne. »Ich versuche, es noch besser zu lernen.«

»Und wie ist ein Mädchen wie du unter diese Burschen geraten?« fragte Messner sie. Gen fand die Frage allzu direkt, aber Messner konnte genug Spanisch, um mitzubekommen, wenn Gen sie etwas ganz anderes gefragt hätte.

»Ich arbeite für die Befreiung unseres Volkes«, sagte sie.

Messner kratzte sich im Nacken. »Immer geht es um die ›Befreiung des Volkes‹. Ich weiß nie genau, wer mit dem Volk gemeint ist oder wovon es befreit werden soll. Ich sehe natürlich die Probleme, aber ›Befreiung des Volkes‹ hat einfach etwas sehr Vages. Mit Bankräubern zu verhandeln ist viel leichter. Sie wollen einfach nur Geld. Sie wollen Geld haben und sich selbst befreien, und das Volk soll zum Teufel gehen. Das hat etwas sehr viel Direkteres, finden Sie nicht auch?«

»Fragen Sie das Carmen oder mich?«

Messner sah Carmen an und entschuldigte sich bei ihr auf spanisch. »Ich bin sehr unhöflich«, sagte er zu Gen. »Mein Spanisch ist sehr schlecht«, sagte Messner zu Carmen, »aber auch ich bemühe mich, es besser zu lernen.«

»Sí«, sagte sie. Sie sollte nicht so mit ihnen reden. Die Generäle könnten herüberkommen. Alle konnten sie sehen. Sie stand viel zu ungeschützt da.

»Wirst du gut behandelt? Bist du gesund?«

»Sí«, wiederholte sie, auch wenn sie nicht sicher war, warum er das fragte.

»Sie ist wirklich ein sehr hübsches Mädchen«, sagte er auf französisch zu Gen. »Ihr Gesicht ist wirklich bemerkenswert – fast ein vollkommenes Herz. Aber sagen Sie ihr das nicht. Sie sieht aus, als könnte sie vor Verlegenheit sterben.« Dann wandte er sich an Carmen. »Wenn du etwas brauchst, sag einem von uns Bescheid.«

»Sí«, sagte sie, kaum noch in der Lage, zu der Lippenbewegung auch noch einen Laut herauszubringen.

»Man begegnet nicht oft einem schüchternen Terroristen«, sagte Messner auf französisch. Sie standen alle drei da wie in einem quälenden Moment bei einer langen, langweiligen Cocktailparty.

»Die Musik scheint dir zu gefallen«, sagte Gen.

»Sie ist sehr schön«, flüsterte sie.

»Das war Chopin.«

»Kato hat Chopin gespielt?« fragte Messner. »Die *Nocturnes*? Schade, daß ich das verpaßt habe.«

»Chopin hat gespielt«, sagte Carmen.

»Nein«, sagte Gen. »Der Mann, der gespielt hat, war Señor Kato. Señor Chopin hat die Musik geschrieben, die er gespielt hat.«

»Sie ist sehr schön«, wiederholte sie, und auf einmal füllten sich ihre Augen mit Tränen, und sie öffnete ein wenig den Mund, nicht um etwas zu sagen, sondern um Atem zu holen.

»Was ist?« fragte Messner. Er wollte sie schon an der Schulter fassen, besann sich jedoch eines Besseren. Dann rief sie der große Junge namens Gilbert von der anderen Seite des Raumes, und als sie ihren Namen hörte, war es, als könne sie sich plötzlich wieder bewegen. Schnell rieb sie sich die Augen und ging um die beiden Männer herum, ohne ihnen auch nur zuzunicken. Die beiden wandten sich um und sahen ihr nach, wie sie quer durch das große Wohnzimmer lief und dann mit dem Jungen in den Flur verschwand.

»Vielleicht ist ihr die Musik zu Herzen gegangen«, sagte Messner.

Gen stand da und blickte auf die leere Stelle, wo sie gestanden hatte. »Es muß hart sein für ein Mädchen«, sagte er. »Das alles hier.«

Messner wollte sagen, das sei es für jeden von ihnen, doch dann merkte er, daß er wußte, was Gen meinte, und daß er es eigentlich auch so sah.

Wenn Messner gegangen war, breitete sich im Haus jedesmal eine Traurigkeit aus, die manchmal stundenlang anhielt. Es war sehr still im Haus, und niemand beachtete die monotonen Durchsagen, die immer noch von der anderen Seite der Mauer herüberkamen. *Hoffungslos – Geben Sie auf – Werden nicht verhandeln.* So ging es in einem fort, bis die Wörter nur mehr ein dumpfes Brummen waren, das wütende Gesumm von Hornissen, die ihr Nest putzen. Sie konnten sich vorstellen, wie es einem Häftling geht, wenn die Besuchszeit vorbei ist und er nichts mehr zu tun hat, außer in seiner Zelle zu sitzen und sich zu fragen, ob es draußen schon dunkel ist. Sie steckten noch tief in dieser nachmittäglichen Depression, dachten noch an all die alten Verwandten, die sie nie besuchten, als Messner erneut an die Tür klopfte. Simon Thibault hob den Kopf, den er in dem blauen Schal vergraben hatte, und General Benjamin machte dem Vizepräsidenten ein Zeichen, daß er die Tür öffnen solle. Ruben nahm erst das Geschirrtuch ab, das er um die Taille trug. Die Soldaten mit den Gewehren drängten ihn, sich zu beeilen. Es war Messner, soviel war klar. Nur Messner kam bis an die Tür.

»Was für eine angenehme Überraschung«, sagte der Vizepräsident.

Messner stand auf den Stufen zum Eingang und kämpfte mit einem schweren Karton, den er auf den Armen trug.

Die Generäle hatten geglaubt, dieses Klopfen zu ungewohnter Zeit deute auf einen Durchbruch hin, eine Chance, das Ganze zu beenden. So verzweifelt waren sie, so optimistisch. Als sie sahen, daß es wieder nur irgendeine Lieferung war, stieg in ihnen eine Welle der Enttäuschung hoch. Sie wollten davon nichts wissen. »Das ist nicht seine Zeit«, sagte General Alfredo zu Gen. »Er weiß, zu welchen Zeiten er kommen darf.« General Alfredo hatte in seinem Sessel geschlafen. Seit ihrer Ankunft in der Villa des Vizepräsidenten litt er an furchtbarer Schlaflosigkeit, und jeder, der ihn weckte, wenn er gerade einmal ein wenig Schlaf fand, würde es eines Tages bereuen. Alfredo träumte ständig davon, daß Kugeln an seinen Ohren vorbeischwirrten. Wenn er aufwachte, war sein Hemd schweißnaß, sein Herz raste, und er war noch erschöpfter als zuvor.

»Ich dachte, das sei ein besonderer Fall«, sagte Messner. »Die Noten sind da.«

»Wir sind eine Armee«, sagte Alfredo barsch. »Kein Konservatorium. Kommen Sie morgen zur üblichen Zeit, dann werden wir besprechen, ob hier Noten erlaubt sind.«

Roxane Coss fragte Gen, ob das ihre Noten seien, und als er bejahte, sprang sie auf. Auch der Priester ging zur Tür. »Das sind die Noten von Manuel?«

»Er steht drüben hinter der Mauer«, sagte Messner. »Er hat Ihnen das alles hier mitgebracht.«

Pater Arguedas preßte die gefalteten Hände an die Lippen. *Allmächtiger, gnädiger Gott, wir tun immer und überall gut daran, dir zu danken und dich zu preisen.*

»Sie beide setzen sich hin«, sagte General Alfredo.

»Ich stell den Karton einfach hier rein«, sagte Messner und beugte sich vor. Es war erstaunlich, wieviel Musik wiegen konnte.

»Nein«, sagte Alfredo. Ihm tat der Kopf weh. Er hatte es gründlich satt, ständig nachzugeben. Sie mußten auf irgendeiner Ordnung, einem gewissen Respekt bestehen. War er nicht der, der bewaffnet war? Zählte das denn nicht? Wenn er sagte, der Karton würde draußen bleiben, dann blieb der Karton auch dort. General Benjamin flüsterte Alfredo etwas ins Ohr, doch Alfredo wiederholte nur: »Nein.«

Roxane zupfte Gen am Ärmel. »Gehört der nicht mir? Sagen Sie ihnen das.«

Gen fragte, ob der Karton nicht Miss Coss gehöre.

»Señorita Coss gehört überhaupt nichts! Sie ist eine Geisel, wie jeder von Ihnen. Sie ist hier nicht zu Hause. Es gibt keinen speziellen Postdienst für sie. Sie bekommt hier keine Pakete.« Alfredo sprach in einem Ton, der die jüngeren Terroristen alle stramm stehen und bedrohlich wirken ließ, wofür viele von ihnen nur die Hand auf ihre Waffe zu legen brauchten.

Messner seufzte und verlagerte das Gewicht des Kartons auf seinen Armen. »Dann komme ich eben morgen wieder.« Er sprach jetzt englisch, er wandte sich an Roxane und ließ Gen es für die Generäle übersetzen.

Er war noch nicht gegangen, ja er hatte sich kaum umgedreht, als Roxane die Augen schloß und den Mund aufriß. Im nachhinein mußte man sagen, daß es ziemlich gefährlich war, sowohl was General Alfredos Reaktion betraf, der darin einen Akt der Rebellion hätte sehen können, als auch für das Instrument ihrer Stimme. Sie hatte seit zwei Wochen nicht gesungen und sich mit keiner einzigen Tonleiter aufgewärmt. Bekleidet mit Frau Iglesias' Freizeithose und einem weißen Frackhemd des Vizepräsidenten, stand Roxane Coss mitten in dem riesigen Wohnzimmer und begann »O mio babbino caro« aus Puccinis *Gianni Schicchi* zu singen. Eigentlich hätte ein Orchester sie begleiten sollen, doch sein Fehlen fiel niemandem auf. Keiner hätte gesagt, daß ihre Stimme mit Orchester besser klinge oder daß es schöner sei, sie in einem blitzsauberen, von Kerzen erleuchteten Raum zu hören. Niemandem fiel auf, daß die Blumen und der Champagner fehlten, vielmehr war jetzt allen klar, daß Blumen und Champagner überflüssiges Beiwerk waren. Hatte sie wirklich so lange nicht gesungen? Es hätte nicht schöner klingen können, wenn ihre Stimme eingesungen und geschmeidig gewesen wäre. Tränen traten ihnen in die Augen, aus so vielen Gründen, daß man sie nicht alle aufzählen kann. Sie weinten natürlich, weil die Musik so schön war, aber auch, weil all ihre Pläne gescheitert waren. Sie erinnerten sich an das letzte Mal, das sie Miss Coss hatten singen hören, und sie sehnten sich nach den Frauen, die damals neben ihnen gesessen hatten. All die Liebe und Sehnsucht, die ein Körper fassen kann, wurde in nur zweieinhalb Minuten Gesang gepreßt, und als Roxane Coss zu den höchsten Tönen kam, war es, als ob sich alles, was sie in ihrem Leben bekommen, und alles, was sie verloren hatten, zu einer Last verbände, die sie fast nicht tragen konnten. Als sie geendet hatte, standen alle um sie herum zitternd und in verblüfftem Schweigen da. Messner lehnte an der Wand, als hätte ihn jemand geschlagen. Er war nicht eingeladen gewesen zu der Feier. Im Gegensatz zu den anderen hatte er sie bis dahin nicht singen gehört.

Roxane atmete tief durch und rollte die Schultern. »Sagen Sie ihm«, trug sie Gen auf, »daß es das war. Entweder er gibt mir jetzt diesen Karton, oder Sie hören keinen Ton mehr von mir oder auch von diesem Flügel da, egal, wie lang dieses mißlungene zwischenmenschliche Experiment noch dauert.«

»Ist das Ihr Ernst?« fragte Gen.

»Ich bluffe nicht«, sagte die Sängerin.

Gen gab ihre Erklärung weiter, und aller Augen richteten sich auf General Alfredo. Er preßte zwei Finger an die Nasenwurzel, um seine Kopfschmerzen wegzudrücken, aber es half nichts. Die Musik hatte ihn so verwirrt, daß er völlig benommen war. Seine Überzeugungen schwammen davon. Er dachte an seine Schwester, die an Scharlach gestorben war, als er noch klein war. Diese Geiseln waren wie schlecht erzogene Kinder, die immer mehr verlangten. Sie wußten nicht, was Leiden war. In dem Moment wäre er am liebsten hinausgegangen und hätte sich dem Schicksal gestellt, das ihn auf der anderen Seite der Mauer erwartete, ein Leben im Gefängnis oder eine Kugel im Kopf. Wie sollte er bei diesem Schlafmangel Entscheidungen treffen? Jede Möglichkeit erschien ihm gleichermaßen verrückt. Alfredo drehte sich um und ging über den langen Flur ins Arbeitszimmer des Vizepräsidenten. Nach einer Weile hörte man leise die Stimme des Nachrichtensprechers, und General Benjamin befahl Messner hereinzukommen und wies seine Soldaten in scharfem Ton an, den Inhalt des Kartons sorgfältig nach allem zu durchsuchen, was keine Noten waren. Er bemühte sich, das Ganze so klingen zu lassen, als wäre es seine Entscheidung, als hätte er hier das Sagen, doch selbst er begriff, daß dem nicht mehr so war.

Die Soldaten nahmen Messner den Pappkarton ab und schütteten den Inhalt auf den Boden. Heraus fielen lose Blätter und gebundene Bücher, Hunderte von mit Noten bedeckten Seiten. Sie sahen sie sorgfältig durch, nahmen sie auseinander und schüttelten die gebundenen Hefte, als könnten zwischen den Seiten Geldscheine stecken.

»Es ist schon komisch«, sagte Messner. »Draußen hat die Polizei sie durchwühlt, und jetzt fängt das Ganze von vorne an.«

Kato ging hin und kniete sich zu den Jungen auf den Boden. Sobald sie ein Blatt geprüft hatten, nahm Kato es ihnen aus der Hand. Sorgfältig trennte er Rossini von Verdi, legte Chopin zu Chopin. Manchmal hielt er inne und las eine Seite, als wäre es ein Brief von daheim, wobei er mit dem Kopf den Takt schlug. Wenn er etwas besonders Interessantes fand, ging er damit zu Roxane und überreichte es ihr mit einer tiefen Verbeugung. Er brauchte Gen nicht als Dolmetscher. Alles, was sie wissen mußte, stand auf dem Papier.

»Manuel läßt Sie herzlich grüßen«, sagte Messner zu Pater Arguedas. »Er meint, wenn noch etwas fehlt, wird er es Ihnen besorgen.«

Auch wenn er wußte, daß er damit die Sünde des Stolzes beging, war der Priester doch überglücklich, daß er zur Beschaffung der Noten hatte beitragen können. Ihn schwindelte noch zu sehr vom Klang ihrer Stimme, als daß er sich adäquat hätte ausdrücken können. Er blickte zu den Fenstern hinüber, um nachzusehen, ob sie geöffnet waren. Er hoffte, daß Manuel von seinem Platz aus einen Takt oder auch nur einen Ton hatte hören können. Welcher Segen war ihm in der Gefangenschaft zuteil geworden. Nie war er dem Geheimnis der Liebe Christi so nahe gewesen, selbst dann nicht, wenn er die Messe las oder die Kommunion empfing, ja nicht einmal an dem Tag, an dem er zum Priester geweiht wurde. Er begriff jetzt, daß er gerade erst zu erkennen begann, in welchem Maße er dazu bestimmt war, zu folgen, blind einem Schicksal entgegenzugehen, das ihm stets unbegreiflich sein würde. Das Schicksal hielt einen Lohn bereit – wenn man auf Gott vertraute, dann erwartete einen eine Herrlichkeit, die unbeschreiblich erhaben war. Genau in dem Moment, in dem du sicher bist, alles verloren zu haben – sieh, was du gewonnen hast!

An diesem Tag sang Roxane Coss nicht noch einmal. Ihre Stimme hatte schon genug leisten müssen. Sie saß jetzt mit Herrn Hosokawa auf dem kleinen Sofa am Fenster und begnügte sich damit, die Noten durchzusehen. Wenn einer von ihnen dem anderen etwas sagen wollte, riefen sie Gen, doch es war erstaunlich, wie selten sie ihn brauchten. Herr Hosokawa war ihr ein großer Trost. So ohne Sprache hatte sie das Gefühl, er stimme in allem mit ihr überein. Sie summte immer ein paar Takte vor sich hin, so daß er wußte, was sie sich gerade ansah, und dann gingen sie die Seiten gemeinsam durch. Herr Hosokawa konnte keine Noten lesen, aber er ließ sich davon nicht stören. Er sprach weder die Sprache des Librettos noch die der Sängerin, noch die ihres Gastgebers. Allmählich machte es ihm weniger aus, daß er so vieles verloren hatte, daß er so vieles nicht wußte. Statt dessen staunte er über das, was er hatte: die Möglichkeit, im Licht des Spätnachmittags neben dieser Frau zu sitzen, während sie las. Als sie ein Blatt auf das Sofa legte, streifte ihre Hand die seine, und als sie weiterlas, blieb ihre Hand auf der seinen liegen.

Schließlich kam Kato zu ihnen. Er verbeugte sich erst vor Roxane und dann vor Herrn Hosokawa. »Meinen Sie, es wäre in Ordnung, wenn ich ein wenig Klavier spiele?« fragte Kato seinen Chef.

»Ich fände das sogar sehr schön«, sagte Herr Hosokawa.

»Glauben Sie nicht, daß es sie beim Lesen stört?«

Zu Roxane gewendet, bewegte Herr Hosokawa die Hände, als spiele er Klavier, und sie nickte Kato zu.

»Ja«, sagte sie und nickte. Sie streckte die Hand nach den Noten aus.

Kato gab sie ihr. »Satie«, sagte er.

»Satie.« Sie lächelte und nickte erneut. Kato setzte sich an den Flügel und spielte. Es war nicht wie beim letzten Mal, als keiner von ihnen hatte glauben können, daß unter ihnen ein solches Talent gewesen war, ohne daß es jemand wußte. Es war nicht so, wie wenn Roxane sang und es ihnen schien, als müßten ihre Herzen aufhören zu schlagen, bis sie fertig war. Satie war einfach nur Musik. Sie konnten hören, wie schön sie war, ohne gleich wie gelähmt zu sein. Während Kato spielte, konnten die Männer ihre Bücher lesen oder aus dem Fenster sehen. Roxane ging weiter die Noten durch, auch wenn sie ab und zu innehielt und die Augen schloß. Nur Herr Hosokawa und der Priester begriffen, wie wichtig die Musik war. Jeder Ton unterschied sich deutlich vom anderen. Die Musik war das Zeitmaß, das sie verloren hatten. Sie interpretierte ihr Leben in dem Moment, in dem es gelebt wurde.

Es gab noch jemanden im Haus, der die Musik verstand, doch es war keiner der Gäste. Carmen stand in der Eingangshalle und sah um die Ecke ins Wohnzimmer, und wenn sie dafür auch keine Worte hatte, so verstand sie doch alles genau. Dies war die glücklichste Zeit ihres Lebens, und der Grund dafür war die Musik. Selbst wenn sie als Kind nachts auf ihrem Bett aus Stroh gelegen hatte, hatte sie nicht von solchen Freuden geträumt. Keiner aus ihrer Familie, die sie in den Bergen zurückgelassen hatte, hätte sich vorstellen können, daß es ein Haus aus Ziegelsteinen mit perfekt schließenden Glasfenstern gab, in dem es nie zu heiß oder zu kalt war. Sie selbst hätte nie geglaubt, daß es irgendwo auf der Welt einen riesigen, gemusterten Teppich gab, der aussah wie eine Blumenwiese, oder goldverzierte Zimmerdecken oder blasse Marmorfrauen zu beiden Seiten eines Kamins, die den Sims auf ihren Köpfen balancierten. Das alles hätte schon gereicht – die Musik und die Gemälde und der Garten, in dem sie mit dem Gewehr patrouillierte –, doch sie bekamen auch noch jeden Tag genug zu essen gebracht, so viel, daß immer etwas übrigblieb, sosehr sie sich auf bemühten, alles aufzuessen. Es gab hier tiefe, weiße Badewannen mit geschwungenen, silbernen Hähnen, aus denen ein endloser Vorrat an heißem Wasser lief. Es gab stapelweise weiße Handtücher und Kissen und mit Satin umrandete Wolldecken und soviel

Platz, daß man sich zurückziehen konnte, ohne daß jemand wußte, wo man abgeblieben war. Ja, die Generäle wollten, daß es dem Volk besser ging, aber waren sie nicht das Volk? Wäre es wirklich so schlimm, wenn überhaupt nichts passierte, wenn sie alle zusammen in diesem Haus blieben mit seiner endlosen Fülle? Carmen betete inbrünstig. Sie betete, während sie in der Nähe des Priesters stand, in der Hoffnung, das würde ihrer Bitte mehr Überzeugungskraft verleihen. Sie bat um nichts. Sie bat darum, daß Gott auf sie alle herabsehen und die Schönheit ihres Lebens wahrnehmen und sie in Frieden lassen möge.

In jener Nacht hatte Carmen Wachdienst. Sie mußte lange warten, bis alle eingeschlafen waren. Einige lasen mit Taschenlampen, andere lagen in dem großen Zimmer, in dem sie alle zusammen schliefen, und warfen sich herum und streckten sich. Sie waren wie die Kinder: Erst standen sie auf, um sich ein Glas Wasser zu holen, dann, um zur Toilette zu gehen. Als dann endlich alles still war, schlich sich Carmen zwischen den anderen hindurch zu Gen, um ihn sich genauer anzusehen. Er lag auf dem Rücken, an seinem üblichen Platz neben dem Sofa, auf dem sein Chef schlief. Gen hatte die Brille abgesetzt und hielt sie im Schlaf locker in der einen Hand. Er hatte ein sympathisches Gesicht, ein Gesicht, in dem eine große Ehrfurcht vor dem Wissen lag. Sie konnte sehen, wie seine Augen unter der glatten, dünnen Haut der Lider hin und her schossen, aber falls er träumte, blieb doch der Rest seines Körpers regungslos. Er atmete ruhig und gleichmäßig. Carmen wünschte, sie könnte in seinen Kopf hineinsehen. Sie fragte sich, wie es wohl darin aussah, ob er wohl voller Wörter war, mit genau übereinanderliegenden Fächern für die verschiedenen Sprachen. Ihr eigener Geist wäre dagegen ein leerer Schrank. Er konnte sie abweisen, und was wäre daran so schlimm? Sie würde dadurch nichts verlieren. Sie brauchte ihn nur zu fragen. Sie mußte es einfach nur aussprechen, und doch schnürte die Vorstellung ihr die Kehle zu. Sie hatte doch keine Erfahrung mit Klaviermusik und Madonnenbildern. Sie hatte keine Erfahrung damit, solche Fragen zu stellen. Carmen hielt den Atem an und legte sich neben Gen auf den Boden. Sie war so leise wie Sonnenschein auf den Blättern von Bäumen. Sie lag auf der Seite und hielt den Mund an sein schlafendes Ohr. Sie hatte vielleicht kein Talent dazu, solche Fragen zu stellen, aber im Leisesein war sie ein Genie. Wenn sie im Wald trainierten, war es Carmen, die kilometerweit gehen konnte, ohne einen einzigen Zweig zu zerbrechen. Es war Carmen, die von hinten herankommen und einem auf die Schulter tippen konnte, ohne daß man irgendein Geräusch vernahm. Sie war es, die sie als erste hineingeschickt hatten, um die Abdeckungen von den Luftschächten abzuschrauben, denn sie würde niemand bemerken. Niemand würde irgend etwas hören. Sie betete zu der heiligen Rosa von Lima. Sie bat um Mut. Statt wie so oft um Lautlosigkeit zu bitten, bat sie jetzt darum, sprechen zu können.

»Gen«, flüsterte sie.

Gen träumte, er stünde in Griechenland am Strand und sähe hinaus auf das Meer. Irgendwo hinter ihm in den Dünen sagte jemand seinen Namen.

Carmens Herz hämmerte stockend gegen ihre Brust. In ihren Ohren rauschte das Blut. Was sie hörte, wenn sie angestrengt lauschte, war die Stimme der Heiligen. »Jetzt oder nie«, sagte die heilige Rosa. »Ich bin nur jetzt bei dir.«

»Gen.«

Die Stimme, die ihn rief, entfernte sich, und Gen verließ den Strand, um ihr zu folgen, folgte der Stimme aus dem Schlaf in den Wachzustand. Im Haus des Vizepräsidenten aufzuwachen war jedesmal wieder verwirrend. Was war das für ein Hotelzimmer? Warum lag er auf dem Boden? Dann fiel es ihm ein, und er riß die Augen auf, in dem Glauben, es sei Herr Hosokawa, der ihn rufe. Er sah zum

Sofa hoch, doch dann spürte er eine Hand auf seiner Schulter. Als er den Kopf drehte, sah er neben sich den hübschen Jungen liegen. Nein, nicht den Jungen. Carmen. Und ihre Nase berührte beinahe die seine. Er erschrak, doch er hatte keine Angst. Er wunderte sich nur, daß sie auf dem Boden lag.

Das Militär hatte es seit kurzem aufgegeben, die Scheinwerfer einzuschalten, mit denen man sie so lange geplagt hatte, so daß die Nacht jetzt wieder wie Nacht aussah. »Carmen?« sagte er. So hätte Messner sie sehen sollen, so vom Mond beschienen. Er hatte recht gehabt, was ihr Gesicht betraf, dieses herzförmige Gesicht.

»Nicht so laut«, hauchte sie ihm tief ins Ohr. »Hör zu.« Doch wo waren die Worte geblieben? Sie war so dankbar, liegen zu können. Ihr Herz schlug unerträglich schnell. Konnte er sie wohl im Dunkeln sehen – wie sie zitterte? Spürte er das Zittern tief in den Bodendielen? Hörte er, wie ihre Haut unter ihrer Kleidung knisterte?

»Schließ die Augen«, sagte die heilige Rosa. »Bete zu mir.«

Auf einmal bekam sie genug Luft, um ihre Lungen bis zum Rand zu füllen. »Bring mir das Lesen bei«, sagte sie schnell. »Bring mir bei, Spanisch zu schreiben.«

Gen sah sie an. Sie hatte die Augen geschlossen. Es war, als hätte er sich zu ihr gelegt und nicht umgekehrt. Dunkel hoben sich ihre schweren Wimpern von ihren geröteten Wangen ab. Schlief sie? Redete sie im Schlaf? Er hätte sie küssen können, ohne sich einen Zentimeter vom Fleck zu bewegen, doch er schob diese Vorstellung beiseite.

»Du möchtest Spanisch lesen können«, sagte Gen ebenso leise wie sie.

Mein Gott, dachte sie. Er kann leise sein. Er kann lautlos sprechen, wie ich. Sie atmete tief ein und öffnete dann blinzelnd die dunklen Augen. »Und Englisch«, flüsterte sie. Sie lächelte. Sie konnte sich nicht beherrschen. Sie hatte es geschafft, ihn um alles zu bitten, was sie wollte.

Die schüchterne Carmen, die immer ein Stück hinter den anderen zurückblieb – wer hatte sie jemals lächeln sehen? Beim Anblick dieses Lächelns hätte er ihr alles versprochen. Er war dem Schlaf noch ziemlich nahe. Oder schlief er noch? Hatte er sich nach ihr gesehnt, ohne es zu wissen? Hatte er sie so sehr begehrt, daß er träumte, sie läge neben ihm? Was unser Geist nicht alles vor uns verborgen hält, dachte Gen. Welche Geheimnisse wir noch vor uns selbst haben. »Ja«, sagte er, »Englisch.«

Ihre Freude ließ sie leichtsinnig werden und kühn. Sie legte ihm die Hand auf die Augen und schloß ihm behutsam die Lider. Ihre Hand war kühl und weich. Sie roch nach Metall. »Schlaf jetzt«, sagte sie. »Schlaf weiter.«

sechs

Als sich diejenigen, die wirklich dabeigewesen waren, Jahre darauf an diese Zeit der Gefangenschaft erinnerten, sahen sie sie als in zwei klar getrennte Abschnitte unterteilt: vor dem Karton und nach dem Karton.

Vor dem Karton hatten die Terroristen das Haus des Vizepräsidenten in ihrer Gewalt. Auch wenn die Geiseln nicht unmittelbar bedroht wurden, grübelten sie doch über die Unausweichlichkeit ihres Todes nach. Selbst wenn sie großes Glück haben sollten und im Schlaf erschossen würden, so stand ihnen jetzt doch klar vor Augen, was das Schicksal für sie bereithielt, sei es vor ihrer Freilassung oder danach. Sie würden alle sterben. Das hatten sie natürlich immer gewußt, aber jetzt kam der Tod nachts zu ihnen und setzte sich auf ihre Brust, starrte ihnen kalt und gierig in die Augen. Das Leben auf dieser Welt war gefährlich, die Vorstellung der eigenen Sicherheit ein Märchen, das man den Kindern vor dem Einschlafen erzählte. Man brauchte bloß um die falsche Ecke zu biegen, und alles konnte vorbei sein. Sie dachten an den sinnlosen Tod des ersten Pianisten. Sie vermißten ihn, und doch: Wie leicht, wie befriedigend hatte man ihn ersetzen können. Sie vermißten ihre Töchter und ihre Frauen. Sie waren hier in diesem Haus noch am Leben, aber was half ihnen das? Der Tod sog ihnen bereits die Luft aus den Lungen. Er ließ sie schwach und lustlos werden. Mächtige Firmenchefs sanken matt auf die Sessel am Fenster und starrten ins Leere, Diplomaten blätterten Zeitschriften durch, ohne die Bilder wahrzunehmen. Manchmal hatten sie kaum noch die Kraft zum Umblättern.

Doch nachdem Messner die Kiste ins Haus gebracht hatte, wurde alles anders. Die Terroristen wachten weiterhin vor den Türen und liefen bewaffnet herum, aber jetzt hatte Roxane Coss das Sagen. Sie fing morgens um sechs Uhr an, weil sie aufwachte, wenn das Tageslicht durch ihr Fenster fiel, und wenn sie aufwachte, wollte sie arbeiten. Sie nahm ein Bad, aß zwei Scheiben Toast und trank eine Tasse Tee, die Carmen ihr zubereitete und auf einem gelben Holztablett hinaufbrachte, das der Vizepräsident dafür ausgewählt hatte. Jetzt, da Roxane Coss wußte, daß Carmen ein Mädchen war, ließ sie sie auf ihrem Bett sitzen und aus ihrer Tasse trinken. Sie flocht Carmen gern das Haar, das so schwarz war und glänzte wie Öl. Manchmal war das Gewicht von Carmens Haar zwischen ihren Fingern das einzige, was einen Sinn zu haben schien. Es tröstete sie, so zu tun, als wäre sie dabehalten worden, um dieser jungen Frau das Haar zu flechten. Sie war Mozarts Susanna. Carmen war die Gräfin Rosina. Das Haar fügte sich ordentlich zu schweren schwarzen Bändern zusammen. Sie konnten sich nicht unterhalten. Wenn Roxane fertig war, stellte Carmen sich hinter sie, bürstete Roxane das Haar, bis es glänzte, und flocht es zu einem ebensolchen Zopf. So waren sie für die kurze Zeit, die sie am Morgen zusammen waren, Schwestern, Freundinnen, einander ebenbürtig. Sie waren glücklich zusammen, wenn sie allein waren. Keinen Augenblick lang dachten sie an Beatriz, die mit den Jungs Würfel gegen die Tür der Speisekammer warf.

Um sieben Uhr erwartete Kato Roxane am Flügel und ließ die Finger lautlos die Tasten hinauf und hinunter gleiten. Sie wußte inzwischen, was »Guten Morgen« auf japanisch hieß – _ohayógozaimasu_ –, und Kato konnte ein paar Brocken Englisch – _good morning_, _thank you_ und _bye-bye_. Damit waren beider Kenntnisse in der Sprache des anderen erschöpft, und so sagten sie auch guten Morgen, wenn es Zeit war für eine Pause oder wenn sie sich vorm Schlafengehen auf dem Flur begegneten. Sie verständigten sich miteinander, indem sie einander Blätter mit Noten reichten. Wenn ihr Verhältnis auch alles andere als demokratisch war, wählte Kato, der die in der Kiste eingetroffenen Noten las, wenn er nachts auf seinem Bett aus Mänteln lag, doch manchmal Stücke aus, die er selbst gern hören wollte oder von denen er glaubte, daß sie für Roxanes Stimme besonders geeignet waren. Er kam sich zwar schrecklich vermessen vor, wenn er ihr seine Vorschläge reichte, aber was machte das schon? Er war stellvertretender Geschäftsführer einer riesigen Firma, ein Zahlengenie, das auf einmal zum Pianisten erhoben worden war. Er war nicht mehr er selbst. Er war jemand, der über all seine Vorstellung hinausging.

Um Viertel nach sieben begannen sie mit den Tonleitern. Am ersten Morgen waren um diese Zeit noch nicht alle wach. Pietro Genovese schlief unter dem Flügel, und als die ersten Saiten angeschlagen wurden, glaubte er die Glocken des Petersdoms zu hören. Doch das war alles egal. Es war Zeit zu arbeiten. Sie hatten lange genug auf dem Sofa gehockt und geweint oder aus dem Fenster gestarrt. Jetzt gab es Noten und einen Pianisten. Roxane Coss hatte mit der Arie aus *Gianni Schicchi* ihre Stimme aufs Spiel gesetzt und festgestellt, daß sie sie noch nicht verloren hatte. »Wir vergammeln hier langsam«, hatte sie erst einen Tag zuvor durch Gen zu Herrn Hosokawa gesagt. »Alle zusammen. Mir reicht's jetzt. Wenn sie mich erschießen wollen, müssen sie das tun, während ich singe.« Und so wußte Herr Hosokawa, daß ihr nichts passieren würde, denn niemand konnte sie erschießen, während sie sang. Keinem von ihnen würde dann etwas passieren, und so drängten sie sich um den Flügel, um ihr zuzuhören.

»Treten Sie bitte zurück«, sagte Roxane Coss und scheuchte sie mit den Händen weg. »Ich brauche Luft.«

Das erste, was sie an jenem Morgen sang, war die Arie

aus *Rusalka*, die sich Herr Hosokawa, wie sie sich erinnerte, zu seinem Geburtstag gewünscht hatte, bevor sie gewußt hatte, wer das war, bevor sie irgend etwas gewußt hatte. Wie liebte sie diese Geschichte von der Seejungfrau, die sich sehnt, eine Frau zu sein, um ihren Liebsten mit wirklichen Armen statt nur mit kaltem Wasser umfangen zu können. Diese Arie sang sie bei fast jedem Auftritt, doch noch nie hatte sie soviel Mitgefühl und Verständnis hineingelegt wie an diesem Morgen. Herr Hosokawa hörte den Unterschied in ihrer Stimme, und Tränen traten ihm in die Augen.

»Sie singt tschechisch, als hätte man es ihr in die Wiege gelegt«, flüsterte er Gen zu.

Gen nickte. Nie würde er etwas gegen die Schönheit ihres Gesanges sagen, gegen diese warme, flüssige Stimme, die so gut zu Rusalkas wäßrigem Wesen paßte, und wozu sollte er Herrn Hosokawa erklären, daß diese Frau kein Wort Tschechisch sprach? Sie sang jede Silbe zwar voller Leidenschaft, doch die Silben verbanden sich nie zu erkennbaren tschechischen Wörtern. Es war offensichtlich, daß sie sich den Text zwar phonetisch eingeprägt hatte, daß sie Dvořák und die in der Oper erzählte Geschichte liebte, daß die tschechische Sprache ihr jedoch völlig fremd war und unerkannt an ihr vorüberging. Nicht, daß es ein Verbrechen war – wem außer ihm würde es überhaupt auffallen? Es waren keine Tschechen zugegen.

Roxane Coss sang eisern jeden Morgen drei Stunden lang, und wenn ihre Stimme in guter Verfassung war, nochmals vor dem Abendessen, und in diesen Stunden dachte niemand auch nur ein einziges Mal an den Tod. Sie dachten alle nur an den Gesang und das Stück, an den strahlenden Klang ihrer Stimme in den höheren Lagen. Bald waren die Tage in drei Zustände unterteilt: die Vorfreude darauf, daß sie sang, die Freude an ihrem Gesang und das Nachsinnen darüber.

Wenn sie an Macht verloren hatten, so schien das die Generäle nicht weiter zu stören. Die Hoffnungslosigkeit ihrer Mission kam ihnen nicht mehr so erdrückend vor, und oft konnten sie nachts beinahe ruhig schlafen. General Benjamin machte weiterhin jeden Tag seinen Strich an der Eßzimmerwand. Sie hatten jetzt mehr Zeit, sich auf die Verhandlungen zu konzentrieren. Untereinander taten sie so, als wäre das Singen Teil ihres Plans. Es beruhigte die Geiseln. Es förderte die Konzentration der Soldaten. Außerdem hatte es den erstaunlichen Effekt, daß der Lärm auf der anderen Seite der Mauer verstummte. Wahrscheinlich hörten die Leute auf der Straße sie durch die offenen Fenster singen, denn sobald sie den Mund öffnete, hörte das ständige Megaphongebrüll auf, und nach ein paar Tagen setzte es nicht wieder ein. Sie stellten sich vor, wie es dort auf der Straße aussah: Die Leute standen dicht an dicht, und keiner aß Chips oder hustete, alle spitzten die Ohren, um diese Stimme zu hören, die sie bisher nur von Aufnahmen oder aus ihren Träumen kannten. Es war ein tägliches Konzert, das die Generäle für sie veranstalteten – das redeten sie sich zumindest ein. Ein Geschenk für das Volk, Unterhaltung für das Militär. Sie hatten die Sängerin nicht ohne Grund als Geisel genommen.

»Wir werden ihr sagen, sie soll noch mehr singen«, sagte General Hector in der Gästesuite im Erdgeschoß, die sie zu ihrem Büro gemacht hatten. Er lag der Länge nach auf dem Himmelbett, mit den Stiefeln auf der bestickten, elfenbeinfarbenen Steppdecke. Benjamin und Alfredo saßen in zwei identischen Sesseln, die mit riesigen rosa Pfingstrosen gemustert waren. »Es ist nicht einzusehen, warum sie nicht zwei Stunden mehr am Tag singen kann. Und wir werden die Zeiten variieren, um die da draußen abzulenken.«

»Wir werden ihr auch sagen, was sie singen soll«, meinte Alfredo. »Sie sollte spanisch singen. Immer dieses Italienisch – das ist nicht das, wofür wir stehen. Außerdem könnte sie irgendwelche Mitteilungen singen, ohne daß wir es merken.«

General Benjamin gab sich zwar manchmal ähnlichen Illusionen hin, doch er wußte, daß das, was sie von Roxane

Coss bekamen, etwas war, wofür man dankbar sein mußte. »Ich glaube nicht, daß wir sie darum bitten sollten.«

»Wir würden sie ja auch nicht bitten«, sagte Hector und klopfte die Kissen unter seinem Kopf zurecht. »Wir würden es ihr befehlen.« Er sagte es kalt und gelassen.

General Benjamin wartete einen Moment. Sie sang gerade, und er ließ sich vom Klang ihrer Stimme umfluten, während er nach den richtigen Worten suchte. *Ist das nicht offensichtlich?* hätte er seinen Freunden am liebsten gesagt. *Hört ihr das nicht?* »Ich glaube, bei Musik geht das nicht. So kommt es mir jedenfalls vor. Wir haben das alles perfekt eingerichtet, aber wenn wir jetzt Druck machen ...« Benjamin zuckte die Achseln. Er hob die Hand zu seinem Gesicht, hielt jedoch kurz davor inne. »Wir könnten alles verlieren.«

»Wenn wir ihr eine Pistole an den Kopf setzen, wird sie den ganzen Tag singen.«

»Versuch das mal bei einem Vogel«, sagte General Benjamin milde zu Alfredo. »Vögel können das Prinzip der Befehlsgewalt nicht verstehen – genau wie unsere Sängerin. Sie wissen nicht genug, um Angst zu haben, und der, der die Waffe hält, macht sich damit nur zum Narren.«

Als Roxane aufgehört hatte zu singen, holte Herr Hosokawa ihr persönlich ihr Glas Wasser, kalt und ohne Eis, wie sie es am liebsten hatte. Ruben Iglesias hatte kürzlich den Küchenboden gewischt und ihn von Hand gewachst, so daß der ganze Raum jetzt glänzte wie die glatte Oberfläche eines Sees bei Sonnenschein. Herr Hosokawa nahm den Krug mit Wasser, das er eigens zu diesem Zweck heute morgen abgekocht und dann kaltgestellt hatte. War es möglich, daß dies die glücklichste Zeit seines Lebens war? Das konnte doch wohl nicht sein. Er wurde in einem Land, das er nicht kannte, gegen seinen Willen festgehalten und hatte jeden Tag die Mündung des Gewehrs irgendeines Kindes vor der Nase. Er ernährte sich von Limonade und

Sandwiches mit zähem Fleisch, schlief mit mehr als fünfzig Männern in einem Raum, und auch wenn jeder hin und wieder an die Waschmaschine durfte, überlegte er doch, ob er den Vizepräsidenten wohl um eine zweite Unterwäschegarnitur aus seiner eigenen Kommode bitten könnte. Woher rührte dann diese plötzliche Unbeschwertheit, diese tiefe Zuneigung zu allen? Er sah durch das große Fenster über der Spüle in das dunstige schlechte Wetter hinaus. Er hatte in seiner Kindheit zwar keine Armut gelitten, aber er hatte viel durchstehen müssen: Seine Mutter war gestorben, als er zehn Jahre alt war; sein Vater hatte noch eine Weile weitergelebt, als ein gebrochener Mann, und war ihr dann in dem Jahr, in dem Katsumi Hosokawa neunzehn wurde, gefolgt; seine beiden Schwestern hatten geheiratet und waren aus seinem Leben verschwunden. Nein, in dieser Familie hatte er keine so glückliche Zeit erlebt. Die ersten Jahre, in denen er Nansei aufbaute, kamen ihm in der Erinnerung wie ein Orkan vor, wie ein riesiger, mächtiger Wirbelsturm, der alles, was nicht fest verankert war, mitriß. Nachts schlief er meist mit dem Kopf auf dem Schreibtisch. Urlaubszeiten, Geburtstage, ganze Jahreszeiten gingen unbemerkt an ihm vorbei. Die Frucht dieser endlosen Arbeit waren eine große Firma und ein privates Vermögen gewesen – aber Glück? Das war ein Wort, das ihn damals verwirrt hätte, dessen Wichtigkeit er nicht begriff, auch wenn ihm klar war, was es bedeutete.

Blieb also seine eigene Familie, seine Frau und seine zwei Töchter. Das war die große Frage. Wenn sie ihn nicht glücklich gemacht hatten, dann lag das allein an ihm selbst. Seine Frau war die Tochter eines Freundes seines Onkels. Die Zeit der arrangierten Heiraten war damals zwar schon vorbei gewesen, doch im Grunde hatten andere für ihn eine Frau gefunden, denn er selbst hatte gar keine Zeit dazu. Während er ihr den Hof machte, saßen sie immer im Haus ihrer Eltern im Wohnzimmer, aßen Süßigkeiten und wechselten kaum ein Wort. Er war so müde damals, arbeitete unentwegt, und selbst, als sie schon verheiratet waren, vergaß er manchmal ganz, daß er eine Frau hatte. Er kam um vier Uhr morgens nach Hause und erschrak, wenn er sie dort im Bett liegen sah, ihre langen dunklen Haare quer über seinem Kopfkissen. Das ist also meine Frau, dachte er dann bei sich, und schlief neben ihr ein. Nicht daß es immer so geblieben war. Sie brauchten einander. Sie waren eine Familie. Sie war eine wunderbare Ehefrau, eine wunderbare Mutter, und zweifellos hatte er sie auf seine Art geliebt, aber Glück? Das war nicht das, woran er dachte, wenn er an seine Frau dachte. Selbst wenn er sich vorstellte, wie sie jeden Abend darauf wartete, daß er von der Arbeit heimkam, ihm schon einen Drink eingeschenkt, die Post geöffnet und sortiert hatte – selbst dann war es kein Bild des Glücks, was er vor sich sah, weder für sie noch für ihn, sondern eher eine Art Effizienz, die für ein reibungsloses Leben sorgte. Sie war eine achtbare Frau, eine pflichtbewußte Ehefrau. Er hatte sie Kriminalromane lesen sehen, doch darüber sprach sie nie. Sie schrieb sehr schöne Karten. Sie stand ihren Kindern zur Seite. Auf einmal fragte er sich, ob er sie überhaupt kannte. Er fragte sich, ob sie wohl glücklich war. Sein eigenes Glück war etwas, was er für sich genoß, wenn er von einem Geschäftsessen nach Hause kam und ihm noch Zeit blieb, Musik zu hören. Glück – wenn dies das richtige Wort dafür war – hatte er bisher nur durch Musik erfahren. Und das tat er auch jetzt noch. Aber jetzt war die Musik ein Mensch. Sie saß neben ihm auf dem Sofa und las. Sie bat ihn, sich zu ihr an den Flügel zu setzen. Manchmal nahm sie seine Hand – eine so unerwartete, wunderbare Geste, daß es ihm fast den Atem verschlug. Sie fragte ihn, ob ihm das Stück gefalle. Sie fragte ihn, was er sie gern würde singen hören. Das war mehr, als er sich je hätte träumen lassen: die Wärme eines Menschen und die Musik auf einmal. Ja, ihre Stimme, vor allem ihre Stimme, aber dann waren da noch ihre schönen Hände, der glänzende Strang ihrer Haare auf ihrer Schulter, die blasse, zarte Haut an ihrem Hals. Und

diese ungeheure Ausstrahlung. War er je einem Geschäftsmann begegnet, der einem soviel Achtung einflößte? Und
vor allem staunte er über das Rätsel, warum sie gerade ihn
dazu erwählt hatte, ihr Gesellschaft zu leisten. Konnte es
sein, daß es auf der Welt immer schon ein solches Glück gegeben hatte und er niemals davon hatte reden hören?

Herr Hosokawa riß sich zusammen. Er füllte das Glas
mit Wasser. Als er zurückkam, saß Roxane zusammen mit
Gen am Flügel. »Ich habe Sie viel zu lange warten lassen«,
sagte er.

Sie nahm das Glas entgegen und hörte Gen zu, der übersetzte. »Das kommt, weil das Wasser perfekt ist«, sagte sie.
»Perfektion braucht Zeit.«

Gen schob die Sätze hin und her wie ein Bankangestellter
Geldscheine verschiedener Währungen auf einem glatten
Marmortresen. Er hörte nur mit einem Ohr zu. Er grübelte
noch immer über die letzte Nacht. Es war bestimmt kein
Traum gewesen. Solche Träume hatte er nie. Das Mädchen,
das er beobachtet hatte, das Mädchen, das Carmen hieß,
hatte ihn etwas gefragt, und er hatte ja gesagt, aber wo war
sie jetzt? Er hatte sie den ganzen Vormittag lang nicht gesehen. Er hatte diskret auf den Fluren nach ihr gesucht, aber
die Jungen mit den Gewehren hatten ihn immer wieder ins
Wohnzimmer geschickt. An manchen Tagen ließen sie die
Geiseln überall herumlaufen, dann wieder schien ihnen
nichts soviel Spaß zu machen, wie sie mit dem Gewehr her-
umzuschubsen. Wo sollte er sie treffen und wann? Er hatte
keine Fragen gestellt. Trotz ihrer klaren Anweisung hatte
er, nachdem sie gegangen war, nicht wieder einschlafen
können. Immer wieder fragte er sich, wie ein Mädchen wie
sie mit Kriminellen durch die Luftschächte hier hatte ein-
steigen können. Aber was wußte er schon? Vielleicht hatte
sie schon jemanden umgebracht. Vielleicht raubte sie Ban-
ken aus oder warf Molotowcocktails durch die Fenster von
Botschaften. Vielleicht hatte Messner recht: Sie lebten in
modernen Zeiten.

Beatriz tippte Gen zweimal unsanft auf die Schulter, womit sie sowohl Herrn Hosokawas Gespräch mit Roxane als auch seinen eigenen Gedankengang unterbrach. »Ist es schon Zeit für Maria?« fragte sie, denn sie wollte den Anfang der Sendung auf keinen Fall verpassen. Kaum hatte sie ausgeredet, schob sie sich schon wieder das feuchte Ende ihres Zopfes in den Mund und begann, voll Eifer darauf herumzukauen. Im Geiste sah Gen ein verfilztes Geschwür aus Haaren in ihrem Magen.

»In einer Viertelstunde«, sagte er nach einem Blick auf seine Armbanduhr. Es war zu einer seiner vielen Aufgaben geworden, auf die Anfangszeiten der Serie zu achten.

»Sagen Sie mir Bescheid, wenn's soweit ist.«

»Geht es um ihre Serie?« fragte Roxane.

Gen nickte und sagte dann auf spanisch zu Beatriz: »Ich zeige es dir auf der Uhr.«

»Die Uhr interessiert mich nicht«, sagte Beatriz.

»Du fragst mich jeden Tag. Jeden Tag fünfmal.«

»Ich frag auch andere Leute«, sagte sie barsch. »Nicht nur Sie.« Ihre kleinen Augen wurden noch schmäler, während sie überlegte, ob sie sich beleidigt fühlen sollte oder nicht.

Gen nahm seine Armbanduhr ab. »Streck den Arm aus.«

»Sie wollen sie ihr schenken?« fragte Herr Hosokawa.

»Wieso?« fragte Beatriz voller Mißtrauen.

Gen sagte auf japanisch: »Sie macht mir nur das Leben schwer.« Dann sagte er zu Beatriz: »Ich werde dir etwas schenken.«

Geschenke schienen ihr eine gute Sache zu sein, auch wenn sie persönlich damit keinerlei Erfahrung hatte. In der Serie hatte Maria von ihrem Freund ein Geschenk bekommen: ein herzförmiges Medaillon mit seinem Bild darin. Er hängte es ihr um den Hals, bevor sie ihn fortschickte. Doch kaum war er gegangen, preßte sie ihre Lippen darauf und hörte gar nicht mehr auf zu weinen. Ein Geschenk war eine wunderbare Geste. Beatriz streckte den Arm aus, und Gen befestigte die Uhr an ihrem Handgelenk.

»Schau auf den großen Zeiger«, sagte er und tippte mit dem Fingernagel auf das Glas. »Wenn er hier oben auf zwölf steht, ist es soweit.«

Sie sah sich die Uhr genau an. Sie war wirklich schön: das runde Glas, das weiche, braune Lederarmband, der Zeiger, der so fein war wie ein Haar und sich langsam und gleichmäßig im Kreis bewegte. Wie es mit Geschenken so ist, hielt sie es für das schönste der Welt, für noch besser als das Medaillon, weil die Uhr wirklich etwas tat. »Der hier?« fragte sie und deutete auf einen der drei Zeiger.

»Der Minutenzeiger auf zwölf und der Stundenzeiger, der kleine, auf eins. Es ist ganz leicht.«

Doch es war noch nicht leicht genug, und Beatriz hatte Angst, es zu vergessen. Sie hatte Angst, sie würde sich vertun und die Sendung womöglich ganz verpassen. Sie hatte Angst, sie würde durcheinander kommen und nochmals nachfragen müssen, und dann würde sich Gen über sie lustig machen. Es war besser, wenn er ihr einfach sagte, wenn es soweit war. Das war schließlich sein Job. Sie hatte viel zu tun, und die Geiseln saßen alle faul herum. »Ich will sie nicht haben«, sagte sie und versuchte, sie abzuschnallen.

»Wo liegt das Problem?« fragte Herr Hosokawa. »Gefällt sie ihr nicht?«

»Es ist ihr zu kompliziert.«

»Unsinn.« Herr Hosokawa legte Beatriz die Hand auf den Arm. »Schau her. Es ist ganz einfach.« Er hielt ihr sein Handgelenk hin und zeigte ihr seine eigene Uhr, die im Vergleich zu der von Gen wirklich prachtvoll war – eine funkelnde Scheibe aus rosenfarbenem Gold. »Zwei Zeiger«, sagte er.

»Drei Zeiger«, sagte Beatriz und wies auf den einzigen, der sich zu bewegen schien.

»Das sind die Sekunden. Sechzig Sekunden pro Minute: Einmal herum ist eine Minute, und dann springt der große Zeiger eine Minute weiter.« Herr Hosokawa erklärte ihr die Zeit – Sekunden, Minuten und Stunden. Er konnte sich nicht erinnern, wann er zuletzt auf die Uhr gesehen oder sich gefragt hatte, wie spät es war.

Beatriz nickte. Sie fuhr mit dem Finger einmal rund um das Zifferblatt von Gens Uhr. »Es ist fast soweit«, sagte sie.

»Noch sieben Minuten«, sagte Gen.

»Ich geh lieber hin und warte.« Sie überlegte, ob sie ihm danken sollte, war sich jedoch nicht sicher, ob das richtig war. Sie hätte ihm die Uhr auch einfach wegnehmen können. Sie hätte verlangen können, daß er sie ihr gab.

»Sieht Carmen sich die Serie an?« fragte Gen.

»Manchmal«, sagte Beatriz. »Aber manchmal vergißt sie's auch. Sie ist nicht immer dabei, so wie ich. Sie hat heute draußen Dienst, sie kann sie also nur sehen, wenn sie sich vors Fenster stellt. Das mache ich, wenn ich draußen Dienst habe.«

Gen sah hinüber zu den Glastüren am anderen Ende des Raums, die zum Garten hinausgingen. Draußen war nichts zu sehen. Nur die *garúa* und die Blumen, die allmählich über die Beete hinauswuchsen.

Beatriz wußte, wonach er Ausschau hielt, und wurde böse. Sie mochte Gen ein wenig, und er hätte sie eigentlich auch mögen sollen, denn er hatte ihr etwas geschenkt. »Na los doch«, sagte sie bitter. »Die Jungs stehen alle an irgendeinem Fenster und warten darauf, daß sie vorbeikommt. Vielleicht sollten Sie sich dazustellen.« Das war natürlich nicht wahr. Rendezvous waren streng verboten, und diese Vorschrift wurde niemals verletzt.

»Sie hat mich etwas gefragt«, setzte Gen an, doch seine Stimme klang nicht wie sonst, und so hielt er lieber den Mund. Schließlich schuldete er Beatriz keine Erklärung.

»Ich werd ihr sagen, daß Sie mir Ihre Uhr geschenkt haben.« Sie sah hinab auf ihr Handgelenk. »Noch vier Minuten.«

»Na dann aber schnell«, sagte Gen. »Sonst bekommst du keinen Platz mehr auf dem Sofa.«

Betariz ging, aber ohne sich zu beeilen. Sie ging fort wie ein Mädchen, das ganz genau weiß, wieviel Zeit es hat.

»Was hat sie gesagt?« fragte Herr Hosokawa. »Hat sie sich über die Uhr gefreut?«

Gen übersetzte die Frage für Roxane ins Englische und antwortete dann beiden, es sei unmöglich zu sagen, ob sie sich freue oder nicht.

»Das war schlau von Ihnen«, sagte Roxane. »Sie wird wohl kaum jemanden erschießen, der ihr so ein schönes Geschenk gemacht hat.«

Doch wer konnte sagen, was jemanden davon abhielt zu schießen? »Würden Sie mich wohl entschuldigen?«

Herr Hosokawa entließ ihn. Bis vor kurzem hatte er Gen immer bei sich haben wollen, für den Fall, daß er etwas sagen wollte, doch allmählich lernte er das Schweigen schätzen. Roxane legte die Hände auf die Tasten und spielte den Anfang von »Clair de Lune«. Dann griff sie nach Herrn Hosokawas Hand und spielte ihn mit seinen Fingern noch einmal, ganz langsam und sehr schön und traurig. So machten sie es noch einige Male, bis er es schließlich allein konnte.

Gen trat ans Fenster und sah hinaus. Der Nieselregen hatte aufgehört, aber die Luft war immer noch feucht und grau, als wolle es Abend werden. Bei dem Gedanken, daß es noch längst nicht dunkel wurde, sah Gen auf seine Uhr und stellte fest, daß sie fort war. Warum wartete er auf Carmen? Weil er ihr das Lesen beibringen wollte? Er hatte auch so schon genug zu tun. Jedem im Raum ging irgend etwas durch den Kopf, das übersetzt werden wollte. Er hatte Glück, einmal einen Moment für sich allein zu haben, einen Augenblick Zeit, um aus dem Fenster zu sehen. Er brauchte nicht noch eine Aufgabe.

»Ich habe stundenlang aus diesem Fenster gesehen«, sprach ihn jemand auf russisch an. »Es passiert nie etwas. Glauben Sie mir.«

»Manchmal geht es nur ums Hinaussehen«, sagte Gen, stur geradeaus blickend. Er hatte selten Gelegenheit, russisch zu sprechen. Es war eine Sprache, die er benutzte, um Puschkin und Turgenjew zu lesen. Es gefiel ihm, wie seine eigene Stimme all die harten Konsonanten bewältigte, auch wenn er wußte, daß seine Aussprache schlecht war. Er müßte mehr üben. Wenn man wollte, konnte man das Ganze als eine Gelegenheit sehen – so viele Muttersprachler in einem Raum. Viktor Fjodorow war ein großer Mann mit riesigen Händen und einer Mauer von einer Brust. Die drei Russen, Fjodorow, Ledbed und Beresowskij, blieben meist unter sich, spielten Karten und rauchten Zigaretten aus einem scheinbar unerschöpflichen Vorrat – niemand wußte genau, woher sie sie hatten. Während die Franzosen ein paar Worte Spanisch zusammenbrachten und die Italiener aus ihrer Schulzeit noch ein paar Brocken Französisch konnten, war das Russische – wie Japanisch – eine echte Sprachinsel. Selbst die einfachsten Wendungen ernteten verständnislose Blicke.

»Sie sind immer so beschäftigt«, sagte Fjodorow. »Manchmal beneide ich Sie. Wir beobachten Sie: ständig auf den Beinen, jedermann braucht ihre Hilfe. Sie beneiden uns wohl, weil wir nichts tun. Sie hätten gern etwas mehr Zeit für sich selbst, nicht wahr? Zeit, um aus dem Fenster zu sehen?« Offenbar wollte der Russe ihm sagen, daß es ihm leid tat, ihn auch noch zu plagen, auch noch mit einem Satz zu kommen, der übersetzt werden wollte, und daß er ihn nicht darum bitten würde, wenn es nicht wichtig wäre.

Gen lächelte. Fjodorow hatte die Förmlichkeit des Rasierens aufgegeben und konnte nach gut zwei Wochen einen eindrucksvollen Bart vorweisen. Bis sie hier herauskamen, würde er wahrscheinlich aussehen wie Tolstoi. »Ich habe reichlich Zeit, auch wenn ich beschäftigt bin. Sie wissen selbst, daß es noch nie so lange Tage gab wie diese hier. Sehen Sie, ich habe meine Uhr verschenkt. Ich dachte, es ist besser, wenn man es nicht so genau weiß.«

»Bewundernswert«, sagte der Russe und starrte auf Gens nacktes Handgelenk. Er tippte mit seinem schweren Zeigefinger darauf. »Das zeugt von echtem Verstand.«

»Also glauben Sie nicht, daß Sie mir die Zeit stehlen.«

Fjodorow nahm seine eigene Uhr ab und ließ sie solidarisch in seine Jackentasche fallen. Er drehte seine riesige Hand hin und her, um die neue Freiheit zu genießen. »Jetzt können wir miteinander reden. Jetzt, wo wir die Zeit abgelegt haben.«

»Genau«, sagte Gen, aber kaum hatte er das gesagt, gingen zwei Gestalten mit geschulterten Gewehren an der Gartenmauer entlang. Ihre Jacken und Mützen waren noch naß vom Regen, und sie hielten den Kopf gesenkt, statt sich umzusehen, wie sie es als Wachen nach Gens Vorstellung hätten tun sollen. Es war schwer zu sagen, wer von den beiden Carmen war. Aus dieser Distanz und im Dunst war sie wieder ein Junge. Er hoffte, sie würde aufblicken und ihn bemerken, würde sich denken, daß er nach ihr Ausschau hielt, auch wenn ihm die Unsinnigkeit dieser Hoffnung bewußt war. Doch er hatte gehofft, sie zu sehen, und fühlte sich jetzt besser – wenn er annahm, daß es wirklich sie war und nicht irgendein zorniger Halbwüchsiger.

Fjodorow sah Gen an und dann zu den beiden Gestalten hinüber. »Sie beobachten sie«, sagte er leise. »Das ist sehr schlau von Ihnen. Ich werde faul. Am Anfang habe ich mitgezählt, aber sie sind überall. Wie die Kaninchen. Ich glaube, sie holen nachts Verstärkung.«

Gen hätte am liebsten hingezeigt und gesagt: »Das ist Carmen«, doch er wußte nicht, was er dem Russen damit erklären würde. Statt dessen nickte er zustimmend.

»Aber verschwenden wir nicht unsere Zeit mit ihnen. Ich kann Ihre Zeit besser verschwenden. Rauchen Sie?« fragte er ihn und zog eine kleine blaue Schachtel mit französischen Zigaretten heraus. »Nein? Darf ich?«

Fast im selben Moment, in dem er ein Streichholz anriß, erschien der Vizepräsident mit einem Aschenbecher, den er auf einen kleinen Tisch vor sie hinstellte. »Gen«, sagte er und nickte ihm höflich zu. »Viktor.« Er verbeugte sich – eine Sitte, die er den Japanern abgeguckt hatte – und ließ sie wieder allein, um sie nicht in ihrem Gespräch zu stören, von dem er kein Wort verstand.

»Ein wunderbarer Mann, dieser Ruben Iglesias. Man könnte sich fast wünschen, in diesem erbärmlichen Land zu leben, nur um ihn bei der Präsidentschaftswahl wählen zu können.« Fjodorow zog an seiner Zigarette und stieß den Rauch dann langsam wieder aus. Er suchte nach dem richtigen Einstieg für sein Ansinnen. »Sie können sich vorstellen, daß wir viel über die Oper nachgedacht haben«, sagte er.

»Ja, natürlich«, sagte Gen.

»Wer hätte gedacht, daß das Leben so einen überraschenden Verlauf nehmen kann? Ich habe geglaubt, wir würden jetzt tot sein oder doch jeden Tag um unser Leben betteln, und statt dessen sitze ich da und denke über die Oper nach.«

»Das konnte niemand wissen.« Gen lehnte sich unmerklich vor, um zu sehen, ob er Carmen vielleicht nicht noch einmal erspähte, bevor sie ganz aus ihrem Blickfeld verschwand, aber es war schon zu spät.

»Ich habe mich schon immer sehr für Musik interessiert. Die Oper spielt in Rußland eine große Rolle. Aber das wissen Sie ja. Sie ist geradezu heilig.«

»Das kann ich mir denken.« Jetzt wünschte er, er hätte seine Uhr. Dann könnte er die Zeit stoppen und feststellen, wie lange Carmen brauchte, um wieder vor dem Fenster vorbeizukommen. Sie könnte selbst zu einer Art Uhr werden. Er erwog, Fjodorow zu fragen, aber Fjodorow hatte offensichtlich andere Dinge im Kopf.

»Die Oper ist erst spät nach Rußland gekommen. In Italien bot sich die Sprache für diese Form von Gesang an – bei uns hat das länger gedauert. Unsere Sprache ist, wie sie wissen, sehr kompliziert. Die Sänger, die wir jetzt in Rußland haben, sind ausgezeichnet. Ich will nicht behaupten, daß es uns an Talenten fehlt, aber für mich gibt es jetzt nur ein wahres Genie. Viele große Sänger, brillante Stimmen, aber nur ein Genie. Soweit ich weiß, war sie noch nie in Rußland. Meinen Sie nicht auch, daß die Chancen, plötzlich mit einem Genie im selben Haus eingesperrt zu sein, sehr gering sind?«

»Auf jeden Fall«, sagte Gen.

»Mit ihr hier zu sein und nicht mit ihr reden zu können, das ist, nun ja, höchst bedauerlich. Nein, wirklich, es ist frustrierend. Was, wenn man uns morgen freiläßt? Ich bete darum, und doch, würde ich mir dann nicht für den Rest meines Lebens sagen: Du hast sie niemals angesprochen? Sie war da, in einem Raum mit dir, und du hast nichts unternommen, um ihr auch nur ein Wort zu sagen? Was hieße es, mit solcher Reue zu leben? Bevor sie wieder angefangen hat zu singen, hat mich das kaum gestört. Ich war mit meinen eigenen Gedanken, mit unserer Situation beschäftigt, aber jetzt, wo sie wieder singt, ist alles anders. Finden Sie nicht auch?«

Und Gen mußte ihm zustimmen. Er hatte sich das so nicht überlegt, aber es stimmte. Es hatte sich etwas verändert.

»Und wie groß sind die Chancen – wenn ich mich als Geisel in einem Land befinde, das ich nicht kenne, mit einer Frau, die ich so tief bewundere –, daß auch noch ein Mann dabei ist wie Sie, einer, der ein gutes Herz hat und sowohl meine Sprache spricht als auch die ihre? Sagen Sie mir, wie groß? Eins zu einer Million! Genau darum komme ich natürlich zu Ihnen. Ich würde gern Ihre Dienste in Anspruch nehmen.«

»Aber warum denn so förmlich?« sagte Gen. »Ich rede doch gern mit Miss Coss. Wir können gleich zu ihr gehen. Ich werde alles weitergeben, was Sie ihr sagen wollen.«

Bei diesen Worten wurde der Russe blaß und zog dreimal nervös an seiner Zigarette. Die Lungen dieses Mannes waren so gewaltig, daß die kleine Zigarette durch diese plötzliche Aufmerksamkeit fast ganz herunterbrannte. »Es gibt keinen Grund zur Eile, mein Freund.«

»Außer wir werden morgen freigelassen.«

Er nickte und lächelte. »Sie lassen mir aber auch gar kein Schlupfloch.« Er wies mit dem Zigarettenstummel auf Gen. »Sie denken mit. Sie wollen mir sagen, es ist Zeit, daß ich mich erkläre.«

Gen war sich nicht sicher, ob er das Wort für »erklären« richtig verstand. Es konnte mehrere Bedeutungen haben. Er konnte zwar ganz gut Russisch, aber die Feinheiten entgingen ihm. »Ich meinte nichts weiter, als daß Miss Coss dort sitzt, falls Sie mit ihr reden wollen.«

»Sagen wir morgen, einverstanden? Ich werde am Vormittag mit ihr reden« – er ließ Gen die Hand auf die Schulter fallen – »wenn uns das Glück nicht im Stich läßt. Ist Ihnen vormittags recht?«

»Ich werde hiersein.«

»Gleich nachdem sie gesungen hat«, sagte er. Dann fügte er hinzu: »Aber ohne sie zu drängen.«

Gen sagte, das klinge vernünftig.

»Gut, gut. Dann habe ich Zeit, mich vorzubereiten. Ich werde die ganze Nacht wachliegen. Sie sind sehr gut. Ihr Russisch ist sehr gut.«

»Danke«, sagte Gen. Er hatte gehofft, mit ihm ein wenig über Puschkin reden zu können. Er hatte einige Fragen zu *Eugen Onegin* und *Pique Dame*, aber Fjodorow war schon verschwunden, schleppte sich in seine Ecke wie ein Boxer, der sich bereit macht für die zweite Runde. Die anderen beiden Russen erwarteten ihn, an ihren Zigaretten ziehend.

Der Vizepräsident stand in der Küche und starrte in eine Kiste mit Gemüse – Flaschenkürbisse und dunkelviolette Auberginen, Tomaten und gelbe Zwiebeln. Er nahm das als ein Zeichen, daß diese Geiselnahme diejenigen, die draußen warteten, zu langweilen begann. Wie lange dauerten solche Krisen? Sechs Stunden? Zwei Tage? Dann warfen sie ein paar Tränengasbomben hinein, und alle ergaben sich. Aber irgendwie hatten diese Schmalspurterroristen es geschafft, alle Befreiungsversuche zu vereiteln. Vielleicht waren es zu viele Geiseln. Vielleicht lag es an der Mauer, die das Haus des Vizepräsidenten umgab, oder daran, daß sie Angst hatten, versehentlich Roxane Coss zu töten. Aber warum auch immer, das Ganze schleppte sich jetzt seit mehr als zwei Wochen dahin. Es war durchaus vorstellbar, daß sie keine Schlagzeilen mehr machten oder in den Abendnachrichten nur noch an zweiter oder gar dritter Stelle kamen. Das Leben ging weiter. Man begann, die Sache pragmatisch zu sehen, wie die Lebensmittel vor ihm bewiesen. Dem Vizepräsidenten kam es vor, als wären sie die Überlebenden eines Schiffsunglücks, die hilflos zusahen, wie der letzte Suchhubschrauber in Richtung Festland davonflog. Das Essen war der Beweis. Zu Anfang war es stets fertig zubereitet gewesen, Sandwiches oder Schmortöpfe mit Hähnchenfleisch und Reis. Dann mußte man sich das Ganze selbst zusammenstellen – Brot und Fleisch und Käse, alles einzeln verpackt. Aber das hier war noch etwas anderes. Fünfzehn rohe Hähnchen, rosa und kalt, deren Bäuche die Arbeitsfläche verschmierten, Gemüsekisten, Beutel mit getrockneten Bohnen, Bratfett in Dosen. Es war zweifellos genug zu essen – die Hähnchen sahen sehr kräftig aus –, aber wie sollte die Verwandlung vor sich gehen? Wie sollte aus dem, was hier lag, ein Abendessen werden? Ruben glaubte, für die Beantwortung dieser Frage verantwortlich zu sein, doch er kannte sich in seiner Küche nicht aus. Er hatte keine Ahnung, wo sich das Abtropfsieb befand, konnte Majoran und Thymian nicht unterscheiden. Er fragte sich, ob es seiner Frau wohl besser ergangen wäre. Offen gestanden waren sie allzu lange versorgt worden. Das war ihm in diesen Wochen klargeworden, während er den Boden fegte und das Bettzeug faltete. Der Gesellschaft mochte er von Nutzen gewesen sein, doch was den Haushalt betraf, war er zu einer Art überzüchtetem Schoßhund geworden. Als Junge hatte er in dieser Hinsicht nichts gelernt. Nie war er gebeten worden, den Tisch zu decken oder eine Karotte zu schälen. Seine Schwestern hatten sein Bett gemacht und seine Kleidung zusammengelegt. Er mußte erst hier eingesperrt werden, um herauszufinden, wie seine eigene Waschmaschine funktionierte. Jeden Tag gab es eine endlose Liste von Dingen, die getan werden mußten. Selbst wenn er vom Aufwachen bis zu dem Moment, in dem er erschöpft auf seinen Wolldecken zusammensank, ohne Pause arbeitete, konnte er das Haus doch nicht in dem Zustand halten, in dem er es zu sehen gewohnt war. Was für ein geschäftiges Treiben hatte hier noch vor kurzem geherrscht! All die Mädchen, die kamen und gingen, Staub wischten und die Möbel polierten, Hemden und Taschentücher bügelten, unsichtbare Spinnweben aus den Ecken entfernten. Sie rieben sogar den Messingbeschlag unten an der Haustür blank. Sie sorgten dafür, daß die Speisekammer stets mit Kuchen und Rote-Beete-Gläsern gefüllt war. Sie hinterließen einen hauchfeinen Duft von Körperpuder (von dem seine Frau ihnen jedes Jahr einen großen, runden Behälter mit einer dicken, flauschigen Quaste zum Geburtstag schenkte), so daß alles roch wie eine Handvoll bepuderte Hyazinthen. Nichts im Haus erforderte sein Eingreifen, kein Gegenstand verlangte seine Aufmerksamkeit. Selbst seine Kinder wurden von einem reizenden Mädchen gebadet, gebürstet und ins Bett gebracht. Alles war einfach perfekt, immer und ohne Ausnahme.

Und erst seine Gäste! Was waren das für Männer, die nie ihr Geschirr in die Küche brachten? Den Terroristen konnte er das noch verzeihen. Sie waren zum größten Teil Kinder, und außerdem waren sie im Urwald groß geworden. (Er dachte daran, wie seine Mutter, wenn er die Haustür zu schließen vergaß, ihm immer hinterherrief: »Ich sollte dich in den Urwald schicken, da brauchst du dich mit so etwas wie Türen nicht zu plagen!«) Die Geiseln waren es gewohnt, von Hausdienern und Sekretären umsorgt zu werden, und sie hatten sicher auch Köche und Dienstmädchen, doch die sahen sie nie. Sie führten ihnen nicht nur den Haushalt, sondern taten es auch noch so leise und so effizient, daß ihren Herrschaften der Anblick der Arbeit erspart blieb.

Natürlich hätte es Ruben eigentlich egal sein können. Es war ja nicht wirklich sein Haus. Er hätte zusehen können, wie die verschüttete Limonade die Teppiche langsam vergammeln ließ, er hätte über den Abfall hinwegsteigen können, der sich um die überquellenden Papierkörbe sammelte, doch er war hier nun einmal in erster Linie der Gastgeber. Er fühlte sich verpflichtet, dafür zu sorgen, daß das Ganze eine gewisse Ähnlichkeit mit einer Party behielt. Doch bald stellte er fest, daß es ihm sogar Spaß machte. Und nicht nur das: Er glaubte auch, bei aller Bescheidenheit, ein gewisses Talent dafür zu haben. Wenn er auf allen vieren die Böden wachste, dann lohnten ihm die Böden seine Aufmerksamkeit damit, daß sie glänzten. Von all dem, was zu tun war, gefiel ihm das Bügeln am besten. Er fand es erstaunlich, daß sie das Bügeleisen nicht konfisziert hatten. Wenn man es richtig schwang, wirkte es bestimmt so tödlich wie eine Schußwaffe – dieser schwere, unglaublich heiße Gegenstand. Während er die Hemden von Männern bügelte, die halb entblößt dastanden und warteten, dachte er darüber nach, wieviel Schaden er würde anrichten können. Er konnte sie natürlich nicht alle ausschalten (ob Kugeln von einem Bügeleisen abprallten?), aber zwei oder drei konnte er sicher niederstrecken, bevor sie ihn erschossen. Mit dem Bügeleisen würde Ruben kämpfend sterben können, und bei dieser Vorstellung kam er sich weniger passiv vor, mehr wie ein Mann. Er fuhr mit der silbernen Spitze in eine Hemdtasche und dann einen Ärmel entlang. Das Bügeleisen stieß Dampfwolken aus, von denen ihm der Schweiß herabrann. Der Kragen, das hatte er schnell herausgefunden, war der Schlüssel zu allem.

Bügeln war eines. Bügeln hatte er schnell gelernt. Aber rohe Lebensmittel – das überforderte ihn, und so stand er da und starrte auf das, was vor ihm lag. Er beschloß, die Hähnchen in den Kühlschrank zu legen. Wärme tat Fleisch nicht gut, soviel wußte er. Dann ging er Hilfe suchen.

»Gen«, sagte er. »Gen, ich muß mit Señorita Coss spre-chen.«

»Sie auch?« fragte Gen.

»Ja«, sagte der Vizepräsident. »Wieso, gibt es schon eine Schlange? Soll ich eine Nummer ziehen?«

Gen schüttelte den Kopf, und sie gingen zusammen zu Roxane. »Gen«, sagte sie und streckte ihnen die Hände entgegen, als hätten sie sich seit Tagen nicht mehr gese-hen. »Herr Vizepräsident.« Seit die Noten da waren, hatte sie sich verändert – oder war wieder die alte geworden. Sie ähnelte jetzt wieder mehr der berühmten Sopranisten, die für eine sehr hohe Summe engagiert worden war, um bei einer Feier sechs Arien zu singen. Es ging wieder dieses Strahlen von ihr aus, das nur sehr berühmte Menschen umgibt. Ruben bekam immer ein bißchen weiche Knie, wenn er so nah bei ihr stand. Sie trug die Strickjacke sei-ner Frau und deren schwarzen Seidenschal mit den edel-steinfarbenen Vögeln. (Wie vergötterte seine Frau diesen Schal, der aus Paris stammte. Sie trug ihn nur ein- oder zweimal im Jahr und bewahrte ihn peinlichst gefaltet im Originalkarton auf. Und wie schnell hatte Ruben Roxane diesen Schatz angeboten!) Er empfand auf einmal das dringende Bedürfnis, ihr zu sagen, was er für sie empfand. Wieviel ihr Gesang ihm bedeutete. Doch er riß sich zu-sammen, indem er sich die nackten Hähnchen in Erinne-rung rief. »Verzeihen Sie bitte«, sagte der Vizepräsident mit vor Bewegung zitternder Stimme. »Sie tun ohnehin schon soviel für uns. Daß Sie jetzt wieder singen, ist ein Geschenk des Himmels, auch wenn ich nicht weiß, warum Sie das Proben nennen. Das würde ja heißen, Sie könnten noch besser werden.« Er preßte die Finger auf die Augen und schüttelte den Kopf. Er war müde. »Aber ich wollte etwas ganz anderes sagen. Dürfte ich Sie wohl um einen Gefallen bitten?«

»Möchten Sie, daß ich etwas Bestimmtes singe?« Roxane strich über die Enden des Schals.

»Das würde ich mir niemals anmaßen. Was auch immer für ein Stück Sie wählen, es ist ganz genau das, das ich hören wollte.«

»Ich bin beeindruckt«, sagte Gen zu ihm auf spanisch.

Ruben warf ihm einen Blick zu, der ihm sagte, daß er auf Kommentare verzichten könne. »Ich brauche jemanden, der mir in der Küche hilft. Verstehen Sie mich nicht falsch, ich würde Sie niemals bitten, mit Hand anzulegen, aber wenn Sie mich ein klein wenig bei der Zubereitung unseres Abendessens anleiten könnten, wäre ich Ihnen sehr verbunden.«

Roxane sah Gen an und blinzelte. »Sie haben etwas mißverstanden.«

»Ich glaube nicht.«

»Versuchen Sie es noch einmal.«

Spanisch war für einen Dolmetscher ungefähr das gleiche wie »Himmel und Hölle« für einen Triathleten. Wenn er mit Russisch und Griechisch zurechtkam, war es nicht sehr wahrscheinlich, daß er einen spanischen Satz falsch verstand. Noch dazu einen, in dem es ums Kochen ging und nicht um die Verfassung der menschlichen Seele. Und schließlich war Spanisch die Sprache, mit der er den ganzen Tag lang zu tun hatte – das, was einer gemeinsamen Sprache am nächsten kam. »Wie bitte?« fragte Gen bei Ruben nach.

»Sagen Sie ihr, ich brauche jemanden, der mir mit dem Abendessen hilft.«

»Beim Kochen?« fragte Roxane.

Ruben dachte einen Moment lang nach. Da er niemanden brauchte, der ihm beim Auftragen half oder beim Essen selbst, blieb wohl nur Kochen übrig. »Ja, beim Kochen.«

»Wie kommt er darauf, daß ich kochen kann?« fragte sie Gen.

Ruben, der zwar schlecht, aber immerhin etwas Englisch sprach, wies darauf hin, daß sie eine Frau war. »Die beiden Mädchen können sicher höchstens einheimische Gerichte kochen, die vielleicht nicht jedermanns Sache sind«, ließ er ihr durch Gen erklären.

»Das ist ein lateinamerikanisches Problem, nicht wahr?« sagte sie zu Gen. »Ich sollte mich wirklich nicht beleidigt fühlen. Man darf die kulturellen Unterschiede nicht vergessen.« Sie schenkte Ruben ein Lächeln, das freundlich war, aber für ihn nicht sehr aufschlußreich.

»Das ist sehr weise von Ihnen«, sagte Gen, und Ruben teilte er mit: »Sie kann nicht kochen.«

»Aber ein bißchen doch sicher«, sagte Ruben.

Gen schüttelte den Kopf. »Ich glaube, überhaupt nicht.«

»Sie ist doch nicht als Opernsängerin zur Welt gekommen«, sagte der Vizepräsident. »Sie war doch mal ein Mädchen.« Selbst seine Frau, die als ein Kind reicher Eltern mit fast jedem verfügbaren Luxus verwöhnt worden war, hatte kochen gelernt.

»Schon möglich, aber wahrscheinlich hat jemand für sie gekocht.«

Roxane, an der das Gespräch jetzt vorbeiging, lehnte sich zurück gegen die goldenen Seidenkissen auf dem Sofa, hielt die Hände hoch und zuckte die Achseln. Es war eine reizende Geste. Diese glatten Hände, die nie einen Teller gespült oder eine Erbse gepult hatten. »Sagen Sie ihm, daß seine Narbe schon viel besser aussieht«, sagte sie zu Gen. »Ich würde ihm gern etwas Nettes sagen. Zum Glück war dieses Mädchen noch hier, als es passiert ist. Sonst hätte er mich womöglich gebeten, ihm das Gesicht zu nähen.«

»Soll ich ihm sagen, daß Sie nicht nähen können?« fragte Gen.

»Sagen Sie es ihm lieber gleich.« Die Sopranistin lächelte erneut und verabschiedete sich vom Vizepräsidenten, indem sie ihm zuwinkte.

»Können Sie kochen?« fragte Ruben Gen.

Gen überging die Frage. »Simon Thibault hat sich oft über das Essen beschwert. Er weiß anscheinend, wovon er spricht. Jedenfalls ist er Franzose. Die Franzosen können gut kochen.«

»Vor zwei Minuten hätte ich dasselbe noch von den Frauen gesagt«, meinte Ruben.

Doch bei Simon Thibault hatten sie mehr Glück. Als er »rohe Hähnchen« hörte, leuchtete sein Gesicht auf. »Und Gemüse?« fragte er. »Gott sei Dank, endlich etwas, das noch nicht verpfuscht ist.«

»Das ist Ihr Mann«, sagte Gen.

Sie gingen zu dritt in die Küche, drängelten sich durch die Männer und Jungen hindurch, die in der Eingangshalle herumstanden. Thibault strebte geradewegs auf das Gemüse zu. Er nahm eine Aubergine aus der Kiste und rollte sie zwischen den Händen. Fast konnte er in der glänzenden Haut sein Spiegelbild sehen. Er hielt die Nase an das tiefviolette Lackleder. Es roch nicht nach viel, und doch war da etwas Dunkles, Lehmiges, etwas Lebendiges, das in ihm die Lust weckte zuzubeißen. »Das ist eine gute Küche«, sagte er. »Zeigen Sie mir Ihre Töpfe.«

Ruben öffnete die Schränke und Schubladen, und Simon Thibault begann mit der systematischen Bestandsaufnahme von Schneebesen und Rührschüsseln, Zitronenpressen, Pergamentpapier und Topfeinsätzen. Es gab jeden erdenklichen Topf in jeder erdenklichen Größe, bis hin zu einem, der leer bereits fünfzehn Kilo wog und ein zierliches zweijähriges Kind hätte aufnehmen können. Es war eine Küche, in der Büfetts für fünfhundert Leute an der Tagesordnung waren. Eine Küche, die für die Speisung der Massen gerüstet war. »Wo sind die Messer?« fragte Thibault.

»Die Messer stecken in den Gürteln dieser Rowdys«, sagte der Vizepräsident. »Entweder wollen sie mit dem Hackbeil Gulasch aus uns machen, oder sie wollen uns mit dem Brotmesser zu Tode sägen.«

Thibault trommelte mit den Fingern auf die Arbeitsfläche aus Edelstahl. Es sah hübsch aus, aber daheim in Paris hatten er und Edith Marmor. Was für einen wunderbaren Pastetenteig konnte man auf Marmor machen! »Gar keine schlechte Idee«, sagte er. »Vom mir aus sollen sie die Messer behalten. Gen, sagen Sie den Generälen, wir werden uns etwas kochen oder unsere Hähnchen roh verzehren müssen – nicht daß sie davor zurückschrecken würden. Sagen Sie Ihnen, wir wissen, daß wir moralisch nicht qualifiziert sind, ein Messer in die Hand zu nehmen, und daß wir zwei oder drei Wachposten brauchen, zum Gemüsehacken und -schneiden. Sie sollen uns die beiden Mädchen schicken und vielleicht noch diesen Knirps.«

»Ishmael«, sagte Ruben.

»Dem kann man so verantwortungsvolle Aufgaben anvertrauen«, sagte Thibault.

Die Wachposten waren abgelöst worden, oder zumindest hatte er gesehen, wie zwei weitere junge Soldaten ihre Mützen aufsetzten und nach draußen gingen, aber Carmen konnte er nirgends entdecken. Wenn sie hereingekommen war, dann befand sie sich offenbar in einem den Geiseln nicht zugänglichen Teil des Hauses. Verstohlen sah Gen überall nach, wo er sich aufhalten durfte, aber er hatte kein Glück. »General Benjamin«, sagte er, als er im Eßzimmer auf den General stieß, der mit einer Schere in der Hand die Zeitung durchsah. Er schnitt die Artikel aus, die sich auf sie bezogen, als könnte er die Geiseln im dunkeln lassen, indem er die Presse zensierte. Der Fernseher lief Tag und Nacht, aber wenn Nachrichten kamen, wurden die Gäste hinausgeschickt. Dennoch bekamen sie vom Flur aus dies und das mit. »Das Essen, Herr General, ist heute anders als sonst.« Wenn Thibault auch der Diplomat war, so glaubte Gen doch, daß er eher bekommen würde, was sie wollten. Es war eine Frage der Mentalität. Die Franzosen hatten wenig Erfahrung darin, sich ehrerbietig zu verhalten.

»Und?« Der General blickte nicht auf.

»Es ist nicht gekocht, Herr General. Sie haben uns Kisten mit Gemüse gebracht und frische Hähnchen.« Zumindest waren die Hähnchen gerupft. Zumindest waren sie tot. Wahrscheinlich war es nur eine Frage der Zeit, bis ihr Abendessen auf eigenen Beinen hereinspaziert kam, bis die Milch noch warm im Euter der Ziege eintraf.

»Dann kochen Sie es.« Er schnitt die dritte Seite in einer gerade Linie mitten entzwei.

»Das haben der Vizepräsident und Botschafter Thibault auch vor, aber sie müssen Sie dazu um ein paar Messer bitten.«

»Keine Messer«, sagte der General geistesabwesend.

Gen wartete einen Moment. General Benjamin zerknüllte die Artikel, die er ausgeschnitten hatte, und legte sie auf einen Haufen fester, kleiner Papierbälle. »Das ist leider wirklich ein Problem. Ich verstehe zwar nicht viel vom Kochen, aber soweit ich weiß, sind Messer dazu unbedingt erforderlich.«

»Keine Messer.«

»Dann vielleicht Messer und Leute dazu. Wenn Sie ein paar Soldaten zum Schneiden abstellen, dann bleiben die Messer in Ihrer Gewalt. Es gibt sehr viel zu schneiden. Schließlich sind wir achtundfünfzig Personen.«

General Benjamin seufzte. »Ich weiß, wie viele Leute hier sind. Ich möchte das nicht auch noch von Ihnen gesagt bekommen.« Er strich die Überreste der Zeitung glatt und faltete sie wieder zusammen. »Sagen Sie, Gen, spielen Sie Schach?«

»Schach, Herr General? Ich weiß, wie man es spielt. Aber ich würde nicht sagen, daß ich sehr gut darin bin.«

Der General formte mit den Händen ein Dach und preßte die Finger an die Lippen. »Ich werde Ihnen die beiden Mädchen in die Küche schicken«, sagte er. Sein Ausschlag fing gerade an, sich auf sein Auge auszudehnen. Schon in diesem frühen Stadium war klar, daß der Effekt verheerend sein würde.

»Wenn wir noch einen mehr haben könnten. Vielleicht Ishmael. Er ist ein sehr guter Junge.«

»Zwei sind genug.«

»Herr Hosokawa spielt Schach«, sagte Gen. Eigentlich war es nicht recht, daß er seinen Auftraggeber als Gegenleistung für eine weitere Küchenhilfe anbot, aber Herr Hosokawa war ein brillanter Schachspieler. Auf langen Flügen bat er Gen immer, mit ihm zu spielen, und dann war er immer enttäuscht, daß Gen nach zwanzig Zügen matt war. Er dachte, es würde Herrn Hosokawa vielleicht ebensoviel Vergnügen machen wie General Benjamin.

Benjamin blickte auf, und sein geschwollenes, rotes Gesicht schien Freude auszudrücken. »Ich hab in dem Zimmer des kleinen Jungen ein Schachspiel gefunden. Die Vorstellung, daß sie einem so kleinen Jungen das Schachspielen beibringen, gefällt mir. Meines Erachtens ist das sehr gut für die Charakterbildung. Ich habe allen meinen Kindern das Schachspielen beigebracht.«

Das war etwas, woran Gen nie gedacht hatte: daß General Benjamin Kinder hatte, daß er ein Zuhause hatte oder eine Frau oder irgendeine Art von Leben außerhalb der Gruppe, mit der er hier war. Gen hatte nie darüber nachgedacht, wo sie wohnten, aber lebten sie nicht irgendwo in Zelten, mit Hängematten zwischen den kräftigen Ästen von Urwaldbäumen? Oder war Revolutionär ein normaler Beruf? Gab er morgens seiner Frau einen Abschiedskuß, die im Bademantel am Tisch sitzen blieb und ihren Kokatee trank? Kam er abends heim und stellte die Schachfiguren auf, während er die Beine ausstreckte und eine Zigarette rauchte? »Ich wünschte, ich könnte besser Schach spielen.«

»Hm, ich könnte Ihnen ja ein bißchen was zeigen. Ich kann mir gar nicht vorstellen, daß ich Ihnen etwas beibringen muß.« Gens Sprachkenntnisse flößten General Benjamin und seinen Soldaten einen enormen Respekt ein. Sie dachten, wenn er Russisch und Englisch und Französisch sprach, dann gab es wahrscheinlich nichts, was er nicht konnte.

»Das wäre schön«, sagte Gen.

Benjamin nickte. »Bitten Sie Ihren Herrn Hosokawa, zu kommen, wann es ihm paßt. Wir brauchen keinen Dolmetscher. Hier, schreiben Sie mir auf, was ›Schach‹ und ›Schachmatt‹ auf japanisch heißt. Wenn er auf ein Spiel zu mir kommt, würde ich mir die Mühe machen, das zu lernen.« General Benjamin nahm einen der zusammengeknüllten Zeitungsausschnitte und strich ihn wieder glatt. Er reichte Gen einen Stift, und Gen schrieb die beiden Wörter über die Schlagzeilen. Die Schlagzeile, auf die sein Blick fiel, lautete: *Poco esperanza*. Wenig Hoffnung.

»Ich schicke Ihnen ein paar Leute in die Küche«, sagte der General. »Sie werden sofort dasein.«

Gen verbeugte sich mit dem Kopf. Vielleicht bewies er ihm damit mehr Achtung, als angebracht war, aber es war ja niemand da, der es sah.

Man hätte meinen sollen, daß sie keinerlei Entscheidungsfreiheit mehr hatten, eingesperrt in einem Haus mit bewaffneten, mürrischen Teenagern vor jeder Tür. Daß sie keinerlei Freiheit genossen und kein Vertrauen, nicht einmal soviel Freiheit oder Vertrauen, daß sie ein Messer bekamen, mit dem sie ein Hähnchen zerteilen konnten. Die einfachsten Dinge, die ihnen selbstverständlich erschienen – das Recht, eine Tür zu öffnen, hinauszugehen ins Freie –, galten nicht mehr. Statt dessen galt etwas anderes: Gen ging nicht sofort zu Herrn Hosokawa, um ihm von Benjamins Vorschlag zu erzählen. Was machte es, wenn er statt dessen bis zum Abend wartete? Herr Hosokawa würde von dieser Verzögerung nie etwas erfahren. Es gab niemand anderen, der Spanisch und Japanisch sprach und der es ihm hätte sagen können. Herr Hosokawa saß am anderen Ende des Raumes mit Roxane Coss auf der Klavierbank aus Rosenholz. Sollte er dort sitzen bleiben. Er genoß es, mit ihr zusammenzusein. Sie brachte ihm etwas auf dem Flügel bei – erst wanderten ihre Hände über die Tasten und dann seine. Die nackten, sich wiederholenden Töne bildeten eine Art Hintergrundmusik. Es war zwar noch zu früh, um das sagen zu können, doch offenbar zeigte er mehr Talent zum Klavierspielen als zum Spanischlernen. Sollte er vorerst da bleiben. Selbst aus der Entfernung konnte Gen sehen, wie sie sich an ihn lehnte, wenn sie die tieferen Tasten anschlug. Auch ohne daß er sein Gesicht sah, wußte Gen, daß Herr Hosokawa glücklich war. Er kannte seinen Chef als einen intelligenten, zielbewußten, vernünftigen Mann, und wenn Gen ihn auch nie für unglücklich gehalten hatte, so schien ihm das Leben auch nicht besonders viel Freude zu machen. Warum sollte er ihm also seine Freude nicht lassen? Gen konnte das einfach so entscheiden, und Herr Hosokawa würde ungestört weiterüben können, während Gen selbst in die Küche ging, wo Vizepräsident Iglesias und Botschafter Thibault über das Thema Soßen sprachen.

Ich werde Ihnen die beiden Mädchen in die Küche schicken, hatte General Benjamin gesagt.

Diese Worte klangen Gen unablässig in den Ohren wie der langsam angeschlagene Refrain von »Clair de Lune«. Er ging in die Küche, und als er durch die Schwingtür trat, streckte er die Arme hoch wie ein Preisboxer nach einem mühelosen K.o.

»Ah, schauen Sie!« rief der Vizepräsident. »Das Genie kehrt siegreich zurück.«

»Wir verschwenden sein Talent mit Küchenhilfen und Messern«, sagte Thibault in dem guten Spanisch, das er gelernt hatte, als er noch glaubte, er würde französischer Botschafter in Spanien werden. »Wir sollten diesen jungen Mann nach Nordirland schicken. Oder in den Gaza-Streifen.«

»Er sollte Messners Job übernehmen. Vielleicht würden wir dann hier rauskommen.«

»Es ging ja nur um ein paar Messer«, sagte Gen bescheiden.

»Haben Sie mit Benjamin gesprochen?« fragte Ruben.

»Natürlich hat er mit ihm gesprochen.« Thibault blätterte in einem der Kochbücher aus dem vor ihm liegenden Stapel. Nach dem Tempo zu urteilen, mit dem sein Finger über die Zeilen fuhr, las er es quer. »Schließlich hat er es geschafft. Alfredo und Hector hätten auf rohem Hähnchen bestanden. Das härtet die Männer ab. Was hat der brave Genosse gesagt?«

»Daß er uns die Mädchen schickt. Bei Ishmael hat er zwar nein gesagt, aber es würde mich nicht wundern, wenn er doch noch kommt.« Gen nahm eine Karotte aus der Kiste und hielt sie unter den Wasserhahn.

»Mich haben sie mit dem Gewehr ins Gesicht geschlagen«, sagte der Vizepräsident heiter. »Und Ihnen stellen sie Ihr eigenes Personal.«

»Wie wär's mit einem schlichten *coq au vin*?« fragte Thibault.

»Den *vin* haben sie konfisziert«, sagte Ruben. »Aber wir könnten Gen ja noch einmal losschicken. Wahrscheinlich haben sie den Wein irgendwo weggeschlossen, wenn sie ihn nicht schon getrunken haben.«

»Kein *vin*«, sagte Simon Thibault traurig – als wäre Wein etwas Gefährliches, als wäre Wein ein Messer. Was für ein Unding! In Paris brauchte man nicht aufzupassen, man konnte es sich leisten, die letzte Flasche zu trinken, denn alles, was man begehrte, bekam man nur wenige Schritte entfernt: eine Kiste, eine Flasche, ein Glas. Ein Glas Burgunder im Herbst hinten in der Brasserie Lipp, wo das Licht sich warm und gelb in dem Messinghandlauf an der Bar spiegelte. Edith in ihrem dunkelblauen Pullover mit dem zu einem lockeren Knoten hochgesteckten Haar, die mit den Händen die Wölbung des Glases umfaßte. Wie deutlich sah er alles vor sich, das Licht, den Pullover, den dunkelroten Farbton des Weines unter Ediths Fingern. Als sie in das Herz der Finsternis zogen, ließen sie sich per Schiff jeweils zwei Dutzend Weinkisten kommen, genug Wein für den Durst einer ganzen Stadt in einer Dürreperiode. Thibault versuchte, einen nassen Kellerraum mit Lehmboden in einen Weinkeller zu verwandeln. Der französische Wein war ein Eckpfeiler der französischen Diplomatie. Er teilte ihn aus wie Pfefferminzbonbons. Bei ihren Partys blieben die Gäste gern länger. Sie standen noch eine Ewigkeit auf dem Weg zum Tor und sagten immer wieder gute Nacht, schienen jedoch niemals gehen zu wollen. Schließlich ging Edith hinein und holte jedem von ihnen eine Flasche, drückte sie ihnen in die widerstrebenden Hände. Dann verschwanden sie in der Dunkelheit, eilten mit der Beute in der Hand jeder zu seinem Wagen und Fahrer.

»Das ist mein Blut.« Thibault hob sein Glas, um mit seiner Frau anzustoßen, nachdem die Gäste fort waren. »Für dich werde ich es vergießen und für niemanden sonst.« Dann gingen sie zusammen durchs Wohnzimmer und sammelten die zerknüllten Servietten ein, stapelten die Teller aufeinander. Das Mädchen hatten sie schon lange heimgeschickt. Es war eine intime Handlung, ein Ausdruck ihrer Liebe. Sie waren wieder allein. Sie brachten ihr Haus in Ordnung.

»Gibt es nicht auch so etwas wie *coq sans vin*?« Ruben lehnte sich vor, um in das Kochbuch zu blicken. All diese Bücher, die er noch nie gesehen hatte! Er fragte sich, ob es wohl seine waren oder ob sie zum Haus gehörten.

Thibault warf Ediths Schal über seine Schulter nach hinten. Er murmelte etwas von Schmoren und senkte den Kopf, um nachzulesen. Kaum hatte er die Augen auf das Buch gerichtet, als die Tür wieder aufschwang und sie zu dritt hereinkamen: die hochgewachsene Beatriz, die hübsche Carmen und dann Ishmael, jeder mit zwei oder drei Messern.

»Sie haben uns kommen lassen, stimmt's?« sagte Beatriz zu Gen. »Ich habe jetzt gar keinen Dienst. Ich wollte gerade fernsehen.«

Gen sah auf die Uhr an der Wand. »Deine Serie ist doch schon vorbei«, sagte er und hielt die Augen angestrengt auf Beatriz gerichtet.

»Es gibt noch andere«, sagte sie. »Es gibt viele gute Sendungen. ›Schicken Sie die Mädchen.‹ Es ist immer dasselbe.«

»Sie haben nicht nur die Mädchen geschickt«, sagte Ishmael zu seiner eigenen Verteidigung.

»Na ja, praktisch schon«, sagte Beatriz.

Ishmael wurde rot und drehte den Holzgriff des Messers zwischen den Handflächen.

»Der General hat gesagt, wir sollen beim Essenmachen helfen«, sagte Carmen, an den Vizepräsidenten gewandt. Sie richtete die Augen nicht einen Moment lang auf Gen, der sie gleichfalls nicht ansah – wie kam es also, daß sie einander anzustarren schienen?

»Wir sind ihm sehr dankbar«, sagte Simon Thibault. »Wir wissen nämlich nicht, wie man mit Messern umgeht. Wenn man uns etwas so Gefährliches wie Messer anvertrauen würde, käme es hier sofort zu einem Blutbad. Nicht daß wir jemanden umbringen würden. Wir würden uns selbst die Finger abschneiden und hier auf dem Boden verbluten.«

»Aufhören«, sagte Ishmael und kicherte. Man hatte ihm kürzlich einen der Amateurhaarschnitte verpaßt, die sie hier einer nach dem anderen bekamen. Wo einst dicke Locken prangten, waren die Haare jetzt ungleichmäßig kurz geschnitten. An manchen Stellen standen sie ihm wie Stoppeln zu Berge, an anderen hatten sie sich ordentlich gelegt. Stellenweise waren sie fast ganz verschwunden, und die Kopfhaut schimmerte zartrosa hindurch wie die Haut einer neugeborenen Maus. Man hatte ihm gesagt, so würde er älter aussehen, doch in Wirklichkeit sah es aus, als wäre er krank.

»Kann einer von euch kochen?« fragte Ruben.

»Ein bißchen«, sagte Carmen und studierte die Stellung ihrer Füße auf dem schwarzweißen Schachbrettmuster des Küchenbodens.

»Natürlich können wir das«, gab Beatriz barsch zurück. »Was glauben Sie, wer für uns kocht?«

»Eure Eltern. Das wäre doch immerhin möglich«, sagte der Vizepräsident.

»Wir sind erwachsen. Wir versorgen uns selbst. Wir haben keine Eltern, die sich um uns kümmern wie um kleine Kinder.« Beatriz war nur verärgert, weil sie nicht fernsehen durfte. Schließlich hatte sie ihre Arbeit getan, hatte im ersten Stock patrouilliert und zwei Stunden am Fenster Wache gestanden. Sie hatte die Waffen der Generäle und ihre eigene Pistole gereinigt und geölt. Es war ungerecht, daß sie jetzt in die Küche geschickt worden war. Am Spätnachmittag gab es eine wunderbare Sendung: Ein Mädchen in einem weiten Rock und einer Weste mit Sternen sang Cowboy-Lieder und tanzte in hochhackigen Stiefeln.

Ishmael seufzte und legte seine drei Messer vor sich auf die Arbeitsfläche. Seine Eltern waren tot. Sein Vater war eines Nachts von ein paar Männern abgeholt und nie mehr gesehen worden. Seine Mutter war vor elf Monaten an einer einfachen Grippe gestorben. Ishmael war fast fünfzehn Jahre alt, auch wenn sein Körper davon keinerlei Zeugnis gab. Er war kein Kind mehr, wenn Kindsein bedeutete, Eltern zu haben, die einem das Essen kochten.

»Dann wißt ihr also, was Zwiebeln sind«, sagte Thibault und hielt eine Zwiebel hoch.

»Besser als Sie«, sagte Beatriz.

»Dann nimm dieses gefährliche Messer da, und hack bitte ein paar Zwiebeln.« Thibault verteilte Schneidebretter und Schüsseln. Warum galten Schneidebretter nicht als Waffen? Man brauchte sie nur an den Ecken fest in beide Hände nehmen, und schon war klar, daß diese wuchtigen Holzplatten genau das richtige Werkzeug waren, um jemanden auf den Hinterkopf zu schlagen. Und was war mit Schüsseln? Solange Bananen darin lagen, wirkten die schweren, pastellgrünen Keramikschalen völlig harmlos, aber wenn man sie zerbrach, kamen sie dann nicht einem

Messer gleich? Konnte man eine Tonscherbe nicht ebensogut einem Menschen ins Herz bohren? Thibault bat Carmen, den Knoblauch fein zu hacken und die Paprika in Streifen zu schneiden. Ishmael hielt er eine Aubergine hin. »Schälen, entkernen, in Würfel schneiden.«

Ishmaels Messer war schwer und lang. Wer von ihnen mußte sich wohl mit einem Schälmesser verteidigen? Wer hatte das Grapefruitmesser genommen? Als er versuchte, die Aubergine zu schälen, schnitt Ishmael fünf Zentimeter tief in das schwammige, gelbe Fleisch. Eine Weile sah Thibault ihm zu, dann streckte er die Hand aus. »Nicht so«, sagte er. »Da bleibt uns ja nichts mehr zum Essen. Hier, gib sie mir.«

Ishmael hielt inne, besah sich sein Werk und hielt dann Thibault die mißhandelte Aubergine und das Messer hin – mit der Schneide voran. Woher hätte er auch wissen sollen, wie man sich in der Küche benahm? Thibault nahm in die eine Hand das Messer und in die andere die Aubergine. Schnell und geschickt begann er, die Haut abzuschälen.

»Lassen Sie das sofort fallen!« schrie Beatriz, wobei sie ihr eigenes Messer fallen ließ, dessen Schneide von Zwiebelsaft glänzte, und ein Regen von gehackten Zwiebeln auf den Boden niederging wie nasser Schnee. Sie riß ihre Pistole aus dem Gürtel und richtete sie auf den Botschafter.

»Mein Gott!« sagte Ruben.

Thibault wußte nicht, was er getan hatte. Er dachte zuerst, sie wäre böse, weil er den Jungen korrigiert hatte. Er dachte, das Problem wäre die Aubergine, darum legte er zuerst die Aubergine hin und dann erst das Messer.

»Schrei nicht so«, sagte Carmen auf ketschua zu Beatriz. »Du bringst uns noch alle in Schwierigkeiten.«

»Er hat das Messer genommen.«

Thibault hielt die leeren Hände hoch und drehte die glatten Innenseiten in Richtung der Pistole.

»Ich hab es ihm hingehalten«, sagte Ishmael. »Ich hab es ihm gegeben.«

»Er wollte nur die Aubergine schälen«, sagte Gen. Von dieser Sprache, in der sie miteinander redeten, verstand Gen kein Wort.

»Er darf kein Messer in die Hand nehmen«, sagte Beatriz auf spanisch. »Das hat der General gesagt. Hört hier denn niemand zu?« Sie richtete die Pistole weiter auf Thibault und runzelte die dicken Brauen. Allmählich wurden ihr vom Zwiebeldunst die Augen feucht, und schon rannen ihr Tränen über die Wangen, die die anderen mißverstanden.

»Wie wär's damit?« fragte Thibault ganz ruhig, immer noch mit erhobenen Händen. »Alle stellen sich weit weg von mir, und ich zeige Ishmael, wie man eine Aubergine schält. Du richtest weiter die Waffe auf mich, und wenn es so aussieht, als würde ich Unsinn machen, kannst du mich erschießen. Wenn ich etwas Schlimmes anstelle, kannst du auch noch Gen erschießen.«

Carmen legte das Messer hin.

»Ich glaube nicht –«, setzte Gen an, aber keiner beachtete ihn. Er fühlte einen kleinen, kalten, harten Punkt in der Brust, wie ein Kirschkern, der ihm ins Herz gerutscht war. Er wollte nicht erschossen werden, und er wollte auch nicht, daß man ihn als Opfer anbot.

»Ich kann Sie erschießen?« sagte Beatriz. Es lag schließlich nicht an ihm, ihr die Erlaubnis zu geben. Außerdem hatte sie sowieso niemanden erschießen wollen.

»Machen Sie nur«, sagte Ishmael, zog seine eigene Waffe und richtete sie auf den Botschafter. Er versuchte, ernst zu bleiben, hatte damit jedoch nicht viel Erfolg. »Ich werd Sie auch erschießen, wenn's sein muß. Zeigen Sie mir, wie man die Aubergine schält. Ich hab schon so manchen wegen weniger erschossen als einer Aubergine.« Auf spanisch hieß Aubergine *berenjena*. Ein schönes Wort. Es hätte ein Frauenname sein können.

Also griff Thibault nach dem Messer und nahm sich die Aubergine vor. Seine Hände blieben erstaunlich ruhig, während er sie, von zwei Pistolen bedroht, schälte. Carmen machte nicht mit. Sie widmete sich wieder dem Knoblauch und hackte energisch und wütend auf das Brett ein. Thibault blickte konzentriert auf die dunkel glänzende, fast schwarze Haut. »Es ist schwer mit so einem großen Messer. Du mußt direkt unter der Oberfläche entlangfahren. Tu so, als würdest du einen Fisch schuppen. Siehst du. Ganz gleichmäßig. Man braucht dafür sehr viel Feingefühl.« Alles, was an der Aubergine schön war, fiel in Bändern auf den Boden.

Es hatte etwas Beruhigendes, dieses säuberliche Herausschälen. »Okay«, sagte Ishmael. »Ich hab's verstanden. Geben Sie her.« Er legte seine Pistole weg und streckte die Hände aus. Thibault drehte das Messer um, hielt ihm den glatten Holzgriff hin und gab ihm eine andere Aubergine. Was würde Edith sagen, wenn sie erfuhr, daß er wegen einer Aubergine oder für das Einschalten des Fernsehers erschossen worden war? Wenn er schon sterben mußte, sollte sein Tod doch ein wenig ehrenvoller sein.

»Tja«, sagte Ruben und wischte sich mit einem Geschirrtuch über die Stirn. »Hier ist alles eine große Sache.«

Beatriz trocknete sich mit dem Ärmel ihrer dunkelgrünen Jacke die Tränen. »Die Zwiebeln«, sagte sie und schob die frisch geölte Pistole wieder in ihren Gürtel.

»Ich bin gern bereit, sie für dich zu schneiden, falls du mir das irgendwann zutraust«, sagte Thibault und ging zur Spüle, um sich die Hände zu waschen.

Gen stand neben ihm und überlegte, wie er seine Frage formulieren sollte. Sie kam ihm so oder so ziemlich unhöflich vor. Schließlich flüsterte er Thibault auf französisch zu: »Warum haben Sie ihr gesagt, daß sie mich erschießen kann?«

»Weil sie das niemals tun würden. Dazu mögen die Sie alle viel zu sehr. Es war eine völlig ungefährliche Geste. Ich dachte, das macht mich glaubwürdiger. Ihr zu sagen, daß sie *mich* erschießen kann – das war wirklich ein Risiko. *Ich* bin ihnen vollkommen egal, aber Sie verehren sie. Ich habe ihnen ja auch nicht gesagt, sie können den armen

Ruben erschießen. Womöglich hätte dieses Mädchen Lust dazu.«

»Trotzdem«, sagte Gen. Er wollte in diesem Punkt hart bleiben, merkte jedoch, wie er ins Wanken kam. Manchmal hatte er den Verdacht, der Schwächste unter den Geiseln zu sein.

»Ich hab gehört, Sie haben Beatriz Ihre Uhr geschenkt.«

»Wer hat Ihnen das erzählt?«

»Das weiß jeder hier. Sie prahlt damit, sooft sie kann. Würde sie einen Mann erschießen, der ihr seine Uhr geschenkt hat?«

»Tja, wenn wir das wüßten.«

Thibault trocknete sich die Hände ab und legte Gen lässig den Arm um den Hals. »Ich würde nie zulassen, daß sie Sie erschießen, genausowenig wie meinen eigenen Bruder. Wissen Sie was, Gen, wenn das hier vorbei ist, dann müssen Sie uns in Paris besuchen kommen. Sobald das hier vorbei ist, werde ich von meinem Posten zurücktreten und mit Edith zurück nach Paris ziehen. Wenn Ihnen dann wieder nach Reisen zumute ist, kommen Sie mit Herrn Hosokawa und Roxane vorbei. Wenn Sie wollen, können Sie eine meine Töchter zur Frau haben, dann wären Sie eher mein Sohn als mein Bruder.« Er lehnte sich vor und flüsterte Gen ins Ohr: »Dann werden wir über das hier lachen.«

Gen sog Thibaults Atem ein. Er versuchte, etwas von seinem Mut, von seiner Sorglosigkeit einzusaugen. Er versuchte, zu glauben, daß sie eines Tages alle in der Wohnung der Thibaults beisammensitzen würden, doch er konnte es sich einfach nicht vorstellen. Thibault küßte Gen neben das linke Auge und ließ ihn wieder los. Er ging einen Schmortopf suchen.

»Sie reden französisch«, sagte Ruben zu Gen. »Das ist sehr unhöflich.«

»Warum ist Französisch unhöflich?«

»Weil hier jeder Spanisch spricht. Ich kann mich nicht erinnern, wann ich das letzte Mal in einem Raum war, in dem alle dieselbe Sprache konnten, und dann reden Sie miteinander in einer Sprache, in der ich schon auf der Schule versagt habe.« Er hatte recht: Wenn sie spanisch sprachen, brauchte keiner in der Küche auf eine Erklärung zu warten, brauchte keiner ins Leere zu starren, während die anderen schnell unverständliche Worte wechselten. Keiner fragte sich argwöhnisch, ob das Gesagte irgend etwas Häßliches über die eigene Person war. Von den sechs Menschen im Raum war Ruben der einzige, dessen Muttersprache Spanisch war. Gen sprach Japanisch, Thibault Französisch und die drei mit den Messern hatten in ihrem Dorf als erstes Ketschua gelernt und dann eine Mischung aus Ketschua und Spanisch, aus der sie das Spanische mit unterschiedlichem Erfolg herausfiltern konnten.

»Sie könnten heute freimachen«, sagte Ishmael zu dem Dolmetscher. Von seinem Messer hing eine feste, gummiartige Spirale aus Auberginenschale herab. »Sie brauchen nicht hierzubleiben.«

Carmen, die ihre Augen bis dahin fest auf den Knoblauch gerichtet hatte, blickte auf. Der Mut, den sie in der Nacht zuvor für so kurze Zeit hatte aufbringen können, hatte ihr den ganzen Tag gefehlt, und das einzige, was sie geschafft hatte, war, Gen aus dem Weg zu gehen, doch das hieß noch lange nicht, daß sie ihn jetzt nicht gern da hatte. Sie war überzeugt, daß sie nicht ohne Grund in die Küche geschickt worden war. Sie betete zu der heiligen Rosa, daß die Schüchternheit, die sich plötzlich auf sie herabsenkte wie ein alles verhüllender Nebel, sich ebensoschnell wieder verziehen möge.

Gen hatte nicht vor zu gehen. »Ich kann noch mehr als nur übersetzen«, sagte er. »Ich kann Gemüse waschen. Ich kann etwas umrühren, wenn etwas umgerührt werden muß.«

Thibault kam mit einer riesigen gußeisernen Schmorpfanne in jeder Hand zurück. Er hievte sie eine nach der anderen auf den Herd, wo jede davon drei Gasflammen einnahm. »Habe ich da etwas von Weggehen gehört? Wagt Gen etwa, auch nur daran zu denken?«

»Ich dachte eigentlich daran, zu bleiben.«

»Hier geht überhaupt niemand! Ein Abendessen für achtundfünfzig Leute – das ist es doch, was man von uns erwartet? Ich werde auf kein Paar Hände verzichten, auch dann nicht, wenn es die Hände unseres kostbaren Dolmetschers sind. Glauben die etwa, wir werden das jetzt jeden Abend machen, für jede Mahlzeit? Halten die mich für einen Partykoch? Hat sie die Zwiebeln gehackt? Darf ich fragen, wie es den Zwiebeln geht, oder zielst du dann wieder auf mich?«

Beatriz drohte Thibault mit dem Messer. Ihr Gesicht war naß und rot vom Weinen. »Wenn ich gemußt hätte, hätte ich Sie erschossen, aber ich mußte es nicht, danken Sie also Gott. Und ich habe ihre blöden Zwiebeln gehackt. Sind Sie jetzt fertig mit mir?«

»Sieht es so aus, als ob das Abendessen fertig wäre?« fragte Thibault, während er Öl in die Pfannen goß und die leuchtend blauen Gasflammen aufdrehte. »Wasch jetzt die Hähnchen. Gen, bringen Sie mir die Zwiebeln. Sautieren Sie diese Zwiebeln.«

»Warum darf er die Zwiebeln braten?« fragte Beatriz. »Das sind meine Zwiebeln. Und ich werde keine Hähnchen waschen, denn dafür braucht man kein Messer. Ich bin nur hergeschickt worden, um mit dem Messer zu schneiden.«

»Ich bringe Sie um«, sagte Thibault gequält auf französisch.

Gen nahm die Schüssel mit den Zwiebeln und hielt sie an seine Brust. Es war nie der richtige Zeitpunkt oder immer, je nachdem, wie man es ansah. Sie konnten noch stundenlang dastehen, sechs Kacheln voneinander entfernt, ohne ein Wort zu wechseln, oder einer von ihnen – er oder sie – machte einen Schritt nach vorn und redete den anderen an. Gen hoffte, es würde Carmen sein, aber Gen hoffte auch, daß man sie alle freilassen würde, und beides schien nicht

sehr wahrscheinlich. Gen gab Thibault die Zwiebeln, der sie
auf die beiden Pfannen verteilte, wo sie zu spritzen und zu
zischen begannen wie Beatriz. Das bißchen Mut zusammen-
nehmend, das er noch besaß, ging Gen zu dem Schränkchen
unter dem Telefon, das nackt, ohne Schnur, an der Wand
hing. Er fand einen kleinen Schreibblock und einen Stift. Er
schrieb die Wörter *cuchillo*, *ajo* und *chica* jeweils auf einen
eigenen Zettel und ging damit zu Carmen, während Thibault
mit Beatriz darüber stritt, wer die Zwiebeln umrühren durfte. Er versuchte, an alle Sprachen zu denken, die er je gesprochen hatte, an alle Städte, in denen er gewesen war, an all
die wichtigen Worte anderer Leute, die aus seinem Mund gekommen waren. Es war eigentlich nicht viel, was er da von
sich verlangte, und doch spürte er, daß seine Hände zitterten.

»Messer«, sagte er und legte den ersten Zettel hin.
»Knoblauch.« Den zweiten legte er auf den Knoblauch.
»Mädchen.« Den letzten reichte er Carmen, und nachdem
sie eine Weile darauf gestarrt hatte, steckte sie ihn ein.

Carmen nickte und gab einen kurzen Laut von sich, so
etwas wie ein »Ah«.

Gen seufzte. Jetzt war es schon besser, aber nicht viel.
»Möchtest du es lernen?«

Carmen nickte erneut, die Augen fest auf den Griff einer
Schublade gerichtet. Sie versuchte, darauf die heilige Rosa
von Lima zu sehen, eine winzige Frau in blauer Tracht, die
auf dem geschwungenen Silbergriff balancierte. Sie versuchte, durch Beten ihre Stimme wiederzufinden. Sie dachte
an Roxane Coss, die ihr eigenhändig das Haar geflochten
hatte. Sollte ihr das nicht Kraft geben?

»Ich weiß nicht, ob ich ein guter Lehrer bin. Ich versuche,
Herrn Hosokawa Spanisch beizubringen. Er schreibt sich ein
paar Wörter in ein Notizbuch und lernt sie dann auswendig.
Vielleicht könnten wir es bei dir auch so machen.«

Nach kurzem Schweigen gab Carmen wieder den glei-
chen Laut von sich, ein kleines »Ah«, das ihm nicht mehr

sagte, als daß sie ihn gehört hatte. Sie war doch ein Dummkopf. Ein Idiot.

Gen blickte sich um. Ishmael sah zu ihnen hin, schien sich jedoch nicht weiter um sie zu kümmern.

»Die Aubergine ist wirklich perfekt!« sagte Ruben. »Thibault, haben Sie diese Aubergine gesehen? Die Würfel sind alle genau gleich groß.«

»Ich hab vergessen, die Kerne rauszunehmen«, sagte Ishmael.

»Das macht nichts«, sagte Ruben. »Die Kerne sind genauso gesund wie der Rest.«

»Gen, wollen Sie nun die Zwiebeln sautieren?« fragte Thibault.

»Moment«, sagte Gen und hob die Hand. Er flüsterte Carmen zu: »Oder hast du es dir anders überlegt? Willst du, daß ich dir helfe?«

Und da war es, als klopfe die heilige Rosa Carmen einmal kräftig zwischen die Schulterblätter, und das Wort, das ihr im Hals steckte, löste sich wie ein Stück Knorpel, das einem die Luft abschnürt. »Ja«, sagte sie keuchend. »Ja.«

»Dann übst du also mit mir?«

»Jeden Tag.« Carmen nahm die Wörter »Messer« und »Knoblauch« und steckte sie zu dem Wort »Mädchen« in ihre Tasche. »Ich hab schon mal Schreiben gelernt. Ich habe es nur lange nicht mehr geübt. Früher habe ich jeden Tag Buchstaben gemalt, aber dann mußten wir hierfür trainieren.«

Gen sah sie im Geiste vor sich, oben in den Bergen, wo es nachts immer kalt war, wie sie am Feuer saß mit von der Wärme und der Anstrengung gerötetem Gesicht, in das eine Strähne ihres dunklen Haars fiel, so wie jetzt. Sie hat nur einen billigen Block und einen Bleistiftstummel. In seiner Vorstellung steht er neben ihr, lobt ihre geraden Ts und Hs, den fein geschwungenen Haken ihrer Qs. Draußen zwitschern die letzten Vögel, die sich vor Einbruch der Dunkelheit zu ihren Nestern herabschwingen. Er hatte Carmen einmal für einen Jungen gehalten, und dieser Gedanke erschreckte ihn. »Wir werden die Buchstaben noch einmal durchgehen«, sagte er. »Damit fangen wir an.«

»Bin ich die einzige, die hier arbeiten muß?« rief Beatriz laut.

»Wann?« Carmen formte das Wort nur mit den Lippen.

»Heute nacht«, sagte Gen. Er konnte kaum glauben, was er in diesem Moment gern getan hätte. Er hätte sie gern umarmt. Er hätte sie gern auf den Scheitel geküßt. Er hätte gern mit den Fingerspitzen ihre Lippen berührt. Er hätte ihr gern etwas auf japanisch ins Ohr geflüstert. Wenn sie genug Zeit hatten, könnte er ihr vielleicht auch noch Japanisch beibringen.

»Heute nacht in der Kammer, wo das Geschirr steht«, sagte Carmen. »Heute nacht fangen wir an.«

sieben

Der Priester hatte recht gehabt, was das Wetter anging, auch wenn der Umschwung später kam, als er prophezeit hatte. Mitte November war die Zeit der *garúa* vorbei. Der Nebel zog nicht etwa langsam ab. Er lichtete sich auch nicht. Er war einfach plötzlich verschwunden, so daß an einem Tag noch alles troff wie ein Buch, das in die Badewanne gefallen ist, und am nächsten Tag die Luft frisch und klar und der Himmel tiefblau war. Herr Hosokawa fühlte sich an die Zeit der Kirschblüte in Kyoto erinnert und Roxane Coss an den Oktober am Lake Michigan. Sie standen frühmorgens zusammen, bevor sie zu singen begann. Er zeigte auf ein Vogelpärchen, das leuchtend gelb war wie Chrysanthemen, auf einem bis dahin unsichtbaren Baum. Sie pickten eine Weile an der schwammigen Rinde, dann flogen sie davon, erst der eine und dann der andere, schwangen sich hoch und über die Mauer. Nach und nach traten alle Geiseln und alle ihre Bewacher an eines der Fenster im Haus, starrten hinaus und blinzelten und starrten wieder hinaus. So viele Hände und Nasen wurden an die Scheiben gedrückt, daß Vizepräsident Iglesias einen Lappen und eine Flasche Salmiakgeist holen und alle Fenster abwischen mußte. »Sehen Sie sich nur den Garten an«, sagte er zu niemand im besonderen. »Das Unkraut ist so hoch wie die Blumen.« Man hätte meinen sollen, daß soviel Regen und so wenig Licht den Vormarsch der Pflanzen bremsen würden, doch statt dessen war alles prächtig gediehen. Das Unkraut und die domestizierten Zierpflanzen witterten den fernen Urwald und streckten ihre Wurzeln in die Erde und die Blätter in Richtung Himmel, um den Garten des Vizepräsidenten wieder in wilde Natur zu verwandeln. Sie sogen jeden Regentropfen ein. Sie hätten noch ein ganzes Jahr solche Nässe vertragen. Wenn man sie lange genug sich selbst überließ, würden die Pflanzen die Macht über das Haus übernehmen und die Gartenmauer niederreißen. Schließlich war dieser Garten einst ein Teil des Ganzen gewesen, des dichten, wirren Reiches der Kletterpflanzen, das sich bis zu den sandigen Ufern des Meeres erstreckte. Das einzige, was sie davon abhielt, die Macht zu ergreifen, war der Gärtner, der alles ausrupfte, was er für unwert hielt, es verbrannte und den Rest zurückschnitt. Doch der Gärtner war jetzt für unbestimmte Zeit beurlaubt.

Die Sonne stand erst seit einer Stunde am Himmel, und in dieser Zeit waren die Pflanzen zum Teil einen halben Zentimeter gewachsen.

»Ich werde mich wohl um den Garten kümmern müssen.« Ruben seufzte. Er wußte nicht, woher er die Zeit nehmen sollte, bei all dem, was im Haus zu tun war. Außerdem würden sie ihn wohl kaum hinauslassen. Und sie würden ihm wohl kaum das geben, was er brauchte: Heckenschere, Unkrauthacke, Gartenmesser. Alles, was im Schuppen lag, war eine tödliche Waffe.

Als Pater Arguedas im Wohnzimmer die Fenster öffnete, dankte er Gott für das Licht und die köstliche Luft. Obwohl er im Haus war und durch Garten und Mauer von der Straße getrennt, konnte er ohne den Regen die Geräusche von dort deutlicher hören. Auch wenn sie nichts mehr über die Mauer schrien, sah er im Geiste noch immer eine Menge von bewaffneten Männern vor sich. Der Priester hatte den Verdacht, daß sie entweder gar keinen Plan zu ihrer Befreiung mehr hatten oder aber einen so komplizierten, daß sie selbst darin gar nicht mehr vorkamen. Während General Benjamin weiterhin jeden Hinweis auf den Stand der Dinge aus der Zeitung ausschnitt, hatten sie ein paar Worte aus dem Fernsehen aufgeschnappt, nach denen die Polizei plante, sich zum Haus durchzugraben, so daß das Drama ähnlich enden würde, wie es begonnen hatte: damit, daß Fremde hereinstürzten und ihr Leben von Grund auf veränderten – aber niemand glaubte daran. Es klang einfach zu weit hergeholt, zu sehr nach Agentenfilm, um wirklich wahr zu sein. Pater Arguedas starrte seine Füße an, seine billigen schwarzen Schnürschuhe auf dem teuren Teppich, und fragte sich, was wohl unter der Erde vor sich ging. Er betete darum, daß sie heil hier herauskamen, allesamt, ohne Ausnahme, doch er betete nicht darum, durch einen Tunnel gerettet zu werden. Er betete überhaupt nicht darum, gerettet zu werden, sondern nur um Gottes Liebe und Schutz, darum, daß sein Wille geschehe. Er versuchte, sein Herz von aller Selbstsucht zu reinigen und gleichzeitig für alles dankbar zu sein, was Gott ihm hatte zuteil werden lassen. Die Messe zum Beispiel. In seinem früheren Leben (denn als das sah er es jetzt an) durfte er nur dann die Messe lesen, wenn alle anderen im Urlaub oder krank waren, und selbst dann gaben sie ihm nur die Frühmesse oder die Messe am Dienstag. Seine Aufgaben in der Kirche waren mehr oder weniger dieselben wie die, die er vor seiner Weihe zum Priester erfüllt hatte: Er teilte im linken Seitenschiff die Hostie aus, die nicht von ihm selbst gesegnet war, oder zündete die Kerzen an und löschte sie wieder. Hier nun hatten die Generäle nach langen Diskussionen erlaubt, daß Messner ihnen die Utensilien für die Kommunion brachte, und letzten Sonntag hatte Pater Arguedas im Eßzimmer mit all seinen Freunden die Messe zelebriert. Es waren Menschen dabei, die nicht katholisch waren, und solche, die kein Wort verstanden und dennoch niederknieten. Die Menschen waren eher bereit zu beten, wenn sie etwas Bestimmtes wollten. Die jungen Terroristen schlossen die Augen und drückten das Kinn auf die Brust, während sich die Generäle im Hintergrund hielten. Es hätte ganz anders aussehen können. Viele terroristische Vereinigungen wollten die Religion abschaffen, vor allem den Katholizismus. Wären sie von La Dirección Auténtica gefangengenommen worden statt von der sehr viel vernünftigeren Familia de Martin Suarez, hätten sie niemals beten dürfen. La Dirección hätte, um die Verhandlungen voranzutreiben, jeden Tag eine Geisel aufs Dach gezerrt, wo die Presse sie sah, und ihr eine Kugel in den Kopf gejagt. An all das dachte Pater Arguedas, wenn er nachts auf dem Teppich im Wohnzimmer lag. Sie hatten wirklich Glück. Man konnte es nicht anders nennen. Waren sie nicht in einem grundlegenden Sinn immer noch frei, solange sie die Freiheit hatten zu beten? Bei seiner Messe sang Roxane Coss das »Ave Maria«, ein Ereignis von so unglaublicher Schönheit, daß es gewiß in keiner Kirche der Welt zu übertreffen war, auch nicht in Rom (was nicht im Sinne von Konkurrenz gemeint war). Ihre Stimme war so rein, so schwerelos, daß sie die Decke durchstieß und ihrer aller Bitten direkt zu Gott emportrug. Federleicht, wie Flügel, strich sie über sie hinweg, und ihr Gesang bewirkte, daß selbst jene Katholiken, die ihren Glauben sonst nicht mehr ausübten, und die Nichtkatholiken, die nur teilnahmen, weil es nichts besseres zu tun gab, und all jene, die kein Wort von dem verstanden, was er sagte, und die abgebrühten Atheisten, die sich aus all dem nichts machten – daß sie alle am Ende gerührt und getröstet waren, ja vielleicht sogar einen Funken Glauben empfanden. Der Priester starrte die leicht vergilbte Mauer an, die sie von dem trennte, was immer dort draußen auf seine Verwirklichung wartete. Sie war wohl an die drei Meter hoch und zum Teil mit Efeu bewachsen. Es war eine schöne Mauer – eine Mauer, wie sie den Ölberg umgeben haben mochte. Es war vielleicht nicht sofort ersichtlich, doch jetzt begriff er, inwiefern so eine Mauer ein Segen sein konnte.

An jenem Morgen sang Roxane Rossini, passend zum Wetter. Eine der Arien, »Bella crudele«, sang sie siebenmal. Sie versuchte offensichtlich, etwas zu perfektionieren, an etwas heranzukommen, das sich im Kern der Musik verbarg und von dem sie glaubte, es noch nicht erreicht zu haben. Sie und Kato verständigten sich auf ihre eigene Art. Roxane zeigte auf eine Notenzeile. Kato spielte sie. Roxane schlug mit den Fingern sachte den Rhythmus auf den Flügel. Kato spielte die Takte erneut. Sie sang die Phrase ohne Begleitung. Er spielte sie ohne Roxane. Sie sang, während er spielte. Sie umkreisten einander, vergaßen ihre eigenen Empfindungen, interessierten sich nur noch für die Musik. Sie schloss die Augen, während er das Vorspiel spielte, nickte leicht mit dem Kopf. Alles wirkte bei ihm so einfach. Die Bewegungen seiner Arme hatten nichts Bravouröses. Alles blieb klein und unaufdringlich, genau richtig für ihre Stimme. Wenn er allein spielte, war das etwas anderes, doch wenn er sie begleitete, spielte er wie jemand, der sich bemüht, die Nachbarn nicht aufzuwecken.

Roxane stand so aufrecht da, daß man leicht vergaß, wie klein sie war. Mal legte sie die Hand auf den Flügel, mal kreuzte sie die Hände vor der Brust. Sie sang. Sie war dem Beispiel der Japaner gefolgt und trug keine Schuhe mehr. In der ersten Woche hatte sich Herr Hosokawa noch an die Gepflogenheiten seines Gastgebers gehalten und war in Schuhen herumgelaufen, aber irgendwann hielt er es nicht mehr aus. Im Haus Schuhe zu tragen war einfach barbarisch. Es war fast so entwürdigend, wie als Geisel genommen zu werden. Als er seine Schuhe auszog, legten auch Gen und Kato, Herr Yamamoto, Herr Aoi, Herr Ogawa und Roxane ihre Schuhe ab. Roxane tappte in einem Paar Sportsocken des Vizepräsidenten herum, der nicht viel größere Füße hatte als sie. Jetzt sang sie in diesen Socken. Als sie die Arie genau richtig hinbekam, sang sie sie ohne das geringste Zögern bis zum Ende durch. Man hätte nicht sagen können, daß ihr Stimme jetzt besser klang, doch ihre

Interpretation hatte sich um eine Winzigkeit verändert. Sie sang, als würde sie jedem einzelnen von ihnen das Leben retten. Für einen Moment ließ ein Luftzug die feinen Gardinen erzittern, sonst regte sich nichts. Kein Laut drang von der Straße herein. Oder von den zwei gelben Vögeln.

An dem Morgen, an dem der Regen aufhörte, wartete Gen, bis der letzte Ton verklungen war, dann ging er zu Carmen hinüber. Es war ein guter Moment, um unbemerkt mit ihr zu reden, denn als Roxane die letzte Note gesungen hatte, liefen alle verwirrt und wie betäubt herum. Wäre irgend jemand einfach zur Tür hinausmarschiert, hätte ihn vielleicht niemand zurückgehalten, aber keiner von ihnen dachte daran, das Haus zu verlassen. Als Herr Hosokawa Roxane ihr Glas Wasser holen ging, stand sie auf, um ihn zu begleiten, und schlang ihren Arm durch den seinen.

»Sie ist verliebt in ihn«, flüsterte Carmen Gen zu. Für den Bruchteil einer Sekunde mißverstand er ihre Worte, hörte nur das Wort »verliebt«. Dann hielt er inne und rief sich den ganzen Satz ins Gedächtnis. Das war etwas, was er konnte – als hätte er einen Kassettenrecorder im Kopf.

»Miss Coss? Verliebt in Herrn Hosokawa?«

Carmen nickte, senkte nur ganz leicht den Kopf, doch er hatte inzwischen gelernt, jede kleinste Geste von ihr zu deuten. Verliebt?

Was er bemerkt und geflissentlich versucht hatte zu übersehen, war, daß Herr Hosokawa in Roxane verliebt war. Der Gedanke, daß es auch umgekehrt sein konnte, war ihm nie gekommen, und er fragte Carmen, was ihr denn an ihr aufgefallen sei.

»Alles«, sagte Carmen leise. »Wie sie ihn ansieht, wie sie ihn bevorzugt. Ständig sitzt sie mit ihm zusammen, und dabei können sie nicht einmal reden. Er wirkt so friedlich. Sie will einfach mit ihm zusammensein.«

»Hat sie dir das gesagt?«

»Vielleicht.« Carmen lächelte. »Sie redet morgens manchmal mit mir, aber ich weiß ja nicht, was sie sagt.«

Natürlich, dachte Gen. Er sah ihnen hinterher, seinem Chef und der Sopranistin. »Ich glaube, jeder hier ist in sie verliebt. Wie kann sie sich da für einen entscheiden?«

»Bist du in sie verliebt?« fragte Carmen. Sie sah ihm in die Augen, wie sie es noch eine Woche zuvor nie gewagt hätte. Jetzt war es Gen, der wegblickte.

»Nein«, sagte er. »Nein.« Gen war in Carmen verliebt. Und obwohl er sie jede Nacht in der Geschirrkammer traf und ihr Lesen und Schreiben beibrachte, sagte er davon nie ein Wort. Sie sprachen von Vokalen und Konsonanten. Sie sprachen von Diphtongen und Possessivpronomen. Sie schrieb Buchstaben in ein Notizbuch. Egal, wie viele Wörter er ihr gab, sie bat immer um mehr. Am liebsten hätte sie ihn die ganze Nacht wachgehalten, mit ihm geübt, wiederholt, sich abfragen lassen. Er lebte in einem verworrenen, träumerischen Zustand, war nie ganz wach und schlief nie richtig tief. Manchmal fragte er sich, ob es Liebe war oder nur Schlafmangel, was diese Sehnsucht in seinem Herzen zusammengebraut hatte. Er stolperte. Er döste auf Ohrensesseln ein, und in den paar Minuten, die er schlief, träumte er von Carmen. Ja, sie war schüchtern, ja, eine Terroristin aus dem Urwald, aber sie war nicht weniger intelligent als die Mädchen, denen er an der Universität begegnet war. Das merkte man daran, wie schnell sie lernte. Alles, was sie brauchte, war ein Minimum an Unterweisung. Sie verschlang die Informationen, wie Feuer Heu verschlingt, und verlangte sofort mehr. Nacht für Nacht nahm sie ihre Pistole und legte sie in den Schrank mit den Glastüren neben die blaue Sauciere. Sie setzte sich mit gespitztem Bleistift auf den Boden und legte sich das Notizbuch auf die Knie. Mädchen wie Carmen hatte es auf der Universität nicht gegeben. So ein Mädchen wie Carmen hatte es überhaupt nie gegeben. Wieviel Sinn für Humor mußte man haben, um zu glauben, daß die Frau, die man liebt, nicht in Tokyo oder Paris, New York oder Athen lebt. Daß die Frau, die man liebt, ein Mädchen ist, das sich als Junge verkleidet und in einem Dorf im

Dschungel lebt, dessen Namen sie einem nicht verrät, obwohl er einem wenig helfen würde, es zu finden. Daß die Frau, die man liebt, nachts ihre Pistole neben einer blauen Sauciere ablegt, damit man ihr das Lesen beibringen kann – eine Frau, die durch einen Belüftungsschacht in dein Leben getreten ist, und die Frage, wie sie wieder daraus verschwinden wird, raubt dir in den letzten freien Minuten den Schlaf.

»Herr Hosokawa und Miss Coss«, sagte Carmen. »Unter all den Menschen auf der Welt haben sie einander gefunden. Wie groß sind die Chancen, daß so etwas passiert?«

»Was ist mit Frau Hosokawa?« fragte Gen. Er kannte die Frau seines Chefs nicht gut, hatte sie jedoch oft gesehen. Sie war eine würdevolle Frau mit kühlen Händen und einer beruhigenden Stimme. Sie nannte ihn Herr Watanabe.

»Frau Hosokawa lebt in Japan«, sagte Carmen und blickte zur Küche hinüber, »also eine Million Kilometer weit weg von hier. Außerdem fährt er jetzt nicht nach Hause, und so leid mir Frau Hosokawa tut, finde ich doch nicht, daß Herr Hosokawa allein bleiben sollte.«

»Wie meinst du das, er fährt jetzt nicht nach Hause?«

Carmen lächelte Gen kaum merklich an. Sie legte den Kopf in den Nacken, so daß ihr Gesicht ganz unter der Schirmmütze hervorsah. »Wir leben jetzt hier.«

»Doch nicht für immer«, sagte Gen.

»Ich glaube schon«, sagte Carmen, indem sie die Worte mit den Lippen formte. Sie fragte sich, ob sie wohl zuviel gesagt hatte. Sie wußte, sie mußte auf jeden Fall zu den Generälen halten, aber Gen etwas zu erzählen war nicht dasselbe, wie anderen etwas zu sagen. Gen konnte ein Geheimnis bewahren, denn das Ganze war ja geheim, die Geschirrkammer, das Lesen. Sie vertraute ihm voll und ganz. Sie zog mit zwei Fingern an seiner Hand und ging dann fort. Er wartete einen Moment, bevor er ihr folgte. Sie bewegte sich lautlos mit kleinen, entspannten Schritten. Niemand bemerkte, daß sie vorbeiging. Sie trat in die kleine Toilette neben der Eingangshalle. Die hübschen Seifen mit dem Rosenduft waren jetzt alle aufgebraucht, und die Handtücher waren nicht mehr ganz sauber, doch über dem Waschbecken nistete immer noch der goldene Schwan, und wenn man die flügelförmigen Hähne aufdrehte, floß nach wie vor Wasser aus seinem langen Hals. Carmen nahm die Mütze ab und wusch sich das Gesicht. Sie versuchte, sich mit den Fingern das Haar zu kämmen. Das Gesicht, das sie im Spiegel sah, war viel zu plump, die Haut viel zu dunkel. Zu Hause hatten manche Leute sie schön genannt, aber jetzt hatte sie wahre Schönheit gesehen und wußte, daß das etwas war, was sie nie besitzen würde. Manchmal, nicht sehr oft, schlief die Sängerin noch, wenn Carmen mit dem Frühstück hereinkam, und dann stellte sie das Tablett ab und berührte Roxane an der Schulter. Wenn Roxane blinzelnd ihre großen, hellen Augen öffnete, lächelte sie Carmen an, schlug die Decke zurück und bedeutete Carmen, sich neben sie zu legen, zwischen die warmen, bestickten Laken. Carmen gab acht, daß ihre Stiefel über den Rand hingen. Dann deckte Roxane Carmen bis an den Hals zu, und sie schlossen beide die Augen und gönnten sich noch fünf Minuten Schlaf. Wie schnell träumte Carmen dann von ihren Schwestern und ihrer Mutter! In diesen paar Minuten kamen sie Carmen alle besuchen. Sie wollten sie alle dort liegen sehen, in den Kissen eines so komfortablen Betts, neben einer so unvorstellbaren Frau. Blondes Haar, blaue Augen, eine Haut wie weiße Rosen mit einem Hauch von Rosa. Wer würde sich nicht in Roxane Coss verlieben?

»Gen!« sagte Viktor Fjodorow, als Gen gerade auf das WC zuging. »Wie kann es sein, daß Sie so schwer zu finden sind, wo Sie doch nirgends hingehen können?«

»Ich wußte nicht –«

»Ihre Stimme heute morgen – fanden Sie nicht auch? Einfach perfekt!«

Gen stimmte ihm zu.

»Das ist genau der richtige Moment, um mit ihr zu reden.«

»Jetzt?«

»Ja, der ideale Moment, ich spüre es.«

»Ich habe Sie in dieser Woche jeden Tag gefragt.«

»Und jedesmal war ich noch nicht ganz bereit, das ist wahr, aber als sie heute morgen wieder und wieder diese Rossini-Arie gesungen hat, da wußte ich, daß sie für meine Unzulänglichkeiten Verständnis haben wird. Sie ist eine mitfühlende Frau. Davon konnte ich mich heute überzeugen.« Fjodorow wand seine großen Hände umeinander, als wasche er sie unter einem unsichtbaren Wasserstrahl. Wenn seine Stimme auch ruhig klang, so drückten seine Augen doch unverkennbar Panik aus, und seiner Haut entströmte der scharfe Geruch von Angst.

»Der Zeitpunkt ist für mich nicht ganz –«

»Für mich genau der richtige«, sagte Fjodorow. Dann fügte er leise hinzu: »Sonst kommt mir der Mut wieder abhanden.« Fjodorow hatte seinen dichten Bart abrasiert, eine Prozedur, die wegen der schlechten Qualität der Rasierklingen sowohl schmerzhaft als auch zeitaufwendig gewesen war und nach der nun große Partien seines Gesichts wund und rosa bloßlagen. Er hatte seine Kleider vom Vizepräsidenten waschen und bügeln lassen, während er zitternd, ein Handtuch um die Hüften, neben der Maschine stand. Er hatte ein Bad genommen und sich mit einer Nagelschere, für die er Gilbert mit einer Schachtel Zigaretten bestochen hatte, die Härchen gestutzt, die ihm aus Nase und Ohren wuchsen. Die Gelegenheit nutzend, hatte er sich auch gleich die Nägel geschnitten und versucht, seine Haare zu kürzen, doch dieser Aufgabe zeigte sich die Nagelschere nicht gewachsen. Er hatte alles getan, was ihm einfiel. Wenn er es heute nicht tat, dann tat er es nie.

Gen wies mit dem Kopf auf die Toilettentür. »Ich wollte gerade ...«

Fjodorow blickte über die Schulter nach hinten und streckte dann die Hand aus, als wolle er Gen ins WC führen. »Natürlich. Das ist natürlich kein Problem. So lange kann ich warten. Wie lang auch immer. Lassen Sie sich Zeit. Ich werde vor der Tür auf Sie warten. Ich werde aufpassen, daß ich als erster dran bin, wenn unser Dolmetscher fertig ist.« Schweiß kroch unter den Ärmeln von Fjodorows Hemd nach unten und hinterließ einen neuen, dunklen Fleck in einer langen Geschichte aus sehr viel blasseren Flecken. Gen fragte sich, was er wohl meinte, wenn er erklärte, er könne nicht viel länger warten.

»Eine Minute«, sagte Gen leise und ging dann, ohne zu klopfen, hinein.

»Ich wüßte zu gern, was ihr da geredet habt.« Carmen lachte. Sie versuchte die Wörter nachzuahmen, plapperte einen russischen Nonsens, der ähnlich klang wie: »Ich Kräcker nie Tisch.«

Gen legte den Finger auf die Lippen. Es war sehr dunkel in dem kleinen Raum mit den schwarzen Marmorwänden und dem schwarzen Marmorboden. In der Lampe am Spiegel war eine Glühbirne durchgebrannt. Gen würde daran denken müssen, Ruben um eine neue zu bitten.

Carmen setzte sich auf den Waschtisch. »Es klang sehr wichtig. War das Ledbed, der Russe?« Sie sprach jetzt im Flüsterton.

Gen sagte, es sei Fjodorow gewesen.

»Ach, der Große. Wie kommt es, daß du auch noch Russisch kannst? Wieso kannst du so viele Sprachen?«

»Das ist mein Beruf.«

»Nein, nein. Das kommt daher, daß du etwas begriffen hast, und ich will es auch wissen.«

»Ich habe nur eine Minute«, flüsterte er. Er war ihrem Haar so nah, dessen Schwarz noch dunkler, noch tiefer war als das Schwarz des Marmors. »Ich muß für ihn dolmetschen. Er wartet vor der Tür auf mich.«

»Wir können ja heute nacht reden.«

Gen schüttelte den Kopf. »Es geht um das, was du gerade gesagt hast. Wie meinst du das, wir leben jetzt hier?«

Carmen seufzte. »Du weißt doch, daß ich dir das nicht sagen kann. Aber wäre es denn wirklich so schlimm, wenn wir alle hier in diesem schönen Haus bleiben würden?« Der Raum war nur ein Drittel so groß wie die Geschirrkammer. Ihre Knie stießen an seine Beine. Wenn er nur einen halben Schritt nach hinten machte, säße er auf der Kommode. Sie wünschte, sie könnte seine Hand nehmen. Warum sollte er von ihr, von diesem Ort hier fortgehen wollen?

»Das hier muß doch irgendwann aufhören«, sagte er. »So etwas geht nicht einfach immer weiter, irgend jemand setzt dem ein Ende.«

»Nur wenn die Leute irgendwas Schreckliches tun. Wir haben ja niemandem wehgetan. Niemand ist hier unglücklich.«

»Alle sind hier unglücklich.« Doch selbst während er das sagte, war Gen sich nicht ganz sicher, ob es stimmte. Carmen senkte den Kopf und studierte ihre Hände, die in ihrem Schoß lagen.

»Geh und übersetz für ihn«, sagte sie.

»Wenn etwas ist, solltest du es mir sagen.«

Carmens Augen wurden feucht, und sie blinzelte angestrengt. Wie lächerlich, wenn sie jetzt weinen würde. Wäre es wirklich so schrecklich hierzubleiben? Lange genug zusammenzusein, um perfekt Spanisch, um Lesen und Schreiben zu lernen, um Englisch zu lernen und vielleicht auch noch ein bißchen Japanisch? Doch sie wußte, das war sehr egoistisch von ihr. Gen hatte recht, wenn er von ihr weg wollte. Sie hatte ihm nichts zu bieten. Sie stahl ihm nur seine Zeit. »Ich weiß gar nichts.«

Fjodorow klopfte an die Tür. Seine wachsende Nervosität ließ ihm keine andere Wahl. »Härr Doll-mätsch-är?« Er schien die Wörter zu singen.

»Einen Moment noch«, rief Gen durch die Tür.

Die Zeit war um, und jetzt hatte Carmen ein paar Tränen vergossen. Sie müßten ganze Tage lang zusammen sein. Sie bräuchten Wochen und Monate, ungestört, zu zweit, um sich all das sagen zu können, was es zu sagen gab. »Vielleicht hast du recht«, meinte er schließlich. Während sie so auf dem schwarzen Marmorwaschtisch vor dem Spiegel saß, konnte er sowohl ihr Gesicht sehen als auch ihren schmalen Rücken. In dem großen, ovalen Spiegel, der umrahmt war von vergoldeten Blättern, konnte er über ihrer Schulter sein eigenes, ihr zugewandtes Gesicht sehen. Er sah den Ausdruck von Liebe darin, der so offensichtlich war, daß Carmen eigentlich schon alles wissen mußte. Er war ihr so nah, daß die Luft in dem engen Raum ganz von ihrem Verlangen erfüllt war und sich verdichtete und sie noch weiter zusammenschob. Er trat einen winzigen Schritt vor, und schon lag sein Gesicht in ihrem Haar, und dann spürte er ihre Arme um seinen Rücken, und sie hielten einander eng umschlungen. Es war so einfach, dahin zu gelangen, es war eine solche Erleichterung, daß er nicht verstand, warum er sie nicht jede Sekunde, die er sie kannte, umarmt hatte.

»Herr Dolmetscher?« sagte Fjodorow, diesmal in leicht besorgtem Ton.

Carmen lehnte sich vor und küßte Gen. Sie hatten keine Zeit, um sich zu küssen, aber sie wollte ihm zeigen, daß sie sie in Zukunft haben würden. In dieser Einsamkeit war ein Kuß wie eine Hand, die einen aus dem Wasser holt, einen hochzieht von dort, wo man untergeht, in eine unerschöpfliche Fülle von Luft. Ein Kuß, und noch ein Kuß. »Geh jetzt«, sagte sie.

Und Gen, der nichts weiter wollte als dieses Mädchen und die vier Wände dieses Raums, küßte sie erneut. Er war außer Atem, und ihm schwindelte, und er mußte sich kurz an ihre Schulter lehnen, bevor er sich von ihr trennen konnte. Carmen rutschte vom Waschtisch und stellte sich hinter die Tür, öffnete sie und schickte ihn wieder hinaus in die Welt.

»Ist Ihnen nicht gut?« fragte ihn Fjodorow eher gereizt als besorgt. Jetzt klebte ihm das Hemd an den Schulterblättern. Begriff der Dolmetscher denn nicht, daß das hier nicht leicht für ihn war? All die Zeit, die es ihn gekostet hatte, zu überlegen, ob er sprechen sollte oder nicht, bis er sich dafür entschied, und dann hatte er noch überlegen müssen, was er sagen sollte. In seinem Herzen waren seine Gefühle ganz klar, doch solche Gefühle in Worte zu übersetzen – das war etwas ganz anderes. Ledbed und Beresowskij konnten es ihm nachempfinden, aber sie waren schließlich auch Russen. Sie verstanden Fjodorows Liebesqualen. Offen gesagt litten sie ähnliche Qualen. Es war nicht ausgeschlossen, daß sie irgendwann selbst den Mut finden und den Dolmetscher ansprechen würden, um die Sopranistin anzusprechen. Je mehr Fjodorow ihnen von der Sehnsucht in seinem Herzen erzählte, desto sicherer waren sie, daß sie alle mit dieser Krankheit infiziert waren.

»Entschuldigen Sie, daß es so lange gedauert hat«, sagte Gen. Der Raum verschwamm und flirrte vor seinen Augen wie der Horizont in der Wüste. Er lehnte sich mit dem Rücken gegen die geschlossene WC-Tür. Carmen war da drinnen – keine zweieinhalb Zentimeter Holz trennten sie von ihm.

»Sie sehen schlecht aus«, sagte der Russe, und jetzt war er wirklich besorgt. Er mochte den Dolmetscher. »Ihre Stimme klingt matt.«

»Es geht bestimmt gleich vorbei.«

»Ich finde, Sie sehen sehr blaß aus. Ihre Augen sind feucht. Wenn Sie wirklich krank sind, lassen die Generäle sie vielleicht gehen. Seit der Sache mit dem Pianisten scheinen sie ja bei Gesundheitsproblemen sehr mitfühlend zu sein.«

Gen blinzelte, um die schwankenden Möbel zum Stehen zu bringen, doch die hellen Streifen einer Ottomane pulsierten weiter im Rhythmus seines Herzschlags. Er stellte sich aufrecht hin und schüttelte den Kopf. »Sehen Sie mich an«, sagte er unsicher, »mir geht es gut. Ich habe nicht vor zu gehen.« Er sah, wie die Sonne durch die hohen Fenster schien, sah den Schatten des Laubs auf dem Teppich. Während er dort mit dem Russen stand, begriff Gen endlich, was Carmen meinte. Seht euch dieses Zimmer an! Die Vorhänge und die Leuchter, die dicken, weichen Polster der Sofas, die Farben: Gold, Grün und Blau – jeder Ton ein Juwel. Wer wäre nicht gern in diesem Raum?

Fjodorow lächelte und klopfte dem Dolmetscher auf den Rücken. »Wahrhaftig, Sie sind ein ganzer Mann! Sie leben nur für die anderen. Ah, wie ich Sie bewundere.«

»Nur für die anderen«, wiederholte Gen. Die slawische Sprache rann ihm über Zunge wie Birnenschnaps.

»Dann gehen wir jetzt zu Roxane Coss! Mir bleibt keine Zeit, mich vorher noch einmal zu waschen. Wenn ich jetzt zögere, werde ich nie mehr den Mut haben.«

Gen ging ihm voran in die Küche, doch er hätte genausogut allein sein können. Er dachte mit keinem Gedanken an Fjodorow, daran, wie ihm zumute war oder was er wohl sagen wollte. Gens Kopf war voll von Carmen. Carmen, wie sie auf dem Waschtisch saß. Dieses Bild würde er nie vergessen. Wenn er Jahre später an sie zurückdachte, würde er sie immer so vor sich sehen, wie sie an diesem Tag aussah, wie sie mit ihren schweren, mit Isolierband geklebten Arbeitsstiefeln auf dem schwarzen Marmor saß und sich mit den Handflächen auf den kühlen Stein stützte. Ihr offenes Haar hing gerade herab, in der Mitte gescheitelt und beiderseits hinter die zierlichen Ohren gesteckt. Er dachte an den Kuß, an ihre Arme auf seinem Rücken, doch am liebsten sah er ihr Gesicht vor sich, seine reizende Herzform, ihre dunkelbraunen Augen und die wilden Augenbrauen, den runden Mund, den er so gern berührt hätte. Herr Hosokawa ließ sich beim Lernen leicht ablenken. Man sagte ihm an einem Tag ein Wort, und am nächsten hatte er es oft schon vergessen. Nicht so Carmen. Ihr etwas beizubringen bedeutete, es für immer in die seidigen Falten ihres Gehirns zu nähen. Sie schloß die Augen und wiederholte das Wort, buchstabierte es und schrieb es auf, und dann war es für immer in ihrem Besitz. Er brauchte sie nicht mehr zu fragen. Sie machten weiter, hetzten voran durch die Nacht wie von Wölfen gejagt. Von allem wollte sie mehr. Mehr Vokabeln, mehr Verben. Sie wollte die Grammatikregeln und die Interpunktion erklärt bekommen. Sie wollte Gerundien und Infinitive und Partizipien. Am Ende der Stunde, wenn sie beide zu müde waren für ein Wort, lehnte sie sich zurück gegen die Geschirrschränke und gähnte. »Erklär mir das mit den Kommas«, sagte sie dann, während über ihr die Tellerstapel aufragten, ein vergoldetes Service für vierundzwanzig, eines mit breitem kobaltblauen Rand für sechzig Personen, und jede Tasse hing reglos an einem eigenen Haken.

»Es ist schon so spät. Du brauchst heute nacht keine Kommas mehr.«

Sie verschränkte die Arme vor der schmalen Brust, rutschte hinunter in Richtung Boden. »Kommas beenden den Satz«, sagte sie und zwang ihn damit, sie zu verbessern, es ihr zu erklären.

Gen schloß die Augen, lehnte sich vor und legte den Kopf auf die Knie. Der Schlaf war ein Land, für das er kein Visum bekam. »Kommas«, sagte er gähnend, »unterbrechen den Satz und trennen die Gedanken voneinander.«

»Ah«, sagte Fjodorow, »sie ist mit Ihrem Chef zusammen.«

Gen blickte auf, und Carmen war verschwunden, und er stand mit Fjodorow in der Küche. Sie waren nur fünf Schritte von der Geschirrkammer entfernt. Seines Wissens waren er und Carmen die einzigen, die sie jemals betraten. Herr Hosokawa und Roxane standen an der Spüle. Es war seltsam: Obwohl sie nie ein Wort wechselten, schienen sie doch stets in ein Gespräch vertieft zu sein. Ignacio, Guadalupe und Humberto reinigten am Küchentisch Gewehre und hatten vor sich auf Zeitungspapier ein Puzzle aus Metallteilen liegen, die sie eines nach dem anderen ölten. Thibault saß bei ihnen am Tisch und las Kochbücher.

»Vielleicht sollte ich es lieber später versuchen«, sagte Fjodorow traurig. »Wenn sie nicht so beschäftigt ist.«

Roxane Coss wirkte nicht im geringsten beschäftigt. Sie stand einfach da und fuhr mit dem Finger über den Rand eines Glases und hielt das Gesicht in die Sonne. »Wir sollten sie zumindest fragen«, sagte Gen. Er hätte gern seine Pflicht erfüllt, damit Fjodorow nicht länger hinter ihm herlief und sagte, jetzt sei er bereit, und zwei Minuten später, jetzt könne er doch nicht.

Fjodorow zog ein großes Taschentuch hervor und rieb sich damit übers Gesicht, als wolle er einen Fleck entfernen. »Es muß ja nicht gerade jetzt sein. Wir gehen ja nirgendwo hin. Sie lassen uns niemals frei. Reicht es nicht, daß ich sie jeden Tag zu sehen bekomme? Einen größeren Luxus kann es doch nicht geben. Alles andere ist Egoismus meinerseits. Was habe ich ihr denn schon zu sagen?«

Aber Gen hörte nicht zu. Russisch war nicht seine Stärke, und sobald seine Konzentration einen Moment lang nachließ, wurde daraus ein Gewirr aus Konsonanten, harten kyrillischen Buchstaben, die wie Hagel von einem Blechdach abprallten. Er lächelte Fjodorow an und nickte – eine Nachlässigkeit, die er sich in der wirklichen Welt nie erlaubt hätte.

»Ist die Sonne nicht etwas Erstaunliches?« sagte Herr Hosokawa zu Gen, als er ihn bemerkte. »Auf einmal habe ich Hunger, und das einzige, was meinen Hunger stillt, ist die Sonne. Ich möchte nur noch am Fenster stehen. Ich frage mich, ob mir nicht irgendwelche Vitamine fehlen.«

»Uns fehlt inzwischen wohl allen etwas«, sagte Gen. »Herrn Fjodorow kennen Sie ja.«

Herr Hosokawa verbeugte sich vor ihm, und verwirrt verbeugte sich Fjodorow ebenfalls, erst vor ihm und dann vor Roxane, die sich ihrerseits vor ihm verbeugte, wenn auch nicht ganz so tief. So im Kreis stehend, sahen sie aus wie Gänse, die ihre langen Hälse zum Wasser hinunterstreckten. »Er würde gern mit Roxane über ihren Gesang reden«, sagte Gen erst auf japanisch und dann auf englisch. Herr Hosokawa und Roxane lächelten Fjodorow an, der daraufhin sein Taschentuch an seinen Mund preßte, als würde er gleich hineinbeißen.

»Dann gehe ich Schach spielen.« Herr Hosokawa sah auf seine Uhr. »Wir sind für elf Uhr verabredet. Es ist sowieso bald so weit.«

»Sie müssen aber nicht gehen«, sagte Gen.

»Aber ich muß auch nicht bleiben.« Herr Hosokawa sah Roxane an und schien ihr durch seinen zärtlichen Gesichtsausdruck wortlos alles zu sagen, was er ihr mitteilen wollte: daß er jetzt gehe, daß er Schach spielen werde, daß sie, wenn sie wolle, später nachkommen und zusehen könne. Die zwei tauschten rasch ein Lächeln, und Herr Hosokawa ging durch die Schwingtür hinaus. Er bewegte sich mit einer Schwerelosigkeit, die Gen völlig neu an ihm war. Er ging mit erhobenem Kopf. Er trug seine verbeulte Smokinghose und sein nicht mehr ganz weißes Hemd voller Würde.

»Er ist ein großer Mann, Ihr Freund«, sagte sie leise, wobei sie auf die leere Stelle sah, an der Herr Hosokawa gestanden hatte.

»Ja, das fand ich schon immer«, sagte Gen. Er war immer noch völlig verdutzt, trotz Carmens Erklärungen. Der Blick, den die beiden gewechselt hatten, kam ihm bekannt vor. Gen war verliebt, und das Gefühl war ihm so völlig fremd, daß es ihm schwerfiel zu glauben, daß auch andere Menschen so etwas empfanden. Außer natürlich Simon Thibault, der mit seinen Kochbüchern am Tisch saß und den blauen Schal seiner Frau um den Hals trug. Alle wußten, daß Thibault verliebt war.

Roxane hob den Kopf zu dem hünenhaften Fjodorow. Ihr Gesicht hatte einen anderen Ausdruck angenommen. Sie war jetzt bereit zuzuhören, bereit, Komplimente für ihre Kunst entgegenzunehmen, bereit, dem Sprecher das Gefühl zu geben, daß seine Worte ihr etwas bedeuteten. »Ist es

Ihnen lieber, Herr Fjodorow, wenn wir uns ins Wohnzimmer setzen?«

Fjodorow schwankte unter der Last einer derart direkten Frage. Die Übersetzung schien ihn zu verwirren, doch als Gen sie gerade wiederholen wollte, antwortete er. »Mir ist alles recht, was Ihnen recht ist. Wir können gern hier in der Küche bleiben. Ich finde, dies ist ein sehr schöner Raum, in dem ich persönlich mich bis jetzt viel zu wenig aufgehalten habe.« Soweit er sich Ledbed und Beresowskij auch anvertraut hatte, erklärte er sich jetzt doch nur zu gern in einem Raum, in dem außer ihnen niemand Russisch oder Englisch sprach. Das gelegentliche Klacken, mit dem ein Gewehrlauf an die Tischkante stieß, oder Thibaults Zungenschnalzen angesichts eines Rezepts waren ihm immer noch lieber, als Zuhörer zu haben.

»Meinetwegen können wir gern hierbleiben«, sagte Roxane. Sie nippte an ihrem Wasser. Dieser Anblick – das Wasser, ihre Lippen – ließ Fjodorow erbeben. Er mußte zur Seite sehen. Was hatte er noch gleich sagen wollen? Er könnte ihr doch einen Brief schreiben, wäre das nicht passend? Der Dolmetscher könnte ihn übersetzen. Ein Wort war ein Wort, egal, ob man es aussprach oder niederschrieb.

»Ich glaube, ich brauche einen Stuhl«, sagte Fjodorow.

Die Mattigkeit in seiner Stimme ließ Gen sofort nach einem Stuhl springen. Der Russe sank in sich zusammen, bevor Gen mit dem Stuhl bei ihm war, und er konnte ihn gerade noch unter ihn schieben. Mit einem großen Seufzer, der klang, als könnte es sein letzter sein, ließ der große Mann den Kopf in Richtung Boden sinken.

»Mein Gott«, sagte Roxane, sich über ihn beugend, »ist er krank?« Sie nahm ein Handtuch vom Griff des Kühlschranks und tauchte es in das Wasser in ihrem Glas. Dann legte sie das kühle Frotteetuch auf seinen breiten, hellroten Nacken. Er wimmerte schwach, als sie die Hand auf das Tuch legte.

»Wissen Sie, was er hat?« fragte Roxane Gen. »Als er hereinkam, sah er doch noch ganz gesund aus. Es ist genau wie bei Christopf – die Hautfarbe, diese plötzliche Schwäche. Ist er vielleicht Diabetiker? Fassen Sie ihn an, er ist ganz kalt!«

»Was sagt sie?« hauchte Fjodorow zwischen seinen Knien hervor.

»Sie fragt, was mit Ihnen los ist«, sagte Gen.

Eine lange Pause entstand, und Roxane schob ihre Hand vor an seinen Hals, um seinen gleichmäßigen Puls zu fühlen. Zwei ihrer zarten Finger lagen unter seinem großen Ohrläppchen. »Sagen Sie ihr, das ist die Liebe«, erklärte er.

»Liebe?«

Fjodorow nickte. Sein dichtes, welliges Haar war nicht ganz sauber. An den Schläfen war es schon grau, doch am Scheitel, den Gen und Roxane jetzt anstarrten, war es noch schwarz – der Scheitel eines jungen Mannes.

»Von Liebe haben Sie mir nie etwas gesagt«, warf Gen ihm vor, der das Gefühl hatte, hereingelegt, in eine peinliche Lage gebracht worden zu sein.

»In Sie bin ich ja auch nicht verliebt«, sagte Fjodorow. »Warum sollte ich zu Ihnen von Liebe reden?«

»Das ist nicht das, was ich meinte übersetzen zu sollen.«

Mit äußerster Anstrengung richtete Fjodorow sich auf. Seine Haut hatte die Farbe und Konsistenz von Muschelfleisch. »Was wollen Sie denn übersetzen – nur das, was sich Ihrer Meinung nach schickt? Sollen wir nur übers Wetter reden? Seit wann liegt es an Ihnen, zu entscheiden, was die Leute zueinander sagen?«

Fjodorow hatte recht. Das mußte Gen zugeben. Die persönlichen Empfindungen des Dolmetschers taten nichts zur Sache. Es war nicht seine Aufgabe, das Gespräch zu zensieren. Eigentlich war es nicht einmal seine Aufgabe, zuzuhören. »Na gut«, sagte er. Es war einfach, müde zu klingen, wenn man russisch sprach. »In Ordnung.«

»Was sagt er?« fragte Roxane. Da Fjodorow jetzt aufrecht dasaß, hielt sie ihm das Tuch an die Stirn.

»Sie fragt, wovon Sie reden«, erklärte Gen Fjodorow. »Soll ich ihr sagen, von Liebe?«

Fjodorow lächelte matt. Er würde über das alles hinweggehen. Es war noch nichts Schlimmes passiert, er hatte nur einen kleinen Schwächeanfall. Seine einzige Hoffnung war, von vorn anzufangen, die Rede zu halten, die er hundertmal vor Ledbed und Beresowskij geprobt hatte. Er räusperte sich. »Bei uns zu Hause bin ich Wirtschaftsminister«, begann er mit dünner Stimme. »Ich wurde dazu ernannt und könnte auch einfach so wieder abgesetzt werden.« Dabei schnippte er mit den Fingern, brachte jedoch kein Schnalzen zustande. Seine Finger waren zu feucht und glitten lautlos voneinander ab. »Aber momentan ist es eine sehr gute Stellung, und ich bin dankbar dafür. Zu wissen, was man hat, solange man es hat – das nenne ich Glück.« Er versuchte, ihr in die Augen zu sehen, aber das war zuviel für ihn. Er spürte, wie es in seinem Unterleib mahlte.

Gen übersetzte und versuchte, sich nicht zu fragen, wohin das alles führen würde.

»Fragen Sie ihn, ob es ihm bessergeht«, sagte Roxane. »Ich finde, er hat wieder ein bißchen mehr Farbe.« Sie nahm das Tuch weg, und er machte ein enttäuschtes Gesicht.

»Sie möchte wissen, wie es Ihnen jetzt geht.«

»Hört sie mir zu?«

»Das können Sie ebensogut beurteilen wie ich.«

»Sagen Sie ihr, es geht mir gut. Sagen Sie ihr: Die Russen hatten niemals vor, Geld in dieses arme Land zu investieren.« Er blickte Roxane Coss in die Augen, solange er konnte, doch als das zu anstrengend wurde, richtete er den Blick auf Gen. »Unser Land ist selbst sehr arm, und wir haben genug andere arme Länder zu unterstützen. Als die Einladung zu dieser Feier eintraf, war mein Freund, Herr Beresowskij, gerade hier – ein großartiger Geschäftsmann –, und er meinte, ich solle doch herkommen. Er sagte, Sie würden hier auftreten. Wir waren zusammen auf der Universität, Ledbed, Beresowskij und ich. Wir waren eng befreundet. Jetzt bin ich Minister, Beresowskij ist Geschäftsmann, und Ledbed – Ledbed handelt sozusagen mit Krediten. Vor einer Ewigkeit haben wir in St. Petersburg zusammen studiert. Es heißt jetzt wieder St. Petersburg. Ständig sind wir in die Oper gegangen. Jung, wie wir waren, haben wir immer hinten gestanden, für ein paar Rubel, die wir eigentlich nicht hatten. Aber dann fanden wir Arbeit und nahmen Sitzplätze, und je mehr wir verdienten, desto besser wurden die Plätze. Man konnte unser Vorankommen in der Welt daran ablesen, wo wir im Opernhaus saßen, daran, was wir bezahlten, und später daran, was für Karten wir gratis bekamen. Tschaikowskij, Mussorgskij, Rimski-Korsakow, Prokofjew – wir sahen alles, was russisch war.«

Das Übersetzen ging langsam, und alle Beteiligten mußten immer wieder warten. »Es gibt wunderbare russische Opern«, sagte Roxane. Sie ließ das Handtuch in die Spüle fallen und holte sich selbst einen Stuhl, da niemand ihr einen zu bringen schien und das Ganze nach einer langen Geschichte aussah. Als sie einen Stuhl nahm, sprang der Junge, der Cesar hieß, vom Tisch auf, wo er saß und sein Gewehr reinigte, und trug ihn für sie hinüber.

»*Gracias*«, sagte sie. So viel Spanisch konnte sie.

»Entschuldigung«, sagte Gen, der nach wie vor stand. »Wo habe ich nur meine Gedanken.«

»Wahrscheinlich bei der russischen Sprache«, sagte Roxane. »Das reicht ja für einen Kopf. Haben Sie eine Ahnung, worauf er mit dieser Geschichte hinaus will?«

Fjodorow lächelte stumm. Seine Wangen waren jetzt gerötet.

»Ungefähr, ja.«

»Gut, sagen Sie mir nichts, ich lasse mich überraschen. Mehr werde ich heute wohl nicht mehr geboten bekommen.« Sie lehnte sich zurück, schlug ein Bein übers andere und lud Fjodorow mit der Hand ein fortzufahren.

Fjodorow wartete noch einen Moment. Er überdachte seine Position völlig neu. Nach wochenlanger Planung mußte er jetzt feststellen, daß der Weg, den er gewählt hatte, nicht der richtige war. Was er ihr sagen wollte, fing nicht bei seiner Studienzeit an. Es fing auch nicht bei der Oper an, auch wenn es ihn dahin gebracht hatte. Die Geschichte, die er eigentlich erzählen sollte, fing sehr viel früher an. Er setzte noch einmal neu an, erinnerte sich an Rußland und an seine Kindheit, an die dunkle Treppe, die sich zu ihrer Wohnung hinaufwand. Er beugte seine Schultern vor zu Roxane. Er fragte sich, in welcher Richtung Rußland von seinem Platz aus wohl lag. »Als ich klein war, hieß die Stadt Leningrad, aber das wissen Sie ja. Dann hieß sie für kurze Zeit Petrograd, aber damit war niemand so recht zufrieden. Lieber sollte die Stadt wieder ihren alten Namen tragen statt einen, der versuchte, von jedem etwas zu sein. Wir lebten damals alle zusammen, Mutter und Vater, meine beiden Brüder, meine Großmutter – die Mutter meiner Mutter. Sie war es, die das Buch mit den Gemälden hatte. Es war ein riesiges Ding.« Fjodorow hielt die Hände hoch, um zu zeigen, wie groß es war. Wenn man ihm glauben konnte, war es ein gewaltiger Band. »Sie erzählte uns, sie habe es von einem Bewunderer aus Europa bekommen, als sie fünfzehn war, von einem Mann namens Julian. Ich weiß nicht, ob das stimmt. Meine Großmutter war groß im Geschichtenerzählen. Wie sie es schaffte, das Buch durch den Krieg zu retten, ist mir ein noch größeres Rätsel als die Frage, woher sie es hatte. Daß sie nicht versucht hat, es zu verkaufen, und es nicht verheizt hat – denn es gab eine Zeit, in der die Menschen alles als Brennstoff benutzt hätten –, daß es ihr niemand wegnahm, denn es war doch schwer zu verstecken: das ist alles sehr erstaunlich. Doch als ich klein war, lag der Krieg lange zurück, und sie war eine alte Frau. Wir gingen damals nicht in Museen und sahen uns Bilder an. Wir gingen zwar am Winterpalais vorbei, einem wunderbaren Gebäude, aber wir gingen nie hinein. Wahrscheinlich hatten wir damals kein Geld dafür. Aber am Abend holte meine Großmutter ihr Buch heraus und befahl meinen Brüdern und mir, uns die Hände zu waschen. Bis ich zehn war, durfte ich die Seiten nicht einmal anfassen, doch ich wusch mir trotzdem die Hände, nur um hineinsehen zu dürfen. Sie bewahrte es, in eine Decke gewickelt, unter dem Sofa im Wohnzimmer auf, auf dem sie schlief. Es war sehr schwer für sie, doch sie ließ sich von niemandem helfen. Wenn sie sich vergewissert hatte, daß der Tisch sauber war, legten wir das eingewickelte Buch auf den Tisch und packten es langsam aus. Dann setzte meine Großmutter sich hin. Sie war eine kleine Frau, und wir standen neben ihr. Sie war sehr heikel, was das Licht über dem Tisch betraf. Es durfte nicht zu stark sein, weil sie Angst hatte, dann würden die Farben verbleichen, doch es durfte auch nicht zu schwach sein, denn sie glaubte, dann könne man die Bilder nicht richtig erfassen. Sie trug schlichte, weiße Baumwollhandschuhe, die nur zu diesem Zweck bestimmt waren, und blätterte die Seiten um, während wir zusahen. Können Sie sich das vorstellen? Ich will nicht behaupten, daß wir schrecklich arm waren – wir waren genauso arm oder reich wie alle anderen. Unsere Wohnung war klein, meine Brüder und ich schliefen zusammen in einem Bett. Unsere Familie unterschied sich in nichts von den anderen Familien im Haus, bis auf dieses Buch. So etwas Besonderes war es. Es hieß *Meisterwerke des Impressionismus*. Niemand wußte, daß wir es besaßen. Wir durften nicht davon sprechen, denn meine Großmutter hatte Angst, es könnte jemand kommen und versuchen, es ihr wegzunehmen. Die Bilder waren von Pissarro, Bonnard, van Gogh, Monet, Manet, Cézanne, Hunderte von Bildern. Die Farben, die wir abends sahen, während sie umblätterte, waren das reinste Wunder. Sie ließ uns jedes einzelne Bild studieren. Jedes einzelne von ihnen, sagte sie, verdiene, genauestens betrachtet zu werden. An manchen Abenden blätterte sie nur zwei Seiten um, und es dauerte bestimmt ein Jahr, bis ich das ganze Buch gesehen hatte. Ich glaube, es war ein sehr gutes Buch, ausgezeichnet gemacht. Ich habe natürlich nicht zu jedem Bild das Original gesehen, aber diejenigen, die ich Jahre später sah, entsprachen ganz meiner Erinnerung. Meine Großmutter erzählte uns, sie habe in jungen Jahren Französisch gesprochen und sie würde uns den Text unter den Abbildungen übersetzen, soweit sie sich noch erinnerte. Es war natürlich alles erfunden, denn die Geschichten veränderten sich. Aber das machte nichts. Es waren sehr schöne Geschichten. ›Dies ist das Feld, auf dem van Gogh seine Sonnenblumen malte‹, sagte sie. ›Den ganzen Tag lang saß er in der heißen Sonne unter dem blauen Himmel. Wenn die weißen Wolken vorbeiwirbelten, prägte er sie sich für spätere Bilder ein, und hier hat er sie auf der Leinwand festgehalten.‹ So sprach sie zu uns, wobei sie so tat, als lese sie vor. Manchmal las sie zwanzig Minuten lang, obwohl es nur wenige Zeilen waren. Sie sagte, das läge daran, daß Französisch viel komplizierter als Russisch sei und daß in jedem Wort genug Bedeutung für mehrere Sätze stecke. Es gab so viele Bilder zu betrachten. Es dauerte Jahre, bis ich sie mir alle eingeprägt hatte. Noch heute könnte ich Ihnen die Anzahl der Heuhaufen auf dem Feld angeben und die Richtung, aus der das Licht kommt.« Fjodorow hielt inne, um Gen Zeit zu geben mitzukommen. Er nutzte die Zeit, um sich die Menschen rund um den Tisch anzusehen: seine Großmutter, die längst gestorben war, seine Mutter und seinen Vater, die nicht mehr lebten, seinen jüngsten Bruder Dimitri, der mit einundzwanzig beim Angeln ertrunken war. Es waren nur noch zwei von ihnen übrig. Er dachte an seinen Bruder Mikal, der die Geschichte ihrer Geiselnahme wohl zu Hause in den Nachrichten verfolgte. Wenn ich hier sterben würde, dachte Fjodorow, wäre Mikal allein auf der Welt, ohne einen Angehörigen, der ihn trösten könnte. »Manchmal holte sie das Buch gar nicht heraus. Sie sagte dann, sie sei müde. Sie sagte, soviel Schönheit tue ihr weh. Das konnte ein bis zwei Wochen dauern. Kein Seurat! Ich erinnere mich, daß ich dann fast verrückt wurde, so sehr hatte ich das Gefühl, diese Bilder zu brauchen. Doch es waren gerade diese Pausen, dieses Warten, die so eine heiße Liebe zu diesem Buch in uns weckten. Wegen dieses Buches, das meine Großmutter so hütete, sieht mein Leben ganz anders aus, als es hätte sein können«, sagte er jetzt mit ruhigerer Stimme. »Was für ein Wunder! Man hat mich gelehrt, schöne Dinge zu lieben. Ich hatte eine Sprache, um über Schönheit nachzudenken. Später dehnte sich dies auf die Oper aus, auf das Ballett, auf die Architektur, die ich sah, und noch später wurde mir klar, daß ich das, was ich auf den Bildern gesehen hatte, auch an Feldern oder einem Fluß bemerken konnte. Auch an Menschen konnte ich es wahrnehmen. Das alles führe ich auf dieses Buch zurück. Gegen Ende ihres Lebens konnte sie es gar nicht mehr hochheben und bat mich, es zu holen. Ihre Hände zitterten so sehr, daß sie fürchtete, die Seiten zu zerreißen, darum ließ sie uns umblättern. Meine Hände waren da schon zu groß für ihre Handschuhe, doch sie zeigte mir, wie ich sie zwischen den Fingern wie ein Tuch benutzen konnte, um nichts schmutzig zu machen.« Fjodorow seufzte, als wäre dies die Erinnerung, die ihn am meisten rührte. »Jetzt hat mein Bruder das Buch. Er ist Arzt in einem Vorort von Moskau. Alle paar Jahre gibt es der eine dem anderen. Keiner von uns könnte ganz ohne es leben. Ich habe versucht, ein zweites Exemplar zu finden, aber ohne Erfolg. Ich glaube, dieses Buch gibt es auf der Welt nur einmal.« Beim Reden konnte Fjodorow sich entspannen. Reden war das, worin er am besten war. Er spürte, daß er wieder frei atmete. Bisher hatte er zwischen dem Buch und dem, worauf er hinauswollte, keine Verbindung gesehen, aber nun fragte er sich, wie sie ihm hatte entgehen können. »Für meine Großmutter war es eine Tragödie, daß keiner von uns ein Talent zur Malerei zeigte. Noch am Ende ihres Lebens, als ich schon Wirtschaft studierte, sagte sie, ich solle es doch noch einmal versuchen. Aber das war nichts, was ich hätte lernen können. Sie sagte gern, mein Bruder Dimitri wäre ein großer Maler geworden, doch das war nur, weil Dimitri tot war. Von den Toten können wir uns alles vorstellen. Meine Brüder und ich waren alle drei ausgezeichnete Beobachter. Manche Menschen sind dazu geboren, große Kunstwerke hervorzubringen, und andere dazu, sie zu schätzen. Meinen Sie nicht auch? Es ist auch ein Talent, ein gutes Publikum zu sein, ob man sich Bilder in einer Galerie ansieht oder der Stimme der größten Sopranistin der Welt lauscht. Nicht alle können Künstler sein. Es muß auch solche geben, die die Kunst wahrnehmen, die lieben und schätzen, was zu sehen ihnen vergönnt ist.« Fjodorow sprach langsam. Er machte zwischen den Sätzen lange Pausen, damit Gen keine Mühe hatte mitzukommen, darum war jetzt schwer zu sagen, ob er fertig war oder nicht.

»Das ist eine schöne Geschichte«, sagte Roxane schließlich.

»Aber ich erzähle sie Ihnen nicht ohne Grund.«

Roxane lehnte sich auf ihrem Stuhl zurück, um sich seinen Grund anzuhören.

»Man sieht vielleicht nicht sofort, daß ich ein Mann bin, der eine tiefe Beziehung zur Kunst hat, und Sie sollen wissen, daß ich das bin. Der Wirtschaftsminister von Rußland – was hat das mit Ihnen zu tun? Und doch glaube ich durch meine Geschichte besonders dazu qualifiziert zu sein.«

Wieder wartete Roxane, ob der Satz nicht noch weiterging, und als es nicht so zu sein schien, fragte sie: »Qualifiziert wozu?«

»Sie zu lieben«, sagte Fjodorow. »Ich liebe Sie.«

Gen sah Fjodorow an und blinzelte. Er spürte, wie alles Blut aus seinem Gesicht wich.

»Was hat er gesagt?« fragte Roxane.

»Los«, sagte Fjodorow. »Sagen Sie es ihr.«

Roxane hatte ihr Haar streng zurückgebunden, mit einem rosa Gummiband, das ihr der Vizepräsident aus dem Zimmer seiner ältesten Tochter geholt hatte. Wer nicht wußte, zu welchen Leistungen sie fähig war, hätte sie so ohne Schmuck und Make-up, ohne das offene Haar, das ihr Gesicht umrahmte, für unscheinbar oder sogar für abgespannt halten können. Gen fand es sehr geduldig von ihr, daß sie so lange zugehört hatte, ohne auch nur einmal den Blick abzuwenden oder geistesabwesend aus dem Fenster zu sehen. Er fand, es sprach für sie, daß sie sich als Gesellschaft gerade Herrn Hosokawa ausgesucht hatte, wo doch noch andere, weniger charaktervolle Männer zur Verfügung standen, Männer, die Englisch sprachen. Daß er sie als Sängerin sehr bewunderte, verstand sich von selbst. Wenn sie sang, fühlte er sich jedesmal zutiefst berührt, aber er war nicht verliebt in sie. Nicht daß irgendwer das von ihm verlangte. Nicht daß sie denken würde, daß er das meinte – daß er, Gen, sie liebte –, und doch sträubte sich etwas in ihm. Er hatte nie darüber nachgedacht, aber jetzt, da er es tat, war er sich ziemlich sicher, daß er diese Worte noch nie gesagt oder geschrieben hatte, weder selbst noch für jemand anderen. Nicht einmal zu seinen Eltern oder zu seinen Schwestern hatte er jemals gesagt: Ich hab dich lieb. Auch zu den drei Frauen, mit denen er bis dahin geschlafen hatte, oder zu den Mädchen, mit denen er gelegentlich morgens zur Schule ging, hatte er nie von Liebe gesprochen. Es war ihm ganz einfach nie in den Sinn gekommen, und jetzt, an dem ersten Tag in seinem Leben, an dem er vielleicht einen Grund gehabt hätte, diese Worte an eine Frau zu richten, würde er sie für einen anderen Mann zu einer anderen sagen.

»Sagen Sie es mir nun?« fragte Roxane. Es klang nur ein wenig interessierter als ihre erste Nachfrage. Fjodorow wartete, die Hände fest zusammengedrückt, während sich in seinem Gesicht bereits der Ausdruck großer Erleichterung ausbreitete. Er hatte seinen Text aufgesagt. Alles Weitere stand nicht mehr in seiner Macht.

Gen schluckte den Speichel hinunter, der sich auf seiner Zunge gesammelt hatte, und versuchte, Roxane ganz sachlich anzusehen. »Er ist dazu qualifiziert, Sie zu lieben. Er sagt: Ich liebe Sie.« Gen bemühte sich, dem Ganzen eine Form zu geben, die möglichst schicklich klang.

»Er liebt es, wenn ich singe?«

»Nein, Sie«, sagte Gen mit Nachdruck. Er glaubte, dafür nicht mehr bei Fjodorow nachfragen zu müssen. Der Russe lächelte.

Jetzt blickte Roxane weg. Sie atmete tief durch und starrte eine Weile aus dem Fenster, als habe sie ein Angebot bekommen und wäge ab, ob sie es annehmen solle. Als sie Fjodorow wieder ansah, lächelte sie. Ihr Gesicht drückte solchen Frieden, solche Zärtlichkeit aus, daß Gen einen Moment lang dachte, sie liebe den Russen vielleicht auch. Konnte es sein, daß eine solche Erklärung unter Umständen den gewünschten Effekt hervorrief? Daß sie ihn einfach dafür lieben würde, daß er sie liebte?

»Viktor Fjodorow«, sagte sie. »Eine wunderbare Geschichte.«

»Danke.« Fjodorow neigte den Kopf.

»Ich frage mich, was wohl aus dem jungen Mann aus Europa geworden ist, diesem Julian«, sagte sie, jedoch wie zu sich selbst. »Einer Frau eine Kette zu schenken ist eines. Sie paßt in eine kleine Schachtel. Selbst eine sehr teure Kette macht nicht besonders viel Mühe. Aber einer Frau so ein Buch zu schenken, es den weiten Weg aus einem fremden Land mitzubringen, das ist schon etwas Besonderes. Ich sehe ihn vor mir, wie er es im Zug mit sich herumträgt, dick in Packpapier eingeschlagen.«

»Wenn wir davon ausgehen, daß es je einen Julian gab.«

»Warum sollten wir das nicht tun? Es kann doch nichts schaden, ihr diese Geschichte zu glauben.«

»Sie haben sicher recht. Von jetzt an werde ich sie immer für die Wahrheit halten.«

Jetzt dachte Gen wieder nur noch an Carmen. Er wünschte, sie würde auf ihn warten, würde noch auf dem schwarzen Marmorwaschtisch sitzen, doch er wußte, daß das unmöglich war. Wahrscheinlich hatte sie jetzt Wachdienst, ging mit einem Gewehr auf dem Flur im ersten Stock auf und ab und konjugierte dabei leise Verben.

»Was die Liebe betrifft«, sagte Roxane schließlich.

»Sie müssen dazu nichts sagen«, fiel Fjodorow ihr ins Wort. »Es ist ein Geschenk. Hier. Etwas, das ich Ihnen schenken kann. Wenn ich ein Schmuckstück oder ein Buch mit Bildern hätte, würde ich Ihnen statt dessen das geben. Zusätzlich zu meiner Liebe.«

»Dann sind Sie mit Geschenken allzu großzügig.«

Fjodorow zuckte die Achseln. »Vielleicht haben Sie recht. In einer anderen Situation wäre es lächerlich, schwülstig. In einer anderen Situation würde es gar nicht passieren, denn Sie sind eine berühmte Frau, und ich würde Ihnen bestenfalls eine Sekunde lang die Hand schütteln, während Sie nach einem Auftritt in Ihren Wagen steigen. Aber hier höre ich Sie jeden Tag singen. Hier sehe ich, wie Sie zu Abend essen, und was ich empfinde, ist Liebe. Es ist unsinnig, es Ihnen nicht zu sagen. Diese Leute, die uns hier auf so angenehme Weise festhalten, können immer noch beschließen, uns umzubringen. Das ist immerhin möglich. Und wenn dem so ist, warum sollte ich diese Liebe mit ins Jenseits nehmen? Warum soll ich Ihnen nicht geben, was Ihnen gehört?«

»Und wenn ich nichts habe, was ich Ihnen geben kann?« Sie schien Fjodorows Argumentation interessant zu finden.

Er schüttelte den Kopf. »Wie können Sie das sagen, nach all dem, was Sie mir gegeben haben. Aber es geht nie darum, wer was gegeben hat. So darf man Geschenke nicht sehen. Es geht hier ja nicht um Geschäfte. Ob ich froh wäre, wenn Sie sagen würden, daß Sie mich ebenfalls lieben? Daß Sie am liebsten nach Rußland gehen würden, um dort mit dem Wirtschaftsminister zusammenzuleben, an Staatsbanketten teilzunehmen, Ihren Kaffee in meinem Bett zu trinken? Eine schöne Vorstellung, sicher, aber meine Frau wäre nicht sehr erfreut. Wenn Sie an Liebe denken,

denken Sie wie eine Amerikanerin. Sie müssen wie die Russen denken. Wir sehen das Ganze von einer höheren Warte aus.«

»Die Amerikaner haben die schlechte Angewohnheit, immer zu denken wie Amerikaner«, sagte Roxane freundlich. Dann lächelte sie Fjodorow an, und alle schwiegen für einen Moment. Das Gespräch war an sein Ende gelangt, und es gab nichts mehr zu sagen.

Schließlich stand Fjodorow auf und klatschte in die Hände. »Ich für meinen Teil fühle mich jetzt viel besser. Was war mir das für eine Last! Jetzt kann ich mich ausruhen. Es war sehr freundlich von Ihnen, mich anzuhören.« Er reichte Roxane die Hand, und als sie aufstand und ihm die ihre hinhielt, küßte er ihr die Hand und hielt sie sich für einen Moment an die Wange. »Ich werde diesen Tag nie vergessen, diesen Augenblick, Ihre Hand. Mehr kann sich ein Mann nicht wünschen.« Er lächelte, dann ließ er ihre Hand los. »Ein wunderbarer Tag. Ich habe von Ihnen etwas ganz Wunderbares zurückbekommen.« Er drehte sich um und ging zur Tür hinaus, ohne ein Wort zu Gen. In seiner Aufregung hatte er den Dolmetscher ganz vergessen, so wie es leicht passiert, wenn der Dolmetscher sehr gut ist.

Roxane setzte sich wieder hin, und Gen nahm sich Fjodorows Stuhl. »Puh«, sagte sie. »Das war wirklich anstrengend.«

»Das habe ich auch gerade gedacht.«

»Armer Gen.« Roxane legte den Kopf auf die Seite. »All das langweilige Zeug, das Sie sich anhören müssen.«

»Es war peinlich, aber langweilig war es nicht.«

»Peinlich?«

»Finden Sie es nicht peinlich, wenn Ihnen fremde Männer ihre Liebe gestehen?« Doch natürlich fand sie das nicht. Es kam sicher stündlich vor, daß sich jemand in sie verliebte. Sie brauchte sicher ein ganzes Heer von Dolmetschern, um all die Heiratsanträge und Liebeserklärungen übersetzt zu bekommen.

»Es ist leichter, eine Frau zu lieben, wenn man kein Wort von dem versteht, was sie sagt«, meinte Roxane.

»Ich wünschte, sie würden uns Kaninchen bringen«, rief Thibault Gen auf französisch zu. *Des lapins.* Er trommelte mit den Fingern auf dem Kochbuch. »Eßt ihr Jungs gern Kaninchen?« fragte er die Terroristen auf spanisch. *Conejo.*

Die Jungen sahen von ihrer Arbeit auf. Die Gewehre waren zum Großteil wieder zusammengesetzt. Sie waren ohnehin schon sauber gewesen, jetzt waren sie nur noch sauberer. Wenn man sich an den Anblick von Gewehren einmal gewöhnt hatte, wenn sie nicht gerade auf einen selbst gerichtet waren, dann konnte man sie fast interessant finden, sie als dezente Skulpturen für Beistelltische betrachten. »*Cabayo*«, sagte Gilbert, der große Junge, der Thibault vor noch nicht allzu langer Zeit in dem Wirbel um den Fernseher hatte erschießen wollen.

»*Cabayo?*« sagte Thibault. »Was heißt das, Gen?«

Gen dachte einen Moment lang nach. Er hatte noch lauter russische Wörter im Kopf. »Diese flauschigen Dinger, nicht Hamster ...« Er schnippte mit den Fingern. »Meerschweinchen!«

»Meerschweinchen – *die* schmecken gut, nicht Kaninchen«, sagte Gilbert. »Die sind ganz zart.«

»Hach«, sagte Cesar und faltete die Hände über seinem Gewehr. »Was würde ich jetzt für ein Meerschweinchen geben.« Beim Gedanken an diesen Genuß biß er sich leicht auf die Fingerspitzen. Cesar hatte unreine Haut, doch seit sie hier eingesperrt waren, schien sich das ein wenig zu bessern.

Thibault schlug das Buch zu. In Paris hatte eine seiner Töchter, als sie klein war, ein fettes, weißes Meerschweinchen gehabt, das sie in einem großen Glaskasten hielt. Es hieß Milou und war ein schlechter Ersatz für den Hund, den sie eigentlich hatte haben wollen. Am Ende war Edith die, die es fütterte. Sie hatte Mitleid mit ihm, weil es die ganze Zeit so allein war und durch das Glas hinausstarrte auf ihr Familienleben. Manchmal ließ Edith es in ihrem Schoß sitzen, während sie las. Zusammengerollt zu einem Ball saß Milou dann am Bündchen von Ediths Pullover, und seine Nase zuckte vor Freude. Diesem Meerschweinchen fühlte Thibault sich jetzt verwandt, denn alles, was er sich wünschte, war, dasselbe Privileg wie dieses Tier zu haben, das Recht, den Kopf in den Schoß seiner Frau zu legen, mit dem Gesicht nach oben am Bündchen ihres Pullovers. Mußte sich Thibault dieses Tier (das längst gestorben war, aber wann und wie? – er konnte sich nicht mehr erinnern) jetzt gehäutet und geschmort vorstellen? Milou zum Abendessen. Sobald etwas einen Namen hat, kann man es nicht mehr essen. Sobald man sich im Geist mit ihm verwandt fühlt, sollte es auch die Vorrechte eines Verwandten genießen. »Wie bereitet man sie denn zu?«

Es entspann sich ein Gespräch um die beste Methode, Meerschweinchen zuzubereiten, und darum, wie man die Zukunft vorhersagen konnte, wenn man ihnen bei lebendigem Leib den Bauch aufschnitt. Gen wandte den Kopf ab.

»Es gibt alle möglichen Gründe, aus denen Menschen einander lieben«, sagte Roxane, die dank ihrem schlechten Spanisch nichts von dem Gespräch mitbekam, von den gegrillten Meerschweinchen am Spieß. »Meistens werden wir eher für das geliebt, was wir können, als für das, was wir sind. Und es ist gar nicht so schlecht, für das geliebt zu werden, was man kann.«

»Aber das andere ist besser«, sagte Gen.

Roxane zog die Füße auf den Stuhl und umschlang ihre Knie vor der Brust. »Besser. Ein furchtbares Wort, aber so ist es. Wenn uns jemand für das liebt, was wir können, dann ist das schmeichelhaft, aber warum sollten wir ihn lieben? Wenn uns jemand für das liebt, was wir sind, dann muß er uns kennen, und das heißt, wir müssen ihn auch kennen.« Roxane lächelte Gen an.

Sobald sie die Küche verlassen hatten, erst die anderen Jungen und dann Gen und Roxane und Thibault – diejenigen, die für Cesar inzwischen eher »die Erwachsenen« waren als

»die Geiseln« –, begann Cesar, während er seine Arbeit beendete, die Rossini-Arie zu singen. Einen Moment lang hatte er die Küche für sich allein, und er wollte diese kostbaren Minuten des Alleinseins nutzen. Die Sonne schien herein und spiegelte sich strahlend in seinem sauberen Gewehr – und ach, wie gern hörte er diese Worte aus seinem Mund kommen. Sie hatte das Stück heute morgen so oft gesungen, daß er sich den ganzen Text hatte einprägen können. Es machte nichts, daß er die Sprache nicht konnte – er wußte, was die Worte bedeuteten. Der Text und die Musik wurden eins und ein Teil von ihm. Immer wieder sang er den Refrain, wobei er fast flüsterte, aus Angst, jemand könnte ihn hören, sich lustig machen über ihn, ihn bestrafen. Das Gefühl war einfach zu stark, als daß er hätte glauben können, man würde es ihm durchgehen lassen. Trotzdem wünschte er sich, er könnte sich so öffnen, wie sie es tat, es hinausposaunen, tief in sich hineinhören, um zu sehen, was dort wirklich war. Wenn sie bei den lautesten, höchsten Tönen ankam, erschauerte er jedesmal. Hätte er nicht sein Gewehr gehabt, hinter dem er sich verstecken konnte, wäre das Ganze sehr peinlich gewesen, denn ihr Gesang entfachte in ihm eine so wilde, brennende Leidenschaft, daß sein Penis steif wurde, bevor sie mit der ersten Zeile fertig war, und während sie weitersang, wurde er immer härter, bis er selbst sich in einem Chaos aus Lust und schrecklichen Schmerzen verlor und der Kolben seines Gewehrs sich unmerklich auf und ab bewegte und ihm Erleichterung verschaffte. Benommen, elektrifiziert, lehnte er sich gegen die Wand. Sie galten ihr, diese heftigen Erektionen. Jeder von den Jungen träumte davon, sich auf sie zu legen, ihr die Zunge in den Mund zu schieben, während er in sie eindrang. Sie liebten sie, und in diesen Phantasien, von denen sie im Wachzustand wie im Schlaf heimgesucht wurden, erwiderte sie ihre Liebe. Doch bei Cesar war es mehr als das. Cesar wußte, daß die Härte seines Glieds sich auf die Musik bezog. Als wäre die Musik ein Ding, in das man eindringen, mit dem man Liebe machen, das man ficken konnte.

acht

Vom Gästeschlafzimmer ging noch ein Wohnzimmer ab, in dem die Generäle ihre Besprechungen abhielten, und in diesem Raum spielten Herr Hosokawa und General Benjamin jeweils stundenlang Schach. Es schien das einzige zu sein, das Benjamin von seiner schmerzenden Gürtelrose ablenkte. Seit der Ausschlag bis an sein Auge vorgedrungen war, war eine Entzündung hinzugekommen, die auf die Bindehaut übergriff, so daß das Auge jetzt knallrot und von Eiterbläschen umgeben war. Je mehr sich Benjamin auf das Schachspiel konzentrierte, um so besser konnte er die Schmerzen beiseite schieben. Er vergaß sie nie, doch während des Spiels fand sein Leben nicht genau in ihrem Zentrum statt.

Lange Zeit war den Gästen nur ein begrenzter Teil des Hauses zugänglich gewesen, doch jetzt, da die Disziplin sich lockerte, durften sie zum Teil auch andere Räume betreten. Bis man ihn dorthin zum Schachspielen einlud, hatte Herr Hosokawa nicht einmal gewußt, daß dieses Zimmer existierte. Es war ein kleiner Raum mit einem Spieltisch und zwei Stühlen am Fenster, einem kleinen Sofa und einem Sekretär mit Schreibplatte und Vitrinentüren, hinter denen in Leder gebundene Bücher standen. Gelbe Vorhänge am Fenster, ein Teppich mit blauen Blumen auf dem Boden, ein gerahmtes Bild von einem alten Segelschiff. Eigentlich war an dem Zimmer nichts Besonderes, doch es war klein, und nach den drei Monaten, die er in dem riesi-

gen Wohnzimmer verbracht hatte, empfand Herr Hosokawa darin ein ungeheures Gefühl der Erleichterung, ähnlich
der beruhigenden Enge, die ein Kind erlebt, das warm in
Pullover und Mantel eingepackt ist. Erst, als sie zum dritten
Mal spielten, fiel ihm auf, daß man sich in Japan nie in so
großen Räumen aufhielt, abgesehen von Festsälen in Hotels
oder von der Oper. Es behagte ihm, daß er hier, wenn er
sich auf einen Stuhl stellte, mit den Fingern die Decke würde berühren können. Er war dankbar für jedes Detail, das
ihm die Welt eng und vertraut erscheinen ließ. In den letzten Monaten hatte sich alles, was er je darüber gewußt oder
zu wissen geglaubt hatte, wie man das Leben bewältigte,
als falsch herausgestellt. An die Stelle von endlosen Arbeits-
tagen, Verhandlungen und Kompromissen war das Schachspielen mit einem Terroristen getreten, für den er eine un-
erklärliche Zuneigung empfand. An die Stelle einer
ehrenwerten Familie, die bestens funktionierte, waren
Menschen getreten, die er liebte, ohne mit ihnen sprechen
zu können. Statt ein paar Minuten Opernmusik aus der
Stereoanlage vor dem Schlafengehen gab es jetzt täglich
mehrere Stunden Musik, die lebendige Wärme einer Stimme in all ihrer Vollkommenheit und Fehlbarkeit, eine Frau,
die über diese Stimme verfügte und die lachend und seine
Hand haltend neben ihm saß. Der Rest der Welt glaubte,
daß Herr Hosokawa litt, und er würde ihnen nie erklären
können, warum dem nicht so war. Der Rest der Welt.
Er konnte ihn nie ganz vergessen. Die Gewißheit, daß er
irgendwann all die köstlichen Dinge verlieren würde, die
ihm geschenkt worden waren, ließ ihn sie nur noch fester
an seine Brust pressen.

General Benjamin war zwar ein guter Schachspieler,
doch er spielte nicht besser als Herr Hosokawa. Sie waren
beide nicht der Typ dazu, mit der Schachuhr zu spielen,
und sie machten ihre Züge so, als müsse die Zeit erst erfunden werden. Weil sie beide gleich begabt und gleich langsam waren, verlor keiner von beiden jemals die Geduld.

Einmal war Herr Hosokawa zu dem kleinen Sofa gegangen und hatte die Augen geschlossen, während er auf den nächsten Zug wartete, und als er aufwachte, schob General Benjamin immer noch seinen Turm über dieselben drei Felder vor und zurück, wobei er seine Finger geflissentlich darauf liegen ließ. Sie hatten jeder eine andere Taktik. General Benjamin versuchte, das Mittelfeld zu kontrollieren. Herr Hosokawa spielte eher defensiv: erst einen Bauern, später dann den Springer. Mal gewann der eine, mal der andere, und keiner von ihnen verlor darüber ein Wort. Im Grunde war das Spiel ohne Sprache viel friedlicher. Man brauchte dem anderen nicht zu einem schlauen Zug zu gratulieren, es gab kein Gejammer wegen einer übersehenen Gefahr. Sie tippten auf die Königin und dann auf den König, einmal für Schach, zweimal für Schachmatt, denn die Wörter, die Gen ihnen notiert hatte, konnten sie sich beide nicht merken. Selbst das Ende eines Spiels war eine ruhige Angelegenheit: ein kurzes, anerkennendes Nicken, und dann wurden die Figuren wieder aufgestellt, damit sie am nächsten Tag für eine neue Partie bereitstanden. Keiner der beiden Männer hätte auch nur im Traum daran gedacht, die Figuren umgekippt auf der falschen Seite des Brettes liegen zu lassen.

Obwohl das Haus wirklich riesig war, konnten die Menschen, die in der Villa des Vizepräsidenten lebten, sich nirgendwo richtig zurückziehen, bis auf Carmen und Gen, die sich nach zwei Uhr nachts in der Geschirrkammer trafen, um ihre Stunden geheimzuhalten. Die Opernmusik, das Kochen und das Schachspielen kamen alle der Öffentlichkeit zugute. Das Gästezimmer lag auf derselben Seite des Hauses wie das Arbeitszimmer, in dem der Fernseher unentwegt vor sich hinplärrte, so daß, wenn einer der jungen Terroristen Unterhaltung suchte, er dem Schachbrett meist bald den Rücken kehrte. Die Geiseln blieben schon eher einmal zehn oder fünfzehn Minuten am Schachtisch stehen – wenn sie den Flur entlanggehen durften, was davon abhing, wer gerade mit dem Gewehr an der Tür stand –, aber sie hatten Glück, wenn sie in dieser Zeit auch nur einen Zug mitbekamen. Sie waren eher Fußball gewohnt. Sie versuchten, Schach als eine Sportart zu sehen, und zweifellos war es ein Spiel, doch sie wollten, daß etwas passierte. Auf die Zuschauer hatte der Raum denselben Effekt wie ein sehr langer Gottesdienst, eine Vorlesung über Algebra oder Schlaftabletten.

Die beiden einzigen, die es schafften, dazubleiben und nicht einzuschlafen, waren Ishmael und Roxane. Roxane kam, um Herrn Hosokawa zuzusehen, der ihr schließlich seinerseits jeden Tag stundenlang zusah, und Ishmael blieb da, weil er gern mit General Benjamin und Herrn Hosokawa Schach gespielt hätte, nur wußte er nicht genau, ob das erlaubt war. Die jüngeren Terroristen bemühten sich alle, zu wissen, wo die Grenze war, und nicht mehr zu verlangen, als sie haben konnten. Wie alle Kinder versuchten sie zuweilen, diese Grenze auszudehnen, doch sie hatten Respekt vor den Generälen und wußten, daß sie es nicht übertreiben durften. Sie blieben wohl manchmal zu lange vor dem Fernseher sitzen, doch ihren Wachdienst verpaßten sie nie. Sie befahlen Messner nicht, literweise Eiscreme zu bringen. Das konnten nur die Generäle, und bisher hatten sie es nur zweimal getan. Sie trugen untereinander keine Faustkämpfe aus, auch wenn die Versuchung manchmal sehr groß war. Faustkämpfe wurden von den Generälen hart bestraft, und General Hector übernahm es selbst, die Jungen länger und schlimmer zu verprügeln, als sie es gegenseitig je hätten tun können, um ihnen beizubringen, daß sie zusammenarbeiten mußten. Wenn es unbedingt nötig war, wenn ein Streit sich nur auf diese Weise beenden ließ, dann trafen sie sich im Keller, zogen ihre Hemden aus und achteten darauf, einander nicht ins Gesicht zu schlagen.

Manches verstieß gegen die Regeln – Regeln, die ihnen eingedrillt worden waren. Einige Regeln (mit einem höheren Offizier in respektvollem Ton zu reden) waren unumstößlich. Andere (nie mit einer Geisel zu reden, außer um sie zurechtzuweisen) gerieten allmählich ins Wanken und fielen schließlich ganz weg. Was die Generäle erlauben würden und was nicht, war nicht immer klar. Schweigend prägte sich Ishmael das Schachbrett ein. Er wußte nicht, wie die Figuren hießen, denn niemand im Raum sprach je ein Wort. Er übte im stillen die beste Art, das Thema anzusprechen. Er dachte daran, Gen zu bitten, sie für ihn zu fragen. Gen verstand es, etwas besonders wichtig erscheinen zu lassen. Oder er konnte Gen bitten, Messner zu fragen, den Mann, der die Verhandlungen führte. Aber Gen schien in letzter Zeit sehr beschäftigt zu sein, und Messner schien seine Arbeit letzten Endes nicht besonders gut zu machen, denn schließlich waren sie ja alle noch hier. Am liebsten hätte er den Vizepräsidenten gebeten, den Mann, den er am meisten schätzte und den er als seinen Freund ansah, doch die Generäle hatten es sich zum Prinzip gemacht, Ruben zu verspotten, und wenn Ruben um etwas bat, würden sie ganz bestimmt nein sagen.

Wenn Ishmael also etwas wollte, war der einzige, an den er sich wenden konnte, er selbst, und nachdem er noch ein paar Tage gewartet hatte, fand er schließlich den Mut, seine Frage zu stellen. Ein Tag glich hier dem anderen, und so sagte er sich, daß es einen richtigen oder falschen Moment nicht gab. General Benjamin hatte gerade einen Zug gemacht, und Herr Hosokawa fing eben erst an, sich seine nächste Stellung zu überlegen. Roxane saß vorgelehnt auf dem kleinen Sofa, die Ellbogen auf den Knien und das Kinn bequem auf die Hände gestützt. Sie beobachtete das Brett wie etwas, das versuchen könnte davonzurennen. Ishamel wünschte, er könnte mit ihr reden. Er fragte sich, ob sie wohl auch gerade Schachspielen lernte.

»Herr General«, setzte Ishmael an, mit einem scharfen Stück Eis in der Kehle.

General Benjamin sah auf und blinzelte. Er hatte gar nicht gemerkt, daß der Junge im Zimmer war. So ein kleiner Junge. Er war ein Waisenkind, und sein Onkel hatte ihn erst

wenige Monate vor der Aktion als Guerillakämpfer zu
ihnen gebracht, wobei er behauptet hatte, alle Jungen in
ihrer Familie wären klein und schössen dann beeindruckend
in die Höhe, doch Benjamin fing langsam an, daran zu
zweifeln. Ishmaels Körper sah nicht so aus, als ob er vorhät-
te, irgendwelche beeindruckenden Dinge zu tun. Dennoch
gab der Junge sein Bestes, um mit den anderen mitzuhalten
und ihren Spott zu ertragen. Und es war nützlich, wenigstens einen Kleinen dabeizuhaben, jemanden, den man
hochheben, durchs Fenster schieben konnte. »Was ist?«

»Ich dachte, Herr General, ob Sie vielleicht.« Er brach
ab, sammelte sich und setzte noch einmal an. »Ich dachte,
ob ich, wenn nachher noch Zeit ist, wohl gegen den Sieger
spielen könnte.« Die Chancen, daß der Sieger Herr Hosokawa sein würde, schienen ihm fünfzig zu fünfzig zu stehen, und vielleicht war das eine verwegene Bitte. »Oder gegen den Verlierer.«

»Du spielst Schach?« fragte General Benjamin.

Herr Hosokawa und Roxane fixierten weiter das Brett.
Früher hätten sie aus Höflichkeit den Sprechenden zumindest angesehen, selbst wenn sie kein Wort verstanden. Jetzt
konnten sie beide ein paar Brocken Spanisch und machten
sich nicht mehr die Mühe aufzublicken. Herr Hosokawa
hatte es auf Benjamins Läufer abgesehen. Roxane konnte
sehen, was er dachte.

»Ich glaube schon. Ich habe zugeschaut. Ich glaube, ich
hab es verstanden.«

General Benjamin lachte, doch sein Lachen klang durchaus nicht unfreundlich. Er tippte Herrn Hosokawa auf den
Arm. Herr Hosokawa hob die Augen, schob seine Brille
hoch und sah zu, wie General Benjamin eine von Ishmaels
kleinen Händen unter die seine nahm und auf einen Bauern
legte, mit dem er dann von Feld zu Feld hüpfte. Benjamin
zeigte zwischen ihnen dreien hin und her, und damit war
alles klar. Herr Hosokawa lächelte und klopfte dem Jungen
auf die Schulter.

»Dann spielst du also mit dem Sieger«, sagte General Benjamin. »Das ist beschlossene Sache.«

Von einem ungeheuren Glücksgefühl erfaßt, setzte sich Ishmael zu Roxanes Füßen und starrte genauso auf das Brett wie sie, so als wäre es ein lebendiges Wesen. Ihm blieb nur noch ein halbes Spiel, um alles zu lernen, was es über Schach zu lernen gab.

Gen klopfte leicht an die Tür des kleinen Wohnzimmers. Messner stand hinter ihm. Alles an Messner wirkte erschöpft, bis auf sein Haar, das hell war wie der Tag. Er trug nach wie vor ein weißes Hemd, schwarze Hosen und eine schwarze Krawatte, und wie die Kleidung der Geiseln und diejenige der Terroristen wies auch die seine starke Gebrauchsspuren auf. Er verschränkte die Arme und sah dem Spiel zu. In seiner Studienzeit war er in der Schachmannschaft gewesen, war mit dem Bus zu Turnieren in Frankreich und in Italien gefahren. Gern hätte er jetzt eine Partie gespielt, aber wenn er drei Stunden lang im Haus blieb, würde man von ihm erwarten, daß er hinterher etwas Entscheidendes vorzuweisen hätte.

General Benjamin hielt die Hand hoch, ohne aufzublicken. Er begann zu ahnen, daß sein Läufer in Gefahr war.

Messner sah, in welche Richtung sein Blick ging. Er erwog, dem General zu sagen, daß der Läufer nicht wirklich sein Problem war, aber Benjamin hätte sicher nicht auf ihn gehört. »Sagen Sie ihm, ich hab die Zeitungen von heute dabei«, bat er Gen auf französisch. Soviel Spanisch hätte er zwar auch noch zusammengebracht, doch er wußte, er würde nur einen bösen Blick ernten, wenn er den General mitten im Zug unterbrach.

»Ich werde es ihm sagen.«

Roxane Coss hob die Hand und winkte Messner zu, ließ das Brett jedoch nicht aus den Augen, ebenso wie Ishmael, der spürte, wie ihm vor Angst die Galle in den Schlund hinaufstieg. Vielleicht konnte er doch nicht Schach spielen.

»Haben Sie vor, uns bald hier herauszuholen?« fragte Roxane.

»Keiner rührt sich von der Stelle«, sagte Messner in möglichst lockerem Ton. »So ein Patt habe ich noch nie erlebt.« Er war merkwürdig eifersüchtig auf Ishmael, der dort zu ihren Füßen saß. Der Junge hätte seine Hand bloß ein kleines Stück weiterzuschieben brauchen, um ihren Knöchel zu streifen.

»Sie könnten uns ja aushungern«, sagte Roxane mit ruhiger, sicherer Stimme, als wolle sie die Spieler nicht stören. »Das Essen ist gar nicht so übel, nicht so schlecht, wie es sein sollte, wenn sie Bewegung in die Sache bringen wollen. Sie können nicht so fest entschlossen sein, uns zu befreien, wenn sie uns im Grunde alles geben, was wir haben wollen.«

Messner kratzte sich am Hinterkopf. »Tja, ich befürchte, daran sind Sie schuld. Wenn Sie glauben, daß Sie berühmt waren, bevor Sie hierherkamen, dann sollten Sie jetzt mal lesen, was man über Sie schreibt. Man könnte meinen, die Callas wäre nur ein Vorspiel zu Ihnen gewesen. Wenn die versuchen würden, Sie auszuhungern, wäre es mit der Regierung nach einem halben Tag vorbei.«

Roxane sah zu ihm auf und blinzelte ein hübsches Bühnenblinzeln mit großen, zufriedenen Augen. »Das heißt, wenn ich hier lebend herauskomme, kann ich meine Preise verdoppeln?«

»Sie können sie verdreifachen.«

»Mein Gott«, sagte Roxane, und schon der Anblick ihrer Zähne brach Messner das Herz. »Ist Ihnen klar, daß Sie ihm gerade gesagt haben, wie er die Regierung stürzen kann, und er weiß es nicht einmal? Es ist genau das, was er immer gewollt hat, und jetzt hat er es nicht mitbekommen.«

General Benjamin hatte die Hand auf seinen Läufer gelegt. Er wiegte ihn hin und her. Die Worte flossen über ihn hinweg wie Wasser über einen Stein.

Messner sah hinunter zu Ishmael. Der Junge schien den

Atem anzuhalten, bis sich der General zu einem Zug entschließen würde. Wie noch bei keiner der vielen Verhandlungen, die er bis dahin erlebt hatte, war es Messner bei dieser egal, welche Seite den Sieg davontrug. Doch das war nicht der Punkt, denn letztlich siegte immer die Regierung. Der Punkt war, daß er nichts dagegen hätte, wenn diese Leute davonkommen würden. Er wünschte, sie könnten den Tunnel benutzen, den das Militär jetzt grub, wünschte, sie könnten wieder in die Luftschächte kriechen und dann hinunter in diesen Tunnel und in die grünen Gefilde zurückkehren, aus denen sie kamen. Nicht daß sie besonders schlau gewesen wären – aber vielleicht verdienten sie gerade deshalb nicht die Strafe, die sie schließlich ereilen würde. Er hatte Mitleid mit ihnen, das war alles. Er hatte noch nie Mitleid mit den Entführern gehabt.

Ishmael seufzte, als General Benjamin die Hand wieder vom Läufer nahm und statt dessen nach dem Springer griff. Es war ein schlechter Zug. Das konnte selbst Ishmael sehen. Er lehnte sich zurück an die Couch, und als er das tat, legte Roxane einen Arm auf seine Schulter und die andere Hand auf seinen Kopf, woraufhin sie ihm so geistesabwesend übers Haar fuhr wie sonst sich selbst. Doch Ishmael nahm es kaum wahr. Er sah gebannt dem Schachspiel zu, das nach sechs weiteren Zügen beendet war.

»Tja, das wär's wohl«, sagte General Benjamin zu niemand im besonderen. Sobald das Spiel vorbei war, ging die Schleuse wieder auf, und die Schmerzen kamen in Bewegung. Er schüttelte Herrn Hosokawa schnell und förmlich die Hand, wie sie es nach jedem Spiel taten. Herr Hosokawa verbeugte sich mehrmals, und Benjamin verbeugte sich ebenfalls – eine sonderbare Sitte, von der er sich hatte anstecken lassen wie von einem nervösen Tick. Dann streckte er sich und bedeutete Ishmael, Platz zu nehmen. »Aber nur wenn der Herr noch weiterspielen mag. Dräng dich nicht auf. Gen, fragen Sie Herrn Hosokawa, ob er vielleicht lieber erst morgen mit ihm spielen will.«

Herr Hosokawa spielte gern mit Ishmael, der es sich bereits auf dem vom General vorgewärmten Stuhl bequem machte. Er begann, die Figuren aufzustellen.

»Haben Sie Neuigkeiten?« frage der General Messner.

»Eigentlich nicht.« Messner blätterte in seinen Papieren. Ein gebieterischer Brief vom Präsidenten. Ein gebieterischer Brief vom Polizeichef. »Sie werden nicht nachgeben. Ich muß Ihnen leider sagen, daß sie mir weniger denn je dazu bereit zu sein scheinen. Die Regierung ist mit der allgemeinen Entwicklung ganz zufrieden. Die Leute fangen an, sich an das Ganze zu gewöhnen. Sie gehen die Straße entlang und bleiben nicht einmal mehr stehen.« Während Gen übersetzte, gab Messner dem General die tägliche Liste der Forderungen des Militärs. Manchmal machten sie sich nicht einmal mehr die Mühe, ihre Forderungen neu zu formulieren. Sie kopierten sie einfach und änderten mit Bleistift das Datum.

»Na, die werden schon sehen, wir sind Meister im Warten. Wir können ewig warten.« General Benjamin nickte halbherzig, während er die Schreiben durchging. Dann öffnete er den kleinen französischen Sekretär und holte seine eigenen Briefe heraus, die Gen am Abend zuvor getippt hatte. »Geben Sie ihnen die hier.«

Messner nahm ihm die Blätter ab, ohne sie anzusehen. Es war immer dasselbe. Ihre Forderungen waren im letzten Monat wirklich abenteuerlich geworden: Sie verlangten die Freilassung von politischen Gefangenen in anderen Ländern, Männern, die sie nicht einmal kannten, die Verteilung von Essen an die Armen, ein neues Wahlrecht. Darauf war General Hector gekommen, nachdem er einige von Rubens juristischen Fachbüchern gelesen hatte. Daß sie nichts erreichten, ließ sie nicht etwa auf etwas verzichten, sondern nur noch mehr verlangen. Sie reagierten wie üblich mit Drohungen, versprachen, mit der Erschießung der Geiseln zu beginnen, doch die Wörter »Drohung«, »Versprechen« und »Forderung« hatten nur noch eine dekorative Funktion. Sie bedeuteten nicht mehr als die Stempel und die Siegel, mit denen die Regierung ihre Schreiben versah.

Herr Hosokawa ließ Ishmael anfangen. Der Junge eröffnete mit dem dritten Bauern. General Benjamin setzte sich, um zuzusehen.

»Wir sollten darüber reden«, sagte Messner.

»Da gibt es nichts zu reden.«

»Ich glaube«, setzte Messner an. Er spürte die Verantwortung wie eine Last. Er begann allmählich zu glauben, daß er, wenn er nur klüger wäre, das Ganze längst durch Reden hätte lösen können. »Es gibt da einiges, was Sie bedenken sollten.«

»Pst«, sagte General Benjamin und legte den Finger an die Lippen. Er wies auf das Brett. »Es geht los.«

In einem plötzlichen Anfall von Erschöpfung lehnte sich Messner gegen die Wand. Ishmael zog seinen Finger von dem Bauern zurück.

»Kommen Sie, ich bring Sie zur Tür«, sagte Roxane zu Messner.

»Was?« sagte General Benjamin.

»Sie hat gesagt, Sie bringt Messner zur Tür«, erklärte Gen.

General Benjamin legte keinen Wert darauf, sie zu begleiten. Es wollte sehen, ob der Junge wirklich spielen konnte.

»Sagen Sie mir, was die da draußen vorhaben«, bat ihn Roxane, als sie den Flur entlanggingen. Gen war mitgekommen und sie unterhielten sich auf englisch.

»Ich hab keine Ahnung.«

»Irgendeine Ahnung haben Sie bestimmt«, sagte Roxane.

Er sah sie an. Jedesmal, wenn er sie sah, war er wieder erstaunt, wie klein sie war. Nachts, in seiner Erinnerung, war sie riesig, beeindruckend. Doch wenn er neben ihr stand, war sie so klein, daß er sie, hätte er einen Mantel getragen, darunter hätte verbergen können, klein genug, um lautlos unter seinem Arm aus dem Haus zu schlüpfen. Daheim in Genf hatte er den idealen Trenchcoat dafür – ein Erbstück von seinem Vater, der stämmiger gewesen war als er. Messner trug den Mantel trotzdem, aus einer Mischung von Liebe und Pragmatismus, und er bauschte sich hinter ihm, wenn er ging. »Ich bin ja hier nur der Roßknecht, ein Laufbursche. Ich bringe Briefe herein und bringe Briefe hinaus, ich sorge dafür, daß es genug Butter für die Brötchen gibt. Mir sagen sie gar nichts.«

Roxane hakte sich bei ihm ein, nicht so, als wolle sie flirten, sondern eher wie die Heldin eines englischen Romans aus dem neunzehnten Jahrhundert, die mit einem Gentleman spazierengeht. Durch seinen Ärmel hindurch spürte Messner die Wärme ihrer Hand. Er mochte sie nicht hier zurücklassen.

»Sagen Sie's mir«, flüsterte sie ihm zu. »Ich habe gar kein Zeitgefühl mehr. Manchmal denke ich, daß ich hier lebe, daß es immer so sein wird. Wenn ich das sicher wüßte, könnte ich mich hier einrichten. Verstehen Sie das? Wenn es für lange ist, will ich das wissen.«

Sie jeden Tag zu sehen, morgens in der Menge auf dem Gehsteig zu stehen, um sie singen zu hören – war das nicht etwas ganz Besonderes? »Ich nehme an«, sagte Messner leise, »daß es für eine lange Zeit ist.«

Gen ging hinter ihnen her wie der perfekte Butler – diskret und doch bereit, falls er gebraucht wurde. Er hörte zu. Messner hatte es gesagt: *Für eine lange Zeit*. Er dachte an Carmen, an all die Sprachen, die ein kluges Mädchen lernen konnte. Vielleicht würden sie eine lange Zeit brauchen.

Als Ruben die drei auf dem Flur herankommen sah, ging er forsch auf sie zu, bevor ihn einer der Soldaten daran hindern konnte. »Messner!« sagte er. »Es ist unglaublich! Ich warte auf Sie, und dann schaffen Sie es, an mir vorbeizuschlüpfen. Wie geht es unserer Regierung? Haben sie mich schon ersetzt?«

»Das geht gar nicht«, sagte Messner. Roxane trat einen Schritt zurück zu Gen, und Messner spürte, wie die Luft um ihn herum kälter wurde.

»Wir brauchen Seife«, sagte der Vizepräsident. »Seife, Geschirrspülmittel, Waschmittel.«

Messner hörte nur mit einem Ohr zu. Sein Gespräch mit Roxane war zu kurz gewesen. Sie brauchten Gen nicht. Messner träumte oft auf englisch. Nie konnte man einen Moment allein sein. »Ich werde sehen, was ich tun kann.«

Rubens Gesicht verfinsterte sich. »Das kann doch nicht so kompliziert sein.«

»Ich werde es Ihnen morgen bringen«, sagte Messner, jetzt mit sanfter Stimme. Woher kam all diese plötzliche Zärtlichkeit? Messner wollte zurück in die Schweiz, wo der Postbote, der ihn nie erkannte, wenn sie sich im Hausflur begegneten, die Post stets in den richtigen Briefkasten warf. Er wollte, daß keiner ihn brauchte, keiner ihn kannte. »Ihr Gesicht ist ja doch noch geheilt.«

Der Vizepräsident, dem die Lächerlichkeit seiner Wut bewußt wurde und welche Last auf den Schultern seines Freundes lag, faßte sich an die Wange. »Ich dachte, es würde niemals heilen. Eine höllische Narbe, nicht wahr?«

»Sie wird Sie zum Volkshelden machen«, sagte Messner.

»Ich werde sagen, daß Sie das waren«, sagte Ruben und sah Messner in seine hellen Augen. »Bei einem Messerkampf in einer Bar.«

Messner ging zur Tür und hielt die Arme hoch, und Beatriz und Jesus tasteten ihn ab, bis ihm die Hartnäckigkeit von Beatriz' Händen peinlich wurde. Daß sie ihn filzten, wenn er hereinkam, war ja noch einzusehen. Doch er verstand nicht, warum die ganze Prozedur wiederholt werden mußte, wenn er wieder ging. Was sollte er wohl hinausschmuggeln?

»Die glauben, daß Sie vielleicht die Seife stehlen«, sagte der Vizepräsident, als könne er seine Gedanken lesen. »Sie fragen sich, wo sie geblieben ist, wo sie sie doch gar nicht benutzt haben.«

»Zurück mit Ihnen aufs Sofa«, sagte Jesus und wies, zwei Finger auf das Gewehr legend, in die entsprechende Richtung. Der Vizepräsident konnte ein Schläfchen gebrauchen und ging seines Wegs, ohne sich lange bitten zu lassen. Messner marschierte zur Tür hinaus, ohne sich zu verabschieden.

Roxane dachte unentwegt nach. Sie dachte über Messner nach und darüber, daß es ihr schien, er würde lieber selbst zu den Geiseln gehören, als die Bürde zu tragen, der einzige Mensch auf der Welt zu sein, der hier nach Belieben ein und aus gehen konnte. Sie dachte über Schubertlieder nach, über Puccinis Arien, über die Aufführungstermine in Argentinien, die sie versäumt hatte, und über die Aufführungstermine in New York, die sie inzwischen ebenfalls versäumt hatte, deretwegen sie ewig verhandelt hatte und die ihr so wichtig gewesen waren, obwohl sie das damals nicht hatte zugeben wollen. Sie dachte darüber nach, was sie morgen im Wohnzimmer singen würde – noch mehr Rossini? Vor allem dachte sie an Herrn Hosokawa und daran, was er ihr für eine Stütze war. Wenn er nicht gewesen wäre, hätte sie in der ersten Woche völlig den Verstand verloren, aber wäre er nicht gewesen, wäre sie auch nie in dieses Land gekommen, ja nicht einmal dorthin eingeladen worden. Ihr Leben wäre fahrplanmäßig weitergegangen: Argentinien, New York, ein Besuch in Chicago, dann zurück nach Italien. Jetzt stand alles still. Sie dachte an Katsumi Hosokawa, wie er am Fenster saß, während sie sang, und fragte sich, wie es möglich war, einen Menschen zu lieben, mit dem man nicht einmal reden konnte. Sie glaubte jetzt, daß alles seinen Grund hatte: sein Geburtstag und daß man sie gleichsam als sein Geburtstagsgeschenk engagiert hatte, daß man sie alle so lange hier festhielt. Wie hätten sie einander sonst kennenlernen sollen? Wie sollte man jemanden kennenlernen, mit dem man nicht reden konnte, jemanden, der am anderen Ende der Welt lebte, außer indem man unendlich viel Zeit bekam, um einfach beisammenzusitzen und zu warten? Sie würde sich um Carmen kümmern müssen, das war das erste.

»Sie kennen doch Carmen«, sagte Roxane zu Gen. Sie gingen zurück, um den weiteren Verlauf des Schachspiels zu verfolgen, doch mitten auf dem Flur, als sie weit weg waren von irgendeiner Tür, signalisierte sie ihm stehenzubleiben.

»Carmen?«

»Natürlich wissen Sie, wer das ist, und Sie kennen sie ein bißchen besser, nicht wahr? Ich habe Sie miteinander reden sehen.«

»Ja.« Gen spürte, wie die Röte aus seiner Brust nach oben stieg, und wollte sie unten halten, als wäre das eine Frage des Willens.

Doch Roxane sah ihn gar nicht an. Sie hatte einen leicht verschwommenen Blick, als ob sie müde wäre. Es war erst Mittag, doch nach dem Singen war sie oft erschöpft. Die Wachposten ließen sie dann allein hinaufgehen, um noch ein wenig zu schlafen. Wenn Carmen nicht gerade Wache stand, suchte Roxane sie und nahm sie am Handgelenk, und Carmen folgte ihr. Wenn Carmen da war, konnte sie viel besser schlafen. Carmen war vermutlich zwanzig Jahre jünger als sie, doch sie hatte etwas an sich, das Roxane beruhigte. »Sie ist ein reizendes Mädchen. Sie bringt mir morgens mein Frühstück. Manchmal mache ich nachts die Tür auf, und dann liegt sie davor und schläft«, sagte sie. »Aber nicht immer.«

Nicht immer. Nicht, wenn sie mit ihm zusammen war.

Roxane sah ihn wieder an und lächelte ein wenig. »Armer Gen, Sie stehen immer mittendrin. Jeder, der ein Geheimnis hat, muß damit durch Sie hindurch.«

»Es gibt sicher viel, das ich nicht mitbekomme.«

»Ich muß Sie um einen Gefallen bitten, wie alle anderen. Ich muß Sie bitten, etwas für mich zu tun.« Denn wenn Messner recht hatte, wenn man sie noch lange Zeit hier festhalten würde, dann hatte sie das verdient. Und wenn man sie am Ende dieser langen Zeit ohnehin umbringen würde – denn manche glaubten, das Militär würde sie erschießen, um es den Terroristen anzuhängen, oder die Terroristen würden es in einem Augenblick der Verzweiflung selbst tut (obwohl sie sich das weniger vorstellen konnte) –, dann hatte sie es erst recht verdient. Und wenn die dritte Möglichkeit eintrat, wenn sie alle bald und unversehrt befreit würden, wenn sie in ihr normales Leben zurückkehren und das alles hier vergessen würden, dann hatte sie es am allermeisten verdient, denn dann würde sie Katsumi Hosokawa bestimmt nie wiedersehen. »Suchen Sie Carmen heute abend, und sagen Sie ihr, sie soll woanders schlafen. Sagen Sie ihr, sie soll mir morgens kein Frühstück bringen. Würden Sie das für mich tun?«

Gen nickte.

Doch das reichte noch nicht. Das war noch nicht alles, denn sie konnte Herrn Hosokawa ja nicht selbst sagen, daß er diese Nacht zu ihr heraufkommen solle. Sie wollte ihn bitten, zu ihr aufs Zimmer zu kommen, doch dafür mußte sie Gen bitten, zu ihm zu gehen und es ihm auf japanisch zu sagen – und was genau wollte sie ihm eigentlich sagen? Daß sie wolle, daß er mit ihr die Nacht verbringe? Und Gen würde Carmen bitten müssen, Herrn Hosokawa zu ihr hinaufzuschleusen, und wenn man die zwei nun ertappte, was würde dann mit Herrn Hosokawa passieren und mit Carmen? Früher war es so gewesen, daß man, wenn man jemanden kennenlernte und sich mit ihm treffen wollte, zusammen essen oder etwas trinken ging. Sie lehnte sich gegen die Wand. Zwei Jungen mit Gewehren in der Hand gingen vorbei, doch wenn Roxane da war, triezten sie nie jemanden mit dem Gewehr. Als sie vorüber waren, holte Roxane tief Luft und erklärte Gen, was sie wollte. Er sagte nicht, daß das Wahnsinn sei. Er hörte ihr zu, als wäre ihr Wunsch nichts Ungewöhnliches, und nickte, während sie sprach. Vielleicht war es bei Dolmetschern ähnlich wie bei Ärzten, bei Anwälten oder sogar bei Priestern. Sie mußten irgendeinen Moralkodex haben, der sie davon abhielt, Dinge auszuplaudern. Und selbst wenn sie seiner Loyalität ihr gegenüber nicht völlig sicher war, so wußte sie doch, daß er alles tun würde, um Herrn Hosokawa zu schützen.

Ruben Iglesias ging in das Zimmer, das jetzt das Büro der Generäle war, für ihn jedoch immer noch das Gästezimmer, um die Papierkörbe zu leeren. Er lief mit einer großen grünen Mülltüte von Raum zu Raum und schüttete nicht nur den Inhalt der Papierkörbe hinein, sondern sammelte auch allen Abfall vom Boden auf: Limonadedosen, Bananenschalen, die Schnipsel, die aus den Zeitungen herausgeschnitten worden waren. Diese steckte er heimlich ein, um sie spätnachts mit einer Taschenlampe zu lesen. Herr Hosokawa spielte mit Ishmael Schach, und Ruben blieb einen Moment lang an der Tür stehen, um ihnen zuzusehen. Er war sehr stolz auf Ishmael, der viel intelligenter war als die anderen Jungen. Ruben hatte das Spiel gekauft, um seinem Sohn Marco das Schachspielen beizubringen, doch der Junge schien ihm immer noch zu jung dafür. General Benjamin saß auf der Couch, und nach einer Weile sah er zu Ruben auf. Der Anblick seines völlig entzündeten Auges verschlug Ruben den Atem.

»Dieser Ishmael lernt wirklich sehr schnell«, sagte General Benjamin. »Keiner hat ihm das Spiel erklärt. Er hat es nur vom Zusehen aufgeschnappt.« Die Auffassungsgabe des Jungen hatte ihn in gute Laune versetzt. Sie erinnerte ihn an seine Zeit als Lehrer.

»Kommen Sie kurz mit auf den Flur«, sagte Ruben leise. »Ich muß mit Ihnen reden.«

»Dann tun Sie das hier.«

Ruben schielte zu dem Jungen hinüber, um anzudeuten, daß es sich um ein Gespräch von Mann zu Mann handele. Benjamin seufzte und stand mühsam auf. »Alle haben irgendein Problem«, sagte er.

Als sie vor der Tür standen, stellte Ruben seine Mülltüte ab. Er sprach nicht gern mit den Generälen. Seine erste Begegnung mit ihnen war ihm eine Warnung gewesen, aber ein anständiger Mensch konnte einfach nicht so tun, als würde er das nicht sehen.

»Was brauchen Sie?« fragte Benjamin ihn mit müder Stimme.

»Was Sie brauchen«, sagte Ruben. Er griff in seine Tasche und zog ein Fläschchen mit Tabletten heraus, auf dem sein Name stand. »Antibiotika. Hier, sie haben mir mehr davon geschickt, als ich je brauchen kann. Die Entzündung in meinem Gesicht ist davon weggegangen.«

»Schön für Sie«, sagte General Benjamin.

»Und für Sie. Es sind noch reichlich da. Nehmen Sie sie. Sie werden erstaunt sein, wie gut sie helfen.«

»Sind Sie Arzt?«

»Man braucht kein Arzt zu sein, um zu sehen, wenn etwas entzündet ist. Glauben Sie mir.«

Benjamin lächelte ihn an. »Woher soll ich wissen, daß Sie mich nicht vergiften wollen, kleiner Vizepräsident?«

»Ja, ja.« Ruben seufzte. »Ich will Sie vergiften. Ich will, daß wir zusammen sterben.« Er öffnete das Fläschchen und schüttete sich eine Tablette in den Mund, und nachdem er Benjamin gezeigt hatte, daß sie auf seiner Zunge lag, schluckte er sie hinunter. Dann reichte er das Fläschchen dem General. »Machen Sie damit, was Sie wollen, aber hier – sie gehören Ihnen.«

Dann setzte sich Benjamin wieder zu den Schachspielern, und Ruben sammelte den Abfall auf und ging weiter zum nächsten Zimmer.

Es war Samstag, doch da ein Tag dem anderen glich, waren die beiden einzigen, die darauf achteten, Pater Arguedas, der ihnen am Samstag die Beichte abnahm und die sonntägliche Messe vorbereitete, und Beatriz, die die Wochenenden schrecklich öde fand, weil ihre Lieblingsserie, *Marias Geschichte*, nur während der Woche lief.

»Warten ist gesund«, erklärte ihr General Alfredo, der die Serie selbst gern sah. »Da weiß man, was Vorfreude ist.«

»Ich will aber nicht warten«, sagte sie, und plötzlich war ihr, als würde sie gleich vor Verzweiflung weinen, angesichts des tristen weißen Nachmittags, der sich vor ihr endlos in alle Richtungen dehnte. Sie hatte ihr Gewehr gereinigt und die Inspektion bestanden und brauchte bis zum Abend nicht Wache zu stehen. Sie hätte ein bißchen schlafen oder sich eine der Zeitschriften ansehen können, die sie schon hundertmal durchgeblättert und nicht verstanden hatte, doch der Gedanke erschien ihr unerträglich. Sie wollte hier raus. Sie wollte wie andere Mädchen durch die Straßen gehen und sich von vorbeifahrenden Männern nachhupen lassen. Sie wollte etwas unternehmen. »Ich geh zum Priester«, sagte sie zu Alfredo und wandte schnell den Kopf ab. Weinen war streng verboten. Sie hielt es für das Schlimmste, was sie tun konnte.

Pater Arguedas verfuhr bei der Beichte nach dem Prinzip »Hinzuziehung des Dolmetschers freigestellt«. Wenn die Leute in einer anderen Sprache beichten wollten als Spanisch, saß der Priester einfach da und hörte zu, in der Annahme, daß ihre Sünden genauso durch ihn hindurchgehen und von Gott reingewaschen würden, wie wenn er verstanden hätte, was sie sagten. Wenn jemand in herkömmlicherem Sinne verstanden werden wollte, dann durfte er gern mit Gen kommen, wenn es in dessen Zeitplan hineinpaßte. Gen war genau der richtige für diesen Job, denn er schien die erstaunliche Fähigkeit zu haben, dem, was aus seinem eigenen Mund kam, nicht zuzuhören. Doch jetzt spielte das keine Rolle, denn Oscar Mendoza beichtete in der Sprache, mit der sie beide aufgewachsen waren. Sie saßen sich in einer Ecke des Eßzimmers auf zwei Stühlen gegenüber. Diese Einrichtung wurde allgemein respektiert, und wenn die anderen den Priester dort mit jemandem sitzen sahen, hielten sie sich vom Eßzimmer fern. Anfangs hatte Pater Arguedas vorgeschlagen, in der Garderobe einen richtigen Beichtstuhl einzurichten, doch die Generäle hatten es nicht erlaubt. Die Geiseln mußten sich immer an einem Ort aufhalten, der restlos einsehbar war.

»Segnet mich, Vater, denn ich habe gesündigt. Es ist drei Wochen her, daß ich das letztemal gebeichtet habe. Zu Hause geh ich jede Woche – auf mein Wort! –, doch in unserer jetzigen Situation hat man ja kaum Gelegenheit zu sündigen«, sagte Oscar Mendoza. »Kein Alkohol, kein Spiel, nur drei Frauen. Nicht einmal an sich selbst vergehen kann man sich. Man ist ja fast nie allein.«

»Unser Leben hier ist nicht ohne Lohn.«

Mendoza nickte, obwohl es ihm schwerfiel, es so zu sehen. »Aber ich habe Träume. Können bestimmte Träume eine Sünde sein?«

Der Priester zuckte die Achseln. Er genoß die Beichten, genoß es, mit Leuten reden und sie möglicherweise von ihrer Last befreien zu können. Die paar Male, die er vor ihrer Geiselnahme hatte die Beichte hören dürfen, konnte man an einer Hand abzählen, doch seitdem hatten manchmal mehrere Personen darauf gewartet, mit ihm sprechen zu können. Vielleicht wären ihm ein bißchen mehr Sünden lieber gewesen, wenn auch nur, damit die Leute länger bei ihm blieben. »Träume haben etwas mit dem Unterbewußtsein zu tun. Das ist ein unsicheres Gelände. Aber vielleicht sollten Sie mir davon erzählen. Dann kann ich Ihnen vielleicht helfen.«

Beatriz steckte den Kopf zu Tür herein, und ihr schwerer Zopf schwang im Gegenlicht. »Sind Sie fertig?«

»Nein, noch nicht«, sagte der Priester.

»Aber bald?«

»Geh noch ein bißchen spielen. Du bist als nächste dran.«

Spielen? Hielt der sie für ein Kind? Sie sah auf Gens große Uhr an ihrem Handgelenk. Es war siebzehn Minuten nach eins. Inzwischen konnte sie sie perfekt lesen, es wurde fast schon zum Zwang. Keine drei Minuten hielt sie es aus, ohne auf die Uhr zu sehen, sosehr sie auch versuchte, nicht an die Zeit zu denken. Beatriz legte sich auf den kleinen roten Orientteppich vor der Tür, wo sie die Beichte bequem mitanhören konnte, ohne daß der Pater sie sah. Sie steckte sich das Ende ihres Zopfes in den Mund. Oscar Mendozas Stimme war so kräftig wie seine Statur und, selbst wenn er leise sprach, gut zu verstehen.

»Es ist jede Nacht mehr oder weniger derselbe Traum.« Oscar Mendoza hielt inne, unsicher, ob er einem so jungen Priester wirklich so furchtbare Dinge erzählen wollte. »Ein Traum von schrecklicher Gewalt.«

»Gegen unsere Geiselnehmer?« fragte der Priester leise.

Beatriz hob den Kopf.

»O nein, nichts dergleichen. Ich wünschte, sie würden uns in Ruhe lassen, aber ich will ihnen eigentlich nichts Böses, meistens jedenfalls. Nein, in den Träumen geht es um meine Töchter. Ich komme hier raus. Ich kann fliehen oder werde befreit, das ist von Traum zu Traum verschieden, und wenn ich nach Hause komme, ist das Haus voller Jungen. Wie in einer Art Jungenschule. Große Jungen und kleine, hellhäutige, dunkelhäutige, dicke und schlaksige. Sie sind überall. Sie bedienen sich aus meinem Kühlschrank und sitzen rauchend auf meiner Veranda. Sie sind in meinem Badezimmer und benutzen meinen Rasierer. Wenn ich an ihnen vorbeikomme, sehen sie auf, werfen mir gelangweilte Blicke zu, als ob sie das alles nicht schert, und widmen sich dann wieder dem, was immer sie gerade getan haben. Aber das ist nicht das Schlimme. Was diese Jungen vor allem tun, ist, daß sie ... daß sie meine Töchter erkennen. Sie stehen vor ihren Zimmern Schlange, sogar vor denen meiner zwei Jüngsten. Es ist furchtbar, Pater. Aus einigen Zimmern höre ich Gelächter und aus anderen Schluchzen, und ich fange an, die Jungen umzubringen, einen nach dem anderen, ich gehe den Flur entlang und zerbreche sie wie Streichhölzer. Sie weichen nicht einmal vor mir zurück. Sie sehen alle so überrascht aus, bevor ich sie packe, um ihnen mit meinen Händen den Hals zu bre-chen.« Oscars Hände zitterten, und er schlang sie ineinan-der und klemmte sie zwischen die Knie.

Beatriz versuchte, heimlich um die Ecke zu spähen, um zu sehen, ob der große Mann weinte. Sie meinte in seiner Stimme ein Zittern zu hören. So etwas träumten also ande-re Leute? Waren das die Dinge, die sie beichteten? Sie sah auf die Uhr: zwanzig nach eins.

»Ach, Oscar. Oscar.« Pater Arguedas klopfte ihm auf die Schulter. »Das ist nur der Druck. Das ist keine Sünde. Wir beten darum, daß unsere Seele sich nicht schlimmen Dingen zuwendet, aber manchmal tut sie das, und es liegt nicht in unserer Macht.«

»Es fühlt sich immer so real an«, sagte Oscar und fügte dann widerstrebend hinzu: »In diesen Träumen bin ich gar nicht so unglücklich. Ich bin sehr wütend, aber ich bin froh, sie umzubringen.«

Das war vielleicht schon beunruhigender. »Dann geht es darum, zu lernen. Beten Sie, daß Gott Ihnen Stärke schenkt und Sie gerecht werden läßt. Wenn es dann soweit ist und Sie nach Hause gehen, wird Frieden in Ihrem Herzen sein.«

»Wahrscheinlich.« Oscar nickte bedächtig, war jedoch nicht überzeugt. Er merkte jetzt, daß das, was er vom Prie-ster gewollt hatte, nicht die Lossprechung von seinen Sün-den war, sondern die Versicherung, daß seine Träume nicht der Wirklichkeit entsprachen. Daß seine Töchter zu Hause gut aufgehoben waren und in Frieden lebten.

Pater Arguedas sah ihn aufmerksam an. Er lehnte sich zu ihm vor, und seine Stimme klang bedeutungsschwer. »Beten Sie zur Jungfrau Maria. Drei Rosenkränze. Haben Sie mich verstanden?« Er zog seinen eigenen Rosenkranz hervor und drückte ihn Oscar in seine großen Hände.

»Drei Rosenkränze«, sagte Oscar, und als er begann, die Perlen mit den Fingern durchzugehen, ließ der Druck auf seiner Brust tatsächlich nach. Er dankte dem Pater und ging. Wenn er betete, tat er doch wenigstens etwas.

Der Priester betete noch ein paar Minuten um die Vergebung von Oscar Mendozas Sünden, und als er fertig war, räusperte er sich und rief hinaus: »Na, Beatriz, hat das Spaß gemacht?«

Sie wartete einen Moment, trocknete ihren Zopf an ihrem Ärmel und rollte sich dann einfach auf den Bauch, so daß sie direkt ins Zimmer sah. »Ich weiß nicht, was Sie meinen.«

»Du solltest nicht lauschen.«

»Sie sind ein Gefangener«, sagte sie, jedoch ohne rechte Überzeugung. Sie würde nie das Gewehr auf einen Priester richten, und so zielte sie statt dessen mit dem Finger auf ihn. »Ich hab das Recht, zu hören, was Sie sagen.«

Pater Arguedas lehnte sich auf seinem Stuhl zurück. »Um sicherzugehen, daß wir hier nicht ausgeheckt haben, wie wir dich im Schlaf umbringen können.«

»Genau.«

»Jetzt komm rein und leg deine Beichte ab. Du hast ja schon etwas zu beichten. Das macht die Sache leichter.« Pater Arguedas blufte. Keiner der Terroristen ging zur Beichte, auch wenn viele von ihnen zur Messe kamen, und er teilte ihnen trotzdem das Abendmahl aus. Er dachte, daß es wohl eine Vorschrift der Generäle war: keine Beichte.

Doch Beatriz war noch nie zur Beichte gegangen. Der Priester kam nur unregelmäßig in ihr Dorf, nur wenn sein Zeitplan es zuließ. Der Priester war ein sehr beschäftigter Mann, der für ein großes Gebiet in den Bergen zuständig war. Zwischen seinen Besuchen vergingen teilweise Monate, und wenn er dann kam, war seine Zeit außer mit der Messe auch noch mit Taufen und Heiraten, Begräbnissen, Streitigkeiten um Land und Erstkommunionen ausgefüllt. Die Beichte war Mördern vorbehalten oder unheilbar Kranken, keineswegs faulen Mädchen, die nichts Schlimmeres getan hatten, als daß sie ihre Schwestern gekniffen oder ihren Müttern nicht gehorcht hatten. Die Beichte war etwas für die ganz Erwachsenen und für die ganz Bösen, und wenn sie ehrlich gewesen wäre, hätte sich Beatriz weder zu den einen noch zu den anderen gezählt.

Pater Arguedas streckte die Hand aus und redete sanft auf sie ein. Genaugenommen war er der einzige, der je in diesem Ton mit ihr sprach. »Komm«, sagte er. »Ich mach es so, daß es ganz leicht wird für dich.«

Es war so einfach, zu ihm zu gehen und sich auf den Stuhl zu setzen. Er sagte ihr, sie solle den Kopf beugen, dann legte er die Hände zu beiden Seiten auf ihr glattes Haar und begann für sie zu beten. Sie hörte ihm nicht zu. Sie hörte nur hier und da ein Wort, schöne Wörter wie »Vater«, »gesegnet« und »Vergebung«. Es war einfach sehr angenehm, das Gewicht seiner Hände auf ihrem Kopf. Als er seine Hände nach scheinbar sehr langer Zeit schließlich wegnahm, fühlte sie sich herrlich schwerelos, frei. Sie hob den Kopf und lächelte ihn an.

»Und jetzt rufst du dir deine Sünden ins Gedächtnis«, sagte er. »Normalerweise tut man das, bevor man kommt. Du betest zu Gott, daß er dir den Mut gibt, dich an deine Sünden zu erinnern, und den Mut, sie auszusprechen. Und wenn du zur Beichte kommst, sagst du: ›Segnet mich, Vater, denn ich habe gesündigt. Dies ist meine erste Beichte.‹«

»Segnet mich, Vater, denn ich habe gesündigt. Dies ist meine erste Beichte.«

Pater Arguedas wartete einen Moment, doch Beatriz lächelte ihn nur weiter an. »Jetzt erzählst du mir deine Sünden.«

»Was für Sünden?«

»Nun«, sagte er, »zunächst einmal hast du bei Herrn Mendozas Beichte gelauscht, obwohl du wußtest, daß das falsch war.«

Sie schüttelte den Kopf. »Das war keine Sünde. Ich hab es Ihnen doch gesagt: Ich hab nur meine Arbeit getan.«

Diesmal legte Pater Arguedas ihr die Hände auf die Schultern, was die gleiche wunderbar beruhigende Wirkung hatte. »Bei der Beichte mußt du die reine Wahrheit sagen. Du sprichst durch mich zu Gott, und ich werde nie einer lebenden Seele davon erzählen. Das hier ist nur zwischen dir und mir und Gott. Es ist ein heiliger Ritus, und du darfst bei der Beichte niemals, niemals lügen. Verstehst du das?«

»Ja«, flüsterte Beatriz. Er hatte das hübscheste Gesicht von allen hier – er sah noch besser aus als Gen, den sie anfangs ein bißchen gemocht hatte. Die anderen Geiseln waren alle zu alt, die Jungen in ihrer Truppe waren zu jung, und die Generäle waren die Generäle.

»Bete«, sagte der Priester. »Du mußt unbedingt versuchen, das zu verstehen.«

Weil sie ihn mochte, bemühte sie sich, darüber nachzudenken. Während sie seine Hände auf ihren Schultern spürte, schloß sie die Augen und betete, und auf einmal erschien es ihr völlig klar. Ja, sie wußte, daß sie nicht lauschen sollte. Sie wußte es wie etwas, das sie hinter ihren geschlossenen Lidern sah, und es machte sie glücklich. »Ich gebe zu, daß ich gelauscht habe.« Sie hatte es nur auszusprechen brauchen, und schon war sie es los, es flog davon. Es war nicht mehr ihre Sünde.

»Gibt es noch etwas?«

Noch etwas. Sie dachte nach. Sie starrte angestrengt in das Dunkel hinter ihren geschlossenen Lidern, an den Ort, von dem sie wußte, daß dort die Sünden wie Brennholz gestapelt lagen, trocken und bereit fürs Feuer. Es gab noch etwas, es gab noch viel mehr. Doch es war einfach zuviel, und sie wußte nicht, wie sie es nennen sollte, wie sich so viele Sünden in Worte fassen ließen. »Ich hätte das Gewehr nicht anlegen sollen«, sagte sie schließlich, denn es war unmöglich, Klarheit in das alles zu bringen. Sie hatte das Gefühl, selbst wenn sie ewig so stehen bliebe, würde sie doch nicht alles beichten können. Nicht daß sie vorgehabt hätte, irgend etwas davon nicht mehr zu tun. Sie konnte damit nicht aufhören. Das würde man ihr nicht erlauben, und sie hätte es auch gar nicht gewollt. Sie erkannte jetzt ihre Sünden und wußte, daß sie immer wieder neue begehen würde.

»Gott vergibt dir«, sagte der Priester.

Beatriz öffnete die Augen und blinzelte den Priester an. »Das heißt, daß es weggeht?«

»Du wirst beten müssen. Du mußt es bereuen.«

»Das kann ich schon machen.« Vielleicht war das die Antwort: eine Art Kreislauf aus Sünden und Reue. Sie konnte jeden Samstag herkommen, oder vielleicht noch öfter, und er würde jedesmal erreichen, daß Gott ihr vergab und dann würde sie in den Himmel kommen.

»Ich möchte, daß du jetzt ein paar Gebete sagst.«

»Ich weiß nicht genau, wie sie gehen.«

Pater Arguedas nickte. »Wir können sie zusammen sagen. Ich kann sie dir beibringen. Aber ich möchte, Beatriz, daß du freundlich und hilfreich bist. Das gehört mit zu deiner Buße. Ich möchte, daß du es wenigstens heute versuchst.«

Carmen saß im Wohnzimmer, aber zusammen mit General Hector und einem halben Dutzend der größeren Jungen. Vier von ihnen spielten Karten, und der Rest sah zu. Sie hatten ihre Messer in den Tisch gerammt, an dem sie spielten, was den Vizepräsidenten an den Rand des Wahnsinns trieb. Es war ein Tisch vom Anfang des neunzehnten Jahrhunderts, handgeschnitzt von spanischen Kunstschreinern, die sich nicht hätten träumen lassen, daß die glatte Holzplatte einmal aussehen würde wie ein Stachelschwein. Gen ging langsam am Tisch vorbei. Er konnte nicht einmal versuchen, Carmen einen Blick zuzuwerfen. Er konnte nur hoffen, daß sie ihn sehen und auf die Idee kommen würde, ihm zu folgen. Er blieb bei Simon Thibault stehen, der nicht weit entfernt auf dem Sofa lag und *Hundert Jahre Einsamkeit* auf spanisch las.

»Ich werde ewig dafür brauchen«, sprach Thibault Gen auf französisch an. »Vielleicht hundert Jahre. Wenigstens weiß ich, daß ich genug Zeit habe.«

»Wer hätte gedacht, daß eine Geiselnahme soviel Ähnlichkeit mit einem Universitätsstudium haben kann?« sagte Gen.

Thibault lachte und blätterte um. Hatte sie ihn wohl gehört? Sah sie ihn weitergehen? Er ging in die Küche, in der zum Glück niemand war, trat schnell in die Geschirrkammer und wartete. Wenn er sonst in die Geschirrkammer gegangen war, hatte Carmen dort immer schon auf ihn gewartet. Er war nie allein dort gewesen, und beim Anblick all der Teller, die bis über seinen Kopf gestapelt waren, begann sein Herz vor Liebe zu Carmen zu glühen. Teller, von denen zwei Menschen ein Jahr lang essen konnten, ohne jemals abspülen zu müssen. Nie hatte er eine Minute für sich, eine Minute, in der nicht irgend jemand ihn bat, irgend etwas zu sagen. Ständig war sein Kopf voll von den rückhaltlos geäußerten Gefühlen anderer Leute, und jetzt war es auf einmal still, und er konnte sich vorstellen, wie Carmen neben ihm saß, mit ihren aufgestellten langen, schlanken Beinen, und Verben konjugierte. Sie hatte ihn um einen Gefallen gebeten, und nun würde er sie um Hilfe bitten. Gemeinsam würden sie Herrn Hosokawa und Miss Coss behilflich sein. Normalerweise hätte er gesagt, daß das Privatleben seines Chefs ihn nichts anginge, doch niemand tat mehr so, als würden sie hier ein normales Leben führen. Frau Hosokawa oder Nansei oder Japan lagen außerhalb seiner Vorstellungskraft. Sie hatten diese Dinge so weit hinter sich gelassen, daß es ihm schwerfiel zu glauben, daß sie je existiert hatten. Wirklich war für ihn diese Geschirrkammer, waren die Untertassen und Suppenschüsseln, die riesigen Türme von Kuchentellern. Wirklich war diese Nacht. Ihm fiel auf, daß er als erstes Carmen gesucht und nicht erst mit Herrn Hosokawa gesprochen hatte, der wahrscheinlich noch mit Ishmael Schach spielte. Er konnte nicht an zwei Orten zugleich sein, und plötzlich merkte er, wie er zu Boden sank, spürte den harten, kalten Küchenboden unter seinem Gesäß, nahm einen leichten Schmerz in seinem Rücken wahr. Er war hier und nirgends sonst, hier in diesem Land, das er nicht kannte, und wartete auf das Mädchen, dem er Unterricht gab, das Mädchen, das er liebte, wartete darauf, Herrn Hosokawa helfen zu können, für den er ebenfalls soviel Liebe empfand. Da saß Gen, der mit nichts gekommen war und jetzt zwei Menschen liebte.

Ohne seine Uhr wußte er nicht einmal, wieviel Zeit verging. Er konnte sie nicht einmal mehr schätzen. Fünf Minuten fühlten sich wie eine Stunde an. *L'amour est un oiseau rebelle que nul ne peut apprivoiser, et c'est bien en vain qu'on l'appelle, s'il lui convient de refuser.* Er sprach den Text nur im stillen vor sich hin und summte leise. Er wünschte, er könnte ihn singen, aber das konnte Gen nicht.

Und dann kam Carmen, mit rotem Gesicht, als wäre sie gerannt, während sie doch so langsam in die Küche gegangen war, wie man einen solchen Weg nur zurücklegen konnte. Sie schloß die Tür und sank auf den Boden. »Ich dachte, das war's, was du gemeint hast«, flüsterte sie und drückte sich an ihn, als wäre es kalt. »Ich dachte, daß du bestimmt auf mich wartest.«

Gen nahm ihre Hände, die so klein waren. Wie hatte er nur jemals glauben können, daß sie bloß ein sehr schöner Junge war? »Ich muß dich etwas fragen.« *Die Liebe ist ein widerspenstiger Vogel, den nichts zähmen kann*, dachte er erneut und küßte sie.

Sie küßte ihn für den Kuß, fuhr ihm über das Haar, dessen Glanz und Schwere sie immer wieder faszinierte. »Ich wollte nicht gleich aufstehen. Ich dachte, ich sollte lieber einen Moment warten, bis ich nachkomme.«

Er küßte sie. Sich zu küssen hatte so etwas unglaublich Logisches, folgte einer so magnetischen Anziehungskraft, daß er nicht wußte, woher sie die Kraft nahmen, ihr nicht jede Sekunde nachzugeben. Die Welt sollte eigentlich ein Strudel von Küssen sein, in den wir hineingezogen werden und aus dem wieder aufzutauchen wir nie mehr die Kraft finden. »Roxane Coss hat mich vorhin angesprochen. Sie möchte, daß du heute nacht woanders schläfst und ihr morgen früh nicht das Frühstück bringst.«

Carmen rückte ein Stück von ihm ab, ließ jedoch eine Hand auf seiner Brust. Roxane Coss wollte nicht, daß sie ihr das Frühstück brachte? »Hab ich etwas falsch gemacht?«

»O nein«, sagte Gen. »Sie schätzt dich sehr. Das hat sie mir gesagt.« Er zog sie mit einem Arm an sich, und sie atmete gegen seine Schulter. So fühlte es sich an, ein Mann mit einer Frau zu sein. Das war es, was Gen bei all dem Übersetzen von Worten vermißt hatte. »Du hattest recht mit deiner Vermutung, was ihre Gefühle für Herrn Hosokawa betrifft. Sie will heute nacht mit ihm zusammensein.«

Carmen hob den Kopf. »Wie soll er denn in den ersten Stock kommen?«

»Roxane möchte, daß du ihm hilfst.«

Gen lebte nur ein Leben, und in dem war er ein Gefangener, und seine Freunde waren die anderen Gefangenen, und auch wenn er Carmen liebte und mit einigen der Terroristen einen höflichen Umgang pflegte, kam er doch nie durcheinander und verspürte nie das Bedürfnis, sich LFDMS anzuschließen. Doch in Carmens Fall war das anders. Sie lebte eindeutig zwei Leben. Morgens machte sie ihre Liegestütze und trat dann zur Inspektion an. Beim Wachdienst trug sie ihr Gewehr. In ihrem Stiefel steckte ein Ausbeinmesser, und sie wußte, wie man damit umging. Sie befolgte alle Befehle. Sie gehörte – so hatte man es ihr erklärt – jener Streitmacht an, die den Umsturz herbeiführen würde. Aber zugleich war sie das Mädchen, das nachts in die Geschirrkammer ging, das Spanisch lesen lernte und schon ein paar Brocken Englisch konnte. *Good morning. I am very well, thank you. Where is the restaurant?* An manchen Morgen ließ Roxane Coss sie zwischen die sagenhaft weichen Laken ihres riesigen Bettes schlüpfen, wo sie die Augen schloß und so tat, als gehörte sie dorthin. Sie tat so, als gehörte sie zu den Gefangenen, als lebte sie in einer Welt, die so reich an Privilegien war, daß es nichts gab, worum man hätte kämpfen müssen. Doch egal, wie sich diese zwei Seiten vertrugen, es gab immer zwei Seiten, und wenn sie sich von der einen auf die andere begab, mußte sie eine Grenze überschreiten. Entweder sagte sie Gen, sie könne Herrn Hosokawa nicht hinaufbringen – was hieß, sie würde Gen und Herrn Hosokawa und Miss Coss enttäuschen, die alle so nett zu ihr gewesen waren –, oder aber sie versprach, es zu tun – was bedeutete, daß sie jeden Eid brach, den sie ihrer Truppe geschworen hatte, und sich der Gefahr einer Bestrafung aussetzte, die sie sich lieber nicht ausmalte. Wenn Gen auch nur irgend etwas von all dem verstanden hätte, hätte er sie nie gefragt. In seinen Augen ging es einfach darum, zu helfen, um einen Freundschaftsdienst. Es war, als wollte er sich ein Buch leihen. Carmen schloß die Augen und tat, als wäre sie müde. Sie betete zu der heiligen Rosa von Lima. »Heilige Rosa, führe mich. Heilige Rosa, schenke mir Klarheit.« Sie hielt sich die Augen zu und bat die einzige Heilige, die sie persönlich kannte, einzuschreiten, doch eine Heilige nützt einem wenig, wenn man einen verheirateten Mann in das Schlafzimmer einer Opernsängerin schmuggeln soll. In dieser Sache war Carmen ganz auf sich selbst gestellt.

»Klar«, flüsterte Carmen, noch immer mit geschlossenen Augen und dem Ohr an Gens gleichmäßig schlagendem Herz. Gen hob die Hand und strich ihr über das Haar, wieder und wieder, so wie ihre Mutter ihr früher übers Haar gefahren war, wenn sie Fieber hatte.

Keiner der Gäste in der Villa des Vizepräsidenten, nicht einmal Ruben Iglesias selbst, kannte das Haus so gut wie die Mitglieder von LFDMS. Es gehörte zu ihrer täglichen Arbeit, sich die Position der Fenster einzuprägen und welche davon breit genug waren zum Hindurchspringen. Sie kalkulierten den Fall zum Boden, berechneten den möglichen Schaden in Knochenbrüchen. Jeder von ihnen wußte, wie lang die Flure waren, aus welchen Zimmern man direkt ins Freie springen konnte, wie man am schnellsten aufs Dach, in den Garten kam. Deshalb wußte Carmen natürlich, daß von der Küche ein Gang mit einer Hintertreppe abging, die zu den Zimmern der Dienstboten führte, und daß es in Esmeraldas Schlafkammer eine Tür zum Kinderzimmer gab und daß von dort wiederum eine Tür auf den Hauptflur ging, an dem das Zimmer lag, in dem Roxane Coss schlief. Natürlich war sie nicht die einzige, die im ersten Stock schlief. Auch General Benjamins und General Hectors Zimmer lagen im ersten Stock. (General Alfredo, der am schlechtesten schlief, fand in der Gästesuite im Erdgeschoß ein wenig Ruhe.) Viele der Jungen schliefen oben und nicht immer am selben Platz, weshalb Carmen vor Roxane Coss' Tür schlief – falls einer der Jungen in der Nacht aufwachte und keinen Schlaf mehr fand. Carmen selbst war auf diesem Weg jede Nacht in die Geschirrkammer gekommen, lautlos, auf Strümpfen über den blitzblanken Holzboden. Sie wußte genau, wo die Dielen knarrten, wer einen leichten Schlaf hatte. Sie wußte, wie man sich an die dunkle Wand preßte, wenn jemand auf dem Weg zur Toilette um die Ecke kam. Sie konnte so leise über diese Böden gleiten wie Kufen über Eis. Schließlich war Carmen vom Fach, eine Expertin im Leisesein. Aber sie ahnte, daß auch Herrn Hosokawas diesbezügliche Fähigkeiten sehr weit gingen. Zum Glück hatte sich Roxane Coss nicht in einen der Russen verliebt. Von ihnen hätte es wohl keiner bis nach oben geschafft, ohne auf eine Zigarette stehenzubleiben und lautstark mindestens eine Geschichte zu erzählen, von der man kein Wort verstand. Gen sollte Herrn Hosokawa um zwei Uhr nachts in den Gang hinter der Küche bringen, dann würde sie ihn zu Roxane Coss' Zimmer führen. Zwei Stunden später würde sie an die Tür kommen, um ihn wieder abzuholen. Sie würden bei all dem kein Wort wechseln, aber das war nicht weiter schwer. Auch wenn sie in diesem Fall Verbündete waren, so konnten sie einander doch nichts sagen.

Als sie alles geplant hatten, verließ Carmen Gen, um mit den anderen Soldaten fernzusehen. Sie sahen die Wiederholung einer Folge von *Marias Geschichte*. Maria war in die Stadt gefahren, um ihren Liebsten zu suchen, den sie weggeschickt hatte. Mit ihrem kleinen Koffer in der Hand lief sie ziellos durch die überfüllten Straßen, und an jeder Ecke lauerten Männer in der Dunkelheit, die danach trachteten, sie zu entehren. Alle im Arbeitszimmer des Vizepräsidenten weinten. Nach der Sendung spielte Carmen Dame, dann half sie bei der Zusammenstellung der Versorgungsliste und meldete sich für den Nachmittag freiwillig zum Wachdienst, für den Fall, daß irgend jemand müde war. Sie würde ein Muster an Hilfsbereitschaft und Einsatzfreude sein. Sie wollte weder Gen noch Herrn Hosokawa, noch Roxane Coss sehen, aus Angst, sie würde rot werden und sich verraten, aus Angst, sie könnte böse werden, weil sie soviel von ihr verlangten.

Wieviel weiß ein Haus? Es konnte sich nicht herumgesprochen haben, und doch war die Atmosphäre ein wenig gespannt, auf eine Weise aufgeladen, die die Männer die Köpfe heben und sich vergeblich umsehen ließ. Das Abendessen – Stockfisch und Reis – wollte ihnen nicht richtig schmecken, und sie stellten einer nach dem anderen ihren halbvollen Teller auf den Tisch und erhoben sich. Kato spielte auf dem Flügel Cole Porter, und die Abenddämmerung ging über in ein dunkles, melancholisches Licht. Vielleicht war es das schöne Wetter, die Verstimmung darüber, wieder nicht hinaus ins Freie gehen zu können. Ein halbes Dutzend Männer stand an einem offenen Fenster und versuchte, die Abendluft einzusaugen, während die Nacht hereinbrach und ihnen Blumenranke für Blumenranke die Sicht auf den verwilderten Garten nahm. Von der anderen Seite der Mauer drang schwach das Geräusch schnellfahrender Autos herüber, Autos, die vielleicht mehrere Blocks entfernt waren, und einen Moment lang erinnerten sich die Männer am Fenster, daß dort draußen eine Welt lag – doch sie ließen den Gedanken ebensoschnell wieder ziehen.

Roxane Coss war früh zu Bett gegangen. Genau wie Carmen wollte auch sie nichts mehr sehen, nachdem sie sich einmal entschieden hatte. Herr Hosokawa saß neben Gen auf dem Zweiersofa am Flügel. »Bitte wiederholen Sie es mir noch einmal«, sagte er.

»Sie möchte Sie heute nacht sehen.«

»Das hat sie gesagt?«

»Carmen wird Sie zu ihrem Zimmer bringen.«

Herr Hosokawa blickte auf seine Hände. Sie waren alt. Es waren die Hände seines Vaters. Die Nägel waren sehr lang. »Es ist mir peinlich, daß Carmen es weiß. Daß Sie davon wissen.«

»Das war nicht zu umgehen.«

»Und wenn es für das Mädchen gefährlich ist?«

»Carmen weiß, was sie tut«, sagte Gen. Gefährlich? Sie ging die Treppe jede Nacht hinunter, um in die Geschirrkammer zu kommen. Er würde sie doch nicht um etwas bitten, das gefährlich war.

Herr Hosokawa nickte bedächtig. Er hatte das deutliche Gefühl, daß sich das Wohnzimmer neigte, daß es ein Boot auf einer sanften Welle war. Er hatte schon vor langer Zeit aufgehört, an das zu denken, was er sich am meisten wünschte, vielleicht sogar schon, als er noch ein Kind war. Er zwang sich, sich nur das zu wünschen, was er bekommen konnte: eine riesige Firma, eine gut funktionierende Familie, die Musik besser zu verstehen. Und jetzt, ein paar Monate nach seinem dreiundfünfzigsten Geburtstag, in einem Land, von dem er kaum etwas gesehen hatte, verspürte er in seinem tiefsten Innern ein Verlangen, ein Begehren, wie es nur dann entsteht, wenn das, was man begehrt, sehr nahe ist. Als Kind träumte er von der Liebe – davon, sie nicht nur mitanzusehen, wie in der Oper, sondern sie selbst zu erleben. Doch er kam zu dem Schluß, daß das Wahnsinn war. Es war einfach zuviel verlangt. Jetzt an diesem Abend wünschte er sich ganz banale Dinge, die Möglichkeit, ein heißes Bad zu nehmen, einen ordentlichen Anzug, ein Geschenk zum Mitbringen, wenigstens ein paar Blumen, aber dann neigte sich das Zimmer leicht zur anderen Seite, und er öffnete die Hände, und das alles fiel von ihm ab, und er wollte gar nichts mehr. Er war gebeten worden, um zwei Uhr nachts auf ihr Zimmer zu kommen, und es gab für ihn nichts mehr zu wünschen auf der Welt, nie mehr.

Als Schlafenszeit war, legte sich Herr Hosokawa flach auf den Rücken und blickte im hellen Licht des Mondes auf seine Armbanduhr. Er hatte Angst, er könnte einschlafen, und wußte doch, er würde ganz bestimmt nicht schlafen. Er staunte über Gen, der auf dem Boden neben ihm friedlich und gleichmäßig atmete. Was er nicht wußte, war, daß Gen jede Nacht um zwei Uhr aufwachte, so regelmäßig wie ein Baby, das gestillt werden will, und sich aus dem Wohnzimmer stahl, ohne daß er je vermißt wurde. Herr Hosokawa sah zu, wie die Nachtwache – Beatriz und Sergio – ihre Runden ging, und senkte jedesmal, wenn sie vorbeikamen, die Lider. Sie blieben stehen, um einigen aus seiner Gruppe beim Schlafen zuzusehen. Sie flüsterten miteinander und nickten. Um ein Uhr waren die zwei verschwunden, genau wie Gen es gesagt hatte. Dies war die Welt der Nacht, die ihm völlig unbekannt war. Herr Hosokawa spürte, wie ihm das Blut pochte, in den Schläfen, in den Handgelenken, am Hals. Er streckte die Zehen. Es war soweit. Er hatte eine Ewigkeit geschlafen, wie ein Toter. Jetzt war er plötzlich quicklebendig.

Um fünf Minuten vor zwei fuhr Gen hoch, als hätte ein Wecker geklingelt. Er stand auf, blickte seinen Chef an, und gemeinsam gingen sie quer durchs Wohnzimmer, setzten ihre Füße behutsam zwischen ihre schlafenden Freunde und Bekannten. Da lagen die Argentinier. Hier die Portugiesen. Die Deutschen schliefen neben den Italienern. Die

Russen lagen zum Glück im Eßzimmer. Da lag Kato, der seine kostbaren Hände über der Brust verschränkt hielt und kaum merklich mit den Fingern zuckte, wie ein Hund, der von Schubert träumt. Da lag der Priester, auf der Seite, beide Hände unter der Wange. Zwischen ihnen verstreut, lag eine Handvoll Soldaten, hingestreckt auf dem Rücken, als wäre der Schlaf ein Wagen, der sie frontal erwischt hätte: mit zur Seite gedrehtem Kopf, mit aufgerissenem Mund und das Gewehr in der offenen Hand wie eine reife Frucht.

In dem Gang hinter der Küche wartete Carmen, genau wie Gen es gesagt hatte. Ihr dunkles Haar war zu einem Zopf geflochten, und ihre Füße waren bloß. Sie sah zuerst Gen an, und statt etwas zu sagen, berührte er sie leicht an der Schulter. Es gab nichts mehr zu besprechen. Es hatte keinen Sinn, zu warten – das hätte alles nur schlimmer gemacht. Wie gern wäre Carmen jetzt in der Geschirrkammer gewesen, hätte, die Beine quer auf Gens Schoß, laut den Absatz vorgelesen, den Gen ihr zur Übung aufgeschrieben hatte, aber sie hatte sich nun einmal entschieden. Sie hatte ja gesagt. Sie betete rasch zu der Heiligen, die von ihr keine Notiz mehr nahm, und bekreuzigte sich viermal, so schnell und leicht wie ein Kolibri. Dann drehte sie sich um und ging den Gang entlang, und Herr Hosokawa schlich leise hinter ihr her. Gen sah ihnen nach, wie sie sich entfernten – er hätte nie gedacht, daß es schlimmer sein würde, allein zurückzubleiben.

Als sie zu der Treppe kamen – eine enge, gewundene Stiege aus billigen Dielen, gerade gut genug, um Dienstboten von einem Stock zum anderen zu bringen –, wandte Carmen sich um und sah Herrn Hosokawa an. Sie beugte sich hinab und legte ihre Hand auf sein Fußgelenk und dann auf ihres. Dann bewegte sie ihrer beider Füße zusammen, und als sie sich wieder aufrichtete, nickte er. Es war sehr dunkel, und mit jeder Stufe würde es dunkler werden. Noch nie waren ihre Gebete ganz ungehört geblieben. Sie versuchte, zu glauben, daß dies nur eine Lektion war, eine notwendige Verzögerung, und daß sie, wenn sie beide erwischt würden, nicht auf ewig allein bleiben würde.

Bis auf die Umrisse ihres schmalen Rückens konnte Herr Hosokawa jetzt nichts mehr sehen. Er versuchte, zu tun, was sie gesagt hatte, und seinen Fuß genau an die Stelle zu setzen, wo der ihre gewesen war, doch es ging ihm nicht aus dem Kopf, daß sie viel kleiner war. Er hatte in der Gefangenschaft abgenommen, und während er die Stufen hinaufstieg, war er dankbar für jedes Pfund, das er weniger wog. Er hielt den Atem an und lauschte. Sie bewegten sich wirklich lautlos. Noch nie hatte er so deutlich die völlige Abwesenheit von Geräuschen wahrgenommen. In all den Monaten, die er in diesem Haus verbracht hatte, war er nicht eine Treppe hinaufgestiegen, und so kam ihm schon der Akt des Treppensteigens kühn und mutig vor. Wie richtig war es, hinaufzusteigen! Wie glücklich war er, endlich einmal etwas wagen zu können. Als sie oben waren, öffnete Carmen mit den Fingerspitzen die Tür, und ein Lichtstrahl fiel auf ihr Gesicht – ein Zeichen, daß sie zumindest einen Teil des Wagnisses hinter sich hatten. Carmen drehte sich um und lächelte. Sie war ein hübsches Mädchen. Sie kam ihm wie seine eigene Tochter vor.

Sie gingen durch den schmalen Gang zum Zimmer des Kindermädchens, und als Carmen die Tür öffnete, hörte man den Anflug eines Quietschens. Immer noch keinen Laut von ihnen beiden, aber ein leises Geräusch von der Tür. Noch dazu lag dort jemand im Bett. Das kam nicht häufig vor. Das Mädchen, das die Kinder hütete, hatte das unbequemste Bett im ganzen Haus, und so schlief dort nur selten jemand ein, aber in dieser Nacht war es so. Carmen legte Herrn Hosokawa die Hand auf die Brust, hieß ihn warten, bis das Zimmer das Geräusch der Tür vergessen hatte. Sie fühlte deutlich sein Herz schlagen – es war, als hielte sie es in der Hand. Carmen holte tief Luft und wartete, dann nickte sie, ohne sich umzudrehen, und schob einen Fuß vor. Es mochte schwer sein, aber es war nicht unmöglich. Es war nichts im Vergleich zu der Aufgabe, durch die Luftschächte unbemerkt in die Villa zu kommen. Dies war nicht die erste Nacht, in der sie jemanden in diesem Bett schlafen sah.

Es war Beatriz. Sie hatte sich während der Nachtwache hingelegt. Alle taten das. Auch Carmen hatte es schon getan. Die Zeit war einfach zu lang, um wach zu bleiben. Sergio lag zweifellos in einem anderen Raum, zusammengesackt in tiefem, schuldbewußtem Schlaf. Beatriz war nicht zugedeckt und hatte ihre Stiefel an. Sie hielt ihr Gewehr im Arm wie ein Kind. Herr Hosokawa versuchte, seine Füße weiterzubewegen, aber jetzt hatte er Angst. Er schloß die Augen und dachte an Roxane Coss, er dachte an die Liebe und versuchte, zur Liebe zu beten, und als er die Augen öffnete, fuhr Beatriz hoch und richtete blitzschnell ihr Gewehr auf ihn. Aber ebensoschnell trat Carmen dazwischen. Diese beiden Dinge nahm Herr Hosokawa wahr: daß Beatriz auf ihn zielte und daß Carmen sich vor das Gewehr stellte. Sie ging auf Beatriz zu, die doch ihre Freundin hätte sein sollen, das einzige andere Mädchen in einer Truppe von Männern, und packte sie und hielt sie fest, so daß das Gewehr zur Decke wies.

»Was machst du?« zischte Beatriz. Selbst sie begriff, daß es darum ging, leise zu sein. »Laß mich los.«

Aber Carmen hielt sie weiter fest. Sie lag fast auf ihr, soviel Angst hatte sie, und so erleichtert war sie jetzt, da sie entdeckt worden war. »Verrat uns nicht«, flüsterte sie der anderen ins Ohr.

»Du bringst ihn hier rauf? Da wirst du wirklich Ärger kriegen.« Beatriz wehrte sich und stellte fest, daß Carmen stärker war, als sie gedacht hatte. Oder vielleicht war es nur, weil sie selbst so fest geschlafen hatte. Während der Wache geschlafen, und womöglich würde Carmen sie verraten.

»Pst«, sagte Carmen. Sie grub die Nase in Beatriz' Haar, deren Zopf sich im Bett gelöst hatte, und hielt sie fest um-

klammert. Einen Moment lang vergaß sie Herrn Hosokawa, und es ging nur um sie beide, nur um dieses unmittel-
bare Problem. Sie spürte, daß Beatriz' Rücken noch warm
war vom Bett, und der Gewehrlauf drückte sich kalt in ihre
Wange, und obwohl sie sie gar nicht um Hilfe gebeten
hatte, hörte sie die geliebte Stimme der heiligen Rosa von
Lima: »Sag die Wahrheit.«

»Er und die Opernsängerin lieben sich«, sagte Carmen.
Geheimnisse waren ihr jetzt egal. Ihre einzige Hoffnung bestand darin, zu tun, was ihr gesagt worden war. »Sie wollten einmal allein sein.«

»Dafür würden sie dich erschießen«, sagte Beatriz, auch
wenn sie wußte, daß dem wohl nicht so war.

»Hilf mir«, sagte Carmen. Sie hatte diese Worte nur zu
der Heiligen sagen wollen, doch in ihrer Verzweiflung ent-
schlüpften sie ihr. Für einen Moment meinte Beatriz, die
Stimme des Priesters zu hören. Er hatte ihr vergeben. Er
hatte gesagt, sie solle freundlich sein. Sie dachte an ihre
eigenen Sünden und an die Möglichkeit, anderen ihre Sünden zu vergeben, und sie hob ihren Arm, soweit sie ihn bewegen konnte, und legte ihn Carmen sanft auf den Rücken.

»Sie liebt ihn?« fragte Beatriz.

»Ich bringe ihn in zwei Stunden zurück.«

Beatriz bewegte sich in Carmens Armen, und diesmal ließ
Carmen sie los. Carmens Gesicht war gerade noch zu erkennen, doch sie hätte nicht zweifelsfrei sagen können, daß es
Herr Hosokawa war, der dort im Dunkeln stand. Er hatte
ihr beigebracht, die Uhr zu lesen. Er lächelte sie immer an.
Als sie einmal gleichzeitig auf die Küchentür zugingen, hatte
er sich vor ihr verbeugt. Beatriz schloß die Augen, suchte in
der Dunkelheit nach ihrem eigenen Berg von Sünden. »Ich
werde nichts sagen«, flüsterte sie. Und zum zweiten Mal an
diesem Tag empfand sie Erleichterung, als werde ihr ein Teil
der Last, die sie trug, von den Schultern genommen.

Carmen küßte sie auf die Wange. Dankbarkeit breitete
sich in ihr aus. Zum ersten Mal hatte sie das Gefühl, Glück

zu haben. Dann trat sie zurück ins Dunkel. Beatriz hatte ihr ihrerseits das Versprechen abnehmen wollen, nicht zu sagen, daß sie sie beim Schlafen erwischt hatte, doch natürlich würde sie, konnte sie das niemandem erzählen. Beatriz sank wieder aufs Bett, obwohl sie eigentlich hatte aufstehen wollen, und eine Minute später schlief sie schon, und das Ganze war ebenso plötzlich vorbei wie es begonnen hatte.

Durch das Kinderzimmer, wo in einer Steckdose noch ein mondförmiges Nachtlämpchen glomm und ein Ensemble von einsamen Puppen beleuchtete, durch ein weiteres Bad mit einer weißen Porzellanwanne, die größer war als so manche Kanus, mit denen Carmen gefahren war, und dann hinaus auf den großen Flur, wo das Haus wieder zu dem Haus wurde, das sie kannten: geräumig, elegant und prachtvoll. Carmen führte Herrn Hosokawa bis zur dritten Tür, dann blieb sie stehen. Dies war der Ort, wo sie in den meisten Nächten schlief, wenn auch nur ein paar Stunden. Seit sie ihn von Beatriz weggeführt hatte, hatte sie seine Hand gehalten, und sie hielt sie auch jetzt noch umfaßt. Sie schienen einen weiten Weg zurückgelegt zu haben, dabei schafften es die Kinder des Vizepräsidenten in weniger als einer Minute vom Schlafzimmer ihrer Mutter durchs Kinderzimmer und Esmeraldas Kammer über die Hintertreppe bis in die Küche, obwohl man ihnen das Rennen im Haus verboten hatte. Carmen mochte Herrn Hosokawa. Sie wünschte, sie könnte es ihm sagen, aber selbst wenn sie seine Sprache beherrscht hätte, hätte sie sich das nicht getraut. Statt dessen drückte sie ihm einmal die Hand und ließ sie dann los.

Herr Hosokawa verbeugte sich vor ihr, so tief, daß sein Gesicht zu den Knien zeigte, und blieb, wie es Carmen schien, viel zu lange so stehen. Dann richtete er sich wieder auf und öffnete die Tür.

Der Flur im ersten Stock wurde durch ein hohes Fenster beleuchtet, und die große Treppe war in das helle Licht des Mondes getaucht, aber Carmen ging nicht die große Treppe hinunter. Sie lenkte ihre Schritte zurück, durch das Kinderzimmer und an dem Bett vorbei, in dem Beatriz in tiefem Schlaf lag. Carmen blieb stehen, um ihre Finger vom Abzug des Gewehrs zu lösen. Sie stellte das Gewehr an die Wand und zog die Tagesdecke über Beatriz' Schultern. Sie hoffte, daß sich Beatriz am Morgen nicht doch noch entschied, sie zu verraten, oder: daß sie beim Aufwachen denken würde, sie hätte das Ganze geträumt. Als sie die Treppe zur Küche hinunterging, war Carmens Herzklopfen von anderer Art. Sie stellte sich Roxane Coss hinter der Tür vor, schon ganz bange vom Warten. Sie stellte sich vor, wie Herr Hosokawa sie lautlos und würdevoll in die Arme schloß. Die Süße dieser Berührung, das Gefühl der Geborgenheit in seinen Armen – Carmen faßte sich in den Nacken, der von feinen Schweißtropfen kribbelte. Sie bewegte sich weiterhin lautlos, doch die Stufen folgten einander jetzt schneller, vier, drei, zwei, eins, und schon hatte sie den Gang hinter sich und die Küche durchquert. Erst hinter der Schwelle zu der wunderbaren Welt der Geschirrkammer kam sie zum Stehen: Dort saß Gen auf dem Boden, ein ungeöffnetes Buch auf den Knien. Als er aufsah, legte sie die Finger an die Lippen. Mit strahlendem Gesicht und hochroten Wangen und weit geöffneten Augen. Dann drehte sie sich um, und natürlich stand er auf und folgte ihr.

Wieviel Glück darf ein Mensch in einer Nacht haben? Bekam man es in einer begrenzten Menge zugeteilt, wie Milch in einer Flasche, und wenn soundso viel ausgeschenkt worden war, blieb nur noch soundso viel übrig? Oder war Glück eine Frage des Tages, und an dem Tag, an dem man Glück hatte, hörte es gar nicht mehr auf? Wenn das erstere zutraf, hatte Carmen zweifellos all ihr Glück damit aufgebraucht, daß sie Herrn Hosokawa sicher zu Roxane Coss hatte bringen können. Wenn jedoch letzteres zutraf – und tief in ihrem Innern spürte sie, daß dem so war –, dann war dies ihre Nacht. Wenn alle Heiligen im Himmel jetzt auf ihrer Seite standen, dann mußte ihr Glück noch ein paar Stunden anhalten. Carmen nahm Gen an der Hand und führte ihn durch die Küche auf die hintere Veranda, wo er noch nie gewesen war. Sie öffnete ihm die Tür, legte einfach die Hand auf den Griff und drehte ihn herum, und gemeinsam gingen sie hinaus in die Nacht.

Was für eine Nacht: Wie Flutlicht überschwemmte der Mondschein den einst so ordentlichen Garten, wie Wasser strömte er über die hohe Mauer. Die Luft roch nach dem dichten Jasmingestrüpp und den nachts blühenden Orchideen, die ihre Arbeit bereits getan und sich für den Tag geschlossen hatten. Das Gras reichte ihnen bis über die Knöchel, strich ihnen schwer über die Waden und machte »Pst!«, als sie hindurchgingen, so daß sie stehenblieben, um zu den Sternen aufzusehen, ohne daran zu denken, daß sie sich mitten in der Stadt befanden. Man sah nur eine Handvoll Sterne.

Carmen war ständig draußen. Selbst bei Regen war sie jeden Tag hinausgegangen, um Wache zu schieben oder einfach um der Bewegung willen, aber Gen kam die Nacht wie ein Wunder vor, die Luft und der Himmel, das weich nachgebende Gras unter seinen Fersen. Er war wieder in der Welt, und in dieser Nacht sah die Welt aus wie ein unfaßbar schöner Ort. So begrenzt seine Sicht auch war, er hätte geschworen, daß die Welt schön war.

Sein Leben lang sollte sich Gen an diese Nacht auf zwei verschiedene Weisen erinnern.

Zuerst wird er sich jedesmal vorstellen, was er nicht tat:

In dieser Version nimmt er Carmen an der Hand und geht mit ihr durch das Tor vor dem Haus. Auf der anderen Seite der Mauer warten zwar Wachsoldaten, aber auch sie sind jung und schlafen, und er geht einfach mit Carmen an ihnen vorbei, hinaus in die Hauptstadt des Gastlandes. Niemand kommt auf die Idee, sie aufzuhalten. Sie sind nicht berühmt, und keiner beachtet sie. Sie gehen zu einem Flughafen und steigen in ein Flugzeug nach Japan, und dort leben sie, vereint und glücklich bis in alle Ewigkeit.

Dann wird er sich haargenau vorstellen, was tatsächlich geschah:

Es kam ihm nicht in den Sinn, fortzugehen, so wie ein Hund nicht fortläuft, wenn man ihm einmal beigebracht hat, auf dem Grundstück zu bleiben. Er ist einfach glücklich über das bißchen Freiheit, das man ihm gewährt. Carmen nimmt ihn an der Hand, und sie gehen zusammen zu dem Platz, wo Esmeralda immer mit den Kindern gepicknickt hat, einer Stelle, wo die Mauer einen Bogen macht, so daß eine Bucht aus Gras und schlanken Bäumen entsteht und man keinen direkten Blick auf das Haus hat. Carmen küßt ihn, und er küßt sie, und von da an wird er ihren Geruch nie mehr von dem Geruch der Nacht trennen können. Sie stehen tief in dem saftigen Gras, in einem Teil des Gartens, den der Schatten der Mauer in Dunkel taucht, und Gen sieht überhaupt nichts mehr. Später sollte er sich erinnern, daß sein Freund Herr Hosokawa zur selben Zeit drinnen im Haus mit der Sängerin im Bett lag, doch in jener Nacht verschwendet er keinen Gedanken an sie. Carmen hat ihre Jacke ausgezogen, obwohl ein kühler Windhauch weht. Sie knöpft ihm das Hemd auf, während er mit den Händen ihre Brüste bedeckt. Im Dunkeln sind die beiden nicht mehr sie selbst. Sie haben alle Angst verloren. Gen zieht Carmen nach unten, und Carmen zieht ihn herab. Sie trotzen der Schwerkraft in ihrem langsamen Fall. Keiner von ihnen beiden trägt Schuhe, und ihre Hosen, die ihnen ohnehin zu groß sind, rutschen herab – und dann dieses erste Schwelgen, das Gefühl von Haut auf Haut.

Manchmal bricht Gen in der Erinnerung hier ab.

Ihre Haut, die Nacht, das Gras, im Freien zu sein und dann in Carmen. Er weiß nicht, was er sich noch wünschen soll, denn er hat nie in seinem Leben soviel gehabt wie in diesem Augenblick. Genau in dem Moment, in dem er sie hätte fortführen können, zieht er sie dichter heran. Ihr Haar hat sich um seinen Hals geschlungen. In jener Nacht denkt er, daß kein Mensch jemals soviel besessen hat, und erst später wird ihm klar, er hätte noch mehr verlangen sollen. Seine Finger gleiten in die weichen Vertiefungen zwischen ihren Rippen, die feinen Furchen, die der Hunger gegraben hat. Er fühlt ihre Zähne, nimmt ihre Zunge entgegen. Carmen, Carmen, Carmen, Carmen. Später wird er versuchen, oft genug ihren Namen zu sagen, was ihm jedoch nie gelingt.

Drinnen im Haus lagen alle in tiefem Schlaf, die Gäste und die Wachen, und keiner bemerkte etwas. Der Japaner und seine geliebte Sängerin oben im Bett und der Dolmetscher und Carmen draußen unter den sechs Sternen – keiner vermißte sie. Nur Simon Thibault schlief nicht, und er war aufgewacht, weil er von Edith, von seiner Frau geträumt hatte. Als er richtig wach war und sah, wo er sich befand, und sich erinnerte, daß sie nicht bei ihm war, fing er an zu weinen. Er kämpfte dagegen an, doch er sah sie so deutlich vor sich. In seinem Traum hatten sie zusammen im Bett gelegen. Sie hatten miteinander geschlafen und dabei mit sanfter Stimme jeder den Namen des anderen gesagt. Als es vorbei war, hatte Edith sich in den zerwühlten Laken aufgesetzt und ihm ihren blauen Schal um die Schultern gelegt, damit er nicht fror. In diesen Schal vergrub Simon Thibault jetzt sein Gesicht, aber davon wurde das Weinen nur schlimmer. Nichts, was ihm in den Sinn kam, half dagegen, und nach einer Weile gab er jeden Widerstand auf.

neun

Am nächsten Morgen war alles in Ordnung. Sonnenlicht strömte durch die Fenster herein und brachte eine Reihe von unregelmäßigen Flecken auf dem Teppich zutage. Draußen trillerten und tschilpten die Vögel. Zwei der Jungen, Jesus und Sergio, umkreisten das Haus mit vom Tau aufgeweichten Stiefeln und geschulterten Gewehren. Zu Hause hätten sie vielleicht ein, zwei Vögel geschossen, aber hier war Schießen »streng verboten, außer wenn unbedingt nötig«. Die Vögel sausten so dicht an ihnen vorbei, daß der Wind von ihrem Flügelschlag ihnen durchs Haar fuhr. Sie spähten durchs Küchenfenster und sahen Carmen und Beatriz Brötchen aus großen Plastiktüten nehmen, während sie die Eier kochen ließen, bis sie hart waren. Die beiden Mädchen sahen einander an, und Carmen lächelte schwach, und Beatriz tat, als merke sie es nicht, was Carmen für ein gutes Zeichen hielt oder zumindest für kein schlechtes. In der Küche roch es nach starkem Kaffee. Carmen verschwand in der Geschirrkammer und kam mit einem Stapel blau-goldener Teller heraus, auf die unten das Wort »Wedgwood« gestempelt war, denn wozu hatte man sie, wenn man sie nie benutzte?

Alles war wie an jedem anderen Morgen. Außer daß Roxane Coss nicht herunterkam, um zu singen. Kato hatte am Flügel gewartet. Nach einer Weile stand er von der Klavierbank auf und streckte die Beine. Er beugte sich vor und zog ein Stück von Schumann heraus, dieses einfache Stück, das jeder kennt, Musik zum Zeitvertreib. Er sah nicht einmal auf die Tasten. Es war, als rede er mit sich selbst und wisse nicht, daß alle ihn hörten. Roxane schlief heute einmal aus. Carmen hatte ihr kein Frühstück hinaufgebracht. Das war schließlich nichts Schlimmes. Sie sang immerhin jeden Tag – hatte sie nicht ein wenig Ruhe verdient?

Aber war es nicht seltsam, daß auch Herr Hosokawa noch schlief? Da lag er, dort auf der Couch, auf dem Rücken, die Brille zusammengeklappt auf der Brust, mit leicht geöffnetem Mund, während alles um ihn herumlief. Niemand hatte ihn jemals schlafen gesehen. Er war morgens immer als erster wach. Vielleicht war er krank. Zwei der Jungen, Guadalupe und Humberto, die an diesem Morgen drinnen Wachdienst hatten, beugten sich über die Rückenlehne des Sofas, um nachzusehen, ob er noch atmete. Er atmete noch, und so ließen sie ihn einfach dort liegen.

Viertel nach acht – Beatriz wußte es, weil sie die Uhr hatte. Zuviel gebumst, dachte sie, jedoch ohne es Carmen zu sagen. Sie ließ Carmen in dem Glauben, sie hätte das Ganze vergessen, was durchaus nicht der Fall war. Sie wußte noch nicht, wie sie dieses Wissen verwenden würde, doch sie genoß es wie Geld, das man noch nicht ausgegeben hat. Es gab so viele Möglichkeiten.

Die Menschen gewöhnen sich an ihren täglichen Tagesablauf. Die Männer tranken ihren Kaffee, putzten sich die Zähne, und dann kamen sie ins Wohnzimmer, und Roxane Coss sang. Das war der Morgen. Aber jetzt sahen sie zur Treppe hin. Wo blieb sie nur? Wenn sie nicht krank war, sollte sie dann nicht hier unten sein? Konnte man nicht wenigstens Beständigkeit verlangen? Sie schenkten ihr soviel Respekt, soviel Hochachtung, durften sie da nicht davon ausgehen, ihrerseits von ihr respektiert zu werden? Sie sahen zu Kato hinüber, der dastand wie ein Mann auf dem Bahnhof, der noch lange, nachdem alle ausgestiegen sind, die offene Zugtür anstarrt. Der Mann, von dem man weiß, daß er sitzengelassen wurde, lange bevor er selbst es begreift. Geistesabwesend, im Stehen, schlug er ein paar Tasten an. Er fragte sich, wann er sich wohl setzen und wirklich ohne sie spielen konnte. Es war das erste Mal, daß Kato sich fragen mußte: Was war er ohne sie? Was würde geschehen, wenn das hier vorbei war und er nicht mehr ganze Tage lang am Flügel saß, nicht mehr nächtelang Noten las? Er war jetzt Pianist. Er hatte reihenweise feine blaue Sehnen an den Fingern, die es bewiesen. Konnte er denn in jenes andere Leben zurückkehren, in dem er um vier Uhr morgens aufstand, um vor der Arbeit heimlich noch eine Stunde Klavier zu spielen? Was würde passieren, wenn er wieder stellvertretender Geschäftsführer bei Nansei war, wieder das Zahlengenie, der Mann ohne die Sängerin? Das würde er sein und mehr nicht. Er erinnerte sich, wie es dem ersten Pianisten ergangen war, der lieber starb, als allein in die Welt hinauszugehen. Die kalte Leere seiner Zukunft ließ Katos Finger steif werden und lautlos von den Tasten gleiten.

Und dann geschah etwas Erstaunliches:

Jemand anderes begann zu singen, eine A-cappella-Stimme vom anderen Ende des Raums, eine liebliche, vertraute Stimme. Zuerst waren alle verwirrt, und dann fingen die Jungen einer nach dem anderen zu lachen an, Humberto und Jesus, Sergio und Francisco und Gilbert, und auch aus der Eingangshalle kam Gelächter, ein herzhaftes, dröhnendes Gelächter, ein Lachen, das sie zwang, einander zu umarmen, um nicht umzufallen, aber Cesar sang weiter: »*Vissi d'arte, vissi d'amore, non feci mai*« aus *Tosca*. Und es war wirklich komisch, denn er ahmte Roxane so perfekt nach. Es war, als wäre er über Nacht sie geworden – die Art, wie sie die Hand ausstreckte, wenn sie sang: »In tiefstem Glauben schmückte ich mit Blumen den Altar.« Es war gespenstisch, denn Cesar sah der Diva alles andere als ähnlich. Er war ein spindeldürrer Junge mit Pickeln im Gesicht und ein paar seidigen schwarzen Barthaaren, und doch glaubte man fast, sie vor sich zu haben – die Art, wie er den Kopf schräg hielt und dann genau in dem Moment die Augen schloß, in dem sie es getan hätte. Er schien das Gelächter gar nicht zu hören. Sein Blick ging ins Leere. Er sang für niemand Bestimmten. Dabei äffte er sie eigentlich nicht nach, er versuchte vielmehr, den Platz auszufüllen, den sie hätte einnehmen sollen. Sie nachzuäffen hätte bedeutet, daß er nur ihre Gesten wiederholt hätte, doch dem war nicht so. Es war ihre Stimme. Die legendäre Stimme von Roxane Coss. Er hielt die Töne lang und rein. Aus den Tiefen seiner Lunge holte er das Volumen herauf, die Lautstärke, die er sich nicht erlaubt hatte, wenn er allein vor sich hin sang. Jetzt sang er, eine Arie, die zu hoch für ihn war, und doch schwang er sich hinauf und klammerte sich am Rand des Tones fest. Er zog sich hoch und hielt ihn. Er hatte keine Ahnung, was der Text bedeutete, doch er wußte, daß er die richtigen Worte sang. Er hatte zu gut aufgepaßt, um sich zu vertun. In einem perfekten Bogen rollte er den Klang jedes Wortes über seine Zunge. Er war kein Sopran. Er konnte kein Italienisch. Und doch vermittelte er genau diesen Eindruck, und einen Augenblick lang glaubten ihm alle im Raum. Das Gelächter der Jungen ließ nach, verstummte. Alle – die Gäste, die Jungen, die Generäle – sahen jetzt zu Cesar hin. Carmen und Beatriz waren aus der Küche gekommen und spitzten die Ohren, unsicher, ob das, was hier vor sich ging, gut war oder schlecht. Herr Hosokawa, der die Arie besser kannte als alle anderen, erwachte in dem Glauben, die ihm vertraute Stimme zu hören, dachte, daß sie heute morgen merkwürdig klang, und fragte sich, ob Roxane wohl müde war – er war ja selbst noch ganz verschlafen. Doch er erwachte in dem Glauben, es sei ihre Stimme.

Die Arie ist nicht sehr lang, und als sie zu Ende war, holte Cesar nur einmal kurz Luft. Er sang weiter, denn was, wenn dies seine einzige Chance war? Er hatte eigentlich nicht vorgehabt zu singen, doch als er sah, daß sie nicht herunterkam, daß alle im Raum warteten, schwappten die Töne in seine Kehle hoch wie eine Welle, und nichts, was in seiner Macht stand, hätte sie unten halten können. Wie herrlich war es, zu singen! Wie wunderbar, jetzt seine eigene Stimme zu hören. Als nächstes sang er die Arie aus *Rusalka*. Er konnte nur Roxanes Lieblingsstücke, diejenigen, die sie immer wieder sang. Das waren die einzigen, deren Text er beherrschte, und wenn er sich Worte ausdachte, Laute bildete, die zwar ähnlich klangen, aber vielleicht etwas anderes bedeuteten, dann würden alle den Betrug erkennen. Cesar wußte nicht, daß niemand im Haus Tschechisch sprach. Es wäre leichter gewesen, etwas zu singen, das sie nicht alle mit ihr in Verbindung brachten, denn wie hätte er dem Vergleich mit ihr standhalten können? Doch er hatte keine andere Wahl, kein anderes Material zur Verfügung. Er wußte nicht, daß es Lieder für Männer und Lieder für Frauen gab, daß die verschiedenen Partien auf die Fähigkeiten verschiedener Stimmen zugeschnitten waren. Er hatte nur Stücke für Sopran gehört, warum sollten sie also nicht auch für ihn gedacht sein? Er verglich sich nicht mit ihr. Da gab es nichts zu vergleichen. Sie war die Sängerin. Er war nur ein Junge, der sie liebte, indem er sang. Oder liebte er es, zu singen? Er wußte es nicht mehr. Er war schon zu weit drinnen. Er schloß die Augen und hörte seiner Stimme zu. Irgendwo in der Ferne hörte er den Flügel, der ihn verfolgte, ihn einholte, ihm den Weg wies. Der Schluß der Arie war sehr hoch, und er wußte nicht, ob er es schaffen würde. Es war wie Fallen, nein, wie ein Sprung ins Wasser: Man schraubte seinen Körper durch die Luft, ohne daran zu denken, wie man landen würde.

Herr Hosokawa stand jetzt am Flügel, noch verwirrt vom Schlaf, mit zerzaustem Haar und zerknittertem, aus der Hose hängendem Hemd. Er wußte nicht, was er davon halten sollte. Halb dachte er, er sollte dem Jungen Einhalt gebieten, für den Fall, daß sie verhöhnte, doch das Ganze war einfach zu erstaunlich, und er liebte *Rusalka*. Dennoch hatte es etwas Enervierendes, dem Jungen zuzusehen, der jetzt die Hände über dem Herzen kreuzte, wie Roxane es tat. Das, was aus seinem Mund kam, war zwar nicht ihre Stimme, doch es erinnerte auf merkwürdige Weise an sie, so als hörte er nur eine schlechte Aufnahme von ihr. Er schloß die Augen. Ja, der Unterschied war beträchtlich. Er war jetzt ganz deutlich zu hören, aber irgendwie weckte dieser Junge in ihm das mitreißende Gefühl der Liebe. Herr Hosokawa liebte Roxane Coss. Vielleicht sang der Junge nicht einmal. Vielleicht war seine Liebe fähig, noch den gewöhnlichsten Gegenstand in Roxane zu verwandeln.

Roxane Coss stand unter ihnen und lauschte. Wie kam es, daß niemand sie die Treppe herunterkommen sah? Sie hatte sich nicht damit aufgehalten, sich anzuziehen, und trug einen weißen Pyjama aus Seide und den blauen Alpaca-Morgenrock von Rubens Frau, der bei diesem Wetter eigentlich zu warm war. Ihre Füße waren bloß, und die Haare hingen ihr offen über den Rücken. In all den Monaten waren sie gewachsen, und am Ansatz kam ihre wirkliche Haarfarbe zum Vorschein: ein stumpferes Hellbraun mit einem silbrigen Schimmer. Der Junge sang. Seine Stimme hatte sie aus tiefem Schlaf gerissen. Sie hätte noch stundenlang schlafen können, doch der Gesang hatte sie geweckt, und verwirrt war sie dem Klang nach unten gefolgt. Eine Aufnahme? A cappella? Doch dann sah sie ihn, Cesar, einen Jungen, der sich bis jetzt durch nichts hervorgetan hatte. Wann hatte er Singen gelernt? Ihre Gedanken überschlugen sich. Er war gut. Er war ausgezeichnet. Wenn jemand in Mailand oder New York auf so ein unentdecktes Talent stoßen würde, würde man den Jungen auf der Stelle in ein Konservatorium stecken. Er würde berühmt werden, denn jetzt war er nichts, er hatte keinerlei Ausbildung, und welche Tiefe lag in seiner Stimme! Welche Stimmkraft ließ seine schmalen Schultern erbeben. Er kam jetzt allmählich zum Ende, zu einem hohen C, für das er unmöglich gewappnet sein konnte. Sie kannte die Musik so genau wie ihren eigenen Atem, und sie stürzte auf ihn zu, als wäre er ein Kind auf der Straße, als wäre der Ton ein Wagen, der auf ihn zuraste. Sie packte ihn am Handgelenk. »*Detengase! Basta!*« Sie konnte zwar kein Spanisch, doch diese beiden Wörter hörte sie jeden Tag. Aufhören. Das reicht.

Cesar brach mittendrin ab, ließ den Mund jedoch traurig offenstehen, zu dem letzten Laut geformt, den er gesungen hatte. Und als sie nicht sagte: »Fang noch einmal von vorn an!«, begannen seine Lippen leicht zu zittern.

Roxane Coss hielt ihn weiter am Arm. Sie redete so schnell, und er verstand doch kein Wort. Er starrte sie mit leerem Blick an, und er sah, daß sie unglücklich, ja in Panik war. Je mehr sie in Panik geriet, um so lauter und schneller kamen die sinnlosen Wörter aus ihrem Mund, und als er immer noch nicht reagierte, rief sie: »Gen!«

Aber alle sahen ihnen zu, und es war einfach zu schrecklich. Cesar spürte das Zittern jetzt überall, und obwohl sie direkt neben ihm stand, ihn berührte, drehte er sich um und lief aus dem Zimmer. Alle standen schweigend und verlegen da, als wäre der Junge plötzlich nackt hinausgerannt. Es war Kato, der auf die Idee kam zu klatschen, und es waren die Italiener, Gianni Davansate und Pietro Genovese, die »*Bravo!*« riefen. Und dann applaudierte auf einmal der ganze Raum und rief den Namen des Jungen, aber der war nicht mehr da, war durch die Hintertür verschwunden und auf einen Baum gestiegen, von dem aus er oft dem Treiben der Welt zusah. Er konnte sie hören, hörte von drinnen das dumpfe Getöse, doch wer konnte sagen, ob sie ihn nicht grausam verspotteten? Vielleicht gab dort jetzt Roxane ihre eigene Imitation zum besten und spielte ihn, wie er sie spielte.

»Gen!« Roxane nahm Gen an der Hand. »Laufen Sie hinter ihm her. Sagen Sie irgendwem, er soll ihm hinterherlaufen.«

Und als Gen sich umdrehte, stand Carmen hinter ihm. Carmen war immer da, die strahlenden dunklen Augen zu ihm aufgeschlagen, bereit, ihm zu helfen, wie ein Mensch, dem man das Leben gerettet hat. Er brauchte gar nichts zu sagen. Sie verstanden einander auch so. Sie drehte sich um, und schon war sie verschwunden.

Nach so langer Zeit auf so engem Raum wußte jeder von jedem, was er am liebsten tat. Ishmael zum Beispiel folgte dem Vizepräsidenten wie ein Hund. Suchst du Ishmael? Dann such den Vizepräsidenten – aller Wahrscheinlichkeit nach hängt ihm der Junge an den Fersen. Beatriz hockte stets vor dem Fernseher, außer wenn ein direkter Befehl sie anderswohin beorderte. Gilbert liebte die Badewanne über alles, vor allem die im Bad des Hausherrn, die wild zu brausen und zu brodeln begann, wenn man auf einen Knopf drückte (was war das für eine Überraschung beim ersten Mal!). Cesar liebte den Baum, eine stämmige Eiche, die sich zur Mauer hinneigte, mit niedrigen, starken Ästen, die sich gut zum Klettern eigneten, und hohen, breiten, auf denen man bequem sitzen konnte. Die anderen Soldaten hielten ihn für besonders dumm oder kühn, weil er manchmal so weit hinaufkletterte, daß er sich über der Mauer befand, wo jeder Militärposten ihn hätte abknallen können wie ein Eichhörnchen. Manchmal trugen die Generäle ihm auf, einen Blick auf die Stadt zu werfen und ihnen Bericht zu erstatten, und dann kletterte er schnell auf den Baum. Es war also nicht schwer zu erraten, wo er zu finden war. Carmen ging hinaus in den Garten, der ihr nach der letzten Nacht völlig verwandelt vorkam. Sie wählte den längeren Weg, um an der Stelle vorbeizukommen, wo die Mauer eine versteckte kleine Bucht bildete, und tatsächlich: das Gras war immer noch geknickt, platt gedrückt in der Form ihres Rückens. Sie spürte, wie ihr alles Blut in den Kopf schoß, und von Schwindel ergriffen, stützte sie sich mit den Fingern an der Mauer ab. Mein Gott, wenn es nun jemandem auffiel? Sollte sie jetzt schnell versuchen, es in Ordnung zu bringen? Konnte man Gras wieder aufrichten? Würde es jetzt so bleiben? Doch dann wurde Carmen klar, daß sie vorhatte, dasselbe Gras heute nacht wieder platt zu drücken, daß sie jeden Grashalm im Garten mit ihren Hüften, ihren Schultern, den Sohlen ihrer bloßen Füße hätte umknicken wollen. Wenn es möglich gewesen wäre, hätte sie Gen auf der Stelle genommen, hätte die Beine um ihn geschlungen und wäre an ihm hinaufgeklettert wie an einem Baum. Wer hätte gedacht, daß solch ein Mann mit ihr zusammensein wollte? Die Gewißheit der Liebe lenkte sie für einen Moment so sehr ab, daß sie vergaß, warum sie überhaupt herausgekommen war oder wen sie suchte. Dann sah sie in der Ferne einen Stiefel oben aus dem Laubwerk hängen wie eine große, häßliche Frucht, und die Welt nahm sie wieder gefangen. Carmen ging zu der Eiche, packte einen Ast über ihrem Kopf und kletterte hinauf.

Cesar saß da und zitterte und weinte. Jeden anderen, der auf seinen Baum gestiegen wäre, hätte er kopfüber hinuntergeworfen. Er hätte ihm einen kräftigen Tritt unters Kinn versetzt und ihn in hohem Bogen hinunterfliegen lassen. Doch der Kopf, der sich zu ihm hinaufzog, war der von Carmen, und er mochte Carmen. Er dachte, sie würde ihn verstehen, denn sie liebte Roxane Coss offensichtlich auch. Sie war die glücklichste von ihnen allen, denn sie durfte ihr das Frühstück bringen, durfte vor ihrer Tür schlafen. (Weil Carmen so diskret war, wußte er nichts von dem Rest: daß sie in Roxanes Bett geschlafen, ihr das Haar gebürstet hatte, daß Carmen mitten in der Nacht Roxanes Geliebten heimlich zu ihr heraufgebracht hatte und ihr Vertrauen genoß. Hätte er das alles gewußt, wäre er vielleicht vor Eifersucht geplatzt.) Und wenn auch niemand sehen sollte, daß er weinte wie ein kleines Kind, so war es doch nicht ganz so schlimm, wenn es Carmen war. Bevor er sich in Roxane Coss verliebt hatte, damals, bevor sie hierher in die Stadt kamen, hatte er unentwegt daran gedacht, wie gern er Carmen küssen würde, küssen und noch mehr, doch nach einer kräftigen Ohrfeige von General Hector hatte er den Gedanken aufgegeben. Solche Dinge waren unter Soldaten strengstens verboten.

»Du singst sehr schön«, sagte sie.

Cesar wandte den Kopf ab. Ein kleiner Zweig kratzte ihn leicht an der Wange. »Ich bin ein Idiot«, sagte er in die Blätter hinein.

Carmen schwang sich auf einen gegenüberliegenden Ast und umklammerte ihn mit den Beinen. »Du bist kein Idiot! Du mußtest es tun. Du hattest keine andere Wahl.« Von dort, wo sie saß, konnte sie die Stelle mit dem heruntergedrückten Gras sehen. So von oben betrachtet sah sie ganz anders aus, größer und fast rund, als hätten sie einander in einem großen Kreis herumgewirbelt, was durchaus möglich war. Sie roch das Gras in ihrem Haar. Liebe war etwas Aktives. Sie überkam einen. Es war keine Frage der Entscheidung.

Doch Cesar sah sie nicht an. Hätte sie nur ein wenig den Hals gereckt, dann hätte sie von ihrem Platz aus über die Mauer sehen können. Aber sie tat es nicht.

»Roxane Coss hat mich rausgeschickt, um dich zu holen«, sagte Carmen. Das war nicht völlig gelogen. »Sie will mit dir über deine Stimme reden. Sie findet, du singst sehr gut.« Das konnte sie sagen, weil sie wußte, daß er sehr gut war, und natürlich würde Roxane es ihm bestätigen. Carmen konnte nicht entfernt genug Englisch, um verstanden zu haben, was im Wohnzimmer gesagt worden war, doch sie entwickelte allmählich die Fähigkeit, manches zu erraten, ohne die Wörter im einzelnen kennen zu müssen.

»Das kannst du doch gar nicht wissen.«

»Doch, ganz bestimmt. Der Dolmetscher war dabei.«

»Sie hat gesagt: ›Aufhören.‹ Sie hat gesagt: ›Das reicht.‹ Ich habe sie verstanden.« Ein Vogel schwang sich zu dem Baum herab, in der Hoffnung, landen zu können, und flog hastig weiter.

»Sie wollte mit dir reden. Was kann sie schon sagen? Ihr müßt Gen um Hilfe bitten. Ohne ihn versteht keiner etwas.«

Cesar zog die Nase hoch, wischte sich mit der Manschette über die Augen. Wenn alles auf der Welt wäre, wie es sein sollte, dann säße nicht Carmen hier auf dem Baum. Dann wäre es Roxane Coss selbst, die ihm hierher gefolgt wäre. Sie würde ihm über die Wange streichen und in makellosem Spanisch mit ihm reden. Sie würden zusammen singen. Man nannte das ein Duett. Sie würden um die ganze Welt reisen.

»Aber du bist nun mal kein Eichhörnchen«, sagte Carmen. »Du wirst nicht ewig hier oben bleiben. Du wirst runterkommen müssen zum Wachdienst, und dann wird sie es dir über den Dolmetscher selber sagen. Sie wird dir sagen, wie gut du bist, und dann wirst du dir wie ein Idiot vorkommen, weil du hier oben geschmollt hast. Alle wollen mit dir feiern. Das verpaßt du alles.«

Cesar fuhr mit der Hand über die rauhe Rinde. So hatte Carmen noch nie geredet. Als sie zusammen in der Ausbildung gewesen waren, hatte sie vor lauter Schüchternheit kaum den Mund aufbekommen – das war einer der Gründe, warum er sie so attraktiv fand. Er hatte sie nie zwei Sätze hintereinander sagen hören. »Woher weißt du das alles?«

»Ich hab es dir doch gesagt, durch den Dolmetscher.«

»Und woher weißt du, daß er die Wahrheit sagt?«

Carmen sah ihn an, als ob er verrückt wäre, sagte jedoch kein Wort. Sie griff nach dem Ast unter ihr, hielt sich fest, ließ die Beine hinab und öffnete dann die Hände, um sich hinunterfallen zu lassen. Im Springen war sie Expertin. Sie blieb weich in den Knien, und als ihre Füße aufs Gras trafen, schnellte sie senkrecht nach oben. Sie kam nicht im geringsten aus dem Gleichgewicht. Sie ging fort, ohne sich auch nur nach Cesar umzusehen. Sollte er doch da oben verfaulen. Auf dem Weg zurück ins Haus kam sie an einem der Fenster vorbei, durch die man in das riesige Wohnzimmer sah. Wie merkwürdig es war, das alles von dieser Seite zu sehen. Eine Weile stand sie neben einem Strauch, der bei ihrer Ankunft noch ordentlich gestutzt gewesen war, jetzt jedoch fast so groß war wie sie. Sie sah Gen am Flügel stehen, wo er mit Roxane Coss und Herrn Hosokawa redete. Kato war auch dabei. Sie sah Gen, seinen geraden Rücken und seinen zärtlichen Mund, seine Hände, mit denen er ihr geholfen hatte, sich auszuziehen, und dann, sich wieder ordentlich anzukleiden. Sie wünschte, sie könnte an die Scheibe klopfen und ihm zuwinken, doch es war schon ein kleines Wunder, den Menschen, den man liebte, unbemerkt beobachten zu können, als ob man ein Fremder wäre, der ihn zum erstenmal sah. Sie konnte seine Schönheit wahrnehmen wie jemand, für den nichts selbstverständlich ist. Seht euch diesen schönen, diesen klugen Mann an – er liebt mich. Sie betete zu der heiligen Rosa von Lima. Sie betete um Schutz für Gen. Um Glück und ein langes Leben. Wache über ihn und führe ihn. Sie sah durchs Fenster hinein. Jetzt sprach er mit Roxane, Roxane, die so gut zu ihr gewesen war, und so schloß Carmen auch sie in ihr Gebet ein. Dann senkte sie für einen Moment den Kopf und bekreuzigte sich schnell, um das Gebet auf den Weg zu schicken.

»Ich hätte nicht sagen sollen, daß er aufhören soll«, sagte Roxane. Gen übersetzte es ins Japanische.

»Er kann ja nirgendwo hin«, sagte Herr Hosokawa. »Irgendwann muß er wiederkommen. Mach dir keine Sorgen.« In Japan brachte dieses moderne Zeitalter der Zuneigung ihn oft in Verlegenheit – all die jungen Männer und Frauen, die in der Öffentlichkeit Händchen hielten und sich in der U-Bahn mit Küssen verabschiedeten. Diese Gesten waren ihm völlig unverständlich gewesen. Er hatte geglaubt, daß das, was ein Mensch tief in seinem Herzen empfand, seine Privatsache war und niemanden etwas anging, aber sein Herz war auch noch nie so voll gewesen. Es war nicht genug Platz darin für soviel Liebe, und er hatte ein wehes Gefühl in der Brust. Ihm tat das Herz weh vor Liebe! Wer hätte gedacht, daß es das wirklich gab? Alles, was er sich jetzt wünschte, war, ihre Hand nehmen oder ihr den Arm um die Schulter legen zu können.

Roxane Coss lehnte sich zu ihm hin und senkte ihren Kopf ganz kurz auf seine Schulter, gerade so lange, daß ihre Wange sein Hemd berührte.

»Ah«, sagte Herr Hosokawa leise. »Du bedeutest mir mehr als die ganze Welt.«

Gen sah ihn an. Sollte er das übersetzen, die Zärtlichkeiten, die sein Chef ihr zuflüsterte? Herr Hosokawa nahm Roxanes Hand. Er hielt sie an seine Brust, legte sie auf sein Herz. Er nickte. Meinte er damit Gen? Forderte er ihn damit auf zu übersetzen? Oder nickte er ihr zu? Gen fühlte sich schrecklich unwohl. Am liebsten hätte er fortgesehen. Das Ganze war viel zu privat. Er wußte jetzt, was das bedeutete.

»Mehr als die ganze Welt«, wiederholte Herr Hosokawa, doch diesmal sah er Gen an.

Und so übersetzte Gen es für sie. Er versuchte, seine Stimme möglichst sanft klingen zu lassen. »Verzeihung«, sagte er zu Roxane, »Herr Hosokawa möchte, daß Sie wissen, daß Sie ihm mehr bedeuten als die ganze Welt.« Er erinnerte sich, ihr etwas Ähnliches im Namen des Russen gesagt zu haben.

Es sprach für Roxane, daß sie niemals Gen ansah. Sie sah Herrn Hosokawa in die Augen und nahm die Worte von ihm entgegen.

Carmen kam zurück. Sie war ganz aufgeregt, und alle dachten, es hätte mit Cesar zu tun, dabei hatte sie Cesar fast schon wieder vergessen. Sie wollte zu Gen, ging jedoch erst zu General Benjamin. »Cesar sitzt auf dem Baum«, sagte sie. Sie wollte gerade fortfahren, besann sich jedoch eines besseren. Es war immer weiser, erst einmal abzuwarten.

»Was macht er da?« fragte der General. Unwillkürlich stellte er fest, wie hübsch dieses Mädchen wurde. Wäre sie damals schon so hübsch gewesen, hätte er sie niemals aufgenommen. Er sollte ihr befehlen, ihre Haare unter die Mütze zu stecken. Er sollte sie entlassen, sobald sie wieder zu Hause waren.

»Er schmollt.«

»Ich verstehe nicht ganz.«

»Er schämt sich.«

Vielleicht war es falsch gewesen, ihm ein hübsches Mädchen hinterherzuschicken. Einer der Jungen hätte hingehen und einfach den Baum schütteln sollen, bis Cesar heruntergefallen wäre. General Benjamin seufzte. Cesars Gesang hatte ihn beeindruckt. Er fragte sich, ob der Junge durch dieses Talent wohl ebenso übererregbar werden würde, wie es die Sängerin war. In dem Fall würde er auch Cesar entlassen müssen, und dann hätte er zwei Soldaten verloren. Aber noch während er dies dachte, erinnerte er sich, wo er war, und die Vorstellung, jemals nach Hause zu kommen, je wieder so simple Entscheidungen zu treffen wie die, ob man Leute entließ oder behielt, erschien ihm völlig utopisch. Warum verschwendete er seine Zeit damit? Cesar auf einem Baum? Was machte das schon? »Laß ihn dort sitzen.« General Benjamin blickte über Carmens Kopf hinweg ans andere Ende des Raumes – seine Art, zu zeigen, daß das Gespräch beendet war.

»Darf ich es Miss Coss sagen?«

Er sah wieder zu ihr hinab und blinzelte. Sie war folgsam, gut erzogen. Es war ein Jammer, daß ihr Plan gescheitert war. Bei einer Revolution hätten zweifellos auch hübsche Mädchen eine Aufgabe. Es gab keinen Grund, sie so hart zu behandeln. »Ich schätze, es wird sie interessieren.«

Glücklich und dankbar verbeugte sich Carmen vor ihm.

Er fuhr sie an: »Hier wird salutiert!«

Carmen salutierte, wobei sie ein so ernstes Gesicht machte wie jeder andere Soldat auch, und sauste dann davon.

»Cesar sitzt auf dem Baum«, sagte Carmen. Sie stand zwischen Herrn Hosokawa und Herrn Kato. Sie stand Gen gegenüber, wo sie nicht in Versuchung kam, sich vor allen Leuten an seinen Ärmel zu hängen. Sie liebte den Klang seiner Stimme, wenn er dolmetschte.

»Kommt er nicht herein?« fragte Roxane. Ihre blauen Augen waren von violetten Schatten umgeben. Sie hatte noch nie so müde ausgesehen, außer ganz am Anfang.

»Oh, er wird schon kommen. Er schämt sich nur. Er glaubt, er hätte sich lächerlich gemacht. Er glaubt, Sie halten ihn für einen Idioten, weil er versucht hat zu singen.« Sie sah Roxane an, ihre Freundin. »Ich habe ihm gesagt, daß Sie das ganz und gar nicht tun.«

Gen übersetzte ihre Worte ins Englische und ins Japanische. Die beiden Männer und Roxane nickten. Carmens Worte auf japanisch. Wie schön das klang.

»Würdest du die Generäle wohl fragen, ob ich hinausgehen darf?« fragte Roxane Carmen. »Meinst du, das wäre möglich?«

Carmen hörte zu. Sie wurde mit einbezogen. Man hielt sie für die am besten geeignete Person, um diese Bitte vorzutragen. Man fragte sie nach ihrer Meinung. Sie konnte es kaum glauben: Von all den Menschen im Raum mit all ihrem Geld, ihrer Bildung und ihrem Talent hielt man gerade sie für die richtige. Am liebsten hätte sie Roxane Coss so höflich wie möglich gesagt: Nein, sie werden Sie niemals hinauslassen, aber es freut mich sehr, daß Sie mich fragen. Nicht daß sie eine Ahnung hatte, wie man das auf englisch sagte. Die Generäle ignorierten ihr Gespräch, General Hector und General Alfredo hatten sogar den Raum verlassen, und die Jungen kümmerte es wenig, doch Beatriz hörte zu. Carmen konnte sie aus den Augenwinkeln sehen. Sie wollte Beatriz vertrauen. Sie hatte ihr vertraut. Und schließlich tat sie ja nichts Schlimmes. »Sag ihr, ich frage das gern für sie«, sagte sie zu Gen. Sie dachte an ihre Haltung, und versuchte, den Rücken durchzudrücken, wie Roxane Coss es tat. Sie versuchte, sich anzugewöhnen, die Schultern nach hinten zu nehmen, auch wenn der Effekt zum größten Teil unter dem dunkelgrünen Hemd verborgen blieb, das an ihr herabhing wie ein Stück Plane.

Sie dankten ihr auf englisch und japanisch und dann auch noch auf spanisch. Gen war stolz auf sie, sie sah es ihm an. Wenn es die Umstände erlaubt hätten, hätte Gen ihr die Hand auf die Schulter gelegt und es ihr vor seinen Freunden gesagt.

Es war völlig ausgeschlossen, daß sie Roxane Coss erlauben würden, hinauszugehen, um dort mit Cesar zu sprechen. Die Geiseln auf keinen Fall hinauszulassen war eines der obersten Gebote. Niemand wußte das besser als Carmen, die erst in der letzten Nacht gegen diese wichtige Regel verstoßen hatte. Doch es lag nicht an ihr, die Bitte abzuschlagen. Niemand hatte Carmen gebeten, eine Antwort zu geben, sie sollte nur mit der Frage an den General herantreten. Tatsächlich hätte sie das lieber nicht getan. Wozu um etwas bitten, von dem man wußte, daß man es nicht bekam? Carmen fragte sich, ob sie den General nicht etwas anderes fragen könnte, zum Beispiel, ob er eine Tasse frischen Kaffee wolle, so daß alle sehen würden, wie sie ihn fragte, jedoch ohne sie zu hören. Dann könnte sie mit der Meldung zurückkommen, daß ihnen die Bitte abgeschlagen worden sei. Doch sie wollte Roxane Coss und Herrn Hosokawa nicht anlügen – zwei Menschen, die Wert legten auf ihre Meinung und sie wie eine Freundin behandelten –, und Gen konnte sie erst recht nicht belügen. Sie würde die Frage stellen müssen, weil sie es versprochen hatte. Es wäre besser gewesen, ein, zwei Stunden zu warten. Die Generäle wurden ungern um etwas gebeten, wenn sie gerade erst belästigt worden waren. Doch sie konnte nicht ein, zwei Stunden warten. Bis dahin würde Cesar längst vom Baum geklettert sein. Carmen hatte selbst schon auf jenem Baum gesessen, und sie wußte, daß es dort oben schön, aber auch unbequem war. Man konnte nur begrenzte Zeit schmollend auf einem Baum sitzen, und Roxane Coss wollte Gelegenheit haben, Cesar durch Schmeicheleien herunterzulocken. Es hatte keinen Sinn, zu versuchen, den ihr liebsten Geiseln zu erklären, wie die Psyche der Generäle arbeitete, und ebenso sinnlos war es, General Benjamin die Motive der Sängerin darzulegen, die ihn zweifellos nicht interessiert hätten. Alles, was sie tun konnte, war fragen. Carmen lächelte und ließ die Gruppe stehen, ging quer durch den Raum zu dem Ohrensessel vor dem leeren Kamin, wo General Benjamin saß. Er war dabei, irgendwelche Schriftstücke zu lesen. Sie konnte nicht sagen, was für welche es waren, auch wenn sie sah, daß sie auf spanisch abgefaßt waren. Sie konnte jetzt schon ein bißchen lesen, aber noch nicht so gut. Er hatte die Augenbrauen zur Nasenwurzel hinabgezogen und kniff die Augen zusammen. Sein Ausschlag ergoß sich wie ein flüssiger Lavastrom über die eine Seite seines Gesichts bis in das Auge, doch er sah nicht mehr ganz so entzündet aus. General Benjamin hob einen Finger und berührte kurz behutsam die Haut, zuckte zurück und las weiter. Normalerweise hätte sich Carmen gehütet, ihn zu stören.

»Herr General?« flüsterte sie.

Ihre letzte Unterhaltung lag erst fünf Minuten zurück, aber er sah sie an, als wäre er völlig verwirrt. Seine Augen waren rot und feucht, vor allem das linke, das von stecknadelkopfgroßen Bläschen umgeben war.

Carmen wartete darauf, daß er etwas sagte, doch er blieb stumm. Es lag an ihr, das Gespräch zu beginnen. »Entschuldigen Sie, Herr General, daß ich Sie noch mal störe, Roxane Coss hat mich gebeten, Sie zu fragen ...« Sie hielt inne in dem Glauben, er würde sie bestimmt unterbrechen, sie fortschicken, aber er tat es nicht. Er tat überhaupt nichts. Sie hätte es verstanden, wenn er den Kopf gesenkt und weitergelesen hätte. Wenn er sie angeschrien hätte, hätte sie entsprechend reagieren können, doch er starrte sie einfach nur an. Sie holte tief Luft, nahm die Schultern zurück und setzte noch einmal an. »Roxane Coss würde gern rausgehen und mit Cesar sprechen. Cesar, der auf dem Baum sitzt. Sie will ihm sagen, daß er sehr gut gesungen hat.« Sie wartete erneut, doch nichts geschah. »Der Dolmetscher müßte wohl auch mitgehen, damit Cesar sie verstehen kann. Wir könnten ja ein paar von uns mit rausschicken. Ich könnte mein Gewehr holen.« Sie verstummte und wartete geduldig darauf, daß er ihr die Bitte abschlug. Eine andere Möglichkeit hatte sie nie in Erwägung gezogen, doch General Benjamin schwieg, und einen Moment lang schloß er die Augen, wie um sie nicht mehr ansehen zu müssen. Sie sah auf die Blätter, die er in den Händen hielt, und ein Frösteln durchschauerte ihre schmächtige Brust. Auf einmal hatte sie Angst, der General könnte schlechte Neuigkeiten empfangen haben, auf diesen Blättern könnte etwas stehen, das ihr Glück zerstören würde.

»General Benjamin«, sagte sie und beugte sich zu ihm hinab, so daß nur er sie hören konnte. »Ist alles in Ordnung?« Ihre Haare waren hinter dem einen Ohr hervorgerutscht und hingen auf seine Schulter hinab. Sie rochen nach Zitrone. Roxane hatte Carmens Haar mit dem Zitronenshampoo gewaschen, das Messner für sie aus Italien hatte kommen lassen.

Der Geruch von Zitronen. Er ist wieder ein Junge in der Stadt und läuft zur Schule, mit einem Schnitz Zitrone im Mund, so daß die leuchtend gelbe Schale zwischen den Lippen hervorsieht – dieser unglaublich saure, reine Geschmack, nach dem er süchtig war. Sein Bruder Luis ist bei ihm, läuft neben ihm, ein kleiner Junge noch. Er ist jünger als Benjamin, weshalb Benjamin für ihn verantwortlich ist. Auch er hat eine Zitrone im Mund, und sie sehen einander an und müssen so schrecklich lachen, daß sie die Hände heben und die ausgelutschten Schalen auffangen müssen. Der Zitronengeruch holt ihn ebensoschnell wieder zurück. Carmen wollte noch etwas. Er saß noch immer im Wohnzimmer. Warum begriff er erst jetzt, daß die ganze Sache schlecht ausgehen würde? Es wunderte ihn nicht, daß er es wußte, sondern nur, daß er es nicht von Anfang an gewußt hatte, daß er in dem Moment, in dem feststand, daß Präsident Masuda nicht da war, nicht mit seiner Truppe umgedreht und schnell wieder in die Luftschächte geklettert war. Dieser Fehler war im Rückblick kaum zu begreifen. Er war der Hoffnung entsprungen. Hoffnung war etwas Tödliches.

»Sie will rausgehen?« fragte er.

»Ja, Herr General.«

»Cesar ist immer noch draußen?«

»Ich glaube, ja.«

General Benjamin nickte. »Das Wetter ist schön geworden.« Er sah lange aus dem Fenster, um sicherzugehen, daß er nichts Falsches sagte. »Bringt sie alle raus. Sag Hector und Alfredo Bescheid. Stellt an der Mauer ein paar Soldaten auf.« Er sah Carmen an. Wenn er es vorher gewußt hätte, hätte er ihr mehr Aufmerksamkeit geschenkt. »Wir brauchen hier frische Luft, meinst du nicht auch? Schick sie raus in die Sonne.«

»Alle? Sie meinen, Miss Coss und den Dolmetscher?«

»Ich meine alle.« Seine Geste schloß alle im Raum mit ein. »Raus mit ihnen.«

So kam es, daß an dem Tag, nachdem Carmen mit Gen hinausgegangen war, auch die anderen hinaus durften. Sie wäre lieber nicht diejenige gewesen, die es den anderen beiden Generälen sagte, doch sie tat es in Ausführung eines direkten Befehls. Immer noch völlig verblüfft, stand sie vor der Tür zum Arbeitszimmer. Die Generäle sahen gerade Fußball. Sie saßen auf der Kante des Sofas, umklammerten mit beiden Händen die Knie und brüllten den Fernseher an. Vor ihnen auf dem Tisch lagen die Karten von einem mittendrin abgebrochenen Spiel, und zwischen den Kissen ragten zwei Selbstladepistolen hervor. Als es ihr gelang, sich bemerkbar zu machen, sagte sie nicht, daß sie für jemanden um Erlaubnis gebeten hatte hinauszugehen oder daß Roxane Coss mit dem auf dem Baum sitzenden Cesar sprechen wollte, sondern erklärte ihnen nur, General Benjamin habe einen Beschluß gefaßt und sie habe den Auftrag, ihnen diesen Beschluß mitzuteilen. Sie faßte sich so kurz wie möglich.

»Nach draußen!« sagte General Alfredo. »Das ist verrückt! Wie sollen wir sie draußen unter Kontrolle halten?« Er fuchtelte mit jener Hand herum, an der zwei Finger fehlten, ein Anblick, bei dem Carmen jedesmal Mitleid empfand.

»Was gibt es da noch unter Kontrolle zu halten?« fragte General Hector und streckte die Arme über den Kopf. »Als würden sie jetzt noch irgendwohin gehen.«

Das war eine Überraschung. Normalerweise war Hector gegen alles. Wenn er sich entschieden gewehrt hätte, hätten sie General Benjamin wahrscheinlich umstimmen können, doch durch die Fenster schien strahlend die Sonne herein, und die Luft um sie her war stickig geworden. Warum nicht die Türen öffnen? Warum nicht heute, wenn ein Tag wie der andere war? Sie gingen ins Wohnzimmer, und die drei Generäle riefen ihre Soldaten zusammen und befahlen ihnen, ihre Gewehre zu holen und sie zu laden. Selbst nachdem sie monatelang auf Sofas herumgelegen hatten, konnten die Jungen und Beatriz und Carmen sich immer noch schnell bewegen. Sie wußten nicht, warum sie die Gewehre luden, und fragten auch nicht nach. Sie befolgten die Befehle, und ihre Augen nahmen einen kalten Ausdruck an. General Benjamin mußte unwillkürlich denken: Wenn ich ihnen jetzt befehlen würde, alle umzubringen, würden sie das immer noch tun. Sie würden tun, was ich ihnen sage. Es war eine gute Idee, alle hinauszuschicken. Den Soldaten gab es eine Aufgabe. Die Geiseln würde es an seine Autorität und an seine Milde erinnern. Es war Zeit, daß sie aus diesem Haus herauskamen.

Roxane Coss hatte Herrn Hosokawas Arm als Halt, aber Gen stand allein da und sah zu, wie seine Liebste mit den Soldaten durch das Zimmer lief, das Gewehr hoch vor der Brust.

»Ich weiß nicht, was das soll«, flüsterte Herr Hosokawa. Er spürte, wie Roxane neben ihm zitterte und drückte ihre

Hand zwischen seinen beiden Händen. Es war, als hätte jemand auf einen Knopf gedrückt und die Menschen, die sie kannten, wären auf einmal Leute, die sie nie gesehen hatten.

»Verstehen Sie, was sie sagen?« raunte Roxane Gen zu. »Was ist passiert?«

Natürlich verstand er, was sie sagten. Sie brüllten schließlich laut genug. *Gewehre laden. Aufstellung nehmen.* Doch es hatte keinen Sinn, Roxane das zu sagen. Die anderen Geiseln standen jetzt um sie herum. Sie drängten sich zusammen wie Schafe auf einem Feld bei einem Regenguß. Neununddreißig Männer und eine Frau, und die plötzliche Nervosität stieg von ihnen auf wie Wasserdampf.

Dann trat General Benjamin vor und sagte: »*Traductor!*«

Herr Hosokawa berührte den Dolmetscher am Arm, als er vortrat. Gen wünschte, er wäre ein mutiger Mann. Auch wenn Carmen jetzt nicht mehr bei ihnen war, so wünschte er doch, sie könnte ihn als einen solchen sehen.

»Ich habe beschlossen, daß alle nach draußen sollen«, erklärte General Benjamin. »Sagen Sie den Leuten, sie sollen jetzt rausgehen.«

Aber Gen übersetzte nicht. Das war nicht mehr sein Beruf. Statt dessen fragte er: »Wozu?« Wenn sie exekutiert werden sollten, dann würde er nicht der sein, der diese Schafe hinausführte, damit sie sich an die Wand stellten. Es reichte nicht, zu übersetzen, was die anderen sagten, man mußte die Wahrheit wissen.

»Wozu?« sagte General Benjamin. Er trat an Gen heran, so dicht, daß Gen auf seinem Gesicht ein Netz aus roten Linien sah, die halb so dick waren wie Zwirn. »Man hat mir gesagt, Roxane Coss bittet um Erlaubnis, hinausgehen zu dürfen.«

»Und jetzt lassen Sie alle raus?«

»Haben Sie etwas dagegen?« General Benjamin war kurz davor, es sich anders zu überlegen. War er denn zu diesen Leuten nicht immer anständig gewesen, und jetzt stierten sie ihn an wie einen Mörder? »Denken Sie, ich bringe Sie raus und lasse Sie dann alle erschießen?«

»Aber die Gewehre –« Gen hatte einen Fehler begangen. Soviel war klar.

»Zur Sicherheit«, sagte der General mit zusammengebissenen Zähnen.

Gen wandte sich um zu den Menschen, die er als seine Gefährten betrachtete. Er sah ihre Gesichter beim Klang seiner Stimme weich werden. »Wir gehen raus«, sagte Gen auf englisch, auf japanisch, auf russisch, italienisch und französisch. »Wir gehen raus«, sagte er auf spanisch und auf dänisch. Nur diese wenigen Wörter, doch in jeder Sprache gelang es ihm, damit klarzumachen, daß man sie nicht erschießen würde, daß dies kein übler Trick war. Die Leute lachten und seufzten und wankten auseinander. Der Priester bekreuzigte sich schnell, voller Dankbarkeit, daß sein Gebet erhört worden war. Ishmael ging zur Tür und öffnete sie, und die Geiseln marschierten hinaus in die Sonne.

Hinaus in den himmlischen Sonnenschein.

Vizepräsident Ruben Iglesias, der geglaubt hatte, er würde nie wieder Gras unter den Füßen fühlen, verließ den Schieferplattenweg und schwelgte im Luxus seines eigenen Gartens. Er hatte jeden Tag durchs Wohnzimmerfenster hinausgestarrt, aber jetzt, wo er tatsächlich dort war, kam er ihm wie eine andere Welt vor. War er jemals abends rund um seinen eigenen Rasen gegangen? Hatte er sich die Bäume eingeprägt, die wunderbaren blühenden Sträucher, die an der Mauer emporwuchsen? Wie hießen sie? Er grub sein Gesicht in das Nest aus tiefvioletten Blüten und atmete ein. Bei Gott, wenn er hier lebend herauskam, würde er seinen Pflanzen mehr Aufmerksamkeit schenken. Vielleicht würde er sich als Gärtner betätigen. Die frischen Blätter waren leuchtend grün und faßten sich samtig an. Er streichelte sie zwischen Daumen und Zeigefinger, vorsichtig, um sie nicht zu verletzen. Allzuoft war er abends erst im

Dunkeln nach Hause gekommen. Er sah das Leben in seinem Garten nur als eine Reihe von Schatten und Silhouetten. Wenn es wirklich so etwas wie eine zweite Chance gab, würde er seinen Kaffee morgens draußen trinken. Er würde mittags nach Hause kommen, um mit seiner Frau auf einer Decke unter den Bäumen zu essen. Seine beiden Mädchen würden dann in der Schule sein, doch seinen Sohn würde er auf die Knie nehmen und ihm die Namen der Vögel beibringen. Wie war er dazu gekommen, an so einem schönen Ort zu wohnen? Er ging durch das Gras an die Westseite des Hauses, und das Gras war so dicht, daß er wußte, es würde schwer zu mähen sein. Er mochte es so. Vielleicht würde er es nie wieder mähen lassen. Wenn man eine drei Meter hohe Mauer hatte, konnte man mit seinem Garten tun, was man wollte. Er konnte dort, wo die Mauer eine kleine Bucht bildete und drei schlanke Bäume im Halbkreis standen, nachts mit seiner Frau Liebe machen. Sie konnten nach draußen gehen, wenn die Kinder im Bett waren, wenn die Dienstboten schliefen, und wer würde sie dann noch sehen? Der Erdboden, auf den sie sich legen würden, würde so weich sein wie ihr Bett. Er stellte sich vor, wie die langen dunklen Haare seiner Frau offen auf dem dichten Gras lagen. Er würde ein besserer Ehemann, ein besserer Vater sein. Er kniete sich hin und griff zwischen die hohen gelben Lilien. Er zog eine Unkrautpflanze heraus, die so hoch war wie die Blumen – ihr Stengel war fingerdick –, und dann noch eine und noch eine, bis seine Hände voll waren mit grünen Stengeln, Wurzeln und Erde. Es gab viel zu tun.

Die Soldaten schubsten oder dirigierten die Leute nirgendwohin. Sie standen einfach an der Mauer, in regelmäßigen Abständen. Sie lehnten sich dagegen und sonnten sich. Es tat gut, einmal etwas anderes zu tun. Ja es tat ihnen sogar gut, daß sie alle wieder bewaffnet waren, eine Kette von Soldaten mit einem Gewehr in der Hand. Die Geiseln hoben die Arme und streckten sich. Einige legten sich ins Gras, andere studierten die Blumen. Gen sah sich nicht die

Blumen an, sondern die Soldaten, und als er Carmen entdeckte, nickte sie ihm kaum merklich zu und wies mit der Mündung ihres Gewehrs ganz leicht in die Richtung von Cesars Baum. Alle schienen sich so zu freuen, draußen in der Sonne zu sein. Carmen hätte am liebsten gesagt: Ich habe das für euch getan. Ich bin die, die gefragt hat. Doch sie gab keinen Laut von sich. Sie mußte fortsehen, um nicht zu lächeln.

Gen sah Roxane Hand in Hand mit Herrn Hosokawa herumgehen, als wäre dies ein anderer Garten und sie beide wären allein. Sie sahen an diesem Vormittag anders aus, paßten schon eher zusammen, und Gen fragte sich, ob er sich wohl auch verändert hatte. Er dachte, er sollte sie vielleicht nicht stören, doch er wußte nicht, wie lange sie hier draußen würden bleiben dürfen.

»Ich habe den Jungen gefunden«, sagte Gen.

»Den Jungen?« fragte Herr Hosokawa.

»Den Sänger.«

»Ach ja, der Junge, natürlich.«

Gen wiederholte das Ganze auf englisch, und sie gingen zusammen zu dem Baum, der ganz hinten im Garten stand.

»Da oben sitzt er?« fragte Roxane, doch sie konnte sich kaum konzentrieren – der leichte Wind, die üppigen, verschlungenen Pflanzen lenkten sie ab. Sie spürte, wie sich der Sonnenschein über ihren Wangen wölbte. Sie wollte die Mauer anfassen, wollte die Finger ins Gras bohren. Sie hatte noch nie im Leben einen Gedanken an Gras verschwendet.

»Das hier ist sein Baum.«

Roxane legte den Kopf in den Nacken, und tatsächlich sah sie zwei Stiefelsohlen in den Zweigen baumeln. Sie konnte sein Hemd, die Unterseite seines Kinns erkennen. »Cesar?«

Ein Gesicht sah zwischen den Blättern herab.

»Sagen Sie ihm, daß er sehr schön singt«, bat sie Gen. »Sagen Sie ihm, ich möchte ihm Unterricht geben.«

»Sie macht nur Witze«, rief Cesar nach unten.

»Was glaubst du, warum wir alle hier draußen sind?«
fragte Gen. »Sieht das aus wie ein Witz? Sie wollte rauskommen und mit dir reden, und die Generäle haben beschlossen, alle hinauszulassen. Kommt dir das noch nicht
wichtig genug vor?«

Es stimmte. Von seinem Platz aus konnte Cesar alles
überblicken. Die Generäle waren alle draußen und die Soldaten auch, bis auf Gilbert und Jesus. Sie waren sicher drinnen geblieben, um das Haus zu bewachen. Die Geiseln gingen alle im Garten herum, als ob sie betrunken oder blind
wären, befühlten alles und schnupperten daran, bewegten
sich im Zickzack hin und her und setzten sich dann plötzlich
hin. Sie waren ganz verliebt in den Garten. Selbst wenn man
die Mauer abriß, würden sie im Garten bleiben. Selbst wenn
man ihnen das Gewehr in den Rücken stach und ihnen befahl loszurennen, würden sie einem statt dessen entgegenlau-
fen. »Dann sind Sie eben alle draußen«, sagte Cesar.

»Er wird doch nicht für immer auf dem Baum bleiben
wollen?« sagte Roxane.

Selbst Cesar fiel auf, daß man ihn nicht gerufen hatte,
um anzutreten. Er wäre durchaus gekommen. Er konnte
sich keinen anderen Grund vorstellen, als daß die Generäle
ihn in der Aufregung nach der Entscheidung, alle hinauszulassen, vergessen hatten. Alle hatten ihn vergessen bis auf
Roxane Coss.

»Sie findet nicht, daß ich ein Idiot bin?«

»Er will wissen, ob Sie finden, daß er ein Idiot ist«, sagte
Gen.

Sie seufzte über soviel kindliche Selbstbezogenheit. »Ich
finde es idiotisch, daß er auf dem Baum bleibt, aber nicht
das mit dem Singen.«

»Das mit dem Baum findet sie idiotisch, aber nicht, daß
du gesungen hast«, gab Gen weiter. »Komm runter und
rede mit ihr.«

»Ich weiß nicht genau«, sagte Cesar. Aber er wußte es.
Er hatte sich ja schon ausgemalt, wie sie zusammen singen,

wie ihre Stimmen anschwellen, wie sie beide Hand in Hand dastehen würden.

»Was hast du vor, willst du da oben leben?« rief Gen ihm zu. Der Nacken tat ihm schon weh vom Hinaufsehen.

»Wie kommt es, daß Sie genau wie Carmen reden?« fragte Cesar. Er griff hinab und umfaßte den unter ihm liegenden Ast. Er hatte lange im Baum gesessen. Sein eines Bein war ganz steif, und das andere war bis oben eingeschlafen. Als er auf den Boden auftraf, wollten ihn seine Beine nicht tragen, und er sackte zu ihren Füßen zusammen und stieß mit dem Kopf gegen den Stamm des Baumes, der ihm Zuflucht geboten hatte.

Roxane Coss fiel auf die Knie und nahm den Kopf des Jungen in die Hände. Sie spürte, wie in seinen Schläfen das Blut pochte. »Mein Gott, ich wollte doch nicht, daß er sich herunterstürzt.«

Herr Hosokawa sah ein Lächeln über Cesars Gesicht huschen. Kaum war es aufgetaucht, wurde es auch schon unterdrückt, auch wenn die Augen des Jungen geschlossen blieben. »Sagen Sie ihr, daß ihm nichts passiert ist«, bat Herr Hosokawa Gen. »Und sagen Sie dem Jungen, daß er jetzt aufstehen kann.«

Gen half Cesar, sich aufzusetzen und lehnte ihn wie eine schlaffe Puppe gegen den Baum. Auch wenn sein Kopf fast zersprang, öffnete Cesar doch gern die Augen. Roxane Coss hockte so dicht neben ihm, daß es war, als könnte er in sie hineinsehen. Wie blau ihre Augen waren! Sie waren soviel tiefer, soviel komplexer, als er es sich aus der Distanz hätte vorstellen können. Sie trug noch immer den Bademantel und den weißen Schlafanzug, und keine zwölf Zentimeter von seiner Nase entfernt, bildete der Pyjama ein V, und er konnte sehen, wo ihre Brüste zusammenstießen. Wer war dieser alte Japaner, der ständig bei ihr war? Er sah dem Präsidenten zu ähnlich. Tatsächlich hatte Cesar den Verdacht, daß er vielleicht der Präsident war, was auch immer er ihnen erzählte, daß er die ganze Zeit vor ihnen stand.

»Paß auf«, sagte sie, und der Dolmetscher sagte es auf spanisch. Sie sang fünf Töne. Sie wollte, daß er ihr zuhörte und ihr die Töne ganz genau nachsang. Er sah ihr direkt in den Mund, eine feuchte, rosafarbene Höhle. Es war das Intimste, was es gab.

Er öffnete den Mund und krächzte ein bißchen, dann faßte er sich mit den Fingerspitzen an den Kopf.

»Macht nichts«, sagte sie. »Du kannst später singen. Hast du zu Hause gesungen, bevor du herkamst?«

Natürlich hatte er gesungen, so wie man eben singt, während man etwas anderes tut, ohne daran zu denken. Er konnte jene Leute nachmachen, die sie hörten, wenn das Radio einmal funktionierte, aber das hatte weniger mit Singen zu tun als damit, andere zum Lachen zu bringen.

»Will er es lernen? Wäre er bereit, jeden Tag eisern zu üben, um zu sehen, ob er wirklich eine Stimme hat?«

»Mit ihr zu üben?« fragte Cesar Gen. »Nur wir zwei?«

»Es werden wohl noch andere dabei sein.«

Cesar berührte Gen am Ärmel. »Sagen Sie ihr, daß ich schüchtern bin. Sagen Sie, ich kann viel besser arbeiten, wenn wir alleine sind.«

»Wenn du erst mal Englisch kannst, kannst du ihr das selbst sagen«, meinte Gen.

»Was möchte er?« fragte Herr Hosokawa. Er stand über ihnen und versuchte, Roxanes Augen gegen die Sonne abzuschirmen.

»Etwas, was unmöglich ist«, sagte Gen. Dann sagte er zu dem Jungen auf spanisch: »Ja oder nein: Willst du, daß sie dir das Singen beibringt?«

»Natürlich will ich das«, sagte Cesar.

»Wir fangen noch heute nachmittag an«, sagte Roxane. »Wir werden erst einmal Tonleitern singen.« Sie griff nach Cesars Hand und tätschelte sie. Er wurde wieder blaß und schloß die Augen.

»Laß ihn jetzt ausruhen«, sagte Herr Hosokawa. »Der Junge will schlafen.«

Lothar Falken legte die Hände flach an die Mauer und dehnte seine Achillessehnen, indem er erst die eine Ferse und dann die andere herunterdrückte. Er berührte mit den Fingern die Zehen und wiegte sich in den Hüften, und als seine Beine sich warm und geschmeidig anfühlten, begann er, barfuß durchs Gras zu laufen. Im ersten Moment gingen die Soldaten in Alarmstellung, lehnten sich vor und richteten halbherzig ihre Gewehre in seine Richtung, aber er lief einfach weiter. Dafür, daß er in der Stadt lag, war es ein großer Garten, doch als Sportplatz war er immer noch klein, und ein paar Minuten nachdem Lothar aus ihrer aller Blickfeld verschwunden war, tauchte er mit erhobenem Kopf und neben der Brust stampfenden Armen schon wieder auf. Er war schlank und hatte wohlgeformte, lange Beine, was vielleicht nicht weiter auffiel, wenn er auf dem Sofa lag, aber hier in der Sonne, während er rund um die Villa des Vizepräsidenten lief, sah man sofort, daß der deutsche Arzneimittelhersteller einmal Sportler gewesen war. Endlich spürte er wieder seinen Körper, den Zusammenhang zwischen Muskeln und Knochen, den Sauerstoff in seinem Blut. Er warf die Füße hinter sich hoch und sank mit jedem Schritt tief ins Gras ein. Nach einer Weile schloß sich der Spanier Manuel Flores ihm an, hielt zunächst mit, fiel dann jedoch zurück. Simon Thibault begann zu laufen und erwies sich Falken fast als ebenbürtig. Viktor Fjodorow reichte seine Zigarette seinem Freund Jegor und joggte zwei Runden mit. Es war so ein schöner Tag, man mußte einfach laufen. Fjodorow brach genau an der Stelle zusammen, an der er losgerannt war, und sein Herz klopfte in manischer Wut gegen den Käfig seiner Rippen.

Während die anderen liefen, befreite Ruben Iglesias eines der zahllosen Blumenbeete vom Unkraut. Es war nur eine kleine Geste angesichts der vielen Arbeit, doch er mußte irgendwo anfangen. Oscar Mendoza und der junge Priester knieten sich hin und halfen ihm.

»Ishmael«, rief der Vizepräsident seinem Freund zu. »Was stehst du da rum und stüttzt die Mauer ab? Komm her, und mach dich an die Arbeit. Mit diesem Gewehr da, auf das du so stolz bist, können wir die Erde auflockern.«

»Quäl den Jungen nicht«, sagte Oscar Mendoza. »Er ist der einzige, den ich mag.«

»Sie wissen doch, daß ich nicht rüberkommen kann«, sagte Ishmael und legte das Gewehr auf die andere Schulter.

»Ach, du könntest schon«, sagte Ruben. »Du willst dir nur nicht die Hände schmutzig machen. Du willst sie fürs Schachspielen schonen. Du willst nur nicht arbeiten.« Ruben lächelte den Jungen an. Er wünschte wirklich, er könnte zu ihnen kommen. Er würde ihm zeigen, welche der Pflanzen Unkraut waren. Er ertappte sich bei dem Gedanken, Ishmael könnte sein Sohn sein, sein zweiter Junge. Sie waren beide eher klein, und letztlich glaubten die Leute alles, was man ihnen sagte. Es wäre genug Platz im Haus für einen zweiten kleinen Jungen.

»Ich arbeite ja«, sagte Ishmael.

»Ich hab's gesehen«, sagte Oscar Mendoza und wischte sich den Schmutz von den Händen. »Er tut mehr als alle anderen. Er ist vielleicht nicht so groß, aber stark wie ein Ochse und klug. Man muß schon klug sein, um beim Schach zu gewinnen.« Der große Mann lehnte sich vor zur Mauer, zu dem Jungen. »Ishmael, wenn du willst, stell ich dich bei mir ein. Wenn das hier vorbei ist, kannst du kommen und bei mir arbeiten.«

Ishmael war es gewohnt, auf den Arm genommen zu werden. Seine Brüder hatten ihn grausam verspottet. Die anderen Soldaten hatten ihn oft genug aufgezogen. Einmal hatten sie ihn einen Eimer genannt, ihm die Füße zusammengebunden und ihn kopfüber in den Brunnen hinuntergelassen, bis er mit dem Kopf ins kalte Wasser eintauchte. Er mochte die Art, wie der Vizepräsident ihn aufzog, denn er gab ihm damit das Gefühl, jemand Besonderes zu sein. Aber bei Oscar

Mendoza war er sich nicht ganz sicher. Nichts an seinem Gesichtsausdruck wies darauf hin, daß er scherzte.

»Willst du den Job?« fragte Oscar.

»Er braucht keinen Job«, sagte Ruben und zog ein weiteres Büschel Unkraut aus der Erde. Das war seine Chance. Oscar hatte ihm das Stichwort gegeben. »Er wird bei mir wohnen. Er wird alles haben, was er braucht.«

Oscar blickte seinen Freund an, und beide sahen, daß der andere es ernst meinte. »Jeder Mann braucht eine Arbeit«, sagte er. »Er wird bei dir wohnen und für mich arbeiten. Klingt das gut, Ishmael?«

Ishmael stellte sein Gewehr zwischen seine Füße und sah sie an. Er würde in diesem Haus wohnen? Er würde hierbleiben? Er würde Arbeit haben und sich sein eigenes Geld verdienen? Er wußte, er hätte lachen und ihnen sagen sollen, sie sollten ihn in Ruhe lassen. Er hätte selbst darüber scherzen sollen: Er und in so einem Haus leben! Nur über seine Leiche. Das war die einzige Art, damit umzugehen, wenn andere einen verspotteten: ihnen ins Gesicht lachen. Aber er konnte es nicht. Er wollte zu gern glauben, daß sie die Wahrheit sagten. »Ja.« Mehr brachte er nicht heraus.

Oscar Mendoza hielt Ruben Iglesias seine schmutzige Hand hin, und Ruben ergriff sie. »Dieser Handschlag gilt dir«, sagte Ruben, und seine Stimme verriet, wie glücklich er war. »Damit ist die Sache besiegelt.« Er würde noch einen Sohn haben. Er würde den Jungen ordnungsgemäß adoptieren, und der Junge würde den Namen Ishmael Iglesias tragen.

Der Priester, der bis dahin nur zugesehen hatte, hockte sich jetzt auf die Fersen und legte seine erdigen Hände auf seine Oberschenkel. Er spürte plötzlich einen kalten Stich im Herz. Die Männer sollten Ishmael nicht solche Dinge erzählen. Sie vergaßen die Umstände. Das Ganze konnte nur funktionieren, wenn alles so blieb, wie es war, wenn niemand von der Zukunft sprach, als könnte man sie durch Reden herbeiführen.

»Pater Arguedas wird dir Religionsunterricht geben. Nicht wahr, Pater? Sie können zu den Stunden ins Haus kommen, und dann essen wir alle zusammen zu Mittag.« Ruben ging jetzt ganz in seiner Geschichte auf. Er wünschte, er könnte seine Frau anrufen und ihr die Neuigkeit berichten. Er würde es Messner sagen, und Messner würde sie anrufen. Wenn sie den Jungen erst kennenlernte, würde sie sich sofort verlieben.

»Aber natürlich, gern.« Die Stimme des Priesters klang matt, doch das fiel niemandem auf.

zehn

Herr Hosokawa fand sich im Dunkeln gut zurecht. In manchen Nächten schloß er lieber die Augen, als angestrengt zu versuchen, etwas zu sehen. Er kannte die Zeiten und die Gewohnheiten jeder einzelnen Wache, wußte, wo sie entlanggingen und wann sie schliefen. Er wußte, wer von ihnen sich auf den Boden legte und wie man über sie hinwegstieg. Er ertastete mit den Fingerspitzen, wo eine Wand zu Ende war, mied die Dielen, die knarrten, konnte einen Türknauf so leise herumdrehen, wie ein Blatt zu Boden fällt. Er war ein solcher Meister darin, sich durch das Haus zu bewegen, daß er wohl auch dann, wenn er kein konkretes Ziel gehabt hätte, versucht gewesen wäre, aufzustehen und sich die Beine zu vertreten, von einem Zimmer zum anderen zu gehen, nur weil er es konnte. Ja ihm kam sogar der Gedanke, daß er jetzt fliehen könnte, wenn er wollte, einfach in der Nacht hinaus zum Tor gehen und sich selbst befreien. Aber er wollte es nicht.

Alles, was er konnte, hatte er von Carmen gelernt, und sie hatte es ihn ohne die Hilfe eines Dolmetschers gelehrt. Um jemandem zu zeigen, wie man sich völlig lautlos bewegt, braucht man nicht zu reden. Alles, was Herr Hosokawa unbedingt wissen mußte, brachte ihm Carmen in zwei Tagen bei. Er trug immer noch sein Notizbuch mit sich herum, fügte seiner Liste jeden Vormittag zehn neue Wörter hinzu, doch die Flut des zu Lernenden schreckte ihn ab.

Zum Stillsein dagegen hatte er Talent. Das sah er an Carmens anerkennendem Blick, das merkte er an dem sanften Druck ihrer Finger auf seinem Handrücken. Sie zeigte ihm, wie man sich vor aller Augen von einem Ort zum anderen bewegte, ohne daß einen jemand sah, indem sie ihm beibrachte, sich unsichtbar zu machen. Das hieß, Bescheidenheit zu lernen, nicht mehr anzunehmen, daß jeder merkte, wer man war oder wohin man ging. Erst als sie ihn zu unterrichten begann, bemerkte Herr Hosokawa Carmens Begabung, denn diese Begabung war nichts, was man sah. Wieviel schwerer mußte das sein für ein hübsches junges Mädchen in einem Haus voll unruhiger Männer, und doch stellte er fest, daß sie fast keine Aufmerksamkeit auf sich zog. Sie hatte es geschafft, als Junge durchzugehen, und was noch beeindruckender war, sie hatte es geschafft, nach ihrer Enttarnung als hübsches Mädchen, wieder vollkommen vergessen zu werden. Wenn Carmen durch den Raum ging, ohne bemerkt werden zu wollen, erzeugte sie kaum einen Luftzug. Dabei schlich sie nicht. Sie hastete nicht etwa hinter den Flügel und dann hinter einen Stuhl. Sie ging mitten durchs Zimmer, ohne irgendwelche Ansprüche zu stellen, ließ sich nicht irritieren, machte keinerlei Geräusch. Im Grunde hatte sie ihm das vom ersten Tag an gezeigt, den sie gemeinsam in diesem Haus verbrachten, doch erst jetzt konnte er ihre Lektion verstehen.

Sie wäre auch jede Nacht mit ihm hinaufgegangen. Das sagte sie Gen. Doch es war besser, wenn er es allein konnte. Nichts machte einen so ungeschickt wie Angst, und sie konnte ihm zeigen, wie man sie verlor.

»Sie ist etwas ganz Besonderes«, sagte Herr Hosokawa zu Gen.

»Ja, es scheint so«, sagte Gen.

Herr Hosokawa schenkte ihm ein kleines, onkelhaftes Lächeln und tat, als gäbe es nichts mehr zu sagen. Auch das gehörte dazu. Das Privatleben. Herr Hosokawa hatte jetzt ein Privatleben. Er hatte stets geglaubt, ein Mann mit einer

Privatsphäre zu sein, aber jetzt sah er, daß bis dahin nichts in seinem Leben privat gewesen war. Das hieß nicht, daß er zuvor keine Geheimnisse gehabt hätte und jetzt welche besaß. Aber jetzt gab es etwas, das nur ihn und noch einen Menschen betraf, etwas, das so völlig ihre Sache war, daß es sinnlos gewesen wäre, auch nur zu versuchen, einem anderen davon zu erzählen. Er fragte sich jetzt, ob wohl jeder Mensch ein Privatleben hatte. Er fragte sich, wie das bei seiner Frau war. Vielleicht war er all die Jahre allein gewesen, ohne zu wissen, daß es da eine ganze Welt gab, von der niemand sprach.

Er hatte während ihrer gesamten Gefangenschaft jede Nacht durchgeschlafen, aber jetzt schaffte er es, zu schlafen und in der tiefsten Dunkelheit ohne Wecker aufzuwachen. Wenn er erwachte, war Gen oft verschwunden. Dann stand er auf und ging los, so ruhig, so über jeden Verdacht erhaben, daß, wenn jemand aufgewacht wäre und ihn gesehen hätte, er gedacht hätte, er hole sich nur ein Glas Wasser. Er stieg über seine Landsleute hinweg, die neben ihm lagen, und arbeitete sich bis zur Treppe hinter der Küche vor. Einmal sah er unter der Tür eines Abstellraums Licht und meinte, jemanden flüstern zu hören, doch er blieb nicht stehen, um nachzusehen. Es ging ihn nichts an – das gehörte zum Unsichtbarsein. Er schwebte die Hintertreppe hinauf. Noch nie hatte er sich in seiner Haut so wohl gefühlt. Ihm war, als wäre er noch nie so lebendig gewesen, und zugleich kam er sich wie ein Gespenst vor. Es wäre in Ordnung gewesen, wenn er in alle Ewigkeit diese Treppe hinaufsteigen, immer der Liebhaber sein würde, der zu seiner Geliebten ging. Er war glücklich dabei, und mit jeder Stufe, die er hinaufstieg, wurde er glücklicher. Er wünschte, die Zeit würde stillstehen. So liebestrunken Herr Hosokawa auch war, konnte er doch nie ganz vergessen, was, wie er wußte, die Wahrheit war: daß man jede Nacht, die sie zusammen waren, aus hundert Gründen als ein Wunder ansehen konnte, nicht zuletzt deshalb, weil diese Zeit irgendwann zu Ende sein, von irgend jemandem beendet werden würde. Er versuchte, sich nicht in irgendwelchen Phantasien zu ergehen: Er würde sich scheiden lassen; er würde mit ihr von einer Stadt zur anderen fahren und in jedem Opernhaus der Welt in der ersten Reihe sitzen. Er hätte das mit Freuden getan, hätte alles für sie aufgegeben. Doch er begriff, daß dies eine besondere Zeit war und daß, wenn sie ihr altes Leben jemals wieder aufnehmen würden, alles anders sein würde.

Wenn er die Tür zu ihrem Zimmer öffnete, standen ihm oft genug Tränen in den Augen, und er war froh, daß es dunkel war. Er wollte nicht, daß sie dachte, es sei etwas schiefgegangen. Sie kam zu ihm, und er drückte sein tränenfeuchtes Gesicht in den Wasserfall von nach Zitrone duftendem Haar. Er war verliebt, und noch nie hatte er für einen Menschen soviel Zärtlichkeit empfunden. Noch nie war ihm soviel Zärtlichkeit entgegengebracht worden. Vielleicht war ein Privatleben nichts, was von Dauer war. Vielleicht bekam es jeder für eine Weile geschenkt und brachte dann den Rest des Lebens damit zu, sich daran zu erinnern.

In der Geschirrkammer faßten Carmen und Gen einen Entschluß: zwei volle Stunden Unterricht, bevor sie miteinander schliefen. Carmen war es nach wie vor ernst damit, Spanisch lesen und schreiben zu lernen – und welche Fortschritte hatte sie schon gemacht! Wenn auch stockend, konnte sie doch schon einen ganzen Absatz lesen, ohne nachzufragen. Und sie war fest entschlossen, Englisch zu lernen. Sie konnte schon zehn Verben vollständig durchkonjugieren und kannte mindestens hundert Substantive und andere Wörter. Sie hoffte, irgendwann Japanisch zu lernen, um dann, wenn das hier vorbei war und sie nachts mit Gen im Bett lag, in seiner eigenen Sprache mit ihm reden zu können. Auch Gen hielt entschieden daran fest, daß sie Carmens Stunden fortsetzten. Es wäre unsinnig, so weit gekommen zu sein und dann alles aufzugeben, nur weil man verliebt war. War Liebe nicht gerade das? Für jemanden das Beste zu wollen, einander zu helfen, wie Carmen und Gen es taten? Nein, sie würden zwei Stunden lang üben und lernen, nicht weniger als zuvor. Danach konnten sie mit ihrer Zeit tun, was sie wollten. Carmen stibitzte die Eieruhr aus der Küche, und sie setzten sich hin, um zu arbeiten.

Zuerst Spanisch. Im Wandschrank der Tochter des Vizepräsidenten hatte Carmen einen Ranzen voll Schulbücher entdeckt, schmale Bände mit herumtollenden Hündchen auf dem Einband, ein dickeres Buch mit durchgehenden und gepunkteten Linien für Schreibübungen. Das Mädchen hatte erst fünf Seiten benutzt. Sie hatte das Alphabet und die Ziffern geschrieben. Und wieder und wieder ihren Namen, »Imelda Iglesias«, in schöngeschwungenen Buchstaben. Carmen schrieb ihren Namen darunter. Sie schrieb die Wörter, die Gen ihr nannte: *pescado*, *calcetín*, *sopa*. Fisch, Socke, Suppe. Alles, was er wollte, war, seine Lippen seitlich auf ihren Hals zu drücken. Er würde die Stunde nicht abbrechen. Sie beugte sich über ihr Heft und mühte sich ab, ebenso schöne Buchstaben hervorzubringen wie die achtjährige Tochter des Vizepräsidenten. Zwei dicke Strähnen fielen nach vorn auf das Heft. Carmen nahm keine Notiz von ihnen und zog die Unterlippe in den Mund, um sich zu konzentrieren. Er fragte sich, ob es passieren konnte, daß man vor Verlangen starb. In diesem winzigen Tempel der Teller roch er nur sie, ihren Zitronenduft und den verstaubten, sonnengebleichten Geruch ihrer Uniform, den feineren, komplexeren Geruch ihrer Haut. Dreißig Sekunden, um ihren Hals zu küssen, das war doch nicht zuviel verlangt. Es würde ihn auch nicht stören, wenn sie weiterschrieb. Er würde sie so behutsam küssen, daß ihr Stift sich nicht einmal vom Papier abhob.

Als sie aufsah, war sein Gesicht ganz nah, und sie wußte nicht mehr, welches Wort er genannt hatte, und wenn er es wiederholte, würde sie nicht wissen, wie man es schrieb oder wie man auch nur einen einzigen Buchstaben aus einer geraden Linie bog. Alles, was sie brauchte, war ein Kuß, ein einziger Kuß, um einen klaren Kopf zu bekommen – dann würde sie wieder ganz bei der Sache sein, sofort weitermachen. Sie konnte weder schlucken noch blinzeln. Sie war zutiefst überzeugt, daß sie mit einem einzigen Kuß die ganze Nacht hindurch würde lernen können. Sie würde darum keine schlechtere Schülerin sein. In ihrem Kopf war ohnehin kein Platz für Buchstaben, alles, woran sie denken konnte, war Gras, Gras und Bäume und der dunkle Nachthimmel, der Geruch des Jasmins, als er ihr zum ersten Mal das Hemd über den Kopf zog und auf die Knie sank, um ihren Bauch, ihre Brüste zu küssen.

»*Pastel*«, sagte Gen mit zittriger Stimme.

Vielleicht war sie irgendwie dressiert, ohne es zu wissen, wie ein Polizeihund, und »Kuchen« war das Wort, auf das sie ansprang, denn kaum hatte er es gesagt, fiel sie über ihn her, und das Buch und der Stift schlitterten über den Boden. Sie verschlang ihn mit großen, gierigen Bissen, preßte ihre Zunge gegen die seine, rollte gegen die unteren Schränke, in denen die Suppenschüsseln, eine in die andere geschmiegt, gestapelt waren.

In dieser Nacht nahmen sie den Unterricht nicht wieder auf.

In der nächsten Nacht beschlossen sie: eine Stunde Lernen, bevor sie aufgaben. Sie machten sich mit großem Ernst daran. Aber diesen Plan hielten sie noch drei Minuten weniger lang durch als den der Nacht zuvor. Sie waren verloren, ausgehungert, verzweifelt, und alles, was sie getan hatten, taten sie erneut.

Sie versuchten es mit noch kürzeren Zeiten, aber jedesmal ohne Erfolg, bis Gen den folgenden Vorschlag machte: Sie würden sich lieben, sobald sie die Tür sicher hinter sich geschlossen hatten, und anschließend würden sie lernen, und dieser Plan war mit Abstand der erfolgreichste.

Manchmal schliefen sie für einen Moment ein – Carmen zusammengerollt an Gens Brust und Gen in Carmens Armbeuge. Soldaten gleich, die im Kampf erschossen wurden, blieben sie liegen, wie sie gefallen waren. Manchmal mußten sie es noch ein zweites Mal tun, weil das erste Mal sofort wieder vergessen war, aber meistens schafften sie es, ein wenig zu arbeiten. Lange bevor es hell wurde, gaben sie sich dann einen Gutenachtkuß, und Carmen legte sich vor Roxanes Tür und Gen neben Herrn Hosokawas Couch. Manchmal vernahmen sie ein hauchfeines Geräusch, wenn er die Treppe herunterkam. Manchmal begegnete ihm Carmen auf dem Flur.

Wußten die anderen Bescheid? Vielleicht, aber sie hätten nie etwas gesagt. Sie hatten nur Roxane Coss und Herrn Hosokawa im Verdacht, die sich nicht scheuten, am Tage Händchen zu halten oder sich flüchtig zu küssen. Wenn irgend jemand einen Verdacht hinsichtlich Carmen und Gen hatte, dann höchstens den, daß sie dem anderen Paar halfen, sich zu treffen. Auch wenn die anderen sich Roxane Coss und Herrn Hosokawa nur schwer zusammen vorstellen konnten, gehörten die beiden doch sozusagen zum selben Stamm, zum Stamm der Geiseln. So viele von ihnen waren in Roxane verliebt, daß es kein Wunder war, daß auch sie sich in einen von ihnen verliebte. Bei Gen und Carmen war das etwas anderes. Selbst wenn sich die Generäle auf Gen als Dolmetscher und Sekretär verließen, selbst wenn sie ihn sehr klug und durchaus sympathisch fanden, vergaßen sie doch nie, wer er war. Und auch wenn die Geiseln eine Schwäche für Carmen hatten, wegen der Art, wie sie die Augen gesenkt hielt, und weil sie ungern ihr Gewehr auf jemanden richtete, ging sie doch, wenn die Generäle sie riefen, zu ihnen und stellte sich auf ihre Seite.

Das Leben war für die Geiseln jetzt angenehmer geworden, nicht nur für die, die verliebt waren. Nachdem die Haustür einmal geöffnet worden war, öffnete sie sich jeden Tag. Sie gingen jeden Tag nach draußen und standen in der heißen Sonne. Lothar Falken ermunterte auch andere zum Laufen. Er machte mit ihnen täglich ein paar Übungen, und dann liefen sie alle im Pulk ihre Runden ums Haus. Die Soldaten spielten Fußball mit einem Ball, den sie im Keller gefunden hatten, und an manchen Tagen gab es ein richtiges Spiel: die Terroristen gegen die Geiseln, auch wenn die Terroristen alle viel jünger und viel besser trainiert waren, so daß sie fast immer gewannen.

Wenn Messner jetzt kam, waren oft alle draußen im Garten. Der Priester hörte auf zu graben, erhob sich und winkte ihm zu.

»Was macht die Welt?« fragte Pater Arguedas.

»Sie verliert die Geduld«, sagte Messner. Sein Spanisch wurde immer besser, doch er fragte trotzdem nach Gen.

Pater Arguedas zeigte auf eine unter einem Baum liegende Gestalt. »Er schläft. Es ist furchtbar, wieviel sie ihm aufbürden. Und Sie selbst müssen auch zuviel arbeiten. Sie sehen müde aus, wenn ich das sagen darf.«

Tatsächlich hatte Messner in letzter Zeit jene Kaltblütigkeit verloren, die alle anfangs an ihm so beruhigend fanden. In den viereinhalb Monaten, die sie jetzt hier im Haus lebten, war er um zehn Jahre gealtert, und während alle anderen immer weniger darunter zu leiden schienen, wurde es für Messner offensichtlich immer schlimmer. »Die viele Sonne tut mir nicht gut«, sagte Messner. »Die Schweizer sind von Natur aus dazu bestimmt, im Schatten zu leben.«

»Es ist sehr warm«, sagte der Priester. »Aber den Pflanzen geht es phantastisch. Regen, Sonne, Trockenheit – nichts hält sie auf.«

»Ich will Sie nicht bei der Arbeit stören.« Messner klopfte dem Priester auf die Schulter und erinnerte sich daran, wie sie immer wieder versucht hatten, ihn gehen zu lassen, und wie der Priester sich dagegen gewehrt hatte. Er fragte sich, ob Pater Arguedas am Ende wohl bereuen würde, dageblieben zu sein. Wahrscheinlich nicht. Reue schien nicht in seiner Natur zu liegen, anders als bei Messner selbst.

Paco und Ranato kamen von dem Rasenstück neben dem Haus herübergerannt, das sie jetzt das Spielfeld nannten, und filzten ihn äußerst halbherzig, das heißt sie klopften nur ein paarmal flink auf seine Taschen. Dann liefen sie zurück zu dem Spiel, das nur aus diesem Grund unterbrochen worden war.

»Gen«, sagte Messner und stieß den Schlafenden mit der Schuhspitze an der Schulter an. »Herrgott noch mal, stehen Sie auf.«

Gen schlief wie jemand, der schwer berauscht war. Sein Mund stand offen, der Kiefer hing schlaff herab, und die Arme lagen vom Körper weggestreckt da. Ein leises, brummelndes Schnarchen stieg aus seinem Hals auf.

»He, Dolmetscher.« Messner beugte sich hinab und nahm eines von Gens Lidern zwischen Daumen und Zeigefinger. Gen schüttelte ihn ab und öffnete langsam die Augen.

»Sie sprechen doch Spanisch«, sagte Gen mit dumpfer Stimme. »Sie konnten es von Anfang an. Lassen Sie mich in Ruhe.« Er drehte sich auf die Seite und zog die Knie an die Brust.

»Ich kann kein Spanisch. Ich kann überhaupt keine Sprachen. Stehen Sie auf.« Messner hatte das Gefühl, die Erde bebte. Gen mußte es doch merken, so wie er dalag, mit der Wange im Gras. Entsprang die Vorstellung, der Boden könnte tatsächlich unter ihnen nachgeben, nur seiner Einbildungskraft? Was wußten diese Ingenieure schon? Wer konnte sagen, ob nicht die Erde sie alle verschlingen würde, Operndiva und gewöhnliche Verbrecher auf einmal. Messner kniete sich hin. Er preßte die Handflächen ins Gras, und als er sich überzeugt hatte, daß er an einer Wahnvorstellung litt, schüttelte er Gen von neuem. »Hören Sie«, sagte er auf französisch. »Wir müssen sie überreden aufzugeben. Noch heute. Es kann nicht so weitergehen. Haben Sie mich verstanden?«

Gen drehte sich auf den Rücken, streckte sich wie eine Katze, und verschränkte die Arme hinter dem Kopf. »Und dann überreden wir die Bäume, blaue Federn zu treiben. Haben Sie denn überhaupt nicht zugehört, Messner? Die lassen sich zu nichts überreden. Schon gar nicht von Leuten wie uns.«

Von Leuten wie uns. Messner fragte sich, ob Gen meinte, er habe seine Sache nicht gut gemacht. Viereinhalb Monate in einem Hotelzimmer am anderen Ende der Welt, wo er doch eigentlich hergekommen war, um Urlaub zu machen. Beide Seiten blieben völlig stur, und was die Seite innerhalb dieser Mauer nicht begriff, war, daß die Regierung immer stur blieb, egal in welchem Land, egal, wie die Umstände aussahen. Die Regierung gab nicht nach, und wenn sie sagten, sie würden nachgeben, dann logen sie, immer, darauf war Verlaß. In Messners Augen bestand seine Aufgabe nicht darin, einen Kompromiß auszuhandeln, sondern nur darin, die Menschen hier vor einer Tragödie zu bewahren. Und dafür blieb ihm nicht mehr viel Zeit. Trotz des rhythmischen Stampfens der Füße der Läufer und der Fußball spielenden Jungen auf dem Rasen, spürte er deutlich, daß unter der Erde etwas vor sich ging.

Das Zeichen des Roten Kreuzes stand, wie die Schweizer Flagge, für friedvolle Neutralität. Auch wenn Messner seine Armbinde längst nicht mehr trug, glaubte er doch wie eh und je daran. Mitglieder des Roten Kreuzes brachten Nahrungsmittel und Medizin und trugen manchmal auch Briefe zur Schlichtung des Streits hin und her, doch sie waren keine Agenten. Sie spionierten nicht. Joachim Messner hätte den Terroristen genausowenig erzählt, was das Militär vorhatte, wie er dem Militär erzählt hätte, was auf der anderen Seite der Mauer geschah.

»Stehen Sie auf«, wiederholte er.

Gen setzte sich schwerfällig hin und hob den Arm, um sich von Messner hochziehen zu lassen. War das hier ein Picknick? Hatten sie so früh schon getrunken? Niemand hier schien im geringsten zu leiden. Ja sie sahen alle rosig und tatkräftig aus. »Die Generäle sind sicher noch drüben am Spielfeld«, sagte Gen. »Vielleicht spielen sie auch mit.«

»Sie müssen mir helfen«, sagte Messner.

Gen brachte sein Haar mit den Fingern zumindest halbwegs in Ordnung und legte dann, endlich ganz wach, seinem Freund den Arm um die Schultern. »Wann habe ich Sie je im Stich gelassen?«

Die Generäle spielten nicht mit, doch sie saßen am Rand des Spielfelds auf drei schmiedeeisernen Stühlen, die sie sich von der Terrasse geholt hatten. General Alfredo schrie den Spielern Anweisungen zu, General Hector verfolgte aufmerksam und schweigend das Spiel, und General Benjamin hatte den Kopf in den Nacken gelegt, so daß die Sonne ihm voll ins Gesicht schien. Die Füße der drei verschwanden im hohen Gras.

Gilbert gelang ein schöner Schuß, und Gen wartete das Ende des Ballwechsels ab, bevor er ihren Gast ankündigte. »Herr General«, sagte er, womit er den meinte, der aufsehen würde. »Messner ist hier.«

»Ein andermal«, sagte General Hector. An diesem Morgen war der zweite Bügel seiner Brille abgebrochen, so daß er sie sich jetzt vors Gesicht hielt wie einen Kneifer.

»Ich muß Sie sprechen«, sagte Messner. Wenn seine Stimme irgendwie anders, dringlicher klang, so fiel dies bei dem Geschrei und den Rufen der Spieler keinem von ihnen auf.

»Na gut, reden Sie«, sagte General Hector. General Alfredo wandte kein Auge vom Spielfeld, und General Benjamin hatte die seinen gar nicht erst aufgemacht.

»Ich muß drinnen im Haus mit Ihnen reden. Wir müssen über Konzessionen reden.«

Jetzt drehte General Alfredo Messner den Kopf zu. »Sie sind bereit zu Konzessionen?«

»Über Konzessionen von Ihrer Seite.«

General Hector winkte ab, als hätte er sich nie im Leben so gelangweilt. »Sie verschwenden unsere Zeit.« Er wandte sich wieder dem Spiel zu und rief: »Francisco! Der Ball!«

»Hören Sie mir bitte *ein* Mal wirklich zu«, sagte Messner leise auf französisch. »Nur ein einziges Mal. Ich habe viel für Sie getan. Ich habe Ihnen Ihr Essen gebracht, Ihre Zigaretten. Ich habe für Sie den Briefträger gespielt. Ich bitte Sie, sich jetzt mit mir an einen Tisch zu setzen und zu reden.« Selbst in der Sonne wirkte Messners Gesicht aschfahl. Gen sah ihn an und übersetzte dann seine Worte, bemüht, Messners Tonfall beizubehalten. Er und Messner standen da, aber die Generäle sahen nicht noch einmal zu ihnen. Normalerweise hieß das, Messner konnte gehen, aber diesmal blieb er stehen, die Arme vor der Brust verschränkt, und wartete.

»Reicht das?« flüsterte Gen ihm auf englisch zu, aber Messner sah ihn nicht an. Sie warteten noch mehr als eine halbe Stunde.

Schließlich öffnete General Benjamin die Augen. »Gut«, sagte er, und seine Stimme klang ebensomüde wie Messners. »Gehen wir in mein Büro.«

Cesar, der so furchtlos gewesen war, als er vor vollem Haus die Arie aus *Tosca* sang, sang jetzt tatsächlich lieber am Nachmittag, wenn alle anderen draußen waren, zumal Singen oft bedeutete, Tonleitern zu üben, was er erniedrigend fand. Und er war nie mit Roxane Coss allein – so etwas wie Alleinsein gab es nicht. Kato war dabei und spielte, und Herr Hosokawa war da, weil er immer da war. Heute hatte Ishmael, der sich beim Fußball regelmäßig blamierte, auf einem niedrigen Tisch neben dem Flügel das Schachbrett aufgestellt, und dort spielte er nun mit Herrn Hosokawa. Er und Cesar hatten beide ihr Gewehr dabei, denn wenn sie freiwillig im Haus blieben, wurden sie dort als Wachen eingesetzt. Wenn Cesar sich beschwerte, daß andere Leute dablieben und zuhörten, und wenn jemand dabei war, der für sie vom Spanischen ins Englische und umgekehrt übersetzte (was mehrere von ihnen konnten), dann erklärte Roxane Coss ihm, daß man singe, damit andere Leute es hörten, und daß er sich lieber daran gewöhnen solle. Er wollte Lieder, Arien, ganze Opern lernen, doch sie ließ ihn vor allem Tonleitern singen und Texte ohne Sinn. Sie ließ ihn brüllen und die Lippen schürzen und den Atem anhalten, bis er sich schnell setzen und den Kopf zwischen die Knie nehmen mußte. Hätte sie ihn ein Lied mit Klavierbegleitung singen lassen, hätte er alle hereingeholt, aber das, sagte sie, müsse man sich erst verdienen.

»Singt jetzt einer von den Jungen?« fragte Messner. »Ist das Cesar?« Er blieb im Wohnzimmer stehen, um zuzuhören, und General Benjamin und Gen stellten sich dazu. Cesars Jacke hatte zu kurze Ärmel, und seine Handgelenke hingen heraus wie Besenstiele, an denen zwei Hände lose befestigt waren.

General Benjamin war sichtlich stolz auf den Jungen. »Er singt schon seit Wochen. Sie waren nur immer zur falschen Zeit hier. Cesar singt nur noch. Señorita Coss sagt, er hat das Zeug dazu, einmal ein großer Sänger zu werden, so berühmt wie sie.«

»Denk an deinen Atem«, sagte Roxane und atmete tief ein, um Cesar zu zeigen, was sie meinte.

Als er den General sah, erwischte Cesar in einem plötzlichen Anfall von Nervosität den falschen Ton.

»Fragen sie Sie, wie er sich macht«, bat Benjamin Gen.

Roxane legte Kato die Hand auf die Schulter, und er hob die Finger von den Tasten, als habe sie auf einen Schalter gedrückt. Cesar sang noch drei Töne, dann merkte er, daß der Flügel verstummt war, und brach ab. »Wir machen das noch nicht sehr lange, aber ich halte ihn für sehr begabt.«

»Lassen Sie ihn Messner sein Lied vorsingen«, sagte General Benjamin. »Messner hat heute ein Lied nötig.«

Roxane Coss willigte ein. »Hören Sie sich das an«, sagte sie. »Wir haben daran gearbeitet.«

Sie sang leise ein paar Worte, um Cesar zu sagen, was er singen sollte. Er konnte noch nicht einmal Spanisch lesen und schreiben, und Italienisch konnte er erst recht nicht, doch seine Fähigkeit, sich einen Laut zu merken und ihn zu wiederholen, ihn mit solchem Pathos zu wiederholen, daß der Zuhörer unwillkürlich dachte, er verstehe jedes Wort, das er sang, war geradezu unheimlich. Kaum hatte sie Cesar soufliert, begann Kato, die erste, kurze Arie von Bellinis *Sei Ariette* zu spielen: »*Malinconia, ninfa gentile*«. Gen erkannte das Stück wieder. Er hatte es mehrmals nachmittags durch die Fenster nach draußen dringen gehört. Der Junge schloß die Augen, dann blickte er zur Decke. *O Melancholie, du anmutige Nymphe, dir sei mein Leben geweiht.* Als er nicht mehr weiterwußte, sprang Roxane Coss überraschenderweise mit einer Tenorstimme ein: *Ich bat die Götter um Hügel und Quellen, sie haben mich endlich erhört.* Dann wiederholte Cesar die Zeile. Es war ein bißchen, wie wenn man zusieht, wie ein Kalb sich zum ersten Mal auf seine dürren Beine stellt – ungeschickt und schön zugleich. Mit jedem Schritt lernte er zu gehen, mit jedem Ton wuchs seine Sicherheit. Die Arie war sehr kurz – und kaum hatte sie angefangen, war sie auch schon zu Ende. General Benjamin klatschte, und Messner pfiff.

»Loben Sie ihn nicht zu sehr«, sagte Roxane. »Das verdirbt ihn nur.«

Cesar verbeugte sich vor ihnen mit vor Stolz oder vor Anstrengung gerötetem Gesicht.

»Tja, man sieht es ihm wirklich nicht an«, sagte General Benjamin, als er mit Messner und Gen durch den hinteren Flur zu seinem Büro ging. Er hatte recht. Das einzige, was noch schiefer war als Cesars Zähne, war seine Nase. »Es macht einen nachdenklich: Was hätten wir mit unserem Leben alles Großartiges anfangen können, wenn wir nur geahnt hätten, daß wir es konnten.«

»Jedenfalls weiß ich, daß ich niemals singen werde«, sagte Messner.

»Soviel weiß ich auch.« General Benjamin schaltete in seinem Büro das Licht ein, und die drei Männer setzten sich.

»Ich wollte Ihnen sagen, daß ich bald nicht mehr kommen darf«, erklärte Messner ihm.

Gen erschrak. Ein Leben ohne Messner?

»Sie verlieren Ihren Job«, sagte der General.

»Die Regierung ist der Ansicht, daß sie lange genug versucht hat zu verhandeln.«

»Davon habe ich nichts gemerkt. Sie haben uns nicht ein vernünftiges Angebot gemacht.«

»Ich sage Ihnen das als jemand, der Sie schätzt«, sagte Messner. »Ich will nicht tun, als ob wir Freunde wären, aber ich will für alle hier nur das Beste. Geben Sie auf. Heute noch. Gehen Sie raus, dahin, wo jeder sie sehen kann, und ergeben Sie sich.« Messner wußte, daß das nicht überzeugend klang, doch er hatte keine Ahnung, wie er das hätte ändern können. In seiner Verwirrung wechselte er zwischen den Sprachen, die er konnte, hin und her: Deutsch, die Sprache, mit der er aufgewachsen war, Französisch, das er in der Schule, Englisch, das er vier Jahre lang gesprochen hatte, als er als junger Mann in Kanada lebte, und Spanisch, das er von Tag zu Tag besser konnte. Gen tat sein Bestes, um bei diesem Flickwerk mitzukommen, doch er mußte bei jedem Satz innehalten und überlegen. Messners Unfähigkeit, bei einem Land zu bleiben, machte Gen mehr Angst als das, was er sagte. Gen blieb keine Zeit, sich auf den Inhalt von Messners Worten zu konzentrieren.

»Was ist mit unseren Forderungen? Haben Sie mit der anderen Seite auch so gesprochen? Als Freund?«

»Sie werden nicht nachgeben«, sagte Messner. »Niemals, egal, wie lange Sie warten. Das müssen Sie mir einfach so glauben.«

»Dann werden wir die Geiseln erschießen.«

»Nein, das werden Sie nicht tun«, sagte Messner und rieb sich die Augen. »Das habe ich schon bei unserer ersten

Begegnung gesagt: Sie sind vernünftige Leute. Und selbst wenn Sie sie umbringen würden, so würde das auch nichts ändern. Dann würde die Regierung erst recht nicht mit Ihnen verhandeln.«

Vom anderen Ende des langen Flurs hörten sie, wie Roxane eine Phrase sang und Cesar sie dann wiederholte. So machten sie es wieder und wieder, und es lag eine eigene Schönheit in dieser Wiederholung.

Benjamin hörte dem Gesang eine Zeitlang zu, und plötzlich, als habe er einen Ton gehört, der ihm nicht gefiel, schlug er mit der Faust auf den Tisch, den sie zum Schachspielen benutzten. Das war allerdings nicht weiter schlimm, denn das Spiel stand im Wohnzimmer. »Warum sollen nur wir Konzessionen machen? Erwartet man von uns, daß wir verzichten, nur weil wir schon so lange auf so Vieles verzichtet haben? Ich will die Männer, die ich kenne, aus dem Gefängnis holen. Ich will nicht selbst dahin. Ich habe nicht vor, meine Soldaten in diese Löcher zu stecken. Lieber seh ich sie tot und begraben.«

Tot werden Sie sie vielleicht sehen, dachte Messner, aber nicht mehr begraben. Er seufzte. Die Schweiz existierte nicht. Die Zeit war wirklich stehengeblieben. Er war immer hier gewesen und würde immer hier sein. »Ich befürchte, Sie haben nur diese zwei Möglichkeiten.«

»Das Gespräch ist beendet.« General Benjamin stand auf. Man hätte den Verlauf dieser Geschichte auf seiner brennenden Haut verfolgen können wie auf einer Karte. Bei jedem Wort, das er sagte, und jedem Wort, das er gesagt bekam, flammte sein Ausschlag auf.

»Es kann nicht beendet sein. Wir müssen weiterreden, bis wir zu einer Einigung kommen, unbedingt. Ich flehe Sie an, denken Sie darüber nach.«

»Messner, was meinen Sie, was ich den ganzen Tag tue?« sagte der General und ging hinaus.

Messner und Gen blieben allein in der Gästesuite, wo die Geiseln eigentlich nicht unbewacht sitzen durften. Sie lauschten der kleinen, emaillierten französischen Uhr, die zwölf schlug. »Ich glaube, ich halte das nicht mehr aus«, sagte Messner nach ein paar Minuten.

Was hielt er nicht mehr aus? Gen wußte, daß allmählich alles besser wurde, und zwar nicht nur für ihn. Die Leute waren glücklicher. Da, schließlich waren sie doch alle draußen. Er konnte sie durch die Fenster sehen, beim Laufen. »Sie stecken in einer Sackgasse«, sagte Gen. »Vielleicht führt kein Weg mehr hinaus. Wenn sie uns für immer hierbehalten, werden wir schon zurechtkommen.«

»Sind Sie verrückt?« sagte Messner. »Sie waren einmal der Intelligenteste hier, und jetzt sind Sie genauso verrückt wie die anderen. Was glauben Sie denn, daß die einfach die Mauer stehenlassen und so tun, als wäre das hier ein Zoo, ihnen zu essen bringen und Eintritt verlangen? ›Sehen Sie schutzlose Geiseln und böse Terroristen friedlich zusammenleben.‹ Es wird nicht einfach so weitergehen. Irgend jemand setzt dem Ganzen ein Ende, und es geht um die Entscheidung, wer ihm wie ein Ende setzt.«

»Glauben Sie, das Militär hat einen Plan?«

Messner starrte ihn an. »Daß Sie hier drin festsitzen, heißt noch nicht, daß der Rest der Welt still steht.«

»Das heißt, sie werden sie gefangennehmen?«

»Bestenfalls.«

»Die Generäle?«

»Alle.«

Aber »alle« konnte auf keinen Fall heißen: auch Carmen. Es konnte nicht heißen: auch Beatriz und Ishmael und Cesar. Als Gen im Geiste die Liste durchging, fiel ihm nicht einer ein, den er bereit wäre aufzugeben, selbst die Großtuer nicht oder die Dummen. Er würde Carmen heiraten. Sie würden sich von Pater Arguedas trauen lassen, und diese Trauung würde legal und verbindlich sein, so daß er, wenn sie sie holen kämen, sagen konnte, sie sei seine Frau. Doch das würde nur eine von ihnen retten, wenn auch die wichtigste. Was die anderen betraf, fiel ihm nichts ein. Wie war er dahin gekommen, sie alle retten zu wollen? Leute, die mit geladenen Gewehren hinter ihm hergingen. Wie hatte er sich in so viele Menschen verlieben können? »Was sollen wir tun?« fragte Gen.

»Sie können versuchen, sie zum Aufgeben zu überreden«, sagte Messner. »Aber ehrlich gesagt, weiß ich nicht einmal, ob ihnen das noch was hilft.«

Sein Leben lang hatte Gen irgend etwas zu lernen versucht, das tiefe, rollende R im Italienischen, das Gewirr von Vokalen im Dänischen. Als Kind hatte er in Nagano auf seinem hohen Stuhl in der Küche gesessen und den amerikanischen Akzent seiner Mutter nachgeahmt, während sie das Gemüse für das Abendessen schnitt. Sie war in Boston zur Schule gegangen und sprach sowohl Englisch als auch Französisch. Der Vater seines Vaters hatte als junger Mann in China gearbeitet, deshalb sprach sein Vater Chinesisch, und dann hatte er Russisch studiert. In Gens Kindheit schienen die Sprachen sich stündlich abzuwechseln, und niemand kam dabei so gut mit wie Gen. Er und seine Schwestern spielten mit Wörtern statt mit Spielzeug. Er lernte und las, schrieb Substantive auf Karteikarten, hörte in der U-Bahn Sprachkassetten. So machte er immer weiter. Auch wenn ihm die Vielsprachigkeit in die Wiege gelegt worden war, verließ er sich nie ausschließlich auf sein Talent. Er lernte. Gen war dazu geboren, zu lernen.

Doch in den letzten Monaten war er völlig umgekrempelt worden, und jetzt begriff Gen, daß es genausoviel wert sein konnte, das, was man wußte, wieder loszulassen wie neues Wissen anzusammeln. Er arbeitete nicht weniger hart am Vergessen, als er je daran gearbeitet hatte, etwas zu lernen. Er schaffte es, zu vergessen, daß Carmen ein Mitglied der terroristischen Truppe war, die ihn als Geisel festhielt. Das war keine leichte Aufgabe. Er zwang sich, täglich zu üben, bis es ihm gelang, in Carmen nur die Frau zu sehen, die er liebte. Er vergaß die Zukunft und die Vergangenheit.

Er vergaß sein Heimatland, seine Arbeit und die Frage, was aus ihm werden würde, wenn das hier vorbei war. Ja er vergaß sogar, daß sein jetziges Leben irgendwann ein Ende haben würde. Und Gen war nicht der einzige. Auch Carmen vergaß. Sie vergaß, daß ihr ausdrücklich befohlen worden war, keine emotionalen Bindungen mit den Geiseln einzugehen. Als sie merkte, wie schwer es war, so wichtige Dinge aus dem Gedächtnis zu verlieren, halfen ihr die anderen Soldaten, es zu vergessen. Ishmael vergaß es, weil er Ruben Iglesias' zweiter Sohn sein und für Oscar Mendoza arbeiten wollte. Er sah im Geiste schon vor sich, wie er sich mit Marco Iglesias das Zimmer teilte und ihm als großer Bruder zur Seite stand. Cesar vergaß es, weil Roxane Coss gesagt hatte, er könne mit ihr nach Mailand kommen und dort singen lernen. Es fiel ihm so leicht, sich vorzustellen, wie er mit ihr auf der Bühne stand und ein Regen von zarten Blüten ihre Füße bedeckte. Die Generäle halfen ihnen dabei, es zu vergessen, indem sie sich blind stellten gegenüber all der Zuneigung und Disziplinlosigkeit um sie herum, was ihnen nicht weiter schwerfiel, weil sie ihrerseits soviel vergaßen. Sie mußten vergessen, daß sie es gewesen waren, die diese jungen Leute von ihren Familien weggeholt hatten, indem sie ihnen Arbeit versprachen, Gelegenheiten zu kämpfen und eine Sache, für die zu kämpfen sich lohnte. Sie mußten vergessen, daß der Präsident des Landes nicht zu der Feier erschienen war, von der sie ihn hatten entführen wollen, so daß sie ihren Plan geändert und statt dessen die Gäste als Geiseln genommen hatten. Vor allem mußten sie vergessen, daß ihnen noch keine Möglichkeit eingefallen war, wie sie hier wieder herauskamen. Sie mußten sich einbilden, wenn sie nur lange genug warteten, würde sich vielleicht von selbst eine ergeben. Warum sollten sie sich Gedanken über die Zukunft machen? Niemand schien sich an sie zu erinnern. Pater Arguedas weigerte sich, an sie zu denken. Alle hier kamen sonntags zur Messe. Er teilte die Sakramente aus: die Kommunion, die Beichte, sogar die

Letzte Ölung. Er hatte die Seelen in diesem Haus ins Lot gebracht, und das war das einzige, was zählte – warum sollte er an die Zukunft denken? Nicht einmal Roxane Coss verschwendete je einen Gedanken an sie. Sie war eine solche Meisterin im Vergessen geworden, daß sie niemals mehr an die Frau ihres Geliebten dachte. Sie machte sich keine Sorgen darüber, daß er Leiter einer japanischen Firma war oder daß sie nicht dieselbe Sprache sprachen. Selbst diejenigen, die nicht wirklich Grund dazu hatten, hatten alles vergessen. Sie lebten nur im Augenblick, nur für die nächste Stunde. Lothar Falken hatte nichts anderes im Sinn, als um das Haus zu laufen. Viktor Fjodorow wollte nur noch mit seinen Freunden Karten spielen und sich mit ihnen über ihre Liebe zu Roxane Coss austauschen. Tetsuya Kato dachte an seine Verpflichtungen als Pianist, und alles andere vergaß er. Es machte einfach zuviel Mühe, Dinge in Erinnerung zu behalten, die man vielleicht nie mehr haben würde, und so öffnete einer nach dem anderen die Hände und ließ sie los. Bis auf Messner, dessen Aufgabe es war, sich zu erinnern. Und Simon Thibault, der selbst im Schlaf an nichts anderes dachte als an seine Frau.

Auch wenn Gen also begriff, daß ihnen etwas sehr Reales, Gefährliches bevorstand, so begann er doch, kaum hatte Messner an jenem Nachmittag das Haus verlassen, das Ganze wieder zu vergessen. Er beschäftigte sich damit, für die Generäle neue Listen mit Forderungen abzutippen, und half dann beim Auftragen des Abendessens. Später legte er sich schlafen, und um zwei Uhr nachts wachte er auf und traf sich mit Carmen in der Geschirrkammer, wo er es ihr erzählte, jedoch ohne die Dringlichkeit, die es am Nachmittag für ihn gehabt hatte. Es war dieses Gefühl von Dringlichkeit, das zu vergessen ihm gelungen war.

»Was Messner gesagt hat, hat mich beunruhigt«, sagte Gen. Carmen saß auf seinem Schoß, mit den Beinen links neben ihm und den Armen um seinem Hals. *Beunruhigt.* Hätte er nicht ein stärkeres Wort wählen sollen?

Und Carmen, die ihm hätte zuhören, ihn hätte ausfragen sollen, um ihrer eigenen Sicherheit und der Sicherheit der anderen Soldaten, ihrer Freunde, willen, tat nichts weiter als ihn zu küssen, denn das Wichtigste war, zu vergessen. Das war ihrer beider Aufgabe, ihre Arbeit. Dieser Kuß war wie ein See, tief und klar, und sie schwammen darin und vergaßen. »Wir können nur abwarten«, sagte sie.

Sollten sie etwas tun, vielleicht versuchen zu fliehen? Das mußte inzwischen doch möglich sein, alle waren so nachlässig. Kaum jemand paßte mehr auf. Gen stellte ihr diese Frage mit den Händen unter ihrem Hemd und fühlte, wie sich ihre Schulterblätter unter seinen Fingerspitzen bewegten.

»Wir könnten darüber nachdenken«, sagte sie. Doch das Militär würde sie aufspüren und foltern – das hatten ihnen die Generäle bei der Ausbildung gesagt –, und unter den Qualen der Folter würde sie reden. Sie wußte nicht mehr, was es war, das sie nicht verraten sollte, doch es würde das sein, wodurch alle anderen sterben würden. Es gab nur zwei Orte auf der Welt, wo man hingehen konnte: drinnen und draußen, und die Frage war: Wo war man sicherer? In diesem Haus, in dieser Geschirrkammer fühlte sie sich so sicher wie noch nie in ihrem Leben. Bestimmt wohnte die heilige Rosa von Lima in diesem Haus. Hier war sie geschützt. Sie wurde für ihre Gebete reichlich belohnt. Es war immer besser, bei seinen Heiligen zu bleiben. Sie küßte Gen auf den Hals. Alle Mädchen träumten von so einer Liebe.

»Dann besprechen wir das?« fragte Gen, aber jetzt hatte sie ihr Hemd abgestreift, und es lag da wie ein Teppich, der sie einlud, sich hinzulegen. Sie schlossen die Lücke zwischen ihren Körpern und dem Boden.

»Gut, laß uns das besprechen«, sagte sie und schloß zärtlich die Augen.

Kaum hatte Roxane Coss sich verliebt, verliebte sie sich von neuem. Es waren zwei völlig verschiedene Erfahrungen, doch da sie so kurz hintereinander kamen, sah sie die beiden im Geiste unwillkürlich miteinander verknüpft. Katsumi Hosokawa kam spät in der Nacht auf ihr Zimmer, und die längste Zeit stand er dort einfach mitten im Raum und hielt Roxane umschlungen. Es war, als wäre er von etwas zurückgekehrt, das sonst kein Mensch überlebt, wie ein Flugzeugabsturz, ein Schiffsunglück, und er konnte sich nichts Schöneres vorstellen als dies: sie in den Armen zu halten. Sie konnten einander nichts sagen, doch es lag Roxane fern, zu glauben, man müsse dieselbe Sprache sprechen, um sich verständigen zu können. Was gab es denn schon zu sagen? Er kannte sie. Sie lehnte sich an ihn, die Arme um seinen Hals geschlungen, die Hände flach auf seinen Rücken gepreßt. Von Zeit zu Zeit nickte sie, oder er wiegte sie hin und her. Die Art, wie er atmete, ließ sie denken, daß er vielleicht weinte, und auch das verstand sie. Sie weinte selbst, weinte vor Erleichterung, weil sie mit ihm in diesem dunklen Zimmer war, die Erleichterung, die sich einstellt, wenn man jemanden liebt und geliebt wird. Sie wären die ganze Nacht lang dort stehen geblieben, er wäre wieder gegangen, ohne mehr zu verlangen als das, wenn sie nicht irgendwann hinter sich gegriffen und seine Hand genommen und ihn zu ihrem Bett geführt hätte. Es gab so viele Arten, miteinander zu sprechen. Als sie sich zurücklehnte, küßte er sie, hinter geschlossenen Vorhängen in dem stockdunklen Raum.

Am Morgen erwachte sie für einen Moment, streckte sich, drehte sich auf die Seite und schlief dann wieder ein. Sie wußte nicht, wie lange sie schlief, doch dann hörte sie jemanden singen, und zum zweiten Mal hatte sie das Gefühl, nicht allein zu sein. Sie war nicht in Cesar verliebt, aber in seinen Gesang.

So war es: Herr Hosokawa kam jede Nacht wieder zu ihr aufs Zimmer, und jeden Morgen wartete Cesar auf sie, um zu üben. Wenn es noch etwas anderes gab, was man sich wünschen konnte, dann hatte sie vergessen, was das sein könnte.

»Atme«, sagte sie. »So.« Roxane füllte ihre Lungen, sog noch mehr Luft hinein und noch etwas und hielt den Atem an. Es machte nichts, daß er die Worte nicht verstand. Sie trat hinter ihn und legte die Hand auf sein Zwerchfell. Es war leicht zu verstehen, was sie sagte. Sie drückte alle Luft aus ihm heraus und ließ ihn sich dann mit neuer füllen. Sie sang eine Zeile von Tosti, wobei sie die Hand hin- und herbewegte wie ein Metronom, und er sang sie ihr nach. Er war kein Konservatoriumsschüler, der glaubte, er müsse vorsichtig sein, um zu gefallen. Er mußte nicht erst die Folgen jahrelangen mittelmäßigen Unterrichts überwinden. Er hatte keine Angst. Er war ein Junge, aufschneiderisch, wie Jungen sind, und wenn er die Zeile wiederholte, tat er es laut und voller Leidenschaft. Er sang jede Zeile, jede Tonleiter, als ginge es um sein Leben. Er fand allmählich seine eigene Stimme, und es war eine Stimme, die sie staunen ließ. Und diese Stimme hätte im Dschungel dahinvegetiert, wenn Roxane nicht gekommen wäre, um sie zu retten.

Es war eine schöne Zeit, bis auf die Tatsache, daß Messner jetzt immer sofort wieder ging. Er hatte abgenommen. Seine Kleider hingen ihm von den Schultern wie von einem Drahtbügel. Er lieferte nur die Sachen ab und machte sich dann schnell wieder davon.

Cesar hatte wie üblich am Morgen Unterricht, und wie sehr er auch bettelte, daß sie nach draußen gingen, sie setzten sich alle hin und hörten zu. Er machte so schnell Fortschritte, daß selbst die anderen Jungen begriffen, daß, was sie hier zu sehen bekamen, interessanter als fernsehen war. Er klang jetzt überhaupt nicht mehr wie Roxane. Er war dabei, seine eigene Tiefe zu finden. Jeden Morgen schlug er vor ihnen seine Stimme auf wie einen kostbaren, juwelenbesetzten Fächer: Je länger man zuhörte, um so komplexer wurde sie. Die Zuhörer, die sich im Wohnzimmer versammelten, konnten sich darauf verlassen, daß er noch besser sein würde als am Tag zuvor. Das war das Erstaunliche daran. Bisher wies nichts darauf hin, daß er allmählich an seine Grenzen stieß. Er sang mit einer hypnotischen Leidenschaft und dann mit einer wilden Lust. Es war einfach unglaublich, wieviel Stimme aus so einem gewöhnlichen Jungen kam. Seine Arme hingen immer noch nutzlos herab.

Als Cesar den letzten Ton aus seiner Kehle emporsteigen ließ, tobten sie, trampelten mit den Füßen und pfiffen. »Heil Cesar!« riefen sie, die Geiseln wie die Terroristen. Er war ihr Held. Jeder Mann und jede Frau im Raum bejubelte seine Leistung.

Thibault lehnte sich vor und flüsterte dem Vizepräsidenten ins Ohr. »Da fragt man sich fast, wie unsere Diva das aushält.«

»Nur, indem sie ein tapferes Gesicht macht«, flüsterte Ruben zurück, und dann steckte er zwei Finger in den Mund und stieß einen langen, hohen Pfiff aus.

Cesar verbeugte sich ein paarmal nervös, und als er damit fertig war, verlangte die Menge schreiend nach Roxane. »Singen! Singen!« forderte sie. Roxane schüttelte ein paarmal den Kopf, doch das ließen sie nicht gelten. Sie schrien nur um so lauter. Als Roxane sich schließlich hinstellte, lachte sie, denn wer hätte die Freude in dieser Musik nicht gespürt? Sie hob die Hände, um sie zum Schweigen zu bringen.

»Nur eine Arie!« sagte sie. »Damit kann ich nicht konkurrieren.« Sie lehnte sich vor und flüsterte Kato etwas ins Ohr, und er nickte. Was flüsterte sie ihm wohl zu? Sie sprachen doch nicht dieselbe Sprache.

Kato hatte *Il Barbiere di Siviglia* für Klavier umgeschrieben, und seine Finger sprangen von den Tasten hoch, als wären sie glühend heiß. Es hatte eine Zeit gegeben, in der ihr das Orchester gefehlt hatte, die süße Schwere all der Violinen vor ihr, aber jetzt dachte sie nie mehr daran. Sie stieg in die Musik ein, als steige sie an einem heißen Tag in einen kühlen Fluß, und begann »Una voce poco fa« zu singen. Es klang jetzt genau richtig für sie, und sie glaubte, genau so hatte Rossini es haben wollen. Was auch immer getuschelt wurde, natürlich konnte sie damit konkurrieren, ja sie würde den Wettstreit gewinnen. Ihr Gesang war wie ein Baiser, und als sie die höchsten Töne hinaustrillerte, legte sie die Hände auf die Hüften und wiegte sie hin und her und lächelte dabei das Publikum durchtrieben an. Sie war gleichzeitig Schauspielerin. Das mußte sie Cesar noch beibringen. *Mit hundert Schelmereien, listig ausgedacht, bevor ich nachgeb, wehr ich mich.* Sie jubelten ihr zu. Oh, wie liebten sie diese lächerlich hohen Töne, diese akrobatischen Kunststücke, die sie hinlegte, als wären sie nichts. Am Ende war ihnen ganz schwindlig, und Roxane warf die Arme in die Luft und sagte: »Jetzt aber raus mit euch«, und obwohl sie die Worte nicht verstanden, befolgten sie ihren Befehl und gingen hinaus in die Sonne.

Herr Hosokawa lachte und küßte sie auf die Wange. Wer hätte geglaubt, daß es eine solche Frau gab? Er ging in die Küche, um ihr einen Tee zu kochen, und Cesar setzte sich neben sie auf die Klavierbank, in der Hoffnung, daß sie die Stunde verlängern würde, jetzt, nachdem alle gegangen waren.

Die anderen gingen hinaus, um Fußball zu spielen oder im Gras zu sitzen und zuzusehen. Ruben hatte es geschafft, sich aus dem abgeschlossenen Geräteschuppen einen Spaten und eine kleine Harke zu erbitten, und damit lockerte er jetzt die Erde der Blumenbeete, die er akribisch von Gras und Unkraut befreit hatte. Ishmael ließ das Fußballspiel aus, um ihm zu helfen. Das fiel ihm nicht sonderlich schwer. Er hatte noch nie gern Fußball gespielt. Ruben gab ihm einen silbernen Servierlöffel zum Graben. »Mein Vater konnte wunderbar mit Pflanzen umgehen«, erzählte Ruben ihm. »Er brauchte bloß ein paar freundliche Worte zum Boden zu sagen, und schon kamen sie heraus. Er wollte eigentlich Bauer werden, wie sein Vater, aber die Dürre hat sie alle ruiniert.« Ruben zuckte die Achseln, steckte den Spaten in die harte Erde und wendete sie um.

»Er würde jetzt sicher stolz auf uns sein«, sagte Ishmael.

Die Jungen, die Wache standen, stiegen in den Efeu am Rand des Gartens, lehnten ihre Gewehre gegen die Mauer und gingen zu den anderen aufs Spielfeld. Die Läufer ließen das Laufen sein, um mitzuspielen. »Una voce poco fa« klang ihnen noch im Ohr, und wenn sie es auch nicht summen konnten, so liefen sie doch im Rhythmus der Arie hinter dem Ball her. Beatriz hatte den Ball Simon Thibault abgenommen und kickte ihn zu Jesus hinüber, der freie Bahn hatte zu den zwei Stühlen, die das Tor markierten, und die Generäle brüllten ihm zu: »Jetzt! Los!« Die Bäume zerschnitten das Licht zu Spitzendecken, und obwohl ihr Laub in den letzten Monaten sehr dicht geworden war, war das Licht überall. Es war noch früh, noch Stunden vor dem Mittagessen. Kato stand vom Flügel auf und kam heraus, um sich zu Gen ins Gras zu setzen, und so hörte man nur noch das Geräusch des Balls und die Zurufe der Spieler – »Gilbert!«, »Francisco!«, »Paco!« –, die auf dem Feld hin und her liefen.

Als Roxane Coss schrie, tat sie es, weil sie einen Mann, den sie nicht kannte, schnell ins Wohnzimmer kommen sah. Es waren nicht seine Uniform oder sein Gewehr, die sie erschreckten – daran war sie gewöhnt –, doch die Art, wie er auf sie beide zukam, war furchterregend. Er ging, als könnte keine Wand ihn aufhalten. Was immer er vorhaben mochte, er war fest entschlossen, und nichts, was sie sagen oder singen konnte, würde daran etwas ändern. Cesar sprang von der Klavierbank auf, und bevor er auch nur in die Nähe der Tür gelangt war, wurde er erschossen. Er fiel einfach nach vorn, ohne die Arme vorzustrecken, ohne um Hilfe zu schreien. Roxane duckte sich unter den Flügel, während ihre Stimme Alarm schlug. Sie kroch zu dem Jungen hin, von dem sie sicher war, daß er der größte Sänger seiner Zeit hätte werden können, und bedeckte seinen Körper mit dem ihren, damit ihm nicht noch etwas zustieß. Sie spürte, wie sich ihre Bluse mit seinem warmen Blut vollsog, spürte es naß auf der Haut. Sie nahm seinen Kopf in die Hände und küßte ihm die Wangen.

Kaum war der Schuß gefallen, schien der Mann mit dem Gewehr sich zu vervielfältigen, wurde erst zu zwei Männern, dann zu vieren, zu acht, zu sechzehn, zu zweiunddreißig, zu vierundsechzig. Mit jedem Knall wurden es mehr, und sie verteilten sich im ganzen Haus und sprangen durch die Fenster, strömten durch die Türen in den Garten. Niemand sah, woher sie kamen, sie sahen nur, daß sie überall waren. Ihre Stiefel schienen das Haus entzweizutreten, jeden Eingang aufzustoßen. Während der Ball noch davonrollte, hatten sie schon das ganze Spielfeld besetzt. Die Gewehre feuerten unentwegt, und es war unmöglich, zu sagen, ob diejenigen, die zu Boden fielen, sich nur schützen wollten oder schon getroffen waren. Das Ganze geschah in Sekundenschnelle, und in diesen Sekunden vergaßen sie alles, was sie je über die Welt gewußt hatten, und lernten es neu. Die Männer brüllten etwas, doch bei dem Rauschen des Blutes in seinen Ohren, dem schwindelerregenden Quirlen des Adrenalins, der Taubheit, die nach den Schüssen zurückblieb, konnte selbst Gen sie nicht verstehen. Er sah, wie General Benjamin sich nach der Mauer umdrehte, wohl um abzuschätzen, wie hoch sie war, dann fiel ein Schuß, und Benjamin lag am Boden: Die Kugel traf ihn genau in die Schläfe. Mit diesem Schuß verlor er nicht nur sein Leben, sondern auch seinen Bruder Luis, der wenig später aus seiner Zelle geholt und als Verschwörer hingerichtet wurde. General Alfredo war schon gefallen. Humberto, Ignacio, Guadalupe – tot. Dann nahm Lothar Falken die Hände hoch und auch Pater Arguedas und Bernardo und Sergio und Beatriz. »Nicht bewegen!« rief Lothar, aber wo war der Dolmetscher? Deutsch half ihm jetzt nichts. General Hector begann, die Hände hochzunehmen, doch bevor er bis zum Hals gekommen war, wurde er erschossen.

Die Fremden teilten die Gruppe in zwei Hälften, als kannten sie jeden von ihnen seit langem. Sie zögerten nicht einen Moment, wen sie fortziehen, von Mann zu Mann weiterreichen sollten bis hinters Haus, von wo ununterbrochen der Klang von Gewehrfeuer herüberdrang. Dabei waren doch gar nicht so viele Menschen im Haus. Selbst wenn sie jeden von ihnen hundertmal erschießen wollten, hätten sie nicht soviel Schüsse gebraucht. Ranato hing halb in der Luft, wand sich und schrie wie ein wildes Tier, während ihn zwei Männer fortzerrten, jeder an einem Arm. Pater Arguedas stürzte hin, um dem Jungen zu helfen, doch sofort traf ihn ein Schlag. Er dachte, es wäre ein Schuß, eine Kugel, die sich in seinen Nacken bohrte, und in dem Moment dachte er an seinen Gott. Doch als er im Gras lag, wußte er, daß er sich getäuscht hatte. Er war höchst lebendig. Er öffnete die Augen, und vor ihm lag sein Freund Ishmael, der noch keine zwei Minuten tot war. Der Vizepräsident beugte sich weinend über den Hals des Jungen, dessen Augen zugedrückt waren, während sein Mund weit offenstand. Ruben Iglesias hielt den reizenden Kopf seines Kindes in den Händen. In Ishmaels Hand steckte der Löffel, mit dem er gegraben hatte.

Beatriz hielt die Arme senkrecht über den Kopf, und die Sonne spiegelte sich in dem Glas von Gens Uhr, das einen perfekten Kreis aus Licht an die Mauer warf. Überall um sie herum lagen die Menschen, die sie kannte. Da lag General Hector, auf der Seite – seine Brille war heruntergefallen, sein Hemd völlig durchtränkt. Da lag Gilbert, den sie einmal aus Langeweile geküßt hatte. Er lag flach auf dem Rücken und streckte die Arme zur Seite, als wolle er fliegen. Dann lag da noch jemand, aber das war zu schrecklich. Sie konnte nicht erkennen, wer es war. Sie hatte jetzt Angst vor ihnen, den Menschen, die sie kannte. Sie hatte mehr gemein mit den Fremden, die schossen, weil diese wie sie am Leben waren. Keiner konnte die Arme so gerade halten wie sie. Das war der Unterschied. Sie würde genau das tun, was man ihr sagte, und sie würde verschont werden. Sie schloß die Augen und suchte nach ihrem dunklen Berg Sünden, in der Hoffnung, sich noch von einigen mehr befreien zu können, ohne die Hilfe des Priesters, denn sie dachte, weniger Sünden würden ihr eine Leichtigkeit verleihen, die diese Männer erkennen würden. Doch ihre Sünden waren verschwunden. Sie suchte und suchte in dem Dunkel hinter ihren Lidern, doch da war keine einzige Sünde mehr, und sie staunte. Sie hörte, wie Oscar Mendoza ihren Namen rief: »Beatriz! Beatriz!«, und sie öffnete die Augen. Er kam mit offenen Armen auf sie zu. Er lief auf sie zu wie ihr Liebster, und sie lächelte ihn an. Dann hörte sie wieder einen Schuß, aber diesmal warf er sie zu Boden. Ein Schmerz explodierte oben in ihrer Brust und schleuderte sie aus dieser schrecklichen Welt.

Gen sah Beatriz zu Boden fallen und rief nach Carmen. Wo war sie? Er wußte nicht, ob sie draußen war. Er konnte sie nirgends entdecken. Niemand war so schlau wie Carmen. Niemand hatte so viel Chancen zu entkommen, vorausgesetzt, daß sie keine Dummheit beging. Wenn sie nun auf die Idee kam, ihn retten zu wollen? »Sie ist meine Frau! Sie ist meine Frau!« rief er in das Chaos hinein, denn das war der einzige Plan, den er jemals gefaßt hatte, auch wenn er sie nie gefragt hatte, ob sie ihn heiraten wolle, oder den Priester, ob er sie beide segne. Sie war seine Frau, in jeder Hinsicht, die wichtig war, und darum würde sie gerettet werden.

Aber nichts konnte sie retten. Carmen war bereits tot, gleich zu Beginn erschossen worden. Sie war in der Küche gewesen, wo sie das Geschirr in die Kammer räumte, als Herr Hosokawa hereinkam, um Tee zu kochen. Er verbeugte sich vor ihr, was ihr immer ein schüchternes Lächeln entlockte. Er hatte den Wasserkocher noch nicht in der Hand, als sie Roxane Coss hörten. Kein Lied, sondern einen Schrei und dann ein langgezogenes, wölfisches Heulen. Herr Hosokawa und Carmen drehten sich beide zur

Tür um. Sie rannten zusammen den Flur entlang, Carmen, die jünger und schneller war, ihm voran. Sie hatten gerade das Eßzimmer durchquert, als sie den Schuß hörten, der Cesar tötete. Sie kamen genau in dem Moment ins Wohn- zimmer, als ein Mann mit einem Gewehr sich zu ihnen um- drehte und Roxane die Leiche ihres Schülers in die Arme nahm. Die Zeit, die so lange ausgesetzt hatte, kehrte jetzt mit solcher Macht zurück, daß sie sich überschnitt und alles auf einmal geschah. Roxane sah die beiden im selben Moment, in dem sie der Mann mit dem Gewehr sah, Car- men sah Cesar, und Herr Hosokawa sah Carmen, und er riß sie mit solcher Wucht zurück, daß sein Arm sie wie ein Schlag in die Seite traf. In dem Moment, in dem sie hinter ihn flog, stand er bereits vor ihr, im selben Moment, in dem der Mann, der sie vor ihm stehen sah, noch von ihm ge- trennt, sein Gewehr abfeuerte. Aus einem Abstand von zwei Metern hätte er sie eigentlich nicht verfehlen können – wenn das Chaos, die vielen Schüsse, das wilde Geschrei und dieser Mann nicht gewesen wären, der auf der Liste der zu Rettenden stand und sich vor sie stellte. Mit diesem einen Schuß wurden sie zu einem Paar, das noch niemand im Geiste gebildet hatte: Carmen und Herr Hosokawa, mit Carmens Kopf links neben dem seinen, als blicke sie ihm über die Schulter.

Epilog

Als die Zeremonie vorbei war, trat die Hochzeitsgesellschaft hinaus in den spätnachmittäglichen Sonnenschein. Edith Thibault küßte die Braut und den Bräutigam und dann auch noch ihren Mann. Sie strahlte eine Heiterkeit aus, die den anderen fehlte. Dennoch schätzte sie sich glücklich. Es war sie gewesen, die darauf bestanden hatte, daß sie und Simon für eine Tag nach Lucca fuhren, um für Gen und Roxane die Trauzeugen zu spielen. Es war nur recht und billig, ihnen Glück zu wünschen. »Ich fand es sehr schön«, sagte sie auf französisch. Alle vier sprachen Französisch.

Thibault hielt den Arm seiner Frau umklammert, als wäre ihm schwindlig. Es wäre schön gewesen, wenn jemand auf die Idee gekommen wäre, Pater Arguedas herüberzuholen, um die Trauung zu vollziehen, aber daran hatte niemand gedacht, und jetzt war es zu spät. Die französische Regierung ging davon aus, daß Thibault seine Stellung nach einer angemessenen Erholungszeit wieder antreten würde, aber als sie nach Paris geflogen waren, hatten die Thibaults alle ihre Sachen mitgenommen. Simon und Edith würden keinen Fuß mehr in dieses verwünschte Land setzen. *Quel bled*, sagten sie jetzt.

Es war Anfang Mai, und die Touristensaison hatte in Lucca noch nicht begonnen. Bald würde es in den alten, mit Steinen gepflasterten Straßen von Studenten mit Reiseführern in der Hand wimmeln, aber jetzt war die Stadt noch völlig leer. Es war, als gehörte sie ihnen, und genau das hatte die Braut gewollt: eine Hochzeit in aller Stille am Geburtsort von Giacomo Puccini. Ein leichter Wind kam auf, und sie hielt mit einer Hand ihren Hut fest.

»Ich bin glücklich«, sagte Roxane, und dann sah sie Gen an und sagte es noch einmal. Er küßte sie.

»Die Restaurants sind bestimmt noch nicht offen«, sagte Edith. Die Augen mit der Hand beschirmend, sah sie sich auf dem Platz um. Es war wie in einer verlassenen Stadt aus dem Altertum, einer Stadt, die unversehrt ausgegraben worden war. Nirgendwo in Paris sah es jemals so aus. »Schaut doch, ob ihr nicht irgendwo eine Bar findet. Wir brauchen ein Glas Wein, um anzustoßen. Roxane und ich können hier warten. Diese Straßen sind nicht für hohe Absätze gemacht.«

Thibault verspürte einen leichten Anflug von Panik, doch er hatte sie schon unter Kontrolle. Der Platz war einfach zu offen, zu ruhig. In der Kirche hatte er sich wohler gefühlt. »Etwas zu trinken, genau.« Er küßte sie einmal neben das Auge und dann ein zweites Mal auf die Lippen. Schließlich war dies ein Hochzeitstag, ein Hochzeitstag in Italien.

»Es macht dir nichts aus, zu warten?« fragte Gen Roxane.

Sie lächelte ihn an. »Verheiratete Frauen können warten.«

Edith Thibault nahm ihre Hand und bewunderte den funkelnden, neuen Ring. »Nein, sie hassen es, aber sie hätten trotzdem gern ein Glas Wein.«

Die beiden Frauen setzten sich auf den Rand eines Brunnens – Roxane mit ihrem Blumenbukett im Schoß – und sahen zu, wie die Männer in eine der engen, völlig gleich aussehenden Straßen hineingingen. Als sie aus ihrem Blickfeld verschwanden, dachte Edith, daß es doch ein Fehler war. Sie und Roxane hätten ihre Schuhe ausziehen und mitgehen sollen.

Gen und Thibault überquerten zwei weitere Plätze, bevor einer von ihnen etwas sagte, und ihr Schweigen ließ das

Geräusch ihrer Absätze von den hohen Mauern widerhallen. »Ihr werdet also in Mailand leben«, sagte Thibault.

»Es ist eine schöne Stadt.«

»Und deine Arbeit?« Denn Gens Arbeit war Herr Hosokawa gewesen.

»Ich übersetze jetzt hauptsächlich Bücher. Dadurch bin ich flexibler. Ich begleite Roxane gern zu den Proben.«

»Ja, natürlich«, sagte Thibault geistesabwesend und steckte die Hände tief in die Taschen, während sie weitergingen. »Es fehlt mir, sie singen zu hören.«

»Ihr solltet uns einmal besuchen kommen.«

Ein Junge auf einem knallroten Moped brauste die Straße entlang, und aus einer Bäckerei kamen zwei Männer mit Dackeln und gingen an ihnen vorbei. Die Stadt war also doch nicht verlassen. »Wirst du Japan vermissen?«

Gen schüttelte den Kopf. »Für sie ist es besser, hierzusein, und für mich auch, ganz bestimmt. Alle Opernsänger sollten in Italien leben.« Er zeigte auf ein Haus an der Ecke. »Da ist eine Bar, die geöffnet hat.«

Thibault blieb stehen. Er hätte die Bar übersehen. Er hatte nicht aufgepaßt. »Gut, dann haben wir unsere Aufgabe erfüllt. Gehen wir zurück zu unseren Frauen.«

Aber Gen drehte sich nicht um. Er starrte lange zu der Bar hinüber, als wäre sie ein Ort, an dem er vor Jahren gelebt hatte.

Thibault fragte ihn, ob alles in Ordnung sei. Auch er erstarrte manchmal so.

»Ich wollte dich fragen«, sagte Gen, doch es dauerte noch eine Minute, bis er die richtigen Worte fand. »Carmen und Beatriz werden in den Zeitungen nie erwähnt. In allem, was ich gelesen habe, heißt es, es wären neunundfünfzig Männer gewesen und eine Frau. War das auch in der französischen Presse so?«

Thibault sagte, die Mädchen seien nicht erwähnt worden.

Gen nickte. »Wahrscheinlich klingt das besser, neunundfünfzig Männer und eine Frau.« Er trug ein weißes Sträußchen an seinem Hochzeitsanzug. Edith hatte es ihm gekauft, in einem Pappkarton, zusammen mit Roxanes Bukett aus weißen Rosen. Sie hatte ihm die Blumen selbst ans Revers gesteckt. »Ich habe die Zeitungen angerufen und sie gebeten, eine Richtigstellung abzudrucken, aber kein Mensch interessiert sich dafür. Es ist fast, als hätte es sie nie gegeben.«

»Was in den Zeitungen steht, entspricht nie der Wahrheit«, sagte Thibault. Er dachte daran, wie sie das erste Mal hatten kochen müssen, die vielen Hähnchen, und wie die Mädchen und Ishmael mit den Messern hereinkamen.

Gen sah ihn noch immer nicht an. Er redete, als erzähle er ihm die Geschichte der Bar. »Ich habe Ruben angerufen, hab ich dir das schon erzählt? Ich habe angerufen, um ihm zu sagen, daß wir heiraten. Er meinte, wir sollten noch warten, wir sollten nichts übereilen. Er war sehr nett, du kennst Ruben ja. Aber wir wollten nicht warten. Ich liebe Roxane.«

»Nein«, sagte Thibault. »Ihr habt es richtig gemacht. Zu heiraten war das Beste, was mir je passiert ist.« Doch auf einmal dachte er an Carmen. Warum war er darauf nicht eher gekommen? Er sah noch deutlich vor sich, wie die beiden immer hinten im Raum standen und tuschelten, wie Carmens Gesicht aufleuchtete, wenn sie zu Gen hochsah. Thibault hatte kein Verlangen, ihr Gesicht wiederzusehen.

»Wenn ich Roxane singen höre, kann ich wieder an diese Welt glauben«, sagte Gen. »Wir leben in einer Welt, in der jemand solche Musik schreiben konnte, einer Welt, in der sie diese Musik nach wie vor voller Mitgefühl singen kann. Das beweist doch etwas, oder nicht? Ich glaube, sonst könnte ich keinen Tag länger leben.«

Selbst als Thibault die Augen schloß und sie sich mit Daumen und Zeigefinger rieb, sah er Carmen noch vor sich. Ihr zum Zopf geflochtenes Haar auf ihrem schmalen Nacken. Sie lacht. »Sie ist ein hübsches Mädchen«, sagte er. Sie hatten die Bar gefunden. Er mußte jetzt zurück zu Edith. Er schlang seinem Freund den Arm um die Schultern und führte ihn zurück in Richtung der Piazza San Martino. Er spürte, wie er außer Atem kam, und er mußte sich auf seine Beinmuskeln konzentrieren, um nicht loszurennen. Er war überzeugt, daß Gen und Roxane aus Liebe geheiratet hatten, aus Liebe zueinander und aus Liebe zu all denen, die ihnen für immer in Erinnerung blieben.

Als sie um die Ecke bogen, öffnete sich die Straße auf den sonnigen Platz, und da saßen ihre Frauen, auf dem Brunnenrand, wie zuvor. Sie sahen zur Kathedrale hinüber, doch dann drehte Edith sich um, und welche Freude trat in ihr Gesicht, als sie ihn sah! Sie standen auf und gingen den beiden Männern entgegen, Edith mit ihrem glänzenden, dunklen Haar und Roxane noch immer mit Hut. Jede von ihnen hätte die Braut sein können. Thibault war überzeugt, daß dies die schönsten Frauen waren, die es jemals gegeben hatte, und diese schönen Frauen kamen mit offenen Armen auf sie zu.

Ann Patchett

»*Ein überwältigender Abenteuerroman.*«
Elizabeth Gilbert

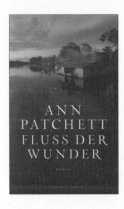

Ann Patchett
Fluss der Wunder

Im Auftrag eines Pharmakonzerns reist Marina Singh in den
brasilianischen Regenwald, um ihren verschollenen Kollegen
Anders zu suchen – und um herauszufinden, welche mysteri-
ösen Forschungen die eigenwillige Dr. Swenson dort betreibt.
Denn seit Jahren weigert diese sich, Berichte an ihr Institut
zu liefern. Doch je näher Marina ihrem Ziel kommt, desto
klarer wird ihr, dass sie sich nicht nur den Bedrohungen des
Urwalds, sondern auch ihren eigenen Ängsten stellen muss …
Ann Patchetts neuer Roman ist eine atemberaubende Reise
zu den Grenzen von Wissenschaft und Mythos, Wahn und
Wunder.

BLOOMSBURY BERLIN
Weitere Informationen: www.bloomsbury-verlag.de

Flavia Company

»*Spannend wie ein Krimi.*« Chrstine Westermann

Flavia Company
Die Insel der letzten Wahrheit

Tagelang treibt Matthew Prendel auf dem Meer, halb
wahnsinning vor Hunger und Durst, von Sonne und Salz
verbrannt. Sein Segelschiff wurde von Piraten überfallen, die
Crew getötet. Er ist kurz davor, das Bewusstsein zu verlieren,
da spürt er Sand zwischen den Fingern. Über ihm, ein dunkler Schatten, steht einer der Piraten …

»Ein kleiner Edelstein.« NDR 1

Weitere Informationen: www.bloomsbury-verlag.de

Kamila Shamsie

Kamila Shamsie
Verglühte Schatten

Indien, 1947. Hiroko, die ihren Verlobten Konrad verloren hat, reist auf der Suche nach einem Neuanfang nach Delhi, wo sie Konrads Schwester Elizabeth kennenlernt. Sie verliebt sich in den junge Sajjad und flieht mit ihm nach Pakistan, wo die beiden ein Zuhause finden. Hiroko und Elizabeth gehen unterschiedliche Wege, verlieren sich aber nie. Ihre Freundschaft wird andauern und die beiden an einen anderen Ort in einer anderen Zeit erneut zusammenführen.

Weitere Informationen: www.bloomsbury-verlag.de